Dziewczyna, którą kochałeś

JOJO MOYES

# Dziewczyna, którą kochałeś

*tłumaczenie*
*Nina Dzierżawska*

między
słowami

Projekt okładki
Katarzyna Borkowska
kb-design@o2.pl

Fotografia na pierwszej stronie okładki
Copyright © Justin Case/Getty Images

Opieka redakcyjna
Alicja Gałandzij
Aleksandra Kamińska
Ewa Polańska

Opracowanie tekstu i przygotowanie do druku
MELES-DESIGN

ISBN 978-83-240-2757-6

Między Słowami
ul. Kościuszki 37, 30-105 Kraków
E-mail: promocja@miedzy.slowami.pl

Książki z dobrej strony: www.znak.com.pl
Dział sprzedaży: tel. 12 61 99 569, e-mail: czytelnicy@znak.com.pl

Wydanie I, Kraków 2017
Druk: Abedik

*Charlesowi, jak zawsze*

# Część pierwsza

# I

*St Péronne*
*październik 1916*

Śniło mi się jedzenie. Chrupkie bagietki z niepokalanie białym wnętrzem, prosto z pieca, jeszcze parujące, i dojrzały ser, którego brzegi rozlewały się ku krawędzi talerza. Winogrona i śliwki na miskach, poukładane w wysokie stosy, smagłe i wonne, napełniały swoim zapachem powietrze. Już miałam sięgnąć po jedną z nich, kiedy siostra mnie powstrzymała.

– Zostaw mnie – wymamrotałam. – Jestem głodna.

– Sophie. Obudź się.

Czułam smak tego sera. Miałam wgryźć się w reblochon, roz-smarować go na potężnym kawałku tego ciepłego pieczywa, a po-tem włożyć sobie do ust winogrono. Już czułam tę intensywną słodycz, ten wyrazisty aromat.

Ale oto na moim nadgarstku znalazła się dłoń siostry, po-wstrzymująca mnie przed tym. Talerze znikały, zapachy ulat-niały się. Wyciągnęłam ku nim rękę, ale zaczęły pryskać jak bańki mydlane.

– Sophie.

– Co jest?

9

– Mają Auréliena!

Przewróciłam się na bok i zamrugałam oczami. Moja siostra miała na sobie bawełniany czepek, podobnie jak ja, żeby nie zmarznąć. Jej twarz, nawet w nikłym świetle świecy, pozbawiona była koloru, a oczy rozszerzone grozą.

– Pojmali Auréliena. Na dole.

Oprzytomniałam. Z dołu dobiegały męskie głosy, krzyki rozbrzmiewały echem na kamiennym dziedzińcu, w kojcu gdakały kury. Wśród gęstej ciemności powietrze wibrowało jakimś strasznym przeczuciem. Usiadłam na łóżku, otulając się szczelnie koszulą nocną i usiłując zapalić świecę stojącą na stoliku po mojej stronie.

Niezdarnie wymijając siostrę, przysunęłam się w stronę okna i wlepiłam wzrok w oświetlonych reflektorami samochodu żołnierzy na dziedzińcu oraz w mojego młodszego brata, który stał z rękami na głowie i starał się uchylić przed uderzeniami kolb karabinów.

– Co się dzieje?

– Dowiedzieli się o prosiaku.

– Co?

– *Monsieur* Suel musiał na nas donieść. Byłam w moim pokoju i usłyszałam, jak krzyczą. Mówią, że zabiorą Auréliena, jeśli im nie powie, gdzie jest świnia.

– On nic nie powie – stwierdziłam.

Wzdrygnęłyśmy się, słysząc krzyk brata. Spojrzałam na siostrę i ledwie ją poznałam: miała dwadzieścia cztery lata, a w jednej chwili postarzała się o kolejne dwadzieścia. Wiedziałam, że na mojej twarzy odbija się ten sam strach. Spełniły się nasze najgorsze obawy.

– Jest z nimi Kommandant. Jeśli ją znajdą – wyszeptała Hélène łamiącym się głosem – aresztują nas wszystkich. Wiesz, co się stało w Arras. Oni nas ukarzą dla przykładu. Co będzie z dziećmi?

Miałam zamęt w głowie, strach, że brat może nas wydać, odbierał mi rozum. Opatuliłam ramiona szalem i na palcach podeszłam do okna, by wyjrzeć na dziedziniec. Obecność Kommandanta sugerowała, że nie mamy do czynienia po prostu z pijanymi żołnierzami, którzy chcą tylko rozładować frustrację, grożąc i bijąc Bogu ducha winnych ludzi: wpadłyśmy w prawdziwe kłopoty. Fakt, że ten człowiek był pośród nas, oznaczał, iż popełniłyśmy przestępstwo, które należy traktować poważnie.

– Znajdą ją, Sophie. Wystarczy im kilka minut. A wtedy... – w głosie Hélène słychać było panikę.

Pociemniało mi w oczach. Zacisnęłam powieki. A potem je otworzyłam.

– Idź na dół – powiedziałam. – Udaj, że o niczym nie wiesz. Zapytaj go, co złego zrobił Aurélien. Porozmawiaj z nim, odwróć jego uwagę. Daj mi trochę czasu, zanim oni wejdą do domu.

– Co chcesz zrobić?

Ścisnęłam siostrę za rękę.

– Idź. Tylko nic im nie mów, rozumiesz? Zaprzeczaj wszystkiemu.

Siostra zawahała się, po czym łopocząc nocną koszulą, pobiegła w stronę korytarza. Nie wiem, czy kiedykolwiek byłam tak samotna jak w ciągu tych kilku sekund, gdy strach ściskał mnie za gardło, a ja czułam, że na moich barkach spoczywa los całej rodziny. Wbiegłam do gabinetu ojca i zaczęłam gorączkowo przetrząsać szuflady wielkiego biurka, wyrzucając ich zawartość – nieużywane wieczne pióra, skrawki papieru, części popsutych zegarów i stare rachunki – na podłogę, dziękując Bogu, gdy wreszcie znalazłam to, czego szukałam. Następnie sfrunęłam w dół po schodach, otworzyłam drzwi do piwnicy i zbiegłam po zimnych kamiennych stopniach, stąpając w ciemności tak pewnie, że drżący płomyk świecy był mi prawie zbędny. Uniosłam ciężką zasuwę i znalazłam się w drugiej części piwnicy, wypełnionej dawniej aż pod powałę beczkami piwa i dobrego wina, odsunęłam na bok jedną z pustych beczek i otworzyłam drzwiczki starego żeliwnego pieca chlebowego.

Prosiątko, wciąż jeszcze niewyrośnięte, zamrugało sennie powiekami. Wstało, spojrzało na mnie ze swojego słomianego legowiska i chrząknęło. Nie wspominałam wam o tej śwince? Wyzwoliliśmy ją podczas rekwizycji gospodarstwa *monsieur* Girarda. Niczym dar od Boga, świnka zabłąkała się w tym chaosie, oddalając się od innych prosiąt ładowanych na niemiecką ciężarówkę, i błyskawicznie skryła się pod grubymi spódnicami babci Poilâne. Od tygodni tuczyliśmy prosiątko żołędziami i odpadkami w nadziei, że wyrośnie na tyle duże, byśmy wszyscy mogli skosztować choć trochę mięsa. Myśl o tej chrupiącej skórce, o tej soczystej wieprzowinie od miesiąca dodawała sił mieszkańcom Le Coq Rouge.

Usłyszałam, jak na zewnątrz mój brat znów krzyczy, a potem odezwał się głos siostry, prędki i natarczywy, któremu z kolei przerwał ostry ton niemieckiego oficera. Świnka spojrzała na mnie inteligentnymi, rozumiejącymi oczkami, jakby znała już swój los.

– Tak mi przykro, *mon petit* – szepnęłam – ale naprawdę nie ma innego sposobu.

I z rozmachem opuściłam rękę.

W ciągu kilku sekund znalazłam się na zewnątrz. Zbudziłam Mimi, mówiąc jej tylko, że musi pójść ze mną, ale nie wolno jej się odzywać – dziewczynka w ciągu ostatnich kilku miesięcy widziała już tyle, że nie zadaje pytań. Objęła wzrokiem mnie i zawiniątko z jej maleńkim braciszkiem, którego trzymałam, wysunęła się z łóżka i chwyciła mnie za rękę.

W powietrzu czuć było chłód zbliżającej się zimy i woń dymu drzewnego, która nie zdążyła się jeszcze rozproszyć po tym, jak rozpaliłyśmy na chwilę ogień w piecu. Pod łukowatym kamiennym sklepieniem tylnych drzwi zobaczyłam Kommandanta i zawahałam się. Nie był to *Herr* Becker, którego znałyśmy i nienawidziłyśmy. Ten mężczyzna był szczuplejszy, gładko ogolony i beznamiętny. Nawet w ciemności widziałam na jego twarzy inteligencję, a nie zwierzęcą bezmyślność, i poczułam strach.

Nowy Kommandant przyglądał się z namysłem naszym oknom na piętrze, rozważając być może, czy ten budynek nie byłby odpowiedniejszą kwaterą niż gospodarstwo Fourriera, gdzie spali wyżsi rangą niemieccy oficerowie. Przypuszczam, że wiedział, iż z tej wysokości miałby doskonały widok na całe miasteczko. Nasz dom dysponował także stajniami dla koni i dziesięcioma sypialniami, przypominającymi o czasach, kiedy był świetnie prosperującym hotelem.

Hélène klęczała na bruku, osłaniając Auréliena ramionami. Jeden z mężczyzn podniósł karabin, ale Kommandant powstrzymał go gestem ręki.

– Wstańcie – rozkazał mojemu rodzeństwu. Hélène odsunęła się pospiesznie, jak najdalej od niego. Mignęła mi jej twarz, ściągnięta strachem.

Poczułam, jak rączka Mimi zaciska się na mojej, gdy mała zobaczyła swoją mamę, i oddałam jej uścisk, choć serce podeszło mi do gardła. A potem wyszłam na dziedziniec.

– Co tu się dzieje, na miłość boską? – rozległ się mój głos.

Kommandant spojrzał na mnie, zaskoczony moim tonem: młoda kobieta wkraczająca sklepionym przejściem na podwórze, z uczepionym spódnicy dzieckiem ssącym kciuk i drugim, owiniętym w szal, przy piersi. Czepek miałam lekko przekrzywiony, a nocną koszulę tak znoszoną, że ledwie czułam na skórze jej tkaninę. Modliłam się w duchu, żeby mężczyzna nie usłyszał, jak głośno wali mi serce.

Zwróciłam się do niego wprost:

– Za jakież to domniemane wykroczenie pańscy ludzie przyszli ukarać nas tym razem?

Domyślałam się, że żadna kobieta nie zwróciła się do niego w taki sposób, odkąd wyjechał z domu. Ciszę, która zapadła na dziedzińcu, przepełniało zdumienie. Mój brat i siostra, oboje na ziemi, odwrócili się, by lepiej mnie widzieć, aż nadto świadomi tego, dokąd może zaprowadzić nas wszystkich moja niesubordynacja.

– A pani to…?

– *Madame* Lefèvre.

Widziałam, że wzrokiem szuka na moim palcu obrączki. Niepotrzebnie: podobnie jak większość kobiet z okolicy dawno ją sprzedałam, żeby mieć na jedzenie.

– *Madame*. Mamy informacje, że nielegalnie przechowujecie żywy inwentarz. – Jego francuszczyzna była znośna, co sugerowało, że od dłuższego czasu stacjonuje na okupowanym terytorium; głos miał spokojny. Nie był to człowiek, któremu wszystko, co nieoczekiwane, wydaje się zagrożeniem.

– Inwentarz?

– Z pewnego źródła wiemy, że na terenie tej posiadłości znajduje się świnia. Zdaje sobie pani sprawę, że zgodnie z rozporządzeniem za ukrywanie przed władzami żywego inwentarza grozi kara więzienia.

Wytrzymałam jego spojrzenie.

– I wiem dokładnie, kto mógł dostarczyć panu takiej informacji. *Monsieur* Suel, *non*? – policzki miałam zarumienione; włosy, splecione w długi warkocz przerzucony przez ramię, były naelektryzowane. Czułam mrowienie w miejscu, gdzie dotykały karku. Kommandant zwrócił się ku jednemu ze swoich przybocznych. Mężczyzna odwrócił wzrok, potwierdzając tym samym moje podejrzenie.

– *Monsieur* Suel, *Herr Kommandant*, przychodzi do nas przynajmniej dwa razy w miesiącu i usiłuje nas przekonać, że z powodu nieobecności naszych mężów wymagamy szczególnego rodzaju opieki z jego strony. Ponieważ nie zdecydowałyśmy się skorzystać z jego rzekomej życzliwości, odpłaca się nam, rozsiewając plotki, które zagrażają naszemu życiu.

– Władze nie podjęłyby działań, gdyby ich źródło nie zasługiwało na wiarę.

– Pozwolę sobie zauważyć, *Herr Kommandant*, że niniejsza wizyta sugeruje coś przeciwnego.

Spojrzenie, którym mnie obrzucił, było nieprzeniknione. Odwrócił się na pięcie i skierował w stronę drzwi do domu. Ruszyłam za nim i o mało nie potknęłam się o spódnicę, usiłując dotrzymać mu kroku. Wiedziałam, iż sam fakt, że odezwałam się do niego tak śmiało, może zostać uznany za wykroczenie. A jednak w tamtym momencie nie odczuwałam już strachu.

– Proszę na nas spojrzeć, *Herr Kommandant*. Czy wyglądamy na osoby zajadające się wołowiną, pieczenią jagnięcą albo wieprzowymi kotletami? – Mężczyzna odwrócił się, zerkając przelotnie na moje kościste nadgarstki, wystające lekko z rękawów nocnej koszuli. Tylko w ciągu zeszłego roku ubyło mi w talii pięć centymetrów. – Czyżbyśmy aż tak się upaśli dzięki wspaniałym dochodom, jakie przynosi nasz hotel? Zostały nam trzy kury z dwóch tuzinów. Trzy kury, które mamy przyjemność hodować i karmić, żeby pańscy ludzie mogli zabierać ich jajka. Tymczasem my żywimy się tym, co niemieckie władze zdają się uważać za dietę: coraz mniejszymi racjami mięsa i mąki oraz chlebem z grysiku i otrąb tak nędznych, że nie użylibyśmy ich do nakarmienia inwentarza.

Był w tylnej sieni, a dźwięk jego obcasów odbijał się echem od kamiennej podłogi. Zawahał się, po czym podszedł do baru i wydał rozkaz głosem przypominającym szczeknięcie. Jakiś żołnierz wyrósł jak spod ziemi i podał mu lampę.

– Nie mamy mleka, żeby nakarmić niemowlęta, nasze dzieci płaczą z głodu, a my chorujemy z niedożywienia. A mimo to przychodzicie tu w środku nocy zastraszać dwie kobiety i znęcać się nad niewinnym chłopcem, bić nas i grozić, ponieważ usłyszeliście od jakiegoś starego satyra plotkę, że się objadamy?

Ręce mi się trzęsły. Kommandant zobaczył, że niemowlę się wierci, a ja zdałam sobie sprawę, że jestem tak spięta, iż trzymam je za mocno. Cofnęłam się o krok, poprawiłam szal i zanuciłam mu coś cicho. Potem podniosłam głowę. Nie potrafiłam ukryć goryczy i złości w moim głosie.

– Wobec tego przeszukajcie nasz dom, *Herr Kommandant*. Przewróćcie go do góry nogami i zniszczcie to, co do tej pory nie zostało zniszczone. Przeszukajcie też budynki gospodarcze, te, których pańscy żołnierze nie ogołocili jeszcze doszczętnie. A kiedy znajdziecie tę mityczną świnię, mam nadzieję, że będzie smakowała pańskim ludziom.

Wytrzymałam jego spojrzenie odrobinę dłużej, niż mógł się spodziewać. Przez okno widziałam, jak siostra ociera spódnicą rany Auréliena, usiłując zatamować krew. Nad nimi stało trzech niemieckich żołnierzy.

Moje oczy zdążyły się przyzwyczaić do ciemności i zauważyłam, że Kommandant jest zbity z tropu. Jego ludzie spoglądali na niego niepewnie i czekali na rozkazy. Mógł kazać im ograbić nasz dom do gołych ścian i aresztować nas wszystkich w odwecie za mój niesłychany wybuch. Ja jednak wiedziałam, że myśli o Suelu i o tym, czy ten mógł wprowadzić go w błąd. Nie wyglądał na człowieka, który dobrze czuje się ze świadomością, że inni widzą, iż dał się wywieść w pole.

Kiedy grywałam z Édouardem w pokera, często śmiał się i mówił, że jestem nieznośnym przeciwnikiem, bo moja twarz nigdy nie zdradza prawdziwych uczuć. Powiedziałam sobie, że muszę teraz o tym pamiętać: to najważniejsza partia, jaką kiedykolwiek rozegram. Wpatrywaliśmy się w siebie, Kommandant i ja. Przez moment miałam wrażenie, jakby świat wokół nas się zatrzymał: słyszałam odległy huk dział na froncie, kaszel siostry, grzebanie naszych zabiedzonych kur w kojcu. Dźwięki stopniowo cichły, aż wreszcie zostaliśmy tylko on i ja, stojący naprzeciwko siebie; jedno usiłowało zmusić drugie do odkrycia kart. Przysięgam, że słyszałam bicie własnego serca.

– Co to takiego?

– Co?

Podniósł lampę, rzucając na niego przyćmione złotawe światło: mój portret, który Édouard namalował tuż po naszym ślubie. Ja, w tamtym pierwszym roku, z gęstymi lśniącymi włosami spadającymi na ramiona, ze świeżą kwitnącą cerą i śmiałym spojrzeniem kobiety, która wie, że jest uwielbiana. Przyniosłam tutaj portret z jego kryjówki kilka tygodni wcześniej, mówiąc siostrze, że prędzej umrę, niż pozwolę Niemcom dyktować mi, na co wolno mi patrzeć w moim własnym domu.

Mężczyzna podniósł lampę trochę wyżej, żeby lepiej widzieć. „Nie wieszaj tego tutaj, Sophie", ostrzegała mnie Hélène. „Napytasz nam biedy".

Kiedy wreszcie zwrócił się ku mnie, miałam wrażenie, że z najwyższym trudem zmusza się do oderwania wzroku od obrazu. Spojrzał na moją twarz, a potem znów na portret.

– Namalował go mój mąż. – Nie wiem, skąd wzięła się we mnie ta potrzeba, by mu to powiedzieć.

Być może była to kwestia mojej pewności i świętego oburzenia. Może ewidentnej różnicy pomiędzy dziewczyną na portrecie a tą, która stała przed nim. Może płaczącego dziecka uczepionego mojej spódnicy. Możliwe, że nawet Kommandant, po dwóch latach okupacji, zmęczył się nękaniem nas za drobne wykroczenia.

Jeszcze przez chwilę patrzył na obraz, a potem przeniósł spojrzenie na własne stopy.

– Sądzę, że wyraziliśmy się jasno, *madame*. Nasza rozmowa nie jest zakończona. Dziś jednak nie będę już dłużej was niepokoił.

Dostrzegł na mojej twarzy przebłysk zaskoczenia, które ledwie udało mi się opanować, i zauważyłam, że przyniosło mu to jakiś rodzaj satysfakcji. Być może wystarczyło mu to, iż byłam przekonana, że mój los jest przypieczętowany. Ten człowiek był inteligentny i wnikliwy. Będę musiała mieć się na baczności.

– Żołnierze.

Mężczyźni zawrócili, jak zawsze ślepo posłuszni, i ruszyli w stronę swego pojazdu, a światło reflektorów obrysowywało ich umundurowane postaci. Poszłam za Kommandantem i stanęłam tuż za progiem. Ostatnie jego słowa, które dobiegły moich uszu, były rozkazem, by kierowca jechał do miasta.

Czekaliśmy, podczas gdy wojskowy samochód jechał drogą, a reflektory omiatały jej wyboistą powierzchnię. Hélène zaczęła drżeć. Z wysiłkiem stanęła na nogi, przykładając do czoła dłonie o zbielałych kłykciach i zaciskając powieki. Aurélien stał niezręcznie koło mnie, trzymając Mimi za rękę, zakłopotany jej dziecięcymi łzami. Czekałam, aż w oddali ucichną ostatnie odgłosy silnika. Zawył za wzgórzami, jakby on także protestował.

– Jesteś ranny, Aurélien? – Dotknęłam jego głowy. Rozcięcia. I sińce. Jacy mężczyźni atakują bezbronnego chłopca?

Uchylił się.

– To nie bolało – powiedział. – Wcale mnie nie przestraszyli.

– Myślałam, że cię aresztuje – odezwała się moja siostra. – Myślałam, że aresztuje nas wszystkich. – Bałam się, kiedy tak wyglądała: jakby balansowała na krawędzi jakiejś bezdennej otchłani. Otarła oczy, zmusiła się do uśmiechu i kucnęła, by przytulić córeczkę. – Niemądrzy Niemcy. Ale nas wszystkich wystraszyli, co? Niemądra *maman*, że tak się dała nastraszyć.

Dziewczynka patrzyła na mamę, milcząca i poważna. Czasem się zastanawiałam, czy jeszcze kiedyś zobaczę, jak Mimi się śmieje.

– Przepraszam. Już wszystko dobrze – ciągnęła dalej Hélène. – Chodźmy wszyscy do środka. Mimi, mamy troszkę mleka, podgrzeję ci je. – Wytarła ręce o zakrwawioną koszulę i wyciągnęła je do mnie po niemowlę. – Chcesz, żebym wzięła od ciebie Jeana?

Zaczęłam trząść się konwulsyjnie, jakbym dopiero teraz zdała sobie sprawę, jak bardzo powinnam była się bać. Nogi miałam jak z waty, jak gdyby cała ich siła wsiąkła w bruk na dziedzińcu. Poczułam desperacką potrzebę, by usiąść.

– Tak – powiedziałam. – Chyba tak będzie lepiej.

Siostra sięgnęła po zawiniątko, po czym wydała cichy okrzyk. Otulony kocykiem, owinięty tak szczelnie, że nocne powietrze prawie nie miało do niego dostępu, widniał różowy, kosmaty ryjek prosięcia.

– Jean śpi na górze – odrzekłam. Oparłam się o ścianę, żeby nie upaść.

Aurélien zajrzał siostrze przez ramię. Wszyscy wpatrywali się w zawiniątko.

– *Mon Dieu.*

– Czy ono nie żyje?

– Uśpiłam je chloroformem. Pamiętałam, że papa miał buteleczkę w gabinecie, jeszcze z czasów, kiedy zbierał motyle. Myślę, że się obudzi. Ale będziemy musieli znaleźć mu jakąś inną kryjówkę, zanim tamci wrócą. Dobrze wiecie, że wrócą.

I wtedy Aurélien się uśmiechnął – tak rzadko ostatnio widywanym, powolnym uśmiechem pełnym zachwytu. Hélène nachyliła się, żeby pokazać Mimi nieprzytomne prosiątko, i obie się rozpromieniły. Moja siostra co chwila dotykała ryjka świnki, drugą dłonią zatykając sobie usta, jakby nie mogła uwierzyć w to, co ma na rękach.

– Stałaś przed nimi i trzymałaś prosię? Oni tu przyszli, a ty podetknęłaś im je pod nos? A potem nakrzyczałaś na nich, że mieli czelność w ogóle się tu pojawić? – W jej głosie dźwięczało niedowierzanie.

– Pod ryj – powiedział Aurélien, który sprawiał wrażenie, jakby nagle odzyskał pewność siebie. – Ha! Podetknęłaś im je pod ryj!

Usiadłam na bruku i zaczęłam się śmiać. Zaśmiewałam się, aż poczułam na skórze chłód i sama już nie wiedziałam, czy się śmieję, czy płaczę. Mój brat, który chyba się bał, że zaraz wpadnę w histerię, wziął mnie za rękę i oparł się o mnie. Miał czternaście lat i czasem był twardy i nieprzystępny jak mężczyzna, a czasem zachowywał się jak dziecko, które szuka otuchy u dorosłych.

Hélène była nadal zamyślona.

– Gdybym wiedziała… – odezwała się. – Skąd u ciebie tyle odwagi, Sophie? Moja mała siostrzyczka! Skąd ci się to wzięło? W dzieciństwie byłaś strachliwa jak myszka. Jak myszka!

Nie byłam pewna, czy znam odpowiedź.

A potem, kiedy wreszcie weszliśmy do domu, gdy Hélène zajęła się podgrzewaniem mleka w rondelku, a Aurélien myciem swojej biednej zmaltretowanej twarzy, ja stanęłam przed portretem.

Ta dziewczyna, dziewczyna, którą poślubił Édouard, patrzyła na mnie, a na twarzy miała wyraz, którego już nie rozpoznawałam. On zobaczył to we mnie na długo przedtem, zanim dostrzegł to ktokolwiek inny: ten uśmiech mówi o świadomości i satysfakcji, otrzymywanej i dawanej. Mówi o dumie. Kiedy nikt z jego paryskich znajomych nie mógł pojąć jego miłości do mnie – ekspedientki, on tylko się uśmiechał, bo już wtedy to we mnie widział.

Nigdy nie wiedziałam, czy on rozumie, że to wszystko jest tam tylko dzięki niemu.

Stałam i patrzyłam na nią, i na kilka sekund przypomniałam sobie, jakie to uczucie być tą dziewczyną, wolną od głodu i strachu, pochłoniętą jedynie beztroskimi myślami o tym, jakie to wspaniałe chwile czekają ją z Édouardem, kiedy będą tylko we dwoje. Przypomniała mi o tym, że świat jest zdolny do piękna i że niegdyś były takie rzeczy – sztuka, radość, miłość – które wypełniały mój świat, zamiast strachu, zupy z pokrzyw i godziny policyjnej. W wyrazie mojej twarzy zobaczyłam jego. I wtedy zdałam sobie sprawę z tego, co przed chwilą zrobiłam. On przypomniał mi o mojej sile i o tym, jak wiele zostało jeszcze we mnie tego wszystkiego, co pozwala mi się nie poddawać.

Kiedy wrócisz, Édouardzie, przysięgam, że znów będę tą dziewczyną, którą namalowałeś.

## 2

Historia o dziecku-prosiaczku do czasu obiadu zdążyła obiec prawie całe St Péronne. Drzwi baru w Le Coq Rouge od rana się nie zamykały, choć mieliśmy do zaoferowania niewiele poza kawą z cykorii; dostawy piwa zdarzały się sporadycznie, a prócz tego dysponowaliśmy tylko kilkoma absurdalnie drogimi butelkami wina. Zdumiewające było to, jak wielu ludzi zajrzało tylko po to, by życzyć nam dobrego dnia.

– I tyś go zrugała? Kazałaś mu się wynosić? – stary René chichotał pod wąsem i ściskając oparcie krzesła, ocierał łzy ze śmiechu. Cztery razy prosił, żeby powtórzyć mu całą historię od początku, i za każdym razem Aurélien ubarwiał opowieść nieco bardziej, tak że ostatecznie on bił się z Kommandantem na szable, a ja krzyczałam:

– *Der Kaiser ist Scheiss!*

Wymieniłyśmy uśmieszki z Hélène, która zamiatała podłogę w kawiarni. Mnie to nie przeszkadzało. Ostatnio w naszym miasteczku nie mieliśmy wielu okazji do świętowania.

– Musimy uważać – powiedziała Hélène, gdy René wyszedł, uchyliwszy kapelusza na do widzenia. Patrzyłyśmy, jak mija pocztę, skręcając się znów ze śmiechu, po czym zatrzymuje się, by otrzeć oczy. – Ta historia zbyt szybko się roznosi.

– Nikt nic nie powie. Wszyscy nienawidzą szwabów – wzruszyłam ramionami. – A zresztą każdy chciałby dostać kawałek wieprzowiny. Nie sądzę, żeby ktokolwiek na nas doniósł, zanim się naje.

Prosię zostało przed świtem dyskretnie przeniesione do sąsiadów. Kilka miesięcy wcześniej Aurélien, rąbiąc na opał stare beczki po piwie, odkrył, że labirynt naszych piwnic oddziela od tych należących do Foubertów zaledwie jeden rząd cegieł. Z pomocą sąsiadów ostrożnie usunęliśmy część z nich, tworząc awaryjną drogę ucieczki. Kiedy Foubertowie ukrywali młodego Anglika i pewnego wieczoru o zmierzchu Niemcy złożyli im niezapowiedzianą wizytę, *madame* Foubert udała, że nie rozumie, co mówi do niej oficer, dając w ten sposób młodzieńcowi akurat tyle czasu, by zdążył przemknąć się do piwnicy, wyjąć cegły i prześliznąć się na naszą stronę. Niemcy zajrzeli w każdy kąt jej domu, zeszli także do piwnicy, ale w przyćmionym świetle żaden z nich nie zauważył, że zaprawa w ścianie jest podejrzanie dziurawa.

Z tego właśnie składało się nasze życie: drobne powstania, malutkie zwycięstwa, nieliczne okazje do ośmieszenia naszych gnębicieli, wątłe łódeczki nadziei, unoszące się na wielkim morzu niepewności, ubóstwa i strachu.

– Czyli poznałyście nowego Kommandanta?

Mer siedział przy jednym ze stolików pod oknem. Kiedy przyniosłam mu kawę, gestem zaprosił mnie, bym się do niego przysiadła. Często myślałam o tym, że od czasów okupacji jego życie jest jeszcze bardziej nieznośne niż czyjekolwiek inne: czas upływał mu na ciągłych negocjacjach z Niemcami i próbach zapewnienia miasteczku tego, co niezbędne, ale co pewien czas okupanci aresztowali go, by zmusić nieposłusznych mieszkańców do przestrzegania ich rozkazów.

– Nie zostaliśmy sobie oficjalnie przedstawieni – odparłam, stawiając przed nim filiżankę.

Pochylił ku mnie głowę i odezwał się półgłosem:

– *Herr* Becker został odesłany do Niemiec, ma tam zarządzać obozem jenieckim. Podobno w jego rachunkach dopatrzono się jakichś nieścisłości.

– Nic dziwnego. To jedyny człowiek w okupowanej Francji, który zdołał tutaj przytyć tak, że ważył dwa razy tyle, co w chwili przyjazdu – żartowałam, ale jego odesłanie wywołało we mnie mieszane uczucia. Z jednej strony Becker był ostry, a jego kary przesadnie srogie, co wynikało z braku pewności siebie i obawy, że jego ludzie uznają go za zbyt miękkiego. Z drugiej jednak był także zbyt głupi – nie dostrzegał licznych aktów oporu mieszkańców miasteczka – by pielęgnować jakiekolwiek znajomości, które mogłyby pomóc mu w karierze.

– A więc co o nim sądzisz?

– O nowym Kommandancie? Sama nie wiem. Chyba mógłby być gorszy. Nie rozebrał domu na części, tak jak pewnie zrobiłby Becker, tylko po to, by pokazać, że go na to stać. Ale… – zmarszczyłam nos – …jest bystry. Możliwe, że będziemy musieli być jeszcze ostrożniejsi.

– Jak zawsze, *madame* Lefèvre, nasze myśli biegną w jednym kierunku – uśmiechnął się do mnie, lecz tylko ustami. Przypomniały mi się czasy, kiedy mer był wesołym, hałaśliwym człowiekiem, znanym ze swojej jowialności: na każdym spotkaniu w miasteczku miał zawsze najdonośniejszy głos.

– Czego możemy się spodziewać w tym tygodniu?

– Będzie chyba trochę boczku. I kawa. Bardzo niewiele masła. Mam nadzieję, że za kilka godzin poznam dokładną wielkość przydziałów.

Wyjrzeliśmy przez okno. Stary René dotarł do kościoła. Zatrzymał się, żeby porozmawiać z księdzem. Nie było trudno zgadnąć, co omawiają. Kiedy ksiądz zaczął się śmiać, a René zgiął się wpół po raz czwarty, nie byłam w stanie powstrzymać chichotu.

– Miałaś jakieś wiadomości od męża?

Zwróciłam się z powrotem w stronę mera.

– Ostatni raz w sierpniu, przysłał mi wtedy kartkę. Stacjonował niedaleko Amiens. Napisał tylko parę słów.

„Myślę o Tobie dniem i nocą – nagryzmolił na pocztówce tym swoim pięknym zapętlonym pismem. – Jesteś moją gwiazdą przewodnią w tym obłąkanym świecie". Po jej otrzymaniu przez dwie noce nie mogłam spać z niepokoju, dopóki Hélène nie zwróciła mi uwagi, że słowa „ten obłąkany świat" można równie dobrze zastosować do świata, w którym człowiek żywi się czarnym chlebem tak twardym, że trzeba go kroić tasakiem, i trzyma prosięta w piecu chlebowym.

– Ostatnia wiadomość od mojego najstarszego syna przyszła prawie trzy miesiące temu. Posuwali się w kierunku Cambrai. Pisał, że są dobrej myśli.

– Mam nadzieję, że nadal tak jest. Jak się miewa Louisa?

– Nie najgorzej, dziękuję.

Najmłodsza, obecnie jedenastoletnia córka mera urodziła się z porażeniem mózgowym; nie rozwijała się tak jak inne dzieci, mogła jeść tylko niektóre rzeczy i często chorowała. Całe nasze miasteczko dokładało starań, by niczego jej nie zabrakło. Ilekroć komuś udało się zdobyć mleko czy suszone jarzyny, część tego zazwyczaj wędrowała do domu mera.

– Kiedy się lepiej poczuje, proszę jej powiedzieć, że Mimi o nią pyta. Hélène szyje dla niej lalkę, która ma być bliźniaczką lalki Mimi. Mimi pytała, czy mogą być siostrami.

Mer poklepał ją po rączce.

– Jesteście naprawdę kochane. Dziękuję Bogu za to, że wróciłaś tutaj, chociaż mogłaś zostać sobie bezpiecznie w Paryżu.

– Ba! Nie ma żadnej gwarancji, że szwaby nie będą wkrótce maszerować po Champs Élysées. A zresztą nie mogłam zostawić Hélène tutaj samej.

– Nie dałaby sobie rady bez ciebie. Wyrosłaś na taką wspaniałą młodą kobietę. Paryż ci posłużył.

– To zasługa mojego męża.

– W takim razie niech Bóg ma go w swojej opiece. Niech ma w opiece nas wszystkich. – Mer uśmiechnął się, włożył kapelusz i wstał od stolika.


St Péronne, gdzie rodzina Bessette'ów od pokoleń prowadziła Le Coq Rouge, było jednym z pierwszych miasteczek, które wpadły w ręce Niemców jesienią 1914 roku. Choć nasi rodzice od dawna już nie żyli, a mężowie wyjechali na front, Hélène i ja postanowiłyśmy, że nie zamkniemy hotelu. Nie byłyśmy jedynymi, które przejęły męskie obowiązki: sklepami, gospodarstwami i miejscową szkołą zarządzały niemal wyłącznie kobiety, wspomagane przez staruszków i chłopców. Gdy nastał rok 1915, w miasteczku nie było już prawie żadnych mężczyzn.

W pierwszych miesiącach miałyśmy duży ruch, bo przechodzili tędy francuscy żołnierze, a niedługo po nich Anglicy. Jedzenia było jeszcze pod dostatkiem, maszerującym oddziałom towarzyszyły muzyka i wiwaty, a większość z nas wciąż wierzyła, że wojna skończy się – w najgorszym wypadku – za kilka miesięcy. Zdarzyło się kilka rzeczy, które wskazywały na okropności rozgrywające się paręset kilometrów dalej: dawałyśmy jedzenie belgijskim uchodźcom, którzy posępnie mijali nasz hotel, a ich dobytek spoczywał w chwiejnych stosach na wozach; niektórzy z Belgów wciąż mieli na sobie kapcie i ubrania, w których wyszli z domów. Od czasu do czasu, kiedy wiatr wiał ze wschodu, dolatywał do nas odległy huk dział. Ale choć wiedzieliśmy, że wojna toczy się niedaleko, tylko nieliczni wierzyli, że St Péronne, nasze dumne miasteczko, może dołączyć do tych, które znalazły się pod niemiecką okupacją.

Dowodem na to, jak bardzo się myliliśmy, był dźwięk wystrzału w cichy, zimny jesienny poranek, kiedy to *madame* Fougère i *madame* Dérin za piętnaście siódma wyruszyły na swój codzienny spacerek do *boulangerie* i zostały zastrzelone podczas przechodzenia przez rynek.

Słysząc hałas, rozsunęłam zasłony, a zrozumienie tego, co zobaczyłam, zajęło mi dłuższą chwilę: na chodniku rozciągnięte były ciała dwóch kobiet, wdów i przyjaciółek od blisko siedemdziesięciu lat, z przekrzywionymi chustkami na głowach i pustymi, przewróconymi koszykami u stóp. Wokół nich lepka czerwona kałuża rozlała się w niemal idealny okrąg, jakby pochodziła od jednej istoty.

Niemieccy oficerowie twierdzili później, że strzelali do nich snajperzy i że to, co wydarzyło się na rynku, to była akcja odwetowa. (Podobno powtarzali to w każdej wiosce, do której wkraczali). Jeżeli chcieli wywołać w miasteczku bunt, nie mogli wybrać lepszego sposobu niż zabicie tych staruszek. Nie poprzestali jednak na tym. Podpalili obory i zestrzelili pomnik burmistrza Leclerca. Dwadzieścia cztery godziny później przemaszerowali w szyku bojowym naszą główną ulicą, ich pikielhauby lśniły w blasku zimowego słońca, a my staliśmy przed naszymi domami i sklepami

i patrzyliśmy na nich w pełnym zgrozy milczeniu. Nieliczni pozostali w miasteczku mężczyźni musieli wyjść na zewnątrz, żeby
tamci mogli ich policzyć.

Właściciele sklepów i straganów po prostu je zamknęli i od-
mówili obsługiwania Niemców. Większość z nas miała odłożone
zapasy jedzenia; wiedzieliśmy, że uda się nam przetrwać. Chyba
wierzyliśmy, że tamci, widząc, jacy jesteśmy nieprzejednani, dadzą
za wygraną i pomaszerują do kolejnej wsi. Ale wtedy Kommandant Becker wydał rozporządzenie, że każdy kupiec, którego sklep
będzie zamknięty w zwykłych godzinach pracy, zostanie zastrze-
lony. *Boulangerie, boucherie*, stragany na rynku, a nawet Le Coq
Rouge pootwierały się jedno po drugim. Nasze oporne miasteczko
zostało zmuszone do powrotu do posępnego życia.

Osiemnaście miesięcy później niewiele było już do kupienia.
St Péronne było odcięte od sąsiednich miejscowości, pozbawione
wieści ze świata i uzależnione od nieregularnych dostaw pomocy
humanitarnej, uzupełnianych kosztownymi towarami z czarnego rynku, kiedy te były akurat dostępne. Czasem trudno było
uwierzyć, że wolna Francja wie o naszych cierpieniach. Niemcy
byli jedynymi, którzy jedli do syta; ich konie (nasze konie) były
tłuste, a sierść na nich lśniła, karmiono je pszenicą, która powinna służyć nam do wypieku chleba. Niemcy plądrowali nasze
piwniczki z winem i odbierali jedzenie wyhodowane w naszych
gospodarstwach.

Zresztą nie chodziło tylko o jedzenie. Co tydzień ktoś słyszał
znienawidzone walenie w drzwi i otrzymywał nowy spis przedmiotów podlegających rekwizycji: łyżeczek, zasłon, talerzy, ron-
dli, kołder. Niekiedy oficer najpierw zjawiał się na inspekcję, no-
tował sobie co atrakcyjniejsze wyposażenie, po czym wracał ze
spisem, w którym figurowało ni mniej, ni więcej tylko właśnie

ono. Okupanci wystawiali nam skrypty dłużne, które można było rzekomo wymienić na pieniądze. Ani jedna osoba w całym St Péronne nie znała nikogo, komu by rzeczywiście zapłacono.

– Co robisz?

– Przenoszę to – wzięłam portret i przeniosłam go w spokojny kąt na uboczu, gdzie mniej rzucał się w oczy.

– Kto to jest? – zapytał Aurélien, kiedy umieszczałam obraz znów na ścianie, poprawiając go, dopóki nie zawisł prosto.

– To ja! – odwróciłam się w stronę brata. – Nie widzisz?

– Aha – zmrużył oczy.

Nie miał zamiaru mnie obrazić: dziewczyna na portrecie bardzo się różniła od tej chudej, surowej kobiety o szarej cerze i zmęczonych, nieufnych oczach, która codziennie spoglądała na mnie z lustra. Starałam się nie patrzeć na nią zbyt często.

– Czy Édouard to namalował?

– Tak. Kiedy się pobraliśmy.

– Nie widziałem żadnego jego obrazu. To jest... spodziewałem się czegoś innego.

– Co masz na myśli?

– No... to jest dziwne. Te kolory są dziwne. Pomalował ci skórę na zielono i niebiesko. Przecież ludzie nie mają takiej skóry! I zobacz, jak to jest nieporządnie zrobione. Édouard powychodził za linie.

– Aurélien, chodź tu na chwilę. – Podeszłam do okna. – Spójrz na moją twarz. Co widzisz?

– Gargulca.

Pacnęłam go w głowę.

– Nie. Popatrz... ale tak naprawdę. Na kolory mojej skóry.

– Jesteś po prostu blada.

– Przyjrzyj się uważniej: pod oczami, w zagłębieniach na szyi. Nie mów mi, co się spodziewasz zobaczyć. Tylko uczciwie patrz. A potem powiedz, jakie kolory widzisz tak naprawdę.

Brat wlepił wzrok w moją szyję. Jego spojrzenie powoli przesuwało się w górę po twarzy.

– Widzę niebieski – odezwał się – pod oczami. Niebieski i fioletowy. A, i jeszcze zielony, na szyi. I pomarańczowy. *Alors*... trzeba wezwać lekarza! Masz twarz w stu różnych kolorach. Jesteś klaunem!

– Wszyscy jesteśmy klaunami – powiedziałam. – Édouard po prostu widzi to wyraźniej niż inni ludzie.

Aurélien pognał na górę oglądać się w lustrze i zadręczać się błękitami i fioletami, które niewątpliwie tam zobaczy. Zresztą ostatnio wystarczał mu byle pretekst. Durzył się w co najmniej dwóch dziewczętach i dużo czasu poświęcał na golenie swojej miękkiej młodzieńczej skóry starą tępą brzytwą naszego ojca, próbując w ten sposób bezskutecznie przyspieszyć pojawienie się zarostu.

– Jest śliczny – powiedziała Hélène, robiąc krok w tył, by przyjrzeć się portretowi. – Ale...

– Ale co?

– Ryzykujemy, w ogóle go tu wieszając. Kiedy Niemcy dotarli do Lille, spalili wszystkie dzieła sztuki, które uznali za wywrotowe. Obraz Édouarda jest... nietypowy. Skąd wiesz, że go nie zniszczą?

Dużo się martwiła ta moja siostra. Martwiły ją obrazy Édouarda i porywczość naszego brata; listy i moje codzienne zapiski na skrawkach papieru, które wtykałam pomiędzy krokwie.

– Chcę, żeby tutaj był, żebym mogła na niego patrzeć. Nie martw się, reszta jest bezpieczna w Paryżu.

Nie wyglądała na przekonaną.

– Potrzebuję koloru, Hélène. Chcę życia. Nie chcę patrzeć na Napoleona czy głupie obrazki papy ze smutnymi psami. I nie pozwolę im – skinęłam głową w stronę okna, za którym niemieccy żołnierze po służbie stali przy fontannie i palili papierosy – dyktować mi, na co mam patrzeć w moim własnym domu.

Hélène pokręciła głową, jakbym była wariatką, której ona nie potrafi się sprzeciwić. A potem poszła obsłużyć *madame* Louvier i *madame* Durant, które, choć często dawały wyraz swemu przekonaniu, że moja kawa z cykorii smakuje jak ze ścieku, zjawiły się, by posłuchać historii o dziecku-prosiaczku.

Hélène i ja spałyśmy tej nocy w jednym łóżku, a pomiędzy nami Mimi i Jean. Czasem bywało tak zimno, nawet w październiku, że bałyśmy się, iż znajdziemy ich zamarzniętych na kość w piżamkach, więc tuliliśmy się wszyscy do siebie i grzaliśmy jedno od drugiego. Było późno, ale wiedziałam, że moja siostra nie śpi. Blask księżyca przeświecał przez szparę w zasłonach, a ja widziałam tylko jej oczy, szeroko otwarte, utkwione w jakimś odległym punkcie. Domyślałam się, że się zastanawia, gdzie jest w tej chwili jej mąż, czy jest mu ciepło w jakiejś kwaterze, podobnej do naszego domu, czy dygocze z zimna w okopie, patrząc na ten sam księżyc.

Gdzieś daleko stąd stłumiony huk dał nam znać, że w oddali toczy się bitwa.

– Sophie?

– Tak? – Obie mówiłyśmy cichutkim szeptem.

– Zastanawiasz się czasem, jak to będzie… jeżeli oni nie wrócą?

Leżałam w ciemności z otwartymi oczami.

– Nie – skłamałam. – Bo wiem, że wrócą. I nie chcę, żeby Niemcom udało się wymusić na mnie jeszcze choćby minutę strachu.

– A ja tak – powiedziała Hélène. – Niekiedy zapominam, jak on wygląda. Patrzę na jego fotografię i nic nie pamiętam.

– To dlatego, że tak często na nią patrzysz. Czasem myślę, że te nasze fotografie zużywają się od patrzenia.

– Ale ja nic nie pamiętam: jak on pachnie, jak brzmi jego głos. Nie pamiętam, jakie to uczucie mieć go koło siebie. Tak jakby on nigdy nie istniał. I wtedy myślę sobie: a jeżeli to koniec? Jeśli on nigdy nie wróci? Jeżeli mamy spędzić resztę życia w ten sposób, pod nadzorem nienawidzących nas ludzi, którzy dyktują nam każdy ruch? I nie wiem... Nie jestem pewna, czy potrafię...

Podparłam się na łokciu i sięgnęłam ponad Mimi i Jeanem, żeby wziąć moją siostrę za rękę.

– Tak, potrafisz – odezwałam się. – Oczywiście, że potrafisz. Jean-Michel wróci do domu i będziecie szczęśliwi. Francja będzie wolna, a życie będzie takie jak kiedyś. Jeszcze lepsze.

Hélène leżała w milczeniu. Ja zaczęłam dygotać, marznąc bez przykrycia, ale nie śmiałam się poruszyć. Bałam się, kiedy siostra mówiła takie rzeczy. Miałam takie wrażenie, jakby w jej głowie krył się bezmiar lęków, z którymi musi się zmagać dwa razy ciężej niż my wszyscy.

Jej głos był cichutki i drżący, jakby powstrzymywała łzy.

– Wiesz, kiedy wyszłam za Jean-Michela, byłam taka szczęśliwa. Pierwszy raz w życiu czułam się wolna.

Wiedziałam, co ma na myśli: nasz ojciec był gwałtownym człowiekiem, często sięgał po pas i nie wahał się użyć pięści. Całe miasteczko uważało go za najpoczciwszego z gospodarzy, filar naszej społeczności, starego dobrego François Bessette'a, który każdego częstował dowcipem i kieliszkiem wina. My jednak znałyśmy jego porywczość. Jedyną rzeczą, jakiej żałowałyśmy, było to, że nasza matka zmarła przed nim i nie mogła choćby przez kilka lat cieszyć się życiem bez tego groźnego cienia.

– Teraz mam takie wrażenie… jakbyśmy zamieniły jednego tyrana na innego. Czasem zdaje mi się, że spędzę całe życie, naginając się do cudzej woli. Ty, Sophie, ty potrafisz się śmiać. Widzę, jaka jesteś stanowcza, odważna, jak wieszasz obrazy i krzyczysz na Niemców, i nie rozumiem, skąd to się bierze. Nie pamiętam już, jakie to uczucie się nie bać.

Leżałyśmy w ciszy. Słyszałam, jak wali mi serce. Ona miała mnie za nieustraszoną. Tymczasem nic nie przerażało mnie tak bardzo jak lęki mojej siostry. W ciągu tych ostatnich kilku miesięcy pojawiła się w niej jakaś nowa kruchość, jakieś nieznane napięcie w jej spojrzeniu. Ścisnęłam jej dłoń. Nie odwzajemniła uścisku.

Leżąca pomiędzy nami Mimi się poruszyła, zarzucając sobie rączkę na głowę. Hélène wypuściła moją dłoń i w ciemności zamajaczył mi kształt siostry, jak przekręca się na bok i delikatnie chowa rękę córeczki z powrotem pod przykryciem. Dziwnie pokrzepiona tym gestem położyłam się znów i podciągnęłam sobie koc pod brodę, żeby przestać się trząść.

– Wieprzowina – powiedziałam w ciszę.

– Co?

– Tylko pomyśl. Pieczona wieprzowina, ze skórą natartą solą i oliwą, krucha, rozpływająca się w ustach. Pomyśl o mięciutkich fałdach ciepłego białego sadła, o różowym mięsie, które ugina się pod palcami, może jeszcze z kompotem z jabłek. To właśnie będziemy jeść już za parę tygodni, Hélène. Pomyśl, jaki to będzie wspaniały smak.

– Wieprzowina?

– Tak. Wieprzowina. Kiedy czuję, że słabnę, myślę o tej świni i o jej wielkim tłustym brzuchu. Myślę o jej chrupiących uszkach, o soczystych szynkach. – Niemal usłyszałam, jak siostra się uśmiecha.

– Sophie, oszalałaś.

– Ale pomyśl tylko, Hélène. Czy to nie będzie wspaniałe? Możesz sobie wyobrazić buzię Mimi z tłuszczem cieknącym po bródce? Jakie to będzie dla niej uczucie mieć coś takiego w brzuszku? Wyobraź sobie, jaka to będzie radość wydłubywać sobie chrupiącą skórkę spomiędzy zębów.

Siostra roześmiała się mimo woli.

– Nie wiem, czy ona pamięta, jak smakuje wieprzowina.

– Prędko sobie przypomni – powiedziałam. – Tak samo jak ty szybko przypomnisz sobie Jean-Michela. Któregoś dnia wejdzie przez te drzwi, a ty zarzucisz mu ramiona na szyję, i jego zapach i to uczucie, kiedy on obejmuje cię w talii, będą dla ciebie tak samo znajome jak twoje własne ciało.

I w tym momencie niemal poczułam, jak jej myśli z powrotem kierują się w górę. Drobne zwycięstwa.

– Sophie – odezwała się Hélène po chwili. – Tęsknisz za seksem?

– Codziennie – odparłam. – Dwa razy częściej, niż myślę o tej świni.

Na chwilę zapadła cisza, a potem zaczęłyśmy chichotać. I nagle, sama nie wiem dlaczego, zaśmiewałyśmy się tak bardzo, że musiałyśmy zatykać sobie usta rękami, żeby nie pobudzić dzieci.

Wiedziałam, że Kommandant wróci. Tym razem pojawił się po czterech dniach. Deszcz lał się z nieba strumieniami, a nasi nieliczni klienci siedzieli nad pustymi filiżankami i wpatrywali się niewidzącym wzrokiem w zaparowane szyby. W loży stary René i *monsieur* Pellier grali w domino; jego pies – *monsieur* Pellier musiał płacić Niemcom haracz za przywilej posiadania go – leżał u ich stóp. Wielu ludzi przesiadywało tu dzień w dzień, bo nie chcieli być sami ze swoim strachem.

Właśnie podziwiałam fryzurę *madame* Arnault, świeżo upiętą przez moją siostrę, kiedy otworzyły się przeszklone drzwi i do baru wszedł on, z dwoma oficerami u boku. Sala, którą do tej chwili wypełniała ciepła mgiełka przyjacielskich pogwarek, nagle ucichła. Wyszłam zza kontuaru i wytarłam ręce w fartuch.

Niemcy nie odwiedzali naszego baru, chyba że chodziło o rekwizycję. Chodzili do Bar Blanc na drugim końcu miasteczka, lokalu większego i być może nieco bardziej życzliwego. My zawsze jasno dawałyśmy do zrozumienia, że nie zależy nam na stworzeniu przestrzeni przyjaznej dla sił okupujących. Zastanawiałam się, co zamierzają nam zabrać tym razem. Gdybyśmy miały jeszcze mniej filiżanek i talerzy, musiałybyśmy prosić klientów, żeby korzystali z nich na spółkę.

– *Madame* Lefèvre.

Skinęłam mu głową. Czułam na sobie wzrok moich klientów.

– Postanowiono, że będą panie dostarczać posiłków niektórym z naszych oficerów. W Bar Blanc nie ma dość miejsca, by wszyscy nasi ludzie mogli wygodnie jeść.

Po raz pierwszy widziałam go teraz wyraźnie. Był starszy, niż wcześniej myślałam, może pod pięćdziesiątkę, chociaż u żołnierzy trudno było to ocenić. Wszyscy wyglądali na starszych niż w rzeczywistości.

– Obawiam się, że nie będzie to możliwe, *Herr Kommandant* – odparłam. – Od ponad osiemnastu miesięcy nie podajemy w tym hotelu jedzenia. Ledwie starcza nam żywności na wykarmienie naszej małej rodziny. Nie będziemy w stanie zapewnić posiłków o takim standardzie, jakiego oczekują pańscy ludzie.

– Zdaję sobie z tego sprawę. Z początkiem przyszłego tygodnia mogą się panie spodziewać dostaw produktów w wystarczających ilościach. Będę oczekiwał, że przygotują z nich panie posiłki odpowiednie dla oficerów. Jak rozumiem, ten hotel był dawniej wysokiej klasy instytucją. Nie wątpię, że nie przekracza to możliwości właścicielek.

Usłyszałam, jak stojąca za mną siostra wciąga powietrze, i wiedziałam, że czuje to samo co ja. Intuicyjny strach przed obecnością Niemców w naszym hoteliku łagodziła myśl, która od miesięcy dominowała nad wszystkimi innymi: jedzenie. Będziemy miały resztki, kości, na których można będzie gotować rosół. Kuchenne zapachy, skradzione kęsy, dodatkowe racje, plasterki mięsa i sera, które będzie można potajemnie odkrawać.

A jednak.

– Nie jestem pewna, czy nasz bar będzie panu odpowiadać, *Herr Kommandant*. Nie dysponujemy tu żadnymi wygodami.

– Sam osądzę, gdzie moim ludziom będzie wygodnie. Chciałbym także obejrzeć pokoje. Być może zakwateruję tu część moich podkomendnych.

Usłyszałam, jak stary René mruczy:

– *Sacre bleu!*

– Naturalnie może pan obejrzeć pokoje, *Herr Kommandant*. Przekona się pan jednak, że pańscy poprzednicy niewiele nam zostawili. Łóżka, pościel, zasłony, a nawet miedziane rury doprowadzające wodę do umywalek znajdują się już w niemieckich rękach.

Wiedziałam, że ryzykuję rozgniewaniem go: na oczach całego baru obnażyłam niewiedzę Kommandanta w zakresie działań jego własnych ludzi, niekompetencję jego wywiadu, przynajmniej w kwestii naszego miasteczka. Sprawą kluczową było jednak, by moi współmieszkańcy zobaczyli mój upór i wrogość. Obecność

Niemców w naszym barze uczyniłaby Hélène i mnie obiektem plotek, złośliwych pogłosek. Musiałyśmy pokazać, że zrobiłyśmy co w naszej mocy, by ich zniechęcić.

– Powtarzam, *madame*, że sam osądzę, czy pokoje odpowiadają naszym wymaganiom. Proszę mi je pokazać. – Gestem nakazał swoim ludziom pozostanie w barze. Aż do ich wyjścia w sali miała panować głucha cisza.

Wyprostowałam ramiona i powoli wyszłam do holu, sięgając po klucze. Idąc, czułam na sobie oczy wszystkich w barze, wokół nóg szeleściły mi fałdy spódnicy, a za sobą słyszałam ciężkie kroki Niemca. Otworzyłam drzwi prowadzące na główny korytarz (zamykałam wszystko na klucz: nierzadko zdarzało się, że francuscy złodzieje kradli to, co nie zostało jeszcze zarekwirowane przez Niemców).

Tę część budynku czuć było stęchlizną i wilgocią; nie byłam tu od miesięcy. W milczeniu weszliśmy po schodach. Byłam wdzięczna, że Kommandant trzyma się kilka kroków za mną. Przystanęłam na górze, czekając, aż mężczyzna wejdzie na korytarz, po czym otworzyłam pierwszy pokój.

Dawniej na sam widok naszego hotelu w takim stanie łzy cisnęły mi się do oczu. Czerwony Pokój był kiedyś chlubą Le Coq Rouge; była to sypialnia, w której moja siostra i ja spędziłyśmy swoje noce poślubne, pokój, który mer rezerwował dla odwiedzających nasze miasteczko dygnitarzy. Znajdowało się w nim obszerne łoże z baldachimem, obwieszone krwistoczerwonymi arrasami, a jego wielkie okna wychodziły na nasz ogród reprezentacyjny. Dywan pochodził z Włoch, meble z *château* w Gaskonii, a purpurowa jedwabna kapa z Chin. Był w nim pozłacany żyrandol i ogromny marmurowy kominek, na którym co rano pokojówka rozpalała ogień, by płonął tam aż do nocy.

Otworzyłam drzwi i odsunęłam się na bok, tak by Niemiec mógł wejść. Pokój był pusty, jeśli nie liczyć stojącego w kącie krzesła na trzech nogach. Podłoga została ogołocona z dywanu i była teraz szara, pokryta grubą warstwą kurzu. Łoża dawno już nie było, razem z arrasami znalazło się wśród pierwszych przedmiotów ukradzionych przez Niemców po wkroczeniu do naszego miasteczka. Marmurowy kominek został wyrwany ze ściany. Doprawdy nie wiem po co: nie nadawał się do użytku nigdzie indziej. Myślę, że Becker chciał nas po prostu zdemoralizować, usunąć z naszego życia wszystko, co piękne.

Kommandant wszedł do sypialni.

– Proszę patrzeć pod nogi – powiedziałam.

Spojrzał w dół i to zobaczył: kąt pokoju, w którym zeszłej wiosny usiłowali wyrwać deski z podłogi na opał. Dom był zbyt solidnie zbudowany, a podłoga przybita za mocno, więc po kilku godzinach dali za wygraną, usunąwszy zaledwie trzy długie deski. Pozostała dziura, niczym rozwarte w proteście „O", ukazywała belki pod spodem.

Kommandant stał tam przez chwilę, wpatrując się w podłogę. Uniósł głowę i rozejrzał się wokół. Nigdy nie byłam sama w pokoju z Niemcem i serce waliło mi jak młotem. Czułam nikły zapach tytoniu i widziałam ślady deszczu na jego mundurze. Patrząc na jego kark, zacisnęłam w dłoni klucze, gotowa uderzyć go uzbrojoną pięścią, gdyby nagle mnie zaatakował. Nie byłabym pierwszą kobietą, która musiała walczyć o swój honor.

Lecz on zwrócił się znów w moją stronę.

– Czy wszystkie pokoje są w tak samo złym stanie? – zapytał.

– Nie – odparłam. – Pozostałe są w gorszym.

Patrzył na mnie tak długo, że niemal się zarumieniłam. Nie zamierzałam jednak dać się zastraszyć temu człowiekowi. Śmiało odpowiedziałam na jego spojrzenie, przyglądając się jego krótko przystrzyżonym siwiejącym włosom i przejrzystym niebieskim oczom, które przypatrywały mi się spod daszka czapki. Podbródek miałam uniesiony, a twarz bez wyrazu.

Wreszcie mężczyzna się odwrócił i minął mnie, po czym ruszył po schodach i wszedł znów do tylnego holu. Zatrzymał się nagle, spojrzał na mój portret i dwa razy zamrugał powiekami, jakby dopiero teraz zauważył, że go przeniosłam.

– Wyślę kogoś z informacją, kiedy ma się pani spodziewać pierwszej dostawy żywności – powiedział.

Szybko przemaszerował przez drzwi i znalazł się z powrotem w barze.

# 3

– Powinnaś była odmówić.

*Madame* Durant szturchnęła mnie kościstym palcem w ramię. Podskoczyłam. Miała na sobie biały czepiec ozdobiony falbankami, na ramionach niebieską szydełkową narzutkę. Ci, którzy skarżyli się na brak dostępu do wiadomości, odkąd zakazano gazet, widocznie nigdy nie spotkali mojej sąsiadki.

– Co?

– Karmienia Niemców. Powinnaś była odmówić.

Poranek był lodowaty, a ja owinęłam się szalem tak szczelnie, że zakrywał mi twarz. Pociągnęłam go teraz w dół, żeby móc jej odpowiedzieć.

– Powinnam była odmówić? A pani odmówi, kiedy postanowią zająć pani dom, *madame*?

– Ty i twoja siostra jesteście młodsze ode mnie. Macie dość sił, żeby z nimi walczyć.

– Niestety nie dysponuję batalionem ani bronią palną. Co pani zdaniem powinnam zrobić? Zabarykadować się w środku razem z całą rodziną? Obrzucić ich filiżankami i spodeczkami?

Sąsiadka łajała mnie dalej, a ja zajęłam się otwieraniem przed nią drzwi. Piekarnia nie pachniała już jak piekarnia. W środku nadal było ciepło, ale woń bagietek i croissantów dawno zniknęła. Ten drobny fakt sprawiał, że za każdym razem, gdy przekraczałam jej próg, robiło mi się smutno.

– Słowo daję, nie wiem, dokąd zmierza ten kraj. Gdyby twój ojciec zobaczył Niemców w swoim hotelu... – *Madame* Louvier została ewidentnie dobrze poinformowana. Z dezaprobatą pokręciła głową, gdy podeszłam do lady.

– Zrobiłby dokładnie to samo.

*Monsieur* Armand, piekarz, uciszył je.

– Nie można krytykować *madame* Lefèvre! Wszyscy tańczymy teraz, jak tamci nam zagrają. *Madame* Durant, czy ma mi pani za złe, że piekę dla nich chleb?

– Uważam tylko, że to niepatriotyczne spełniać ich każde życzenie.

– Łatwo powiedzieć, kiedy to nie pani grozi kulka w łeb.

– Czyli przyjdzie ich tu jeszcze więcej? Kolejni Niemcy wepchną się nam do spiżarni, wyjedzą nam jedzenie, ukradną zwierzęta. Słowo daję, nie wyobrażam sobie, jak my przetrwamy tę zimę.

– Tak jak zawsze, *madame* Durant. Ze stoicyzmem i dobrym humorem, modląc się, by nasz Pan, o ile nie nasi dzielni chłopcy, wymierzył szwabom królewskiego kopa w tyłki. – *Monsieur* Armand mrugnął do mnie. – No dobrze, miłe panie, czego sobie życzycie? Mamy tygodniowy czarny chleb, pięciodniowy czarny chleb oraz trochę chleba w nieustalonym wieku, bez śladu wołków zbożowych.

– W dzisiejszych czasach nie pogardziłabym wołkiem zbożowym na przystawkę – rzekła ze smutkiem *madame* Louvier.

– W takim razie odłożę dla pani cały słoik, droga *madame*. Proszę mi wierzyć, w naszej mące nierzadko znajdujemy hojne

porcje wołków. Ciasto wołkowe, placek z wołkami, wołkowe pty-
sie: dzięki szczodrości Niemców mamy ich, ile dusza zapragnie.

Roześmiałyśmy się. Nie sposób było się powstrzymać. *Monsieur* Armand potrafił wywołać uśmiech nawet w najbardziej ponury dzień.

*Madame* Louvier wzięła swój chleb i z niesmakiem włożyła go
do koszyka. *Monsieur* Armand nie poczuł się urażony: widywał
tę minę setki razy dziennie. Chleb był czarny, kanciasty i lepki.
Wydzielał zapach stęchlizny, jakby rozkładał się od chwili, gdy
wyszedł z pieca. Był tak twardy, że starsze kobiety często musiały
prosić młodsze o pomoc przy krojeniu.

– Słyszeliście państwo – odezwała się *madame* Louvier, otulając się płaszczem – że w Le Nouvion pozmieniali nazwy wszystkich ulic?

– Pozmieniali nazwy?

– Z francuskich na niemieckie. *Monsieur* Dinan dowiedział się
tego od syna. Wiecie, jak nazwali Avenue de la Gare?

Wszyscy pokręciliśmy głowami. *Madame* Louvier zamknęła
na chwilę oczy, jakby chciała się upewnić, że potrafi odtworzyć
tę nazwę.

– Bahnhofstrasse – powiedziała wreszcie.

– Bahnhof co?

– Wyobrażacie sobie?

– Mojego sklepu nie przechrzczą – prychnął *monsieur* Armand. –
Już ja im przechrzczę tyłki. *Brot* to, *brot* tamto. To jest *boulangerie*.
Na rue des Bastides. Zawsze tak było i zawsze będzie. Bahnhof-
-jak mu tam. Niedorzeczne.

– Ależ to okropne! – *madame* Durant była przerażona. – Przecież ja nie znam słowa po niemiecku!

Wszyscy wlepili w nią wzrok.

– No bo jak ja się mam odnaleźć we własnym mieście, skoro nie będę znała nazw ulic?

Śmialiśmy się tak głośno, że w pierwszej chwili nie zauważyliśmy, iż drzwi się otworzyły. Ale potem w sklepie nagle zapadła cisza. Odwróciłam się i zobaczyłam, że do środka wchodzi Liliane Béthune z podniesioną głową, ale nie patrzy nikomu w oczy. Twarz miała pełniejszą niż większość miejscowych, hożą cerę uróżowaną i upudrowaną. Powiedziała *bonjour* do wszystkich zebranych i sięgnęła do torebki.

– Poproszę dwa bochenki.

Pachniała drogimi perfumami, a włosy miała upięte w kok z mnóstwa loczków. Na tle miasteczka, gdzie większość kobiet była zbyt wyczerpana albo zbyt uboga, by wykraczać poza minimalną dbałość o higienę, Liliane lśniła niczym klejnot. Ale moją uwagę przyciągnął jej płaszcz. Nie mogłam oderwać od niego wzroku. Był kruczoczarny, uszyty z najdelikatniejszej astrachańskiej skórki jagnięcej i gruby niczym futrzany dywan. Miał miękki połysk rzeczy nowej i kosztownej, a kołnierz otulał twarz Liliane, jakby jej długa szyja wyłaniała się z czarnej melasy. Starsze panie również go dostrzegły i zobaczyłam, jak na ten widok ich twarze przybrały zacięty wyraz.

– Jeden dla ciebie, drugi dla twojego Niemca? – wymamrotała *madame* Durant.

– Poprosiłam o dwa bochenki – kobieta zwróciła się do *madame* Durant. – Jeden dla mnie, drugi dla mojej córki.

Tym razem *monsieur* Armand się nie uśmiechał. Nie odrywając wzroku od twarzy Liliane, sięgnął pod ladę i dwiema potężnymi pięściami cisnął na nią dwa bochenki. Nie zapakował ich.

Liliane wyjęła banknot, ale piekarz nie wziął od niej pieniędzy. Odczekał kilka sekund, aż młoda kobieta położyła banknot na ladzie, po czym podniósł go ostrożnie, jakby mógł się czymś od niego zarazić. Sięgnął do kasy i rzucił na ladę dwie monety, nie zważając na wyciągniętą dłoń Liliane.

Kobieta popatrzyła na niego, a potem na ladę, gdzie leżały monety.

– Reszty nie trzeba – powiedziała. I obrzucając nas wściekłym spojrzeniem, porwała chleb i wymaszerowała ze sklepu.

– Że też taka ma czelność... – Nic nie uszczęśliwiało *madame* Durant bardziej niż jej własne oburzenie cudzym zachowaniem. Na szczęście dla niej Liliane Béthune przez ostatnie kilka miesięcy dostarczała jej licznych okazji do wyładowywania słusznego gniewu.

– Chyba po prostu musi jeść jak wszyscy – odezwałam się.

– Co wieczór chodzi do domu Fourriera. Noc w noc. Skrada się przez miasto jak złodziejka.

– Ma dwa nowe płaszcze – powiedziała *madame* Louvier. – Drugi jest zielony. Nowiutki zielony wełniany płaszcz. Z Paryża.

– I buty. Z koźlęcej skórki. Oczywiście nie ośmiela się paradować w nich w dzień. Wie, że ludzie by ją zlinczowali.

– O, takiej nie zlinczują. Już Niemcy o to zadbają.

– No, ale jak tamci odejdą, to będzie inna rozmowa, co?

– Nie chciałabym być wtedy na jej miejscu, w butach z koźlęcej skórki czy bez.

– Nie mogę patrzeć, jak ona się obnosi, popisuje się przed wszystkimi tym, jak to się jej powodzi. Za kogo ona się uważa?

*Monsieur* Armand patrzył, jak młoda kobieta przechodzi przez plac. Nagle się uśmiechnął.

– Ja bym się tak nie przejmował, drogie panie. Nie wszystko układa się po jej myśli.

Spojrzałyśmy na niego.

– Potraficie dochować tajemnicy?

Nie wiem, po co w ogóle pytał. Te dwie staruszki z trudem potrafiły milczeć dłużej niż przez dziesięć sekund.

– Co?

– Powiedzmy tylko, że niektórzy z nas dbają o to, by Panna Elegantka została potraktowana w specjalny sposób, którego się nie spodziewa.

– Nie rozumiem.

– Pieczywo dla niej leży pod ladą, osobno. Zawiera pewne szczególne składniki. Składniki, które – mówię to paniom z ręką na sercu – nie trafiają do żadnych innych bochenków.

Oczy staruszek się rozszerzyły. Nie śmiałam zapytać, co piekarz ma na myśli, ale błysk w jego oku sugerował kilka możliwości, nad którymi wolałam się nie zastanawiać.

– *Non!*

– *Monsieur* Armand! – Były zgorszone, ale zaczęły chichotać.

I wtedy zrobiło mi się niedobrze. Nie podobała mi się Liliane Béthune ani jej postępowanie, jednak to budziło we mnie odrazę.

– Muszę... muszę iść. Hélène potrzebuje... – Sięgnęłam po swój chleb. Ich śmiech wciąż rozbrzmiewał mi w uszach, gdy puściłam się biegiem w stronę względnie bezpiecznego schronienia, jakim był dla mnie hotel.

Jedzenie pojawiło się w następny wtorek. Najpierw jajka, dwa tuziny, dostarczone przez młodego niemieckiego kaprala, który przyniósł je pod przykryciem, jakby chodziło o kontrabandę. Potem pieczywo, białe i świeże, trzy kosze. Tamten dzień w *boulangerie* odebrał mi apetyt na chleb, ale teraz, trzymając te świeże bochenki, ciepłe i chrupiące, poczułam się niemal odurzona pożądaniem. Musiałam odesłać Auréliena na górę, tak się bałam, że nie oprze się pokusie odłamania sobie kawałka.

Następnie sześć kur, jeszcze nieoskubanych, i skrzynka z kapustą, cebulą, marchwią i dzikim czosnkiem. Po tym nadeszły słoiki z pomidorami konserwowymi, ryż i jabłka. Mleko, kawa, trzy potężne osełki masła, mąka, cukier. Mnóstwo butelek wina z południa. Hélène i ja przyjmowałyśmy każdą dostawę w milczeniu. Niemcy wręczyli nam formularze, na których starannie odnotowano ilość każdego produktu. Ukradzenie czegokolwiek nie byłoby proste: formularze wymagały od nas podania dokładnych proporcji składników potrzebnych do każdego przepisu. Wszelkie resztki musiałyśmy odkładać do wiadra, które miało być następnie przekazywane Niemcom, by mogli wykorzystać je do karmienia inwentarza. Kiedy zobaczyłam ten zapis, miałam ochotę splunąć.

– Przygotowujemy to na dziś wieczór? – zapytałam ostatniego kaprala.

Wzruszył ramionami. Wskazałam na zegar.

– Dzisiaj? – Zrobiłam gest w stronę jedzenia. – *Kuchen?*

– *Ja* – przytaknął z zapałem. – *Sie kommen. Acht Uhr.*

– O ósmej – odezwała się Hélène zza moich pleców. – Chcą zjeść o ósmej.

Nasza własna kolacja składała się z kromki czarnego chleba posmarowanej cienką warstwą dżemu oraz gotowanych buraków. Konieczność pieczenia kurcząt, napełniania naszej kuchni wonią czosnku i pomidorów, i placka z jabłkami, wydawała się wyrafinowaną torturą. Tego pierwszego wieczoru bałam się choćby oblizać palce, choć sam ich widok – ociekających sokiem z pomidorów, lepkich od jabłek – stanowił okrutną pokusę. Kilka razy zdarzyło mi się podczas wałkowania ciasta czy obierania jabłek, że omal nie zemdlałam z pragnienia. Musiałyśmy wygonić Mimi, Auréliena i małego Jeana na górę, skąd od czasu do czasu dobiegały nas okrzyki protestu.

Nie chciałam gotować dla Niemców porządnego posiłku. Ale bałam się postąpić inaczej. Przyjdzie czas, powtarzałam sobie, wyjmując kurczaki z piekarnika i polewając je skwierczącym sosem, że będę umiała cieszyć się widokiem tego jedzenia. Że będę potrafiła znajdować przyjemność w patrzeniu na nie, we wdychaniu zapachów. Jednak tego wieczoru nie byłam w stanie. Kiedy odezwał się dzwonek zwiastujący przybycie oficerów, mój żołądek ściskał się z głodu, a skórę pokrywał zimny pot. Nienawidziłam Niemców z taką mocą, jakiej nie czułam nigdy wcześniej ani nigdy potem.

– *Madame* – Kommandant wszedł jako pierwszy. Zdjął mokrą od deszczu czapkę i gestem nakazał pozostałym zrobić to samo.

Stałam, wycierając ręce w fartuch, niepewna, jak zareagować.

– *Herr Kommandant*. – Popatrzyłam na niego bez wyrazu.

W sali było ciepło: Niemcy przysłali nam trzy kosze drew, żebyśmy mogły rozpalić ogień. Mężczyźni zdejmowali szaliki i czapki, węsząc z lubością i uśmiechając się w oczekiwaniu na ucztę. Woń kurcząt, pieczonych z czosnkiem i sosem pomidorowym, napełniała powietrze.

– Chcielibyśmy zjeść od razu – powiedział Kommandant, zerkając w stronę kuchni.

– Wedle życzenia – powiedziałam. – Przyniosę wino.

Aurélien zdążył tymczasem otworzyć kilka butelek w kuchni. Wyszedł z niej teraz, trzymając po jednej w każdej ręce i patrząc spode łba. Ta męczarnia, na którą zostaliśmy dzisiaj skazani, jego dotknęła szczególnie boleśnie. Zważywszy na fakt, że niedawno został pobity, w połączeniu z jego młodością i impulsywnością, obawiałam się, iż wpakuje się w jakieś kłopoty. Zabrałam mu butelki.

– Idź i powiedz Hélène, że musi podać kolację.

– Ale…

– Idź! – fuknęłam.

Wyszłam zza baru i nalałam wino. Nie patrzyłam na tamtych, stawiając kieliszki na stole, choć czułam na sobie ich spojrzenia. Tak, patrzcie na mnie, mówiłam bezgłośnie. Kolejna wychudzona Francuzka, głodem zmuszona do uległości. Mam nadzieję, że mój wygląd zepsuje wam apetyt.

Moja siostra wniosła pierwsze talerze, co wywołało pomruk uznania. Nie minęło kilka minut, a oficerowie zajadali już, aż im się uszy trzęsły, dzwonili sztućcami o porcelanę i wykrzykiwali coś w swoim języku. Chodziłam tam i z powrotem z pełnymi talerzami, usiłując nie wdychać rozkosznych zapachów, nie patrzeć na pieczone mięso połyskujące obok kolorowych warzyw.

W końcu obsłużyłyśmy wszystkich. Hélène i ja stałyśmy razem za barem, podczas gdy Kommandant wznosił jakiś długi toast po niemiecku. Nie potrafię opisać, jakie to było uczucie słyszeć te głosy w naszym domu; patrzeć, jak ci ludzie pałaszują jedzenie, które tak pracowicie przygotowałyśmy, śmieją się swobodnie i piją wino. To ja ich pokrzepiam, myślałam z goryczą, podczas gdy mój ukochany Édouard słabnie pewnie głodu. I ta myśl, być może w połączeniu z moim własnym głodem i wyczerpaniem, sprawiła, że na chwilę ogarnęła mnie rozpacz. Z gardła wyrwał mi się cichy szloch. Poczułam, że dłoń Hélène dotyka mojej. Uścisnęła ją.

– Idź do kuchni – wymruczała.

– Ja...

– Idź do kuchni. Dołączę do ciebie, jak doleję im wina.

I ten jeden raz zrobiłam to, co kazała mi siostra.

Jedli przez godzinę. Hélène i ja siedziałyśmy bez słowa w kuchni, wyczerpane i pogrążone we własnych posępnych myślach. Ilekroć słyszałyśmy wybuch śmiechu czy radosny okrzyk, podnosiłyśmy głowy. Tak trudno było zrozumieć, co to wszystko znaczy.

– *Mesdames*. – W drzwiach kuchni pojawił się Kommandant. Wstałyśmy z wysiłkiem. – Kolacja była wyśmienita. Mam nadzieję, że uda się paniom utrzymać ten poziom.

Patrzyłam w podłogę.

– *Madame* Lefèvre.

Niechętnie podniosłam wzrok.

– Blado pani wygląda. Czy pani jest chora?

– Nic nam nie jest. – Przełknęłam ślinę. Czułam, jak pali mnie jego spojrzenie. Obok mnie Hélène splatała zaczerwienione palce, nienawykłe do gorącej wody.

– *Madame*, czy pani i siostra coś jadłyście?

Pomyślałam, że to sprawdzian. Uznałam, że sprawdza, czy wypełniłyśmy co do joty te piekielne zalecenia. Przypuszczałam, że będzie chciał zważyć resztki, by się upewnić, czy nie zjadłyśmy potajemnie kawałka skórki od jabłka.

– Nie ruszyłyśmy ani jednego ziarenka ryżu, *Herr Kommandant*. – Omal na niego nie splunęłam. Oto co głód robi z ludźmi.

Zamrugał oczami.

– W takim razie powinny panie. Nie da się dobrze gotować, jeżeli człowiek nie je. Co zostało?

Nie byłam w stanie się ruszyć. Hélène wskazała na blachę na piecu. Były tam cztery ćwiartki kurczaka; grzały się, na wypadek gdyby oficerowie chcieli jeszcze jedną dokładkę.

– Wobec tego proszę usiąść. Mogą panie zjeść tutaj.

Nie mogłam uwierzyć, że to nie podstęp.

– To rozkaz – powiedział Kommandant. Niemal się uśmiechał, ale ja nie uważałam tego za zabawne. – Poważnie. Śmiało.

– Czy… czy mogłybyśmy dać coś dzieciom? Nie jadły mięsa od bardzo dawna.

Mężczyzna lekko zmarszczył brwi, jakby nie rozumiał. Nie znosiłam go. Nie mogłam znieść dźwięku mojego własnego głosu błagającego Niemca o resztki jedzenia. Och, Édouardzie, pomyślałam w duchu. Gdybyś mnie teraz słyszał.

– Nakarmcie dzieci i siebie – powiedział krótko Kommandant. Odwrócił się na pięcie i wyszedł z kuchni.

Siedziałyśmy tam w milczeniu, a w uszach dźwięczały nam jego słowa. A potem Hélène uniosła spódnicę i pobiegła po schodach na górę, przeskakując po dwa stopnie naraz. Od miesięcy nie widziałam, żeby poruszała się w takim tempie.

Kilka sekund później wróciła, niosąc ubranego jeszcze w nocną koszulę Jeana, a przed nią biegli Aurélien i Mimi.

– To prawda? – zapytał Aurélien. Z otwartymi ustami wpatrywał się w kurczaka.

Byłyśmy w stanie tylko skinąć głowami.

Rzuciliśmy się na nieszczęsnego ptaka. Chciałabym móc wam powiedzieć, że moja siostra i ja zachowywałyśmy się jak damy, że wytwornie podnosiłyśmy pojedyncze kąski do ust, niczym prawdziwe paryżanki, i że pomiędzy jednym kęsem a drugim robiłyśmy przerwy na rozmowę i delikatne otarcie warg. Ale byłyśmy jak dzikuski. Rozdzierałyśmy mięso, nabierałyśmy ryż garściami, jadłyśmy z otwartymi ustami i łapczywie zbierałyśmy kawałki, które spadły na stół. Nie obchodziło mnie już, czy to jakiś podstęp Kommandanta. Nigdy w życiu nie jadłam nic tak dobrego, jak ten kurczak. Czosnek i pomidory wypełniały mi usta dawno zapomnianą rozkoszą, a nozdrza zapachem, który mogłabym wdychać bez końca. Jedząc, wydawaliśmy z siebie ciche okrzyki zachwytu, pierwotne i nieskrępowane, każde z nas zamknięte w swoim prywatnym światku przyjemności. Mały Jean śmiał się z buzią umazaną sosem. Mimi gryzła kawałki skórki z kurczaka, radośnie i hałaśliwie oblizując palce z tłuszczu. Hélène i ja jadłyśmy bez słowa, pilnując stale, żeby dzieciom niczego nie brakowało.

Kiedy już nic nie zostało, kiedy każda kość była doszczętnie ogryziona, a na blasze nie uchowało się ani jedno ziarenko ryżu, usiedliśmy wszyscy i popatrzyliśmy po sobie. Z baru dobiegał nas dźwięk rozmów po niemiecku, coraz głośniejszych, w miarę jak oficerowie pili wino, i przerywanych od czasu do czasu wybuchem śmiechu. Otarłam usta rękami.

– Nikt nie może się o tym dowiedzieć – odezwałam się, płucząc dłonie. Czułam się jak ktoś pijany, kto nagle wytrzeźwiał. – To może się nigdy więcej nie powtórzyć. A my musimy zachowywać się tak, jakby nigdy się nie wydarzyło. Jeżeli ktokolwiek odkryje, że jedliśmy niemieckie jedzenie, uznają nas za zdrajców.

Popatrzyłyśmy na Mimi i Auréliena, usiłując przekazać im, jak ważne jest to, co zostało przed chwilą powiedziane. Aurélien skinął głową. Mimi także. Myślę, że w tamtym momencie byliby gotowi zgodzić się mówić do końca życia po niemiecku. Hélène wzięła ścierkę, zmoczyła ją i zajęła się usuwaniem śladów jedzenia z twarzy najmłodszej dwójki.

– Aurélien – rzekła – zaprowadź ich do łóżek. My tu posprzątamy.

Moje złe przeczucia nie udzieliły się bratu. Uśmiechał się. Jego chude nastoletnie ramiona po raz pierwszy od wielu miesięcy się rozluźniły, a ja przysięgłabym, że słyszałam, jak biorąc na ręce Jeana, pogwizduje sobie pod nosem.

– Nikt, pamiętaj – przestrzegłam go jeszcze raz.

– Przecież wiem – odparł tonem czternastolatka, który wie wszystko.

Małemu Jeanowi kleiły się już oczka i zwisał bezwładnie w ramionach wujka, wyczerpany pierwszym sycącym posiłkiem od miesięcy. Dzieci zniknęły na schodach. Dźwięk ich śmiechu, kiedy dotarły na górę, sprawił, że poczułam w sercu ból.

Było już po jedenastej, gdy Niemcy sobie poszli. Od blisko roku obowiązywała nas godzina policyjna; kiedy zapadała noc, a my nie miałyśmy świec ani lampy gazowej, Hélène i ja po prostu kładłyśmy się spać. Bar zamykałyśmy o szóstej, więc od miesięcy nie byłyśmy na nogach tak długo. Byłyśmy wyczerpane. W brzuchach burczało nam od tego wstrząsu, jakim okazało się pożywne jedzenie po miesiącach głodówki. Widziałam, że moja siostra się słania, szorując brytfanny. Sama nie byłam aż tak zmęczona, a przez głowę przelatywały mi wspomnienia tego kurczaka: miałam takie wrażenie, jakby jakieś martwe od dawna nerwy nagle we mnie ożyły. Wciąż czułam jego smak i zapach. Płonęły w mojej pamięci jak maleńki jaśniejący skarb.

Zanim jeszcze kuchnia znów zalśniła czystością, kazałam Hélène iść na górę. Odgarnęła sobie włosy z twarzy. Moja siostra była kiedyś taka piękna. Patrząc na to, jak wojna dodała jej lat, pomyślałam o mojej własnej twarzy i zaczęłam się zastanawiać, co powiedziałby o niej mój mąż.

– Nie chcę zostawiać cię z nimi samej – powiedziała Hélène.

Pokręciłam głową. Nie bałam się: nastrój był pokojowy. Trudno jest poruszyć mężczyzn, którzy dobrze zjedli. Owszem, pili alkohol, ale wina było tyle, że każdy z nich mógł wypić najwyżej trzy kieliszki; to za mało, żeby sprowokować ich do niewłaściwych zachowań. Bóg jeden wie, że ojciec dał nam naprawdę niewiele, ale nauczył nas, kiedy należy się bać. Patrząc na zupełnie obcego człowieka, byłam w stanie na podstawie tego, jak zaciska szczęki, jak mruży oczy, dokładnie rozpoznać moment, w którym wewnętrzne napięcie wyładuje się w wybuchu agresji. A zresztą nie przypuszczałam, by Kommandant coś takiego tolerował.

Zostałam w kuchni i sprzątałam, dopóki odgłos odsuwanych krzeseł nie uświadomił mi, że Niemcy wychodzą. Przeszłam do baru.

– Mogą już panie zamknąć – odezwał się Kommandant. Starałam się nie patrzyć na niego z jawną wrogością. – Moi ludzie pragną przekazać wyrazy uznania za wyborny posiłek.

Zerknęłam na nich. Lekko skinęłam głową. Nie chciałam sprawiać wrażenia osoby wdzięcznej za niemieckie komplementy.

Kommandant nie wydawał się oczekiwać odpowiedzi. Włożył czapkę na głowę, a ja sięgnęłam do kieszeni i wręczyłam mu kwitki za żywność. Rzucił na nie okiem i oddał mi je z lekkim zniecierpliwieniem.

– Nie zajmuję się takimi rzeczami. Proszę dać to jutro ludziom, którzy dostarczą jedzenie.

– *Désolée* – odparłam, ale dobrze o tym wiedziałam. Jakaś złośliwa część mnie zapragnęła sprowadzić go, choć na chwilę, do roli intendenta.

Stałam tam, podczas gdy oni zabierali swoje płaszcze i czapki. Niektórzy dosuwali krzesła do stołu, wykazując się resztkami kultury osobistej, inni o to nie dbali, jakby mieli prawo traktować każde miejsce jak własny dom. Więc to tak, pomyślałam. Resztę wojny spędzimy, gotując Niemcom posiłki.

Przez chwilę zastanawiałam się, czy nie powinnyśmy były przyrządzić czegoś gorszego, nie starać się aż tak. Ale *maman* zawsze wpajała nam, że złe gotowanie samo w sobie jest czymś w rodzaju grzechu. I choćbyśmy były nie wiadomo jak niemoralne i zdradzieckie, byłam pewna, że wszyscy zapamiętamy ten wieczór z pieczonym kurczakiem. Na myśl o tym, że być może będzie ich więcej, zaszumiało mi w głowie.

I wtedy zdałam sobie sprawę, że on patrzy na portret.

Nagle ogarnął mnie strach, przypomniałam sobie słowa siostry. Obraz rzeczywiście sprawiał wrażenie wywrotowego, jego kolory były zbyt intensywne w tym skromnym małym barze, a promienna dziewczyna z tą swoją pewnością siebie wydawała się przekorna. Teraz widziałam, że wygląda niemal tak, jakby sobie z nich kpiła.

Tamten nie odrywał od niego wzroku. Jego ludzie zaczęli wychodzić, a ich donośne ostre głosy rozbrzmiewały echem na pustym placu. Za każdym razem, kiedy otwierały się drzwi, wzdrygałam się lekko.

– Jest taka podobna do ciebie.

Byłam wstrząśnięta faktem, że on to widzi. Nie chciałam się na to zgodzić. To, że widział mnie w tej dziewczynie, sugerowało jakiś rodzaj poufałości. Przełknęłam ślinę. Kłykcie moich kurczowo splecionych dłoni były białe.

– Tak. Cóż, to było dawno temu.

– Przypomina nieco… Matisse'a.

Byłam tak zaskoczona, że odpowiedziałam mu bez zastanowienia.

– Édouard studiował u niego, na Académie Matisse w Paryżu.

– Słyszałem o niej. Zetknęłaś się może z artystą nazwiskiem Hans Purrmann? – Musiałam się na niego zagapić – zobaczyłam, jak jego spojrzenie zwraca się nagle ku mnie. – Jestem wielkim miłośnikiem jego twórczości.

Hans Purrmann. Académie Matisse. Dźwięk tych wyrazów padających z ust niemieckiego Kommandanta sprawił, że zakręciło mi się w głowie.

Chciałam, żeby sobie poszedł. Nie chciałam, by wymawiał te słowa. Te wspomnienia należały do mnie, jak upominki, które mogłam wydobywać na wierzch i pocieszać się nimi w takie dni, kiedy życie mnie przytłaczało; nie chciałam, by moje najszczęśliwsze chwile zostały skażone przez uwagi rzucone od niechcenia przez jakiegoś Niemca.

– *Herr Kommandant*, muszę posprzątać. Zechce mi pan wybaczyć. – Zaczęłam ustawiać talerze w stosy i zbierać kieliszki. On jednak stał bez ruchu. Czułam jego wzrok, spoczywający na obrazie tak, jakby spoczywał na mnie.

– Dawno już nie rozmawiałem z nikim o sztuce – odezwał się, jakby do portretu. W końcu założył ręce za plecy i zwrócił się ku mnie. – Zobaczymy się jutro.

Nie mogłam na niego spojrzeć.

– *Herr Kommandant* – powiedziałam, stojąc z rękami pełnymi naczyń.

– Dobrej nocy, *madame*.

Kiedy wreszcie dotarłam na górę, Hélène spała twarzą w dół na naszej kapie. Wciąż miała na sobie ubrania, w których gotowałyśmy. Rozsznurowałam jej gorset, zdjęłam pantofle i przykryłam ją. Następnie sama położyłam się na łóżku, lecz gorączkowe myśli aż do świtu nie dawały mi zasnąć.

## 4

*Paryż 1912*

– *Mademoiselle!*

Podniosłam wzrok znad gablotki z rękawiczkami i opuściłam przeszklone wieko. Dźwięk rozpłynął się w ogromnym atrium, stanowiącym główną część domu towarowego La Femme Marché.

– *Mademoiselle!* Tutaj! Czy może mi pani doradzić?

Zauważyłabym go, nawet gdyby tak nie krzyczał. Był wysoki i mocno zbudowany, z opadającymi na uszy falującymi włosami, które wyróżniały go spośród krótko ostrzyżonych w większości panów przekraczających nasze progi. Jego rysy były wyraziste i grubo ciosane; mój ojciec określiłby je lekceważąco jako *paysan*, chłopskie. Pomyślałam, że ten mężczyzna wygląda jak skrzyżowanie rzymskiego cesarza z rosyjskim niedźwiedziem.

Podeszłam do niego, a on wskazał gestem szale. Wzroku jednak nie odrywał ode mnie. Prawdę mówiąc, patrzył na mnie tak długo, aż obejrzałam się przez ramię w obawie, że *madame* Bourdain, moja przełożona, mogła to zauważyć.

– Potrzebuję, żeby wybrała pani dla mnie szal.

– Jakiego rodzaju szal, *monsieur?*

– Damski.

– Czy mogę spytać o koloryt tej pani? I czy preferuje może konkretny rodzaj materiału?

Nadal się we mnie wpatrywał. *Madame* Bourdain była zajęta obsługiwaniem kobiety w kapeluszu z pawimi piórami. Gdyby podniosła wzrok znad stoiska z kremami do twarzy, zauważyłaby, że uszy mi poróżowiały.

– Zdaję się na pani gust – odparł mężczyzna, po czym dodał: – Koloryt ma taki sam jak pani.

Przyjrzałam się uważnie jedwabnym szalom, czując, że moja skóra robi się coraz cieplejsza, po czym uwolniłam jeden z moich ulubionych: cieniutką, lekką jak piórko tkaninę w głębokim, opalizującym odcieniu błękitu.

– W tym kolorze niemal każdemu jest do twarzy – powiedziałam.

– Tak… tak. Proszę go podnieść – zażądał. – Niech go pani przyłoży do siebie. O tutaj – wskazał na swój obojczyk.

Zerknęłam na *madame* Bourdain. Istniały ścisłe reguły dotyczące stopnia poufałości podczas rozmów z klientami i nie byłam pewna, czy przykładanie szala do obnażonej szyi się w nich mieści. Ale on czekał. Zawahałam się, po czym przyłożyłam szal do policzka. Mężczyzna przyglądał mi się tak długo, że odniosłam wrażenie, jakby całe nasze piętro zniknęło.

– To ten. Piękny. Proszę! – zawołał, sięgając po portfel do kieszeni płaszcza. – Ułatwiła mi pani zakupy.

Uśmiechnął się szeroko, a ja złapałam się na tym, że odwzajemniam uśmiech. Być może był to po prostu wyraz ulgi, że przestał się na mnie gapić.

– Nie jestem pewna, czy to… – pakowałam szal w bibułkę i nagle schyliłam głowę, widząc, że zbliża się moja przełożona.

– Ta ekspedientka nadzwyczajnie wywiązuje się ze swoich obowiązków, *madame* – zagrzmiał mężczyzna. Zerknęłam spod oka na przełożoną, obserwując, jak usiłuje pogodzić dość zaniedbaną powierzchowność klienta z jego sposobem wysławiania się, charakterystycznym raczej dla osób bardzo majętnych. – Powinna ją pani awansować. Ona ma oko!

– Dokładamy starań, by nasze ekspedientki cechował pełen profesjonalizm, *monsieur* – odpowiedziała gładko *madame* Bourdain. – Mamy jednak nadzieję, że to jakość naszych towarów sprawia, iż każdy zakup jest dla klienta satysfakcjonujący. To będzie dwa franki czterdzieści centymów.

Podałam mu paczkę, a potem patrzyłam, jak bez pośpiechu porusza się po zatłoczonym piętrze największego domu towarowego w Paryżu. Wąchał perfumy, przyglądał się różnobarwnym kapeluszom, wygłaszał komentarze pod adresem ekspedientek, a nawet przechodniów. Jak by to było być żoną takiego mężczyzny – myślałam z roztargnieniem – kogoś, komu każda chwila zdaje się dostarczać zmysłowej przyjemności? Zarazem jednak mężczyzny – przypomniałam sobie – który bez skrupułów przypatrywał się ekspedientkom w sklepie, aż się rumieniły. Kiedy dotarł do wielkich przeszklonych drzwi, odwrócił się i spojrzał prosto na mnie. Uniósł kapelusz na całe trzy sekundy, po czym rozpłynął się w świetle paryskiego poranka.

Przyjechałam do Paryża latem 1910 roku, rok po śmierci matki i miesiąc po tym, jak siostra wyszła za Jean-Michela Montpelliera, księgowego z sąsiedniej wioski. Zatrudniłam się w La Femme Marché, największym paryskim domu towarowym, i stopniowo awansowałam z magazynierki na ekspedientkę, mieszkając w dużym pensjonacie należącym do magazynu.

W Paryżu było mi dobrze, kiedy już udało mi się otrząsnąć z początkowego osamotnienia i zarobić dość pieniędzy, by kupić sobie buty inne niż chodaki, które demaskowały mnie jako prowincjuszkę. Przepadałam za tą pracą, uwielbiałam być na posterunku o ósmej czterdzieści pięć, kiedy podwoje sklepu się otwierały i wchodziły do niego wytworne paryżanki w wysokich kapeluszach, z boleśnie wąskimi taliami i twarzami obramowanymi futrem lub piórami. Wspaniale było czuć się wolną od tego cienia, w którym porywczość ojca pogrążyła całe moje dzieciństwo. Opoje i rozpustnicy z IX *arrondissement* nie byli dla mnie niczym strasznym. I uwielbiałam ten sklep: ogromny, rojny róg obfitości, pełen pięknych rzeczy. Jego zapachy i widoki miały w sobie coś odurzającego, a stale zmieniający się asortyment składał się z nieznanych i cudownych towarów z czterech stron świata: włoskich butów, angielskich tweedów, szkockich kaszmirów, chińskich jedwabi, najmodniejszych ubrań z Ameryki i Londynu. Na dole, w części spożywczej, można było kupić szwajcarską czekoladę, połyskujące wędzone ryby i intensywne w smaku kremowe sery. Dzień spędzony w gwarnym La Femme Marché oznaczał możliwość zanurzenia się w szerokim, egzotycznym świecie.

Nie zamierzałam wychodzić za mąż (nie chciałam skończyć tak jak moja matka), a myśl o pozostaniu tam, gdzie jestem, jak *madame* Arteuil, krawcowa, czy moja przełożona, *madame* Bourdain, bardzo mi odpowiadała.

Dwa dni później znów usłyszałam jego głos.

– Ekspedientko! *Mademoiselle!*

Obsługiwałam młodą kobietę, która kupowała parę eleganckich rękawiczek z koźlęcej skórki. Skinęłam mężczyźnie głową i dalej starannie pakowałam jej zakupy.

On jednak nie chciał czekać.

– Mam pilną potrzebę kupienia kolejnego szala – oznajmił. Klientka wzięła ode mnie rękawiczki, cmokając z wyraźną dezaprobatą. Nawet jeżeli mężczyzna usłyszał cmoknięcie, to tego nie okazał. – Myślałem o czymś czerwonym. Czymś jaskrawym, ognistym. Co pani ma?

Byłam lekko zirytowana. *Madame* Bourdain wpoiła mi, że ten sklep to kawałek raju: klienci muszą zawsze wychodzić z poczuciem, że znaleźli tu spokojną przystań wśród hałasu ulic (choćby ta przystań elegancko opróżniła im kieszenie). Obawiałam się, że moja klientka może się poskarżyć. Odmaszerowała z dumnie uniesionym podbródkiem.

– Nie, nie, nie – nie te – odezwał się mężczyzna, kiedy zaczęłam przeglądać wystawione szale. – Tamte – wskazał na dół, na przeszkloną gablotę, w które leżały te drogie. – O, tamten.

Wyjęłam szal z gabloty. Jego głęboka rubinowa czerwień świeżej krwi odbijała się od moich bladych dłoni niczym rana.

Mężczyzna uśmiechnął się na ten widok.

– Przy szyi, *mademoiselle*. Proszę nieco unieść głowę. Tak. W ten sposób.

Tym razem czułam się skrępowana, przykładając szal do szyi. Wiedziałam, że przełożona mi się przygląda.

– Ma pani piękny koloryt – wymruczał mężczyzna, sięgając do kieszeni po pieniądze, podczas gdy ja szybko zdjęłam szal i zaczęłam pakować go w bibułę.

– Jestem pewna, że żona będzie zachwycona podarunkami – powiedziałam. Skóra paliła mnie tam, gdzie spoczął jego wzrok.

Wtedy na mnie spojrzał, a w kącikach oczu ukazały mu się wesołe zmarszczki.

– Skąd pochodzi pani rodzina, z tą pani cerą? Z północy? Lille? Belgia?

Udałam, że go nie słyszę. Nie wolno nam było omawiać prywatnych spraw z klientami, szczególnie płci męskiej.

– Wie pani, co najbardziej lubię jeść? *Moules marinière* z normandzką śmietaną. Trochę cebuli. Odrobina *pastis*. Mmm – przycisnął palce do warg, po czym podniósł paczkę, którą mu wręczyłam. – *À bientôt, mademoiselle!*

Tym razem nie śmiałam mu się przyglądać, jak wędruje przez sklep. Jednak rumieniec na moim karku sygnalizował, że mężczyzna znów przystanął, by na mnie spojrzeć. Przez chwilę czułam wściekłość. W St Péronne takie zachowanie byłoby nie do pomyślenia. W Paryżu niekiedy miałam wrażenie, jakbym chodziła po ulicy w samej bieliźnie, sądząc po tym, jak paryżanie gapili się na mnie bez żenady.

Na dwa tygodnie przed Świętem Narodowym Francji w sklepie zapanowało wielkie ożywienie; na nasze piętro weszła śpiewaczka Mistinguett. Otoczona przez świtę wielbicieli i asystentek, wyróżniała się spośród nich oślepiającym uśmiechem i stroikiem z róż na głowie, jakby została narysowana piękniej niż ktokolwiek inny. Kupowała najróżniejsze rzeczy, nie kłopocząc się dokładnym ich obejrzeniem, wskazując beztrosko na gabloty i pozostawiając podążającym za nią asystentkom zebranie tych przedmiotów. Przypatrywałyśmy się jej z boku, jakby była jakimś egzotycznym ptakiem, a my tylko szarymi paryskimi gołębiami. Sprzedałam jej dwa szale: jeden z kremowego jedwabiu, drugi ekstrawagancki, z ufarbowanych na niebiesko piór. Widziałam, jak owija go sobie wokół szyi, i poczułam się, jakby spłynęła na mnie odrobina jej splendoru.

Przez wiele dni potem czułam się lekko wyprowadzona z równowagi, jakby nadmiar jej urody, jej stylu uświadomił mi, że mnie samej brakuje jednego i drugiego.

Tymczasem Niedźwiedź zjawił się jeszcze trzykrotnie. Za każdym razem kupował szal i za każdym razem jakoś udawało mu się dopilnować, żebym to ja go obsługiwała.

– Masz wielbiciela – zauważyła Paulette (dział perfum).

– *Monsieur* Lefèvre? Lepiej uważaj – prychnęła Loulou (dział torebek i portfeli). – Marcel z działu pocztowego widział go na placu Pigalle, jak rozmawiał z ulicznicami. Hmm. O wilku mowa. – Wróciła do swojej lady.

– *Mademoiselle.*

Wzdrygnęłam się i odwróciłam gwałtownie.

– Przepraszam. – Oparł się o ladę, obejmując ją swoimi potężnymi dłońmi. – Nie chciałem pani przestraszyć.

– Nie tak łatwo mnie przestraszyć, *monsieur.*

Jego brązowe oczy wpatrywały się w moją twarz z niezwykłą intensywnością – sprawiał wrażenie, jakby wewnątrz prowadził jakąś rozmowę, w którą ja nie byłam wtajemniczona.

– Chciałby pan obejrzeć jeszcze jakieś szale?

– Nie dziś. Chciałem… poprosić panią o coś.

Moja dłoń uniosła się ku kołnierzykowi.

– Chciałbym panią namalować.

– Słucham?

– Nazywam się Édouard Lefèvre. Jestem artystą. Bardzo chciałbym panią namalować, gdyby mogła mi pani poświęcić godzinę lub dwie.

Pomyślałam, że się ze mną droczy. Zerknęłam w stronę obsługujących klientki Loulou i Paulette, zastanawiając się, czy to słyszą.

– Dlaczego… dlaczego miałby pan malować akurat mnie?

I wtedy po raz pierwszy zobaczyłam, że jest lekko zbity z tropu.

– Naprawdę chce pani, żebym odpowiedział?

Zdałam sobie sprawę, że zabrzmiało to, jakbym liczyła na komplement.

– *Mademoiselle*, nie proszę pani o nic niestosownego. Jeśli pani zechce, może pani wziąć z sobą przyzwoitkę. Ja chcę tylko… Pani twarz mnie fascynuje. Zostaje we mnie długo po wyjściu z La Femme Marché. Chciałbym przelać to na papier.

Walczyłam z impulsem, by dotknąć swojego podbródka. Moja twarz? Fascynująca?

– Czy… czy pańska żona tam będzie?

– Nie mam żony. – Sięgnął do kieszeni i nagryzmolił coś na skrawku papieru. – Mam za to mnóstwo szali.

Podał mi karteczkę, a ja przyłapałam się na tym, że rozglądam się na boki niczym przestępczyni, zanim ją przyjęłam.

Nikomu nie powiedziałam. Nie wiedziałam nawet, co miałabym powiedzieć. Włożyłam moją najlepszą sukienkę, po czym ją zdjęłam. Dwukrotnie. Spędziłam wyjątkowo dużo czasu, upinając włosy. Przez dwadzieścia minut siedziałam przy drzwiach sypialni i wyliczałam sobie wszystkie powody, dla których nie powinnam iść.

Kiedy wreszcie wyszłam, gospodyni obrzuciła mnie zdziwionym spojrzeniem. Zdjęłam moje eleganckie buty i włożyłam drewniaki, żeby stłumić jej podejrzenia. Idąc, dyskutowałam sama z sobą.

Jeżeli twoje przełożone się dowiedzą, że pozowałaś artyście, podadzą w wątpliwość twoje prowadzenie. Możesz stracić pracę!

On chce mnie namalować! Mnie, Sophie z St Péronne. Mdłe tło dla piękności Hélène.

Może w moim wyglądzie jest coś tandetnego, co dało mu pewność, że nie odmówię. On się zadaje z dziewczętami z placu Pigalle…

Ale co ja mam z życia poza pracą i snem? Czy pozwolenie sobie na to jedno doświadczenie byłoby naprawdę aż tak złe?

Miejsce, którego adres mężczyzna mi zapisał, znajdowało się dwie przecznice od Panteonu. Przeszłam wąską brukowaną uliczką, stanęłam przed drzwiami, sprawdziłam numer i zastukałam. Nikt nie odpowiedział. Z góry dolatywały do mnie dźwięki muzyki. Drzwi były uchylone, pchnęłam je więc i znalazłam się w środku. Po cichu weszłam wąskimi schodami na górę i stanęłam przed kolejnymi drzwiami. Zza nich słyszałam gramofon; kobieta śpiewała o miłości i rozpaczy, towarzyszył jej męski głos – ten głęboki, chrypiący bas nie mógł należeć do nikogo innego niż do niego. Stałam tak przez chwilę, słuchając i uśmiechając się mimowolnie. Pchnęłam drzwi.

Obszerny pokój zalany był słońcem. Jedną ścianę pokrywały gołe cegły, a druga składała się niemal w całości ze szkła – od brzegu do brzegu wypełniały ją przylegające do siebie okna. Pierwszą rzeczą, która uderzyła mnie w tym pokoju, był zadziwiający chaos. Pod każdą ścianą leżały sterty płócien; wszystkie powierzchnie były zastawione słoikami z pędzlami pokrytymi zastygłą farbą, które walczyły o przestrzeń z pudełkami węgla do szkicowania i sztalugami z krzepnącymi plamami jaskrawego koloru. Były tam niezagruntowane płótna, ołówki, drabina i talerze z niedojedzonymi resztkami. A wszystko przenikał wszechobecny zapach terpentyny, zmieszany z wonią farby olejnej, nutką tytoniu i kwaskowatym szeptem starego wina; w każdym kącie stały ciemnozielone butelki, w niektóre wetknięte były świece, inne stanowiły najwyraźniej pozostałości po jakimś przyjęciu. Na drewnianym stołku leżały pieniądze, bezładna sterta monet i banknotów. A w centrum tego wszystkiego, pogrążony w zadumie, trzymając w ręce słoik pełen pędzli, przechadzał się tam i z powrotem *monsieur* Lefèvre, ubrany w kitel i chłopskie spodnie, jakby znajdował się setki kilometrów od centrum Paryża.

– *Monsieur?*

Zamrugał dwa razy powiekami, jak gdyby usiłował sobie przypomnieć, kim jestem, a potem powoli odstawił słoik z pędzlami na stół obok.

– To pani!

– No cóż. Tak.

– Wspaniale! – Pokręcił głową, jakby moja obecność nadal z trudem do niego docierała. – Wspaniale. Proszę wejść, proszę wejść. Zaraz znajdę pani miejsce do siedzenia.

Wydawał się większy, jego ciało rysowało się wyraźnie pod cienkim materiałem kitla. Stałam, niezgrabnie ściskając torebkę, podczas gdy on zaczął usuwać stosy gazet ze starego szezlonga, aż zrobiło się na nim miejsce.

– Proszę, niech pani siada. Napije się pani czegoś?

– Wystarczy mi woda, dziękuję.

Idąc tam, nie czułam się nieswojo, pomimo ryzykowności mojego położenia. Nie przeszkadzała mi obskurna okolica ani dziwna pracownia. Teraz jednak poczułam się urażona i jakby ośmieszona, co sprawiło, że zaczęłam zachowywać się sztywno i niezręcznie.

– Nie spodziewał się mnie pan, *monsieur*.

– Proszę mi wybaczyć. Po prostu nie wierzyłem, że pani przyjdzie. Ale bardzo się cieszę, że jednak pani przyszła. Bardzo. – Cofnął się o krok i objął mnie wzrokiem.

Czułam, jak jego spojrzenie przesuwa się po moich kościach policzkowych, po szyi, włosach. Siedziałam przed nim sztywna, jakbym kij połknęła. Wyczuwałam leciutki zapach potu mężczyzny. Nie był on nieprzyjemny, ale w tych okolicznościach niemal obezwładniający.

– Jest pani pewna, że nie ma pani ochoty na kieliszek wina? Żeby się trochę odprężyć?

– Nie, dziękuję. Chciałabym już zacząć. Mam... mam tylko godzinę.

Co mi przyszło do głowy? Chyba jakaś część mnie marzyła, by wyjść stamtąd jak najprędzej.

Próbował mnie upozować, namówić do odłożenia torebki, oparcia się nieco o szezlong. Ale ja nie byłam w stanie. Czułam się upokorzona i nie potrafiłam powiedzieć dlaczego. I podczas gdy *monsieur* Lefèvre pracował, przenosząc spojrzenie ze sztalug na mnie i z powrotem, prawie się nie odzywając, do mnie dotarło powoli, że nie czuję się podziwiana i ważna, na co po cichu liczyłam, ale tak jakby on patrzył przeze mnie. Miałam wrażenie, że stałam się rzeczą, przedmiotem, wcale nie bardziej istotnym niż zielona butelka czy jabłka przedstawione na płótnie stojącym przy drzwiach.

Widać było wyraźnie, że on także nie jest zadowolony. W miarę jak godzina mijała, wydawał się coraz bardziej skonsternowany i od czasu do czasu wzdychał pod nosem z widoczną frustracją. Siedziałam tam nieruchomo jak posąg, obawiając się, że robię coś nie tak, aż wreszcie mężczyzna powiedział:

– *Mademoiselle*, skończmy. Nie wygląda na to, żeby bogowie węgla dziś mi sprzyjali.

Wyprostowałam się, z uczuciem ulgi kręcąc swobodnie szyją.

– Mogę zobaczyć?

Ta dziewczyna na rysunku to niewątpliwie byłam ja, a jednak skrzywiłam się na jej widok. Sprawiała wrażenie tak pozbawionej życia jak porcelanowa lalka. Na twarzy miała wyraz zaciętego opanowania, była sztywna i pruderyjna niczym typowa niezamężna ciotka. Starałam się nie okazać, jaka poczułam się zdruzgotana.

– Przypuszczam, że nie okazałam się modelką, na jaką pan liczył.

– Nie. To nie pani wina, *mademoiselle*. – Wzruszył ramionami. – Jestem... to z siebie jestem niezadowolony.

– Mogłabym przyjść jeszcze raz w niedzielę, gdyby pan chciał. – Nie wiem, czemu to powiedziałam. Przecież to doświadczenie wcale nie było przyjemne.

I wtedy się do mnie uśmiechnął. W oczach miał tyle dobroci.

– Byłoby to… bardzo wielkoduszne. Jestem pewien, że następnym razem zdołam oddać sprawiedliwość pani urodzie.

Ale w niedzielę wcale nie było lepiej. Starałam się, naprawdę się starałam. Leżałam z ramieniem przerzuconym przez szezlong i ciałem wykręconym jak u półleżącej Afrodyty, którą *monsieur* Lefèvre pokazał mi w książce, a suknię miałam udrapowaną w fałdy wokół nóg. Próbowałam się odprężyć i złagodzić wyraz twarzy, lecz w tej pozycji gorset wpijał mi się w talię, a kosmyk włosów wymykał się ciągle spod spinki, tak że pokusa odgarnięcia go była niemal nieprzeparta. To były długie i znojne dwie godziny. Jeszcze zanim zobaczyłam szkic, po twarzy *monsieur* Lefèvre'a poznałam, że znów jest zawiedziony.

To jestem ja? – pomyślałam, patrząc na ponurą dziewczynę, która bardziej niż Wenus przypominała skwaszoną gosposię, sprawdzającą, czy na meblach nie ma kurzu.

Tym razem chyba nawet jemu zrobiło się mnie żal. Przypuszczam, że byłam najmniej interesującą modelką, jaką kiedykolwiek rysował.

– To nie pani wina, *mademoiselle* – upierał się. – Niekiedy… potrzeba trochę czasu, by dotrzeć do czyjejś prawdziwej istoty.

Ale to właśnie najbardziej mnie martwiło. Obawiałam się, że już do niej dotarł.

Następnym razem zobaczyłam go w dniu Święta Narodowego Francji. Z trudem przemieszczałam się po zatłoczonych ulicach Dzielnicy Łacińskiej, przechodząc pod wielkimi czerwono-biało-niebieskimi flagami i pachnącymi wieńcami zwieszającymi się z okien, przeciskając się przez tłumy gapiów, którzy patrzyli na defiladę prezentujących broń żołnierzy.

Cały Paryż świętował. Zazwyczaj wystarcza mi własne towarzystwo, lecz tego dnia czułam się niespokojna i dziwnie samotna. Dotarłszy do Panteonu, przystanęłam: przed sobą miałam rue Soufflot, która zamieniła się w masę wirujących ciał; szara na co dzień ulica była zatłoczona tańczącymi ludźmi – kobiety miały na sobie długie spódnice i kapelusze z szerokim rondem, a pod Café Léon grał zespół muzyczny. Wszyscy poruszali się w pełnych gracji kręgach albo stali na chodniku, rozglądając się dookoła i gawędząc, jakby ulica była salą balową.

I wtedy go zobaczyłam – siedział w samym centrum tego wszystkiego, z kolorowym szalikiem na szyi. Mistinguett, jak zwykle otoczona przez swoją świtę, zaborczym gestem położyła dłoń na jego ramieniu i powiedziała coś, co sprawiło, że wybuchnął gromkim śmiechem.

Wpatrywałam się w niego ze zdumieniem. I wówczas, być może przyciągnięty intensywnością mojego spojrzenia, mężczyzna rozejrzał się i mnie zobaczył. Uchyliłam się błyskawicznie i z płonącymi policzkami ruszyłam w przeciwnym kierunku. Nurkowałam pomiędzy tańczące pary, a moje chodaki stukały na bruku. Po kilku sekundach jednak usłyszałam za sobą jego donośny głos.

– *Mademoiselle*!

Nie mogłam go zignorować. Odwróciłam się. Przez chwilę wyglądał tak, jakby miał zamiar mnie uściskać, ale coś w moim zachowaniu musiało go powstrzymać. Zamiast tego lekko dotknął mojego ramienia i gestem zaprosił mnie, bym weszła w ciżbę na ulicy.

– Jak to wspaniale, że na panią wpadłem – powiedział. Zaczęłam się wymawiać, plącząc się w wyjaśnieniach, lecz on uniósł swoją wielką dłoń. – Proszę, *mademoiselle*, to narodowe święto. Nawet najpilniejsi z nas muszą się czasem rozerwać.

Wokół nas flagi trzepotały na popołudniowym wietrze. Słyszałam ich uderzenia, jakby w takt nieregularnego bicia mojego serca. Usiłowałam wymyślić uprzejmy sposób na wyplątanie się z tej sytuacji, ale on znów się odezwał.

– Ze wstydem uświadomiłem sobie, *mademoiselle*, że pani nazwisko wciąż jest mi nieznane.

– Bessette – powiedziałam. – Sophie Bessette.

– Wobec tego zechce pani pozwolić, że kupię jej coś do picia, *mademoiselle* Bessette.

Pokręciłam głową. Było mi niedobrze, jakbym przez sam fakt przyjścia tutaj zanadto się odsłoniła. Zerknęłam za jego plecy, tam, gdzie Mistinguett wciąż stała w otoczeniu przyjaciół.

– Pozwoli pani? – Podał mi ramię.

I w tym momencie wielka Mistinguett spojrzała prosto na mnie.

Jeśli mam być szczera, to sprawę przesądziło coś w wyrazie jej twarzy, ten przelotny błysk irytacji, kiedy on podsunął mi ramię. Ten człowiek, ten Édouard Lefèvre, potrafił sprawić, by jedna z najjaśniejszych gwiazd Paryża poczuła się nudna i niewidoczna. I wybrał mnie, a nie ją.

Zerknęłam na niego nieśmiało.

– W takim razie może szklankę wody. Dziękuję panu.

Podeszliśmy z powrotem do stolika.

– Misty, moja droga, to jest Sophie Bessette.

Nie przestała się uśmiechać, ale spojrzenie, którym mnie obrzuciła, było zimne jak lód. Zastanawiałam się, czy pamięta, jak obsługiwałam ją w domu towarowym.

– Chodaki – odezwał się zza jej pleców jeden z towarzyszących jej panów. – Jakież to… oryginalne.

Fala stłumionych śmieszków sprawiła, że skóra zaczęła mnie piec. Zaczerpnęłam powietrza.

– W sezonie wiosennym będzie ich pełno w domach towarowych – odparłam spokojnie. – To ostatni krzyk mody. *La mode paysanne*.

Poczułam, jak czubki palców Édouarda dotykają moich pleców.

– Sadzę, że jako właścicielka najsmuklejszych kostek w całym Paryżu *mademoiselle* Bessette może nosić, co tylko jej się podoba.

Cisza zapadła na chwilę w grupce, do której powoli docierało znaczenie słów Édouarda. Mistinguett odwróciła ode mnie spojrzenie.

– *Enchantée* – powiedziała z olśniewającym uśmiechem. – Édouard, kochanie, muszę iść. Taka jestem zajęta. Wpadniesz do mnie niebawem, prawda?

Wyciągnęła urękawiczoną dłoń, a on ją ucałował. Zmusiłam się do oderwania wzroku od jego warg. A potem śpiewaczka zniknęła, niczym fala przesuwająca się przez tłum, jak gdyby rozstępowało się przed nią morze.

Usiedliśmy zatem. Édouard Lefèvre rozsiadł się wygodnie na krześle, jakby rozglądał się po plaży, podczas gdy ja nadal byłam sztywna i skrępowana. Nie mówiąc ani słowa, wręczył mi napój, a w jego spojrzeniu malowało się coś jakby przeprosiny połączone z – czy to możliwe? – powstrzymywanym śmiechem. Tak jakby to wszystko – oni – było tak niedorzeczne, że nie mogłam czuć się urażona.

Otoczona przez radosnych tańczących ludzi, dźwięk śmiechu i błękitne niebo, zaczęłam się odprężać. Édouard rozmawiał ze mną w sposób niezwykle uprzejmy, pytał o moje życie przed paryskimi czasami i o zasady panujące w sklepie, przerywając niekiedy, by włożyć papieros w kącik ust i zawołać „*Bravo!*" do zespołu, klaszcząc uniesionymi w górę wielkimi dłońmi. Znał niemal każdego. Straciłam rachubę tych wszystkich ludzi, którzy zatrzymywali się przy nas, by się przywitać czy postawić mu wino; artystów, sklepikarzy, kobiet. Czułam się jak w towarzystwie kogoś z rodziny królewskiej. Widziałam jednak, jak ich spojrzenia spoczywają na mnie przelotnie, podczas gdy oni zastanawiali się, co mężczyzna, który mógł mieć Mistinguett, robi tu z taką dziewczyną jak ja.

– Dziewczęta w sklepie mówią, że rozmawia pan z *les putains* z placu Pigalle.

Nie mogłam się powstrzymać: byłam ciekawa.

– Owszem. I z wieloma z nich świetnie się rozmawia.

– Maluje je pan?

– Kiedy stać mnie na kupienie ich czasu. – Skinął głową mężczyźnie, który ukłonił się nam, uchylając kapelusza. – Są znakomitymi modelkami. Na ogół nie mają żadnych kompleksów na punkcie swojego ciała.

– W odróżnieniu ode mnie.

Zauważył mój rumieniec. Po chwili wahania położył dłoń na mojej, jakby chciał mnie przeprosić.

– *Mademoiselle* – powiedział cicho. – Te rysunki to była moja porażka, nie pani. To ja… – Zaczął od nowa: – Pani ma inne zalety. Fascynuje mnie pani. Niełatwo jest panią onieśmielić.

– Rzeczywiście – zgodziłam się. – Chyba niełatwo.

Jedliśmy chleb, ser i oliwki, i były to najlepsze oliwki, jakie w życiu jadłam. On pił *pastis*, wychylając każdy kieliszek z hałaśliwym zachwytem. Kolejne godziny mijały niepostrzeżenie. Śmiechy brzmiały coraz głośniej, kieliszki napełniano i opróżniano coraz szybciej. Pozwoliłam sobie na dwie kolejki wina i zaczęłam bawić się naprawdę dobrze. Tu, na tej ulicy, w ten balsamiczny dzień nie byłam zahukaną prowincjuszką, ekspedientką na drugim od końca szczeblu drabiny kariery. Byłam po prostu jedną z wielu osób obchodzących wesoło Święto Narodowe Francji.

I wtedy Édouard odsunął stolik i stanął przede mną.

– Zatańczymy?

Nie potrafiłam wymyślić powodu, dla którego miałabym mu odmówić. Podałam mu rękę, a on pociągnął mnie w morze ciał. Nie tańczyłam od czasu, kiedy wyjechałam z St Péronne. Teraz czułam wiatr szumiący mi w uszach, ciężar dłoni mężczyzny na moich biodrach i to, że chodaki na moich stopach wydają się wyjątkowo lekkie. Édouard pachniał tytoniem, anyżkiem i czymś męskim, co na chwilę pozbawiło mnie tchu.

Nie wiem, jak to się stało. Wypiłam niewiele, więc nie mogłam powiedzieć, że to przez wino. On nie był przecież specjalnie przystojny, a ja nie miałam poczucia, że w moim życiu brakuje mężczyzny.

– Niech pan mnie narysuje jeszcze raz – powiedziałam.

Zatrzymał się i spojrzał na mnie ze zdziwieniem. Nie mogłam mieć mu tego za złe: sama byłam zdezorientowana.

– Proszę narysować mnie jeszcze raz. Dziś. Teraz.

Édouard nic nie odpowiedział, tylko podszedł do stolika i zabrał swój tytoń, po czym ruszyliśmy poprzez tłum i gwarne ulice do jego pracowni.

Weszliśmy po wąskich drewnianych schodach, otworzyliśmy drzwi do zalanego światłem atelier. Czekałam, a on zrzucił kurtkę, nastawił gramofon i zabrał się do mieszania farby na palecie. I wtedy, słuchając, jak nuci sobie pod nosem, zaczęłam rozpinać bluzkę. Zdjęłam buty i pończochy. Ściągnęłam spódnice, aż wreszcie zostałam w halce. Usiadłam na szezlongu, rozebrałam się do gorsetu i rozpuściłam włosy tak, że opadły mi na ramiona. Kiedy

Édouard odwrócił się znów ku mnie, usłyszałam, jak gwałtownie wciąga powietrze.

Zamrugał oczami.

– W ten sposób? – zapytałam.

Na jego twarzy przez chwilę odmalował się niepokój. Być może bał się, że jego pędzel znów mnie zdradzi. Ja nie odwracałam wzroku, a głowę miałam wysoko uniesioną. Patrzyłam na niego tak, jakbym rzucała mu wyzwanie. I wtedy jakiś artystyczny impuls wziął nad nim górę i mężczyzna pogrążył się w kontemplacji nieoczekiwanie mlecznej bieli mojej skóry, rdzawej barwy moich rozpuszczonych włosów, i w jednej chwili wszelkie obawy i niepokoje poszły w niepamięć.

– Tak, tak. Proszę przechylić głowę nieco w lewo – powiedział. – I rękę. O tak. Proszę trochę rozchylić dłoń. Idealnie.

Obserwowałam go, kiedy zaczął malować. Przyglądał się każdemu centymetrowi mojego ciała w intensywnym skupieniu, jakby za nic nie chciał czegoś przekłamać. Patrzyłam, jak na jego twarzy pojawia się wyraz satysfakcji, i czułam, że jest lustrzanym odbiciem mojego własnego zadowolenia. Teraz nie miałam żadnych zahamowań. Byłam Mistinguett, albo ulicznicą z placu Pigalle, nieustraszoną, nieskrępowaną. Chciałam, żeby jego wzrok dotykał mojej skóry, zagłębień na szyi, sekretnej, lśniącej spodniej strony moich włosów. Pragnęłam, żeby zobaczył każdą część mnie.

Gdy malował, rejestrowałam jego rysy i to, jak mruczy do siebie, mieszając na palecie kolory. Patrzyłam, jak chodzi, szurając nogami, jakby był starszy niż w rzeczywistości. To była poza – był młodszy i silniejszy niż większość mężczyzn przychodzących do naszego sklepu. Przypomniałam sobie, jak jadł: z wyraźną, łapczywą rozkoszą. Śpiewał razem z gramofonem, malował, kiedy miał ochotę, rozmawiał, z kim chciał, i mówił, co myśli. Chciałam żyć tak jak

Édouard: radośnie, wysysając szpik z każdej chwili i śpiewając, bo tak wspaniale smakuje.

A potem zrobiło się ciemno. Édouard przerwał, by opłukać pędzle, i rozejrzał się wokół, jakby dopiero teraz to zauważył. Zapalił kilka świec i lampę gazową i porozstawiał je wokół mnie, po czym westchnął, zdając sobie sprawę, że zmierzch go pokonał.

– Zimno pani? – zapytał. Pokręciłam głową, ale on podszedł do komody, wyjął z niej jasnoczerwony wełniany szal i ostrożnie narzucił mi go na ramiona. – Światło na dziś się skończyło. Chce pani spojrzeć?

Otuliłam się szalem i podeszłam do sztalug, wyczuwając pod bosymi stopami deski podłogi. Czułam się jak we śnie, jakby prawdziwe życie zniknęło na te kilka godzin, które tam spędziłam. Bałam się spojrzeć i przerwać ten czar.

– Bliżej. – Przywołał mnie gestem ręki.

Na płótnie zobaczyłam dziewczynę, której nie rozpoznawałam. Spoglądała na mnie wyzywająco, jej włosy lśniły w półmroku jak miedź, a skórę miała bladą jak alabaster – otaczała ją aura władczości i arystokratycznej pewności siebie.

Była obca, dumna i piękna. Czułam się tak, jakby ktoś podsunął mi zaczarowane zwierciadło.

– Wiedziałem – odezwał się cicho Édouard. – Wiedziałem, że tam jesteś.

Spojrzenie miał teraz znużone i wyczerpane, ale był usatysfakcjonowany. Patrzyłam na tamtą dziewczynę jeszcze przez chwilę. A potem, sama nie wiedząc dlaczego, zrobiłam krok do przodu, powoli wyciągnęłam ręce i ujęłam jego twarz tak, że musiał znów na mnie spojrzeć. Trzymałam ją w odległości kilku centymetrów od mojej, by nie odrywał ode mnie wzroku, tak jakbym mogła w jakiś sposób wchłonąć to, co on widzi.

Nigdy nie pragnęłam intymnej bliskości z mężczyzną. Zwierzęce odgłosy i krzyki dolatujące z pokoju rodziców – zazwyczaj wtedy, gdy ojciec był pijany – przerażały mnie, a następnego dnia zawsze odczuwałam litość dla mamy, poruszającej się ostrożnie, z posiniaczoną twarzą. Ale to, co czułam do Édouarda, było silniejsze ode mnie. Nie mogłam oderwać wzroku od jego ust.

– Sophie…

Ledwie go słyszałam. Przyciągnęłam jego twarz bliżej mojej. Świat wokół nas zniknął. Czułam pod palcami jego szorstki zarost, a na skórze ciepło jego oddechu. Jego oczy wpatrywały się w moje badawczo, z powagą. Przysięgam, że nawet wtedy patrzył na mnie tak, jakby widział mnie po raz pierwszy.

Nachyliłam się do przodu, zaledwie o kilka centymetrów, i wstrzymując oddech, dotknęłam wargami jego warg. Jego dłonie spoczęły na mojej talii i zacisnęły się odruchowo. Jego usta spotkały się z moimi i poczułam jego oddech, nutę tytoniu, wina i ciepłego, wilgotnego smaku Édouarda. O Boże, chciałam, żeby mnie pożarł. Oczy mi się zamknęły, a ciałem wstrząsnął dreszcz. Jego dłonie zatopiły się w moich włosach, a usta zsunęły się na moją szyję.

Na ulicy jacyś przechodnie wybuchnęli hałaśliwym śmiechem, a ja, gdy tak flagi powiewały na wieczornym wietrze, poczułam, że coś we mnie zmieniło się na zawsze.

– Och, Sophie. Mógłbym cię tak malować do końca życia – wymruczał Édouard w moją skórę. W każdym razie wydaje mi się, że powiedział „malować". Ale na tym etapie było już za późno, żeby się tym przejmować.

# 5

Zegar René Greniera zaczął wybijać godziny. Wszyscy byli zgodni co do tego, że to prawdziwa katastrofa. Od miesięcy zegar był zakopany w ogródku warzywnym pod jego domem, razem ze srebrnym imbrykiem, czterema złotymi monetami i zegarkiem, który jego dziadek nosił w kieszeni kamizelki. Nie można było dopuścić, by te rzeczy dostały się w ręce Niemców.

Plan dobrze się sprawdzał – nasze miasteczko dosłownie chrzęściło pod nogami od licznych cennych przedmiotów ukrytych w pośpiechu w ogródkach i pod ścieżkami – aż któregoś rześkiego listopadowego poranka *madame* Poilâne wbiegła do baru i przerwała Renému codzienną partyjkę domina informacją, że spod resztek marchwi na jego grządce co kwadrans dobiega stłumiony kurant.

– Ja to słyszę, i to z moim słuchem – szepnęła. – A skoro dzwoni wystarczająco głośno dla mnie, to tym bardziej dla nich.

– Jest pani pewna, że to właśnie on? – zapytałam. – Tyle czasu nie był nakręcany.

– Może to był odgłos *madame* Grenier przewracającej się w grobie – rzekł *monsieur* Lafarge.

– Nigdy nie pochowałbym żony w ogródku warzywnym – mruknął René. – W jej towarzystwie jarzyny zrobiłyby się jeszcze bardziej gorzkie i pomarszczone.

Nachyliłam się, żeby opróżnić popielniczkę, i powiedziałam półgłosem:

– Będzie pan musiał wykopać go pod osłoną nocy i napchać do środka płótna. Dziś powinno być bezpiecznie – rano dostarczyli nam więcej niż zwykle produktów na kolację. Większość Niemców będzie tutaj, więc będzie mniej wartowników.

Od czasu, gdy oficerowie zaczęli stołować się w Le Coq Rouge, minął miesiąc i terytorium baru objął niechętny rozejm. Od dziesiątej rano do wpół do szóstej lokal był francuski i przesiadywała w nim zwykła zbieranina ludzi starszych i samotnych. Hélène i ja sprzątałyśmy, potem gotowałyśmy dla Niemców, którzy zjawiali się krótko przed siódmą i oczekiwali, że jedzenie znajdzie się na stołach, jak tylko przekroczą próg baru. Sytuacja miała swoje plusy: kiedy po kolacji coś zostawało, co zdarzało się kilka razy w tygodniu, dzieliliśmy się resztkami (chociaż teraz bywały to raczej przypadkowe okrawki mięsa czy warzyw, a nie uczta z kurczaka). W miarę jak robiło się zimniej, Niemcy byli coraz głodniejsi, a Hélène i ja nie byłyśmy na tyle odważne, aby chować coś przed nimi. Niemniej nawet te dodatkowe parę kęsów stanowiło dużą różnicę. Jean rzadziej chorował, nasza cera wyglądała lepiej, ponadto kilka razy udało nam się przemycić słoiczek bulionu, gotowanego na kościach, do domu mera dla niedomagającej Louisy.

Były też inne korzyści. Jak tylko Niemcy opuszczali bar, Hélène i ja biegłyśmy do kominka, gasiłyśmy ogień i chowałyśmy drewno w piwnicy, żeby wyschło. Po kilku dniach takie na wpół zwęglone resztki mogły pozwolić na rozpalenie ognia w ciągu dnia, kiedy było akurat wyjątkowo zimno. W takie dni nasz bar pękał w szwach, choć tylko nieliczni klienci zamawiali coś do picia.

Ale były także oczywiście minusy. *Mesdames* Durant i Louvier uznały, że choć nie rozmawiam z niemieckimi oficerami, nie uśmiecham się do nich i zachowuję się tak, jakby ich obecność w moim domu była przykrym ciężarem, to na pewno korzystam z ich hojności. Odbierając regularne dostawy jedzenia, wina i opału, czułam na sobie oczy tych kobiet. Wiedziałam, że jesteśmy tematem zażartych dyskusji wokół placu. Moją jedyną pociechą był fakt, iż godzina policyjna oznaczała, że inni nie zobaczą tego wspaniałego jedzenia, jakie gotowałyśmy dla oficerów, ani tego, jak hotel wypełnia się ożywionymi rozmowami i śmiechem podczas owych ciemnych wieczornych godzin.

Hélène i ja nauczyłyśmy się żyć z dźwiękiem obcej mowy w naszym domu. Rozpoznawałyśmy kilku Niemców – jeden był wysoki, chudy, z wielkimi uszami i zawsze starał się podziękować nam w naszym języku. Drugi był opryskliwy, miał szpakowate wąsy i zazwyczaj coś mu się nie podobało; żądał soli, pieprzu lub dodatkowej porcji mięsa. Był też mały Holger, który pił za dużo i wpatrywał się w okno tak, jakby niewiele obchodziło go to, co się dzieje wokół niego. Hélène i ja kiwałyśmy uprzejmie głowami w odpowiedzi na ich uwagi, pilnując, by zachowywać się grzecznie, ale nie życzliwie. Szczerze mówiąc, bywały takie wieczory, że ich obecność u nas była niemal przyjemnością. Nie chodziło o to, że to są Niemcy, tylko po prostu istoty ludzkie. Ludzie, towarzystwo, zapach jedzenia. Tak długo byłyśmy pozbawione kontaktu z mężczyznami, z życiem. Ale zdarzały się też inne wieczory, kiedy widać było, że coś poszło nie tak, i wówczas nie gawędzili, twarze mieli napięte i surowe, a rozmowę zastępowały sporadyczne wybuchy gwałtownych szeptów. Wtedy zerkali na nas z ukosa, jakby sobie przypomnieli, że jesteśmy wrogami. Jakbyśmy potrafiły zrozumieć niemal wszystko, co mówią.

Aurélien się uczył. Nabrał zwyczaju kładzenia się na podłodze w pokoju numer trzy, z twarzą przyciśniętą do szpary w deskach, w nadziei, że któregoś dnia uda mu się dojrzeć jakąś mapę albo usłyszeć polecenie, które pozwoli nam uzyskać przewagę nad ich wojskami. Zadziwiał nas swoją znajomością niemieckiego: po wyjściu oficerów naśladował ich akcent i mówił różne rzeczy, żeby nas rozśmieszyć. Czasami rozumiał nawet urywki rozmów: który oficer trafił do *der Krankenhaus* (szpitala), ilu ludzi jest *tot*. Niepokoiłam się o niego, ale byłam także dumna. Dzięki temu miałam poczucie, że fakt, iż karmimy Niemców, może jeszcze posłużyć jakimś tajemnym celom.

Tymczasem Kommandant pozostawał nienagannie uprzejmy. Witał się ze mną może nie serdecznie, lecz z coraz bardziej poufałą grzecznością. Chwalił jedzenie, nie usiłując nam schlebiać, i krótko trzymał swoich ludzi, którym nie wolno było przesadzać z piciem ani zachowywać się arogancko.

Kilkakrotnie przyszedł do mnie, by pogawędzić o sztuce. Nie czułam się do końca swobodnie, rozmawiając z nim w cztery oczy, zarazem jednak czerpałam z tych dyskusji pewną przyjemność, bo przypominały mi o mężu. Kommandant mówił o tym, jak podziwia Purrmanna, o niemieckim pochodzeniu artysty i o obrazach Matisse'a, które sam widział i które sprawiły, że zapragnął pojechać do Moskwy i do Maroka.

Początkowo nie chciałam z nim rozmawiać, ale wkrótce zorientowałam się, że nie potrafię przestać. Czułam, że przypomina mi to o innym życiu, innym świecie. Kommandanta fascynowała dynamika Académie Matisse, rywalizacja i autentyczna miłość pomiędzy artystami. Wypowiadał się jak prawnik: szybko, inteligentnie, okazując zniecierpliwienie wobec tych, którzy nie potrafili nadążyć za jego rozumowaniem. Myślę, że lubił ze mną rozmawiać, ponieważ nie dawałam mu się wprawić w zakłopotanie. Chyba w moim charakterze było coś takiego, co nie pozwalało mi pokazać po sobie, że się boję, nawet jeśli w głębi duszy tak czułam. Ta cecha bardzo mi się przydała wśród wyniosłej klienteli paryskiego domu towarowego, i obecnie służyła mi równie dobrze.

Kommandant szczególnie upodobał sobie mój portret w barze. Przyglądał mu się tak długo, omawiając techniczne walory sposobu, w jaki Édouard posługuje się kolorem, jego pociągnięć pędzla, że chwilami udawało mi się zapomnieć o skrępowaniu faktem, iż obraz przedstawia mnie.

Jego rodzice, jak sam mi wyznał, nie byli „wykształceni", ale zaszczepili mu pasję do nauki. Kommandant miał nadzieję, że po wojnie będzie mógł dalej pogłębiać swoją wiedzę, podróżować, czytać, dowiadywać się nowych rzeczy. Jego żona miała na imię Liesl. Pewnego wieczoru wyjawił mi także, że ma dziecko. Dwuletniego chłopca, którego jeszcze nie widział. (Kiedy powtórzyłam to Hélène, spodziewałam się, że na jej twarzy pojawi się wyraz współczucia, lecz ona odparła ostro, że powinien mniej czasu spędzać na najeżdżaniu cudzych krajów).

Wszystko to Kommandant mówił mi jakby mimochodem, nie usiłując wydobyć ode mnie w zamian żadnych osobistych zwierzeń. Nie wynikało to z egoizmu; raczej ze zrozumienia, że przez sam fakt, iż on stołuje się w moim domu, odgrywa w moim życiu rolę intruza; oczekiwanie ode mnie czegokolwiek więcej byłoby zbyt wielkim natręctwem. Uświadomiłam sobie, że ten mężczyzna jest kimś na kształt dżentelmena.

W tym pierwszym miesiącu coraz trudniej było mi pogardzać *Herr Kommandantem* jako bestią, szwabem, jak było w przypadku innych. Chyba nauczyłam się sądzić, że wszyscy Niemcy to barbarzyńcy, niełatwo więc było mi wyobrazić ich sobie z żonami, matkami, dziećmi. Ale oto on jadł na moich oczach dzień w dzień, rozmawiał, mówił o kolorze i formie, o talentach innych artystów, tak jak mógłby mówić mój mąż. Niekiedy się uśmiechał, a wokół jego jasnoniebieskich oczu rysowały się nagle głębokie kurze łapki, jakby szczęście było niegdyś dla niego znacznie naturalniejszym uczuciem, niż pozwalały przypuszczać jego rysy.

Nie broniłam Kommandanta ani nie mówiłam o nim z innymi mieszkańcami naszego miasteczka. Jeśli ktoś usiłował wciągnąć mnie w rozmowę na temat trudów związanych z podejmowaniem Niemców w Le Coq Rouge, odpowiadałam tylko, że jeśli Bóg pozwoli, wkrótce nadejdzie dzień, gdy powrócą nasi mężowie, a wszystko to stanie się odległym wspomnieniem.

I modliłam się w duchu, by nikt nie zauważył, że od czasu jak zagościli tu Niemcy, naszego domu ani razu nie objął nakaz rekwizycji.


Na krótko przed południem opuściłam duszne wnętrze baru i wyszłam na zewnątrz pod pretekstem wytrzepania dywanika. W miejscu, gdzie na ziemię padał cień, jej powierzchnię powlekał jeszcze szron, kryształowy i świecący. Drżąc, przeszłam boczną uliczką do ogrodu Renégo i tam to usłyszałam: stłumiony kurant, sygnalizujący, że do dwunastej pozostał kwadrans.

Kiedy wróciłam, gromadka staruszków wychodziła właśnie z baru.

– Będziemy śpiewać – oznajmiła *madame* Poilâne.

– Co?

– Będziemy śpiewać. Zagłuszymy w ten sposób bicie zegara aż do wieczora. Powiemy im, że to taki francuski zwyczaj. Pieśni z Owernii. Wszystko jedno, co się akurat nam przypomni. Przecież tamci nie mają pojęcia.

– Będziecie śpiewać cały dzień?

– Nie, nie. Tylko o pełnych godzinach. Jeżeli w pobliżu będą jacyś Niemcy.

Spojrzałam na nią z niedowierzaniem.

– Sophie, jeżeli oni wykopią zegar Renégo, rozkopią całe St Péronne. Nie zamierzam oddawać pereł mojej matki jakiejś niemieckiej *Hausfrau*. – *Madame* Poilâne pogardliwie wydęła wargi.

– Cóż, w takim razie lepiej zaczynajcie. Kiedy zegar wybije południe, usłyszy go pół miasta.

Było to niemal zabawne. Czekałam na schodach przed hotelem, patrząc, jak grupka staruszków gromadzi się u wylotu uliczki, naprzeciw Niemców stojących jeszcze na placu, i zaczyna śpiewać. Śpiewali piosenki dla dzieci, kołysanki, a także *La pastourelle*, *Bailero* i *Lorsque j'étais petit*, fałszując wszystko swoimi zgrzytliwymi głosami. Śpiewali z podniesionymi głowami, stojąc ramię w ramię i od czasu do czasu popatrując po sobie z ukosa. René sprawiał wrażenie na przemian naburmuszonego i zaniepokojonego. *Madame* Poilâne uniosła ręce przed sobą, pobożna niczym nauczycielka ze szkółki niedzielnej.

Kiedy tak tam stałam ze ścierką w ręce, usiłując się nie uśmiechać, przez ulicę przeszedł Kommandant.

– Co ci ludzie robią?

– Dzień dobry, *Herr Kommandant*.

– Wiecie, że jest zakaz gromadzenia się na ulicach.

– Trudno to nazwać zgromadzeniem. To festiwal, *Herr Kommandant*. Francuska tradycja. W listopadzie starsi mieszkańcy St Péronne o pełnych godzinach śpiewają ludowe pieśni, by odpędzić nadchodzącą zimę – powiedziałam z przekonaniem.

Kommandant zmarszczył brwi, po czym spojrzał na staruszków. Ich głosy wzniosły się zgodnie, a ja domyśliłam się, że za ich plecami zegar zaczął wybijać dwunastą.

– Ależ oni są straszni – rzekł Kommandant półgłosem. – Nigdy nie słyszałem, żeby ktoś tak źle śpiewał.

– Proszę... niech pan nie każe im przestać. To niewinne ludowe piosenki, jak sam pan słyszy. Ci staruszkowie cieszą się, że choć przez jeden dzień mogą śpiewać swoje ojczyste pieśni. Na pewno potrafi pan to zrozumieć.

– Czy oni będą tak śpiewać przez cały dzień?

To nie samo zgromadzenie mu przeszkadzało. Był jak mój mąż: wszelka sztuka, która nie była piękna, sprawiała mu fizyczny ból.

– Niewykluczone.

Kommandant stał bez ruchu, wszystkimi zmysłami skupiony na dźwięku. Poczułam nagły niepokój: jeżeli jego słuch muzyczny jest tak dobry jak wrażliwość malarska, to może jeszcze wychwycić bicie zegara dobiegające w tle.

– Zastanawiałam się, co chciałby pan dzisiaj zjeść – powiedziałam nagle.

– Co?

– Czy ma pan jakieś ulubione dania. To znaczy nasze składniki są ograniczone, owszem, ale jest wiele rzeczy, które mogłabym dla pana przygotować. – Widziałam, jak *madame* Poilâne gestami zachęca pozostałych, by śpiewali głośniej, nieznacznie wznosząc dłonie do góry.

Kommandant przez moment sprawiał wrażenie zdezorientowanego. Uśmiechnęłam się, a jego twarz na chwilę złagodniała.

– To bardzo... – urwał.

Thierry Arteuil biegł drogą, powiewając wełnianym szalikiem i wskazując ręką za siebie.

– Jeńcy!

Kommandant błyskawicznie zwrócił się w kierunku swoich ludzi, którzy już zbierali się na placu. Zaczekałam, aż odejdzie, po czym podbiegłam do grupki śpiewających staruszków. Hélène i klienci siedzący w Le Coq Rouge, słysząc zapewne coraz głośniejszy gwar, wyglądali przez okna, a niektórzy zaczęli już ostrożnie wychodzić przed hotel.

Na chwilę zapadła cisza. A potem główną ulicą nadeszli oni, około stu mężczyzn, ustawionych w nieduży konwój. Obok mnie staruszkowie nie przestawali śpiewać; ich głosy najpierw przycichły, gdy zdali sobie sprawę, co rozgrywa się przed ich oczami, potem zaś wezbrały siłą i determinacją.

Nie było w miasteczku osoby, która nie szukałaby niespokojnym wzrokiem znajomej twarzy wśród słaniających się na nogach żołnierzy. Ale jej brak nie przynosił żadnej ulgi. Czy to naprawdę byli Francuzi? Wydawali się tacy mali, szarzy i przegrani, ubrania zwisały na ich wychudzonych ciałach, a rany owinięte były starymi brudnymi bandażami. Szli kilka metrów od nas, głowy mieli spuszczone, na początku i końcu kolumny maszerowali Niemcy, a my mogliśmy tylko patrzeć na to wszystko bezsilnie.

Usłyszałam, jak chór starczych głosów wokół mnie rozbrzmiewa z nową determinacją, nagle bardziej zgodny i melodyjny: „Stoję na wietrze i deszczu, śpiewam *bailero lero…*".

Poczułam ściskanie w gardle na myśl o tym, że gdzieś, wiele kilometrów stąd, mogą tak prowadzić Édouarda. Dłoń Hélène schwyciła moją, a ja wiedziałam, że siostra myśli o tym samym.

> Tu trawa jest bardziej zielona,
> Śpiewam *bailero lero…*
> Przyjdę tam i cię zabiorę…

Wpatrywałyśmy się w ich twarze, podczas gdy nasze własne były jak skamieniałe. Za nami pojawiła się *madame* Louvier. Poruszając się błyskawicznie jak myszka, przedarła się przez naszą małą grupkę i wcisnęła kupiony przed chwilą w *boulangerie* czarny chleb w ręce jednego z mężczyzn szkieletów. Porywisty wiatr szarpał jej wełniany szal. Mężczyzna podniósł wzrok, niepewny, co trzyma. Nagle wyrósł przed nimi z krzykiem niemiecki żołnierz i kolbą karabinu wytrącił więźniowi chleb z rąk w momencie, gdy ten zdał sobie sprawę, co dostał. Bochenek upadł do rynsztoka ciężko niczym cegła. Śpiew zamarł.

*Madame* Louvier wbiła wzrok w chleb, po czym podniosła głowę i zaczęła krzyczeć, przeszywając głosem nieruchome powietrze:

– Zwierzę! Wy przeklęci Niemcy! Zagłodzilibyście tych ludzi jak psy! Poszaleliście? Wy łajdacy! Sukinsyny! – Nigdy nie słyszałam z jej ust takich wyrazów. To było tak, jakby pękła jakaś wątła nić, która ją krępowała, i teraz nic nie mogło jej powstrzymać. – Chcecie kogoś pobić? Pobijcie mnie! No dalej, ty zbirze, ty bękarcie. Uderz mnie! – Jej głos rozdzierał nieruchome, zimne powietrze.

Poczułam, jak dłoń Hélène zaciska się na moim ramieniu. Bezgłośnie nakazywałam staruszce, by umilkła, ale ona nie przestawała krzyczeć, wymachując swoim chudym pomarszczonym palcem przed nosem młodego żołnierza. Nagle ogarnął mnie strach o nią. Niemiec spojrzał na nią z wyrazem ledwie powstrzymywanej wściekłości. Kłykcie zaciśniętych na kolbie karabinu dłoni zbielały, a ja się przeraziłam, że ją uderzy. Była taka krucha: wystarczyłby jeden cios, żeby pogruchotać jej stare kości.

Wszyscy wstrzymaliśmy oddech, żołnierz jednak schylił się, wziął chleb z rynsztoka i oddał go *madame* Louvier.

Popatrzyła na niego tak, jakby ją uderzył.

— Myślisz, że zjadłabym to, wiedząc, że wytrąciłeś go z ręki mojemu głodnemu bratu? Myślisz, że to nie mój brat? To wszystko są moi bracia! Moi synowie! *Vive la France!* — Splunęła, a jej stare oczy płonęły. — *Vive la France!*

Jakby wezwani do tego, stojący za mną staruszkowie zawtórowali jej pomrukiem, zapominając na chwilę o śpiewie.

— *Vive la France!*

Młody żołnierz obejrzał się za siebie, oczekując może instrukcji od przełożonego, ale jego uwagę odwrócił okrzyk dobiegający z dalszej części kolumny. Jeden z jeńców wykorzystał zamieszanie, by wyrwać się na wolność. Młodzieniec z ręką na prowizorycznym temblaku wymknął się z szeregu i teraz uciekał przez plac.

Kommandant, który razem z dwoma oficerami stał pod strzaskanym pomnikiem burmistrza Leclerca, zobaczył go pierwszy.

— *Halt!* — zawołał. Młody człowiek przyspieszył kroku; za duże buty spadały mu z nóg.

— *HALT!*

Jeniec rzucił plecak i przez chwilę wydawało się, że nabiera prędkości. Potknął się, gubiąc drugi but, ale jakoś udało mu się odzyskać równowagę. Już miał zniknąć za rogiem, gdy Kommandant wyszarpnął broń spod kurtki. Niemal zanim zdążyło do mnie dotrzeć, co on robi, mężczyzna uniósł rękę, wycelował i strzelił. Przy wtórze huku chłopiec upadł na ziemię.

Świat się zatrzymał. Ptaki umilkły. Wbiłyśmy wzrok w nieruchome ciało na bruku, a Hélène wyrwał się cichy jęk. Zrobiła taki ruch, jakby chciała do niego podbiec, ale Kommandant nakazał wszystkim się cofnąć. Krzyknął coś po niemiecku i jego ludzie podnieśli karabiny, celując w pozostałych więźniów.

Nikt się nie ruszał. Jeńcy patrzyli w ziemię. Nie wydawali się zaskoczeni takim rozwojem wypadków. Dłoń Hélène uniosła

się do ust i moja siostra zadrżała, mamrocząc coś, czego nie do-
słyszałam. Otoczyłam ręką jej talię. W uszach rozbrzmiewał mi
własny chrapliwy oddech.

Kommandant szybkim krokiem ruszył w stronę więźnia.
Kiedy do niego podszedł, przykucnął i przycisnął palce do szczęki
chłopca. Ciemnoczerwona kałuża zdążyła już przesiąknąć przez
jego wytartą kurtkę, a ja widziałam jego oczy, patrzące niewidzącym wzrokiem na plac, puste i nieruchome. Kommandant spędził chwilę pochylony nad ciałem, po czym znów wstał. Dwaj
niemieccy oficerowie ruszyli w jego kierunku, ale on gestem
nakazał im powrót do szeregu. Energicznie przeszedł przez
plac, chowając broń pod kurtką. Mijając mera, zatrzymał się na
moment.

– Zajmie się pan tym – powiedział.

Mer skinął głową. Zauważyłam, że szczęka lekko mu zadrżała.

Rozległ się okrzyk i kolumna ruszyła dalej; więźniowie mieli
pochylone głowy, a kobiety z St Péronne płakały rozdzierająco,
kryjąc twarze w chustkach. Zwłoki leżały niczym sterta pomiętych ubrań niedaleko rue des Bastides.

W niecałą minutę po tym, jak Niemcy odmaszerowali, zegar
René Greniera wydzwonił w żałobnej ciszy kwadrans po dwunastej.

Tej nocy nastrój w Le Coq Rouge był poważny. Kommandant
nie próbował nawiązać rozmowy; ja także w żaden sposób nie
okazywałam, bym sobie tego życzyła. Wraz z Hélène podały-
śmy kolację, wyszorowałyśmy garnki i jak tylko mogłyśmy, sta-
rałyśmy się nie wychodzić z kuchni. Nie miałam apetytu. Wciąż
prześladował mnie widok tego nieszczęsnego chłopca w podar-
tym ubraniu i za dużych butach, spadających mu z nóg, gdy biegł
na spotkanie śmierci.

W dodatku nie mogłam uwierzyć, że ten oficer, który w jednej chwili wyciągnął broń i zastrzelił go tak bezlitośnie, to ten sam człowiek, który siedział przy moim stole, mówiąc ze wzruszeniem o dziecku, którego nigdy nie widział, i zachwycając się sztuką, którą miał przed oczami. Czułam się oszukana, jakby Kommandant ukrył przede mną swoje prawdziwe oblicze. Oto rzeczywisty powód, dla którego Niemcy tutaj są, nie dyskusje o sztuce i wybornym jedzeniu. Są tu po to, by zastrzelić naszych synów i mężów. Żeby nas zniszczyć.

W tej chwili odczuwałam tęsknotę za mężem jak fizyczny ból. Od czasu, gdy ostatnio otrzymałam od niego wiadomość, upłynęły blisko trzy miesiące. Nie miałam pojęcia, co musi znosić. Kiedy tak żyliśmy tu w tej dziwnej izolacji, mogłam sobie wmawiać, że on ma się dobrze, jest krzepki i zdrowy, że jest gdzieś tam w prawdziwym świecie, popija z towarzyszami koniak z jednej manierki, może w wolnych chwilach szkicuje coś na skrawku papieru. Kiedy zamykałam oczy, widziałam tego Édouarda, którego pamiętałam z paryskich czasów. Jednak widok tych nieszczęsnych Francuzów maszerujących pod niemiecką eskortą przez nasze ulice sprawił, że trudniej było mi wierzyć w moje wyobrażenie. Édouard mógł trafić do niewoli, być ranny, głodować. Mógł cierpieć tak jak ci ludzie. Mógł być martwy.

Oparłam się o zlew i zamknęłam oczy.

I w tym momencie usłyszałam brzęk. Wyrwana z zamyślenia, wybiegłam z kuchni. Hélène stała odwrócona plecami do mnie, z podniesionymi rękami i tacą z potłuczonymi kieliszkami u stóp. Pod przeciwległą ścianą Kommandant ściskał za gardło młodego żołnierza. Krzyczał coś do niego po niemiecku, a jego wykrzywiona twarz znajdowała się tuż przy twarzy tamtego. Dłonie jego ofiary były uniesione w geście poddania.

– Hélène?

Jej skóra miała kolor popiołu.

– Złapał mnie, gdy koło niego przechodziłam. Ale… ale *Herr Kommandant* wpadł w furię.

Pozostali mężczyźni otoczyli ich teraz, zwracali się do Kommandanta proszącym tonem, usiłowali go odciągnąć, przewracając krzesła, przekrzykując jeden drugiego. W całym barze zapanowało poruszenie. W końcu Kommandant usłyszał ich i rozluźnił uścisk na gardle młodszego mężczyzny. Przez chwilę miałam wrażenie, że patrzy mi w oczy, ale potem, kiedy już cofnął się o krok, jego pięść wystrzeliła nagle i uderzyła z boku w głowę oficera, aż ta odbiła się od ściany.

– *Sie können nicht berühren die Frauen* – ryknął.

– Do kuchni. – Popchnęłam siostrę w stronę drzwi, nie zatrzymując się nawet, by pozbierać stłuczone szkło. Usłyszałam podniesione głosy, trzaśnięcie drzwi, i pospiesznie ruszyłam za nią korytarzem.

– *Madame* Lefèvre.

Zmywałam ostatnie kieliszki. Hélène się położyła; wypadki tego dnia wyczerpały ją jeszcze bardziej niż mnie.

– *Madame?*

– *Herr Kommandant.* – Zwróciłam się ku niemu, wycierając dłonie w ścierkę. W kuchni miałyśmy tylko jedną świeczkę, knot wetknięty w tłuszcz w puszce po sardynkach; ledwie widziałam twarz mężczyzny.

Stał przede mną z czapką w dłoniach.

– Przykro mi z powodu kieliszków. Dopilnuję, żeby dostały panie nowe.

– Proszę się nie kłopotać. Wystarczą nam te, które mamy. – Wiedziałam, że wszelkie kieliszki zostałyby zarekwirowane od sąsiadów.

– Przepraszam za… tego młodego oficera. Proszę przekazać siostrze, że to się więcej nie powtórzy.

Nie wątpiłam w to. Przez okno widziałam, jak jeden z kolegów odprowadza na kwaterę tamtego mężczyznę, z mokrą chustką przyciśniętą do skroni.

Myślałam, że Kommandant wyjdzie, ale on po prostu stał w kuchni. Czułam, że się we mnie wpatruje. Wzrok miał niespokojny, niemal udręczony.

– Dzisiejsze jedzenie było… wyśmienite. Jak się nazywa to danie?

– *Chou farci*.

Czekał, a kiedy przedłużające się milczenie stało się niezręczne, dodałam:

– To posiekana kiełbasa, warzywa i zioła zawinięte w liście kapusty i uduszone w bulionie.

Kommandant przeniósł wzrok na swoje stopy. Zrobił kilka kroków po kuchni, po czym przystanął i wziął do ręki słoik z przyborami. Zaczęłam zastanawiać się z roztargnieniem, czy zamierza je stąd zabrać.

– To było bardzo dobre. Wszyscy tak mówili. Pytała mnie pani dzisiaj, co chciałbym zjeść. No więc… chcielibyśmy zjeść niebawem to samo danie, jeśli to nie kłopot.

– Wedle życzenia.

Tego wieczoru był inny niż zwykle, otaczała go nieuchwytna aura wzburzenia, emanująca z niego falami. Zastanawiałam się, jakie to uczucie zabić człowieka i czy dla niemieckiego Kommandanta coś takiego jest bardziej niezwykłe niż wypicie drugiej filiżanki kawy.

Zerknął na mnie, jakby chciał powiedzieć coś jeszcze, ale ja odwróciłam się znów w stronę garnków. Zza jego pleców dobiegał mnie odgłos przesuwanych po podłodze krzeseł; pozostali oficerowie szykowali się do wyjścia. Padało – drobna, zacinająca mżawka, która niemal poziomo uderzała w szyby.

– Pewnie jest pani zmęczona – rzekł Kommandant. – Zostawię panią w spokoju.

Wzięłam tacę z kieliszkami i poszłam za nim w stronę drzwi. Znalazłszy się przy nich, mężczyzna odwrócił się, by założyć czapkę, tak że ja też musiałam się zatrzymać.

– A, od dawna chciałem zapytać. Jak się miewa maluszek?

– Jean? Całkiem dobrze, dziękuję, może trochę…

– Nie. Ten drugi maluszek.

Omal nie upuściłam tacy. Wahałam się przez chwilę, zbierając myśli, czułam jednak, jak zalewa mnie rumieniec. Wiedziałam, że on to zauważył.

Kiedy się odezwałam, mój głos był gruby ze zdenerwowania. Nie odrywałam oczu od trzymanych na tacy kieliszków.

– Sądzę, że wszyscy mamy się… tak dobrze, jak to możliwe w tych okolicznościach.

Przez chwilę rozważał moje słowa.

– Pilnujcie go – powiedział wreszcie cicho. – Nie powinien zbyć często wystawiać się na nocne powietrze.

Patrzył na mnie jeszcze przez moment, po czym odwrócił się i zniknął.

# 6

Tej nocy pomimo wyczerpania nie zmrużyłam oka. Patrzyłam, jak Hélène śpi niespokojnie, mamrocząc coś i raz po raz bezwiednie wyciągając rękę, by sprawdzić, czy dzieci są obok niej. O piątej, gdy było jeszcze ciemno, wstałam z łóżka, otuliłam się kilkoma kocami i na paluszkach zeszłam na dół, by zagotować wodę na kawę. Powietrze w jadalni było nadal przesycone zapachami z poprzedniego wieczoru: dymem z paleniska i nikłą wonią mięsa, która sprawiła, że zaburczało mi w brzuchu. Zrobiłam sobie gorący napój i usiadłam za barem, spoglądając na pusty plac, nad którym powoli wschodziło słońce. Kiedy niebieskie światło poprzecinały pomarańczowe smugi, w prawym rogu po przekątnej, tam gdzie upadł więzień, zarysował się blady cień. Czy ten młody człowiek miał żonę, dziecko? Czy w tej chwili oni siedzą gdzieś, układając list do niego albo modląc się o jego szczęśliwy powrót? Upiłam łyk kawy i zmusiłam się do odwrócenia wzroku.

Miałam właśnie wrócić do pokoju i się ubrać, kiedy ktoś zastukał do drzwi. Wzdrygnęłam się na widok cienia na bawełnianej zasłonce. Otuliłam się kocem, wpatrując się w tę sylwetkę i usiłując

dociec, kto mógłby odwiedzić nas o takiej porze, i czy to Kommandant, który przyszedł dręczyć mnie tym, co wie. Cicho podeszłam
do drzwi. Odsunęłam zasłonkę i po drugiej stronie zobaczyłam Liliane Béthune. Włosy miała upięte w loczki, na sobie czarny astrachański płaszcz, a oczy osłonięte. Obejrzała się przez ramię, kiedy
odsunęłam górną i dolną zasuwę w drzwiach i otworzyłam je.

– Liliane? Czy ty… czy czegoś potrzebujesz? – zapytałam.

Sięgnęła za pazuchę i wyciągnęła stamtąd kopertę, którą wcisnęła mi w ręce.

– To do ciebie – powiedziała.

Spojrzałam na kopertę.

– Ale… jakim sposobem…

Uniosła bladą dłoń i pokręciła głową.

Nikt z nas od miesięcy nie dostał listu. Niemcy od dłuższego czasu
trzymali nas w komunikacyjnej pustce. Z niedowierzaniem przyjęłam kopertę, po czym przypomniałam sobie o dobrym wychowaniu.

– Może wejdziesz do środka? Napijesz się kawy? Mam odłożone trochę prawdziwej.

Odpowiedziała mi bledziutkim uśmiechem.

– Nie. Dziękuję. Muszę wracać do córki.

I zanim zdążyłam jej podziękować, już drobiła przez ulicę na
swoich wysokich obcasach, kuląc się przed zimnem.

Spuściłam zasłonkę i zaryglowałam drzwi. A potem usiadłam
i rozdarłam kopertę. Jego głos, tak dawno niesłyszany, wypełnił
mi uszy.

Najdroższa Sophie,

tak dawno nie miałem od Ciebie wiadomości. Proszę Boga, żebyś była bezpieczna. W gorszych chwilach mówię sobie, że gdyby

było inaczej, jakaś część mnie na pewno by to poczuła, jak wibrację odległego dzwonu.

Niewiele mam Ci do opowiedzenia. Pierwszy raz w życiu nie czuję potrzeby przekładania na kolor świata, który widzę wokół. Słowa wydają mi się zupełnie nieudolne. Wiedz tylko, kochana Żono, że jestem zdrów na ciele i umyśle, i że myśl o Tobie utrzymuje mnie przy życiu.

Ludzie tutaj ściskają fotografie swoich najbliższych niczym talizmany chroniące ich przed ciemnością – pogniecione, brudne wizerunki obdarzone cechami skarbu. Ja nie potrzebuję zdjęcia, byś stanęła mi przed oczami, Sophie: wystarczy, że je zamknę, a widzę Twoją twarz, słyszę Twój głos, czuję Twój zapach, i nawet sobie nie wyobrażasz, jaką jesteś dla mnie pociechą.

Wiedz, Kochanie, że każdy dzień znaczę, nie tak jak moi towarzysze, jako ten, który szczęśliwie udało mi się przeżyć, lecz dziękuję Bogu za to, że każda miniona doba przybliża mnie o dwadzieścia cztery godziny do powrotu do Ciebie.

Twój Édouard

List był datowany na dwa miesiące wcześniej.

Nie wiem, czy to przez wyczerpanie, czy może wstrząs wywołany zdarzeniami poprzedniego dnia – nie należę do osób, które często płaczą, jeśli w ogóle – ale starannie włożyłam list z powrotem do koperty, a potem oparłam głowę na rękach i w zimnej, pustej kuchni zaczęłam szlochać.

Nie mogłam powiedzieć innym mieszkańcom miasteczka, dlaczego przyszła pora na zjedzenie prosięcia, ale zbliżające się święta Bożego Narodzenia stanowiły doskonały pretekst.

Oficerowie mieli spożyć wieczerzę wigilijną w Le Coq Rouge – miało ich być więcej niż zazwyczaj, więc ustaliliśmy, że podczas gdy oni będą tutaj, *madame* Poilâne urządzi potajemne *réveillon* u siebie w domu, dwie przecznice od placu. Tak długo, jak będę w stanie zająć niemieckich oficerów, grupka ludzi z miasteczka będzie mogła bezpiecznie upiec prosię w piecu chlebowym, który *madame* Poilâne miała w piwnicy, a następnie je zjeść. Hélène pomoże mi podać Niemcom wieczerzę, a potem przekradnie się przez dziurę w ścianie w piwnicy i dołączy do dzieci w domu *madame* Poilâne. Ci, którzy mieszkali zbyt daleko, by niepostrzeżenie przejść przez miasteczko, zostaną u niej po godzinie policyjnej i będą się chować, gdyby jacyś Niemcy przyszli na inspekcję.

– Ale to niesprawiedliwe – stwierdziła Hélène, kiedy dwa dni później przedstawiłam plan jej i merowi. – Jeżeli ty tu zostaniesz, będziesz jedyną osobą, którą to ominie. Tak nie może być, zwłaszcza wobec tego, co zrobiłaś, żeby nie dopuścić do wykrycia tej świnki.

– Któraś z nas musi zostać – zauważyłam. – Wiesz, że będzie znacznie bezpieczniej, jeśli będziemy mieli pewność, że wszyscy oficerowie są w jednym miejscu.

– Ale to nie będzie to samo.

– Cóż, nic nie jest takie samo – odparłam krótko. – I wiesz równie dobrze jak ja, że *Herr Kommandant* zauważy moją nieobecność.

Zobaczyłam, jak moja siostra wymienia spojrzenia z merem.

– Hélène, daj spokój. Jestem *la patronne*. On oczekuje, że będzie mnie tu widział co wieczór. Jeżeli mnie nie będzie, zorientuje się, że coś jest nie tak.

Nawet w moich ustach brzmiało to tak, jakbym zanadto protestowała.

– Posłuchaj – ciągnęłam dalej, zmuszając się do pojednawczego tonu. – Zostawicie dla mnie trochę mięsa. Przyniesiesz mi je w serwetce. Przyrzekam ci, że jeśli Niemcy będą mieli dość jedzenia, by urządzić sobie ucztę, to ja też nie będę sobie żałować. Nie zamierzam się umartwiać. Przyrzekam.

Sprawiali wrażenie uspokojonych, ale ja nie mogłam powiedzieć im prawdy. Od kiedy odkryłam, że Kommandant wie o prosięciu, straciłam na nie apetyt. Fakt, że nie zdradził się z tą wiedzą, nie mówiąc już o ukaraniu nas, nie wywoływał we mnie ulgi i radości, lecz głęboki niepokój.

Teraz, kiedy widziałam, jak wpatruje się w mój portret, nie czułam satysfakcji, że nawet Niemiec jest w stanie docenić talent mojego męża. Gdy wchodził do kuchni, żeby ze mną pogawędzić, robiłam się sztywna i spięta z obawy, że może o tym wspomnieć.

– Wygląda na to – odezwał się mer – że po raz kolejny jesteśmy twoimi dłużnikami.

Sprawiał wrażenie przygnębionego. Jego córka od tygodnia była chora; żona mera powiedziała mi kiedyś, że ilekroć Louisa zachoruje, jej ojciec prawie nie sypia z niepokoju.

– Bzdura – odparłam raźno. – W porównaniu z tym, co robią nasi chłopcy, to wszystko jest niewarte wzmianki.

Moja siostra zbyt dobrze mnie znała. Nie pytała wprost; to nie byłoby w stylu Hélène. Czułam jednak, że mnie obserwuje, słyszałam nutkę zdenerwowania w jej głosie, ilekroć ktoś wspominał o *réveillon*. Wreszcie, na tydzień przed Bożym Narodzeniem, zwierzyłam jej się. Siedziała na brzegu łóżka, rozczesując włosy. Szczotka w jej dłoni znieruchomiała.

– Jak myślisz, dlaczego on nikomu nie powiedział? – zapytałam, skończywszy opowieść.

Wbiła wzrok w narzutę na łóżku. A kiedy na mnie spojrzała, w jej oczach malował się lęk.

– Chyba mu się podobasz – odrzekła.

Ten tydzień przed Gwiazdką był bardzo zajęty, choć niewiele miałyśmy rzeczy, które mogłyby posłużyć nam do przygotowania uroczystości. Hélène i kilka starszych kobiet szyły szmaciane lalki dla dzieci. Były prymitywne, suknie miały zrobione z płótna, a twarze z wyhaftowanych pończoch. Ważne było jednak, by te dzieci, które zostały w St Péronne, doświadczyły choć trochę magii w te ponure święta.

Ja sama poczynałam sobie coraz śmielej. Dwa razy wykradłam ziemniaki z niemieckich przydziałów, przerabiając pozostałe na purée, by ukryć fakt, że jest ich mniej, i upchnąwszy cenne bulwy w kieszeniach, dostarczyłam je tym mieszkańcom, którzy wydawali się szczególnie osłabieni. Podkradałam co mniejsze marchewki i chowałam je w rąbku spódnicy, tak by nie dało się ich znaleźć, nawet gdybym została zatrzymana i obszukana. Merowi zaniosłam dwa słoiczki bulionu z kury, żeby jego żona mogła przygotować dla Louisy trochę rosołu. Dziecko było blade i gorączkowało; jej matka powiedziała mi, że mała niewiele jest w stanie przełknąć i wydaje się coraz bardziej zamykać w sobie. Patrząc na dziewczynkę, zagubioną w ogromnym starym łożu z podartymi kocami, apatyczną i raz po raz zanoszącą się kaszlem, pomyślałam sobie, że trudno się jej dziwić. Co to za życie dla dziecka?

Na ile mogliśmy, staraliśmy się ukrywać przed najmłodszymi te najgorsze strony, lecz i tak musieli konfrontować się ze światem, w którym na ulicach strzelano do ludzi, w którym nieznajomi za włosy wyciągali ich matki z łóżek za najdrobniejsze przewinienie, w rodzaju przechadzki po zakazanym lesie czy nieokazania niemieckiemu oficerowi należytego szacunku. Mimi patrzyła na nasz świat milczącymi, podejrzliwymi oczami, zasmucając tym Hélène. Aurélien był coraz bardziej zły: widziałam, jak gniew wzbiera w nim niczym lawa w wulkanie, i codziennie modliłam się, by kiedy wreszcie wybuchnie, nie odbyło się to kosztem jego samego.

Jednak największą nowiną w tym tygodniu było pojawienie się pod moimi drzwiami gazety, wydrukowanej po amatorsku i zatytułowanej „Journal des Occupés". Jedyną gazetą dozwoloną w St Péronne był kontrolowany przez Niemców „Bulletin de Lille", który składał się z tak oczywistej niemieckiej propagandy, że niewielu z nas służył do czegokolwiek innego niż na podpałkę. Jednak „Journal" dostarczał nam rzeczywistych informacji: wymieniał miasteczka i wsie znajdujące się pod okupacją, komentował oficjalne komunikaty i zawierał satyryczne artykuły na temat okupacji, limeryki o czarnym chlebie i komiksowe szkice dowodzących oficerów. Gazeta upraszała czytelników o niedopytywanie się, skąd pochodzi, i zniszczenie jej po przeczytaniu.

Przedstawiała także listę zwaną „Dziesięcioma przykazaniami von Heinricha", wyśmiewającą narzucane nam drobiazgowe zarządzenia.

Nie potrafię opisać, jak bardzo ten czterostronicowy świstek dodawał otuchy całemu naszemu miasteczku. Przez kilka dni przed *réveillon* do baru napływał nieprzerwany strumień mieszkańców, którzy albo czytali go w ubikacji (w ciągu dnia przechowywaliśmy gazetę na dnie koszyka ze starym papierem), albo przekazywali sobie bezpośrednio wiadomości i co lepsze żarty. Spędzaliśmy w toalecie tyle czasu, że Niemcy zaczęli pytać, czy krąży wśród nas jakiś wirus.

Z gazety dowiedzieliśmy się, że sąsiednie miasteczka spotkał ten sam los co nasze. Usłyszeliśmy o przerażających obozach pracy, w których ludzie głodowali i zaharowywali się na śmierć. Odkryliśmy, że Paryż niewiele wie na temat naszej niedoli i że z Roubaix, gdzie jedzenia było jeszcze mniej niż w St Péronne, ewakuowano czterysta kobiet i dzieci. Nie chodziło o to, że te wiadomości same w sobie są czymś użytecznym. Przypominały nam jednak, że nadal jesteśmy częścią Francji, że nasze miasteczko nie jest osamotnione w swoich cierpieniach. I, co ważniejsze, sama gazeta stanowiła powód do dumy: Francuzi wciąż jeszcze potrafią zakpić sobie z Niemców.

W kwestii tego, jak „Journal" mógł do nas dotrzeć, toczyły się gorączkowe spory. Fakt, że dostarczono go do Le Coq Rouge, przyczynił się w pewnym stopniu do złagodzenia rosnącego niezadowolenia z tego, że gotujemy dla Niemców. Patrzyłam na Liliane Béthune, spieszącą po chleb w swoim astrachańskim płaszczu, i miałam na ten temat własną teorię.

Kommandant nalegał, żebyśmy z nimi zjadły. W wigilię Bożego Narodzenia to przywilej kucharek, powiedział. Sądziłyśmy, że przygotowujemy jedzenie dla osiemnastu osób, po czym dowiedziałyśmy się, że dwie ostatnie to Hélène i ja. Spędziłyśmy długie godziny, uwijając się w kuchni, a nad naszym zmęczeniem przeważała cicha, niewypowiedziana radość z tego, co działo się dwie ulice dalej: perspektywa potajemnego świętowania i prawdziwego mięsa dla naszych dzieci. Wydawało się, że zjedzenie do tego dwóch pełnych posiłków to niemal zbyt wiele.

A jednak nie. Chyba już nigdy nie potrafiłabym odmówić jedzenia. Posiłek był przepyszny: kaczka pieczona z plasterkami pomarańczy i imbirem, ziemniaki *dauphinoise* z fasolką szparagową, a do tego talerz serów. Hélène pochłonęła swoją porcję, nie mogąc się nadziwić, że zje tego wieczoru dwie kolacje.

– Mogę oddać komuś swoją porcję wieprzowiny – powiedziała, obgryzając kość. – No, może zachowam sobie trochę skórki. Jak myślisz?

Jak dobrze było widzieć ją pogodną. W tej chwili nasza kuchnia wydawała się wesołym miejscem. Były dodatkowe świece, dzięki czemu miałyśmy trochę więcej cennego światła. W powietrzu czuć było znajome świąteczne zapachy – Hélène naszpikowała jedną z pomarańczy goździkami i powiesiła ją nad piecem, żeby woń wypełniła całe pomieszczenie. Jeżeli człowiek nie zastanawiał się zbyt wiele, mógł słuchać dzwonienia kieliszków, śmiechu i rozmów i zapomnieć, że salę obok zajmują Niemcy.

Około wpół do dziesiątej opatuliłam siostrę i pomogłam jej zejść na dół, żeby mogła przekraść się do piwnicy sąsiadów i stamtąd na zewnątrz, przez ich zsyp na węgiel. Miała pobiec ciemnymi uliczkami do domu *madame* Poilâne, gdzie czekali już Aurélien i dzieci, których zaprowadziłyśmy tam po południu. Świnię przetransportowaliśmy dzień wcześniej. Zdążyła tymczasem podrosnąć i Aurélien musiał ją przytrzymywać, podczas gdy ja karmiłam ją jabłkiem, aż w końcu *monsieur* Baudin, rzeźnik, zarżnął ją jednym zręcznym pociągnięciem noża.

Włożyłam na powrót cegły do dziury, nasłuchując przez cały czas głosów mężczyzn w barze nade mną. Z pewnym zadowoleniem uświadomiłam sobie, że po raz pierwszy od wielu miesięcy nie jest mi zimno. Bycie głodnym oznaczało także bycie nieustannie zmarzniętym; była to lekcja, której z pewnością nigdy nie zapomnę.

– Édouard, mam nadzieję, że jest ci ciepło – wyszeptałam w pustej piwnicy, podczas gdy kroki mojej siostry cichły stopniowo po drugiej stronie ściany. – Mam nadzieję, że jesz tak dobrze jak my dziś wieczorem.

Wyszedłszy z powrotem do holu, podskoczyłam z zaskoczenia. Kommandant patrzył na mój portret.

– Nie mogłem pani znaleźć – powiedział. – Myślałem, że będzie pani w kuchni.

– Wy-wyszłam tylko zaczerpnąć świeżego powietrza – wyjąkałam.

– Za każdym razem, kiedy patrzę na ten obraz, widzę w nim coś innego. Ona ma w sobie coś zagadkowego. To znaczy pani. – Uśmiechnął się lekko z powodu własnego błędu. – Pani ma w sobie coś zagadkowego.

Nic nie odpowiedziałam.

– Mam nadzieję, że nie wprawię pani w zakłopotanie, ale muszę to powiedzieć. Od jakiegoś czasu myślę, że to najpiękniejszy obraz, jaki kiedykolwiek widziałem.

– Owszem, to piękne dzieło sztuki.

– Uważa pani, że nie dotyczy to jego tematu?

Milczałam.

Poruszył kieliszkiem tak, że wino wewnątrz się zakołysało. Kiedy znów się odezwał, wzrok miał utkwiony w rubinowym płynie.

– Czy naprawdę uważa się pani za nieładną, *madame*?

– Uważam, że piękno tkwi w oku patrzącego. Kiedy mój mąż mówi mi, że jestem piękna, wierzę w to, bo wiem, że dla niego taka jestem.

Wtedy podniósł wzrok. Utkwił nieruchome spojrzenie w moich oczach. Wpatrywał się we mnie tak długo, że poczułam, iż zaczynam szybciej oddychać.

Oczy Édouarda były oknami jego duszy; odsłaniały jego najgłębszą istotę. Oczy Kommandanta patrzyły intensywnie, przenikliwie, a jednak było w nich coś zawoalowanego, jakby chciał ukryć swoje prawdziwe uczucia. Obawiałam się, że może dostrzec moje własne słabnące opanowanie, że może przejrzeć moje kłamstwa, jeżeli się przed nim otworzę. Odwróciłam wzrok jako pierwsza.

Sięgnął przez stół w stronę skrzynki, którą Niemcy wnieśli tu wcześniej, i wyciągnął z niej butelkę koniaku.

– Proszę się ze mną napić, *madame*.

– Nie, dziękuję, *Herr Kommandant*. – Zerknęłam w stronę drzwi do jadalni, gdzie oficerowie powinni właśnie kończyć deser.

– Tylko kieliszek. Są święta.

Wiedziałam, że to rozkaz. Pomyślałam o pozostałych, jedzących pieczeń wieprzową kilka ulic dalej. Pomyślałam o Mimi, z tłuszczem cieknącym po brodzie, o Aurélienie, uśmiechniętym, rozbawionym, dumnym z ich wspaniałego podstępu. Potrzebował odrobiny radości: w tym tygodniu dwa razy odesłano go ze szkoły do domu za bójki, ale nie chciał mi powiedzieć, o co poszło. Zależało mi na tym, żeby oni wszyscy zjedli jeden porządny posiłek.

– W takim razie… dobrze. – Przyjęłam kieliszek i pociągnęłam łyk. Koniak był jak ogień rozlewający się po moim wnętrzu. Czułam, jak dodaje mi sił i otuchy.

Kommandant wychylił swój kieliszek, przyglądając się, jak ja wypijam mój, po czym popchnął butelkę w moją stronę, dając mi do zrozumienia, żebym sobie dolała.

Siedzieliśmy w milczeniu. Zastanawiałam się, ile osób przyszło zjeść pieczeń. Hélène uważała, że będzie czternaście. Dwoje staruszków bało się wyjść po godzinie policyjnej. Ksiądz obiecał, że po pasterce zaniesie to, co zostanie, do ich domów.

Popijaliśmy koniak, a ja przyglądałam się Kommandantowi. Szczęki miał zaciśnięte, co wskazywało na pewną nieugiętość, ale bez wojskowej czapki jego ostrzyżone niemal do skóry włosy nadawały jego głowie jakiś bezbronny wygląd. Spróbowałam wyobrazić go sobie nie w mundurze, jako normalnego człowieka zajmującego się zwykłymi sprawami, kupującego gazetę, jadącego na urlop. Ale nie byłam w stanie. Ten mundur był dla mnie nie do przyjęcia.

– Wojna skazuje człowieka na samotność, nieprawdaż?

Upiłam łyk koniaku.

– Pan ma swoich żołnierzy. Ja moją rodzinę. Żadne z nas nie jest zupełnie samotne.

– Ale to nie to samo, prawda?

– Wszyscy radzimy sobie najlepiej, jak potrafimy.

– Czyżby? Nie jestem pewien, czy ktokolwiek określiłby to słowem „najlepiej".

Koniak dodał mi odwagi.

– To pan siedzi w mojej kuchni, *Herr Kommandant*. Powiedziałabym, z całym szacunkiem, że tylko jedno z nas ma w tej kwestii wybór.

Po jego twarzy przemknął cień. Nie był przyzwyczajony do tego, żeby ktoś mu się sprzeciwiał. Na jego policzkach pojawił się lekki rumieniec, a ja zobaczyłam go z wyciągniętą ręką, jak celuje do uciekającego jeńca.

– Naprawdę sądzi pani, że którykolwiek z nas ma wybór? – zapytał Kommandant cicho. – Naprawdę sądzi pani, że ktokolwiek z nas zdecydował, że tak właśnie chce żyć? Otoczony przez zniszczenie? Jako jego sprawca? Gdyby była pani świadkiem tego, co my widzieliśmy na froncie, sama by pani uznała… – Urwał i pokręcił głową. – Przepraszam, *madame*. To ta dzisiejsza noc. Jest w stanie zamienić w babę każdego mężczyznę. A wszyscy wiemy, że nie ma nic gorszego niż żołnierz baba.

I uśmiechnął się przepraszająco, a ja trochę się odprężyłam. Siedzieliśmy naprzeciwko siebie przy kuchennym stole, sącząc koniak z kieliszków, w otoczeniu resztek kolacji. W sali obok oficerowie zaczęli śpiewać. Słyszałam, jak ich głosy się wznoszą; melodia była znajoma, słowa niezrozumiałe. Kommandant przechylił głowę i zaczął nasłuchiwać. Potem odstawił kieliszek.

– Nie znosi pani, gdy tu jesteśmy, prawda?

Zamrugałam powiekami.

– Zawsze starałam się...

– Myśli pani, że pani twarz nic nie zdradza. Ale ja panią obserwuję. Lata w tej pracy nauczyły mnie wiele o ludziach i ich tajemnicach. No cóż. Czy możemy zawrzeć rozejm, *madame*? Tylko na te kilka godzin?

– Rozejm?

– Pani zapomni, że należę do wrogiej armii, ja zapomnę, że jest pani kobietą, która wiele czasu spędza na obmyślaniu sposobów na zaszkodzenie tej armii, i będziemy po prostu... dwojgiem ludzi?

Jego twarz na krótką chwilę złagodniała. Zbliżył kieliszek do mojego. Z ociąganiem uniosłam swój.

– Nie mówmy o świętach Bożego Narodzenia, samotnych czy nie. Chciałbym, żebyś mi opowiedziała o innych artystach z Académie. Opowiedz, jak ich poznałaś.

Nie wiem, jak długo tam siedzieliśmy. Jeśli mam być szczera, mijające godziny rozpłynęły się w rozmowie i cieple alkoholu. Kommandant chciał wiedzieć wszystko o życiu artysty w Paryżu. Jakim człowiekiem jest Matisse? Czy jego życie jest tak samo skandalizujące jak jego twórczość?

– Och, nie. Jest niezwykle rygorystycznym intelektualnie człowiekiem. Dosyć surowym. I bardzo konserwatywnym, zarówno w pracy, jak i w życiu domowym. A jednak... – przez chwilę myślałam o profesorze w okularach i o tym, jak zerkał na człowieka, żeby sprawdzić, czy dostrzegł każdy niuans, a dopiero potem pokazywał następny obraz – ...radosnym. Myślę, że to, co robi, daje mu wielką radość.

Kommandant zamyślił się nad tym, jakby moja odpowiedź go usatysfakcjonowała.

– Kiedyś chciałem być malarzem. Oczywiście byłem do niczego. Bardzo wcześnie musiałem zmierzyć się z tą prawdą. – Przesunął palcami po nóżce kieliszka. – Często przychodzi mi do głowy, że możliwość zarabiania na utrzymanie tym, co człowiek kocha robić, musi być jednym z największych błogosławieństw w życiu.

Wtedy pomyślałam o Édouardzie, o jego skupionej twarzy, gdy spogląda na mnie zza sztalug. Gdybym zamknęła oczy, mogłabym poczuć na prawej nodze ciepło bijące od kominka, a na lewej lekki chłód w miejscu, gdzie moja skóra była naga. Zobaczyłabym go, jak podnosi brew, dokładnie w tym momencie, kiedy jego myśli oderwały się od obrazu.

– Ja też tak uważam.

„Kiedy zobaczyłem cię po raz pierwszy – powiedział mi podczas naszej pierwszej wspólnej wigilii – patrzyłem, jak stoisz pośrodku tego rozgardiaszu w sklepie, i pomyślałem, że jesteś najbardziej opanowaną kobietą, jaką kiedykolwiek widziałem. Wyglądałaś tak, jakby świat wokół ciebie mógł eksplodować, a ty stałabyś dalej, z uniesionym podbródkiem, spoglądając na niego władczo spod tych swoich wspaniałych włosów". Podniósł moją dłoń do ust i ucałował ją czule.

„A ja pomyślałam, że jesteś rosyjskim niedźwiedziem" – odparłam.

Uniósł brew. Byliśmy w zatłoczonej restauracyjce przy rue de Turbigo. „GRRRRRRRR" – zaczął warczeć, aż nie mogłam opanować śmiechu. Przycisnął mnie do siebie, tam, na środku ławy, obsypując moją szyję pocałunkami, nie zwracając najmniejszej uwagi na jedzących wokół nas ludzi. „GRRRRR".

Śpiew w przyległej sali ustał. Nagle poczułam się skrępowana i wstałam, jakbym zamierzała sprzątnąć ze stołu.

– Proszę – powiedział Kommandant, gestem nakazując mi, żebym usiadła. – Posiedź jeszcze chwilę. Mamy w końcu wigilię.

– Pańscy ludzie oczekują, że pan do nich dołączy.

– Przeciwnie, znacznie lepiej bawią się pod nieobecność Kommandanta. Nieładnie byłoby narzucać im przez cały wieczór swoje towarzystwo.

Za to ładnie narzucać je mnie, pomyślałam. I w tym momencie Kommandant zapytał:

– A gdzie twoja siostra?

– Powiedziałam jej, żeby się położyła – odparłam. – Nie czuje się najlepiej, a po dzisiejszych przygotowaniach była bardzo zmęczona. Chciałam, żeby jutro była w dobrej formie.

– A co będziecie robić? W ramach świętowania?

– Czy my naprawdę mamy co świętować?

– Rozejm, *madame*?

Wzruszyłam ramionami.

– Pójdziemy do kościoła. Może odwiedzimy kilkoro starszych sąsiadów. W taki dzień ciężko być samemu.

– Dbasz o wszystkich wokół, prawda?

– Bycie dobrą sąsiadką to nie przestępstwo.

– Wiem, że zaniosłaś do domu mera ten kosz drew, który dostarczyłem wam do własnego użytku.

– Jego córka jest chora. Ciepło jest jej bardziej potrzebne niż nam.

– Powinnaś wiedzieć, *madame*, że nic w tym miasteczku nie umyka mojej uwadze. Absolutnie nic.

Nie potrafiłam spojrzeć mu w oczy. Bałam się, że tym razem moja twarz i przyspieszone bicie serca mnie zdradzą. Marzyłam, by móc wymazać z pamięci wszystko, co wiedziałam o uczcie odbywającej się kilkaset metrów stąd. Marzyłam, by pozbyć się tego uczucia, że Kommandant bawi się ze mną w kotka i myszkę.

Pociągnęłam jeszcze jeden łyk koniaku. Oficerowie znów śpiewali. Znałam tę kolędę. Niemal rozróżniałam słowa.

*Stille Nacht, heilige Nacht.*
*Alles schläft; einsam wacht.*

Dlaczego on nie spuszcza ze mnie wzroku? Bałam się cokolwiek powiedzieć, bałam się wstać jeszcze raz, żeby nie zaczął zadawać mi niewygodnych pytań. Ale sam fakt, że siedziałam tu i pozwalałam mu wpatrywać się w siebie, sprawiał, że czułam się, jakbym była jego wspólniczką. Wreszcie zrobiłam wdech i podniosłam wzrok. Nadal na mnie patrzył.

– *Madame*, zatańczysz ze mną? Tylko jeden taniec? Z okazji świąt?

– Zatańczyć?

– Tylko jeden taniec. Chciałbym… chciałbym, żeby coś przypomniało mi o lepszej stronie ludzkości, choć raz w ciągu tego roku.

– Ja nie… nie sądzę… – Pomyślałam o Hélène i pozostałych, kilka ulic dalej, wolnych przez ten jeden wieczór. Pomyślałam o Liliane Béthune. Spojrzałam badawczo w twarz Kommandanta.

Jego prośba robiła wrażenie szczerej. „Będziemy po prostu… dwojgiem ludzi…"

A potem pomyślałam o moim mężu. Czy życzyłabym mu, żeby znalazł parę życzliwych ramion, w których mógłby zatańczyć? Tylko przez ten jeden wieczór? Czyż nie miałam nadziei, że gdzieś wiele kilometrów stąd jakaś dobra kobieta w cichym barze przypomni mu, że ten świat może być pięknym miejscem?

– Zatańczę z panem, *Herr Kommandant* – powiedziałam. – Ale tylko w kuchni.

Mężczyzna wstał, wyciągnął rękę, a ja po krótkim wahaniu podałam mu swoją. Jego dłoń była zaskakująco szorstka. Przysunęłam się o kilka kroków, nie patrząc mu w twarz, a wtedy on położył drugą rękę na mojej talii. I podczas gdy żołnierze w sali obok śpiewali, my zaczęliśmy powoli poruszać się wokół stołu. Towarzyszyła mi dojmująca świadomość tego, że jego ciało znajduje się zaledwie kilka centymetrów od mojego, a jego dłoń przyciska mój gorset. Czułam szorstki materiał jego munduru przy moim nagim ramieniu i lekką wibrację jego klatki piersiowej, gdy nucił po cichu. Miałam takie poczucie, jakbym niemal płonęła z napięcia, każdym zmysłem kontrolując swoje palce, ramiona, starając się dopilnować, żebym zanadto się nie zbliżyła, przerażona, że on może w każdej chwili przyciągnąć mnie do siebie.

I przez cały ten czas głos w mojej głowie powtarzał: „Tańczę z Niemcem".

*Stille Nacht, heilige Nacht,*
*Gottes Sohn, o wie lacht…*

On jednak nic nie zrobił. Nucił, trzymał mnie lekko i krążył pewnie wokół kuchennego stołu. I na te parę minut zamknęłam oczy

i byłam po prostu dziewczyną, żywą, wolną od głodu i zimna, tań-
cząca w noc wigilijną, a w głowie kręciło mi się trochę od koniaku,
wdychania zapachu przypraw i pysznego jedzenia. Żyłam tak jak
Édouard, ciesząc się każdą drobną przyjemnością, pozwalając sobie
na dostrzeżenie w tym wszystkim piękna. Od czasu, kiedy mężczyzna ostatni raz mnie obejmował, minęły dwa lata. Zamknęłam
oczy, odprężyłam się i dałam sobie poczuć to wszystko, pozwalając partnerowi prowadzić się i nucić sobie do ucha.

*Christ, in deiner Geburt!*
*Christ, in deiner Geburt!*

Śpiew ucichł i po chwili Kommandant odsunął się z ociąganiem
i mnie wypuścił.

– Dziękuję, *madame*. Bardzo dziękuję.

Kiedy wreszcie odważyłam się podnieść wzrok, on miał
w oczach łzy.

Następnego ranka na naszym progu pojawiła się nieduża skrzynka.
Zawierała trzy jajka, małego kurczaka, cebulę i marchewkę. Na
boku widniał staranny napis: „Fröhliche Weihnachten".

– To znaczy „Wesołych Świąt" – powiedział Aurélien. Z jakiegoś powodu nie chciał na mnie spojrzeć.

# 7

Wraz ze spadkiem temperatury Niemcy zacieśnili kontrolę nad St Péronne. Miasteczko zrobiło się niespokojne, codziennie przechodziły przez nie liczniejsze wojska; rozmowy oficerów w barze stały się bardziej nerwowe, tak że Hélène i ja spędzałyśmy teraz większość czasu w kuchni. Kommandant prawie ze mną nie rozmawiał; przeważnie naradzał się z kilkoma zaufanymi ludźmi. Wyglądał na wyczerpanego, a kiedy zdarzało mi się słyszeć jego głos w jadalni, często był on podniesiony i gniewny.

W styczniu francuscy jeńcy kilkakrotnie maszerowali pod niemiecką eskortą przez główną ulicę miasteczka, mijając nasz hotel, ale nam nie wolno było już stać na chodniku i patrzeć. Jedzenia było jeszcze mniej, nasze oficjalne przydziały się skurczyły, a ode mnie oczekiwano, że będę w stanie wyczarować ucztę za ucztą z coraz mniejszych ilości mięsa i warzyw. Burza nadciągała nieuchronnie.

Gdy pojawiał się „Journal des Occupés", donosił o znanych nam wioskach. Wieczorami zdarzało się niekiedy, że pod wpływem odległego grzmotu dział drżało wino w kieliszkach. Kilka dni zajęło mi zorientowanie się, że dźwiękiem, którego mi brakuje, jest śpiew ptaków. Dotarła do nas wiadomość, że wszystkie dziewczęta powyżej szesnastego roku życia i wszyscy chłopcy powyżej piętnastego będą teraz musieli pracować dla Niemców, zbierając buraki cukrowe, albo będą wysyłani gdzieś za granicę do pracy w fabrykach. Jako że Auréliena od piętnastych urodzin dzieliło zaledwie kilka miesięcy, Hélène i ja byłyśmy coraz bardziej zdenerwowane. Zewsząd słychać było pogłoski o losie tych młodych ludzi, historie o dziewczętach, które dostają wspólne kwatery z kryminalistami lub też, co gorsza, nakaz „zabawiania" niemieckich żołnierzy. Chłopców głodzono i bito, przerzucając co chwila z miejsca na miejsce, by stale byli zdezorientowani i posłuszni. Pomimo naszego wieku Hélène i ja zostałyśmy z tego zwolnione, ponieważ – jak usłyszałyśmy – uznano nas za „niezbędne dla armii niemieckiej" na miejscu, w hotelu. Samo to wystarczyłoby, żeby wywołać rozżalenie wśród pozostałych mieszkańców St Péronne, gdyby się dowiedzieli.

Było jednak coś jeszcze. Zmiana była subtelna, lecz nie umknęła mojej uwadze. W ciągu dnia do Le Coq Rouge przychodziło mniej osób. Zamiast zwykłych dwudziestu kilku twarzy zostało nam około ośmiu. Początkowo myślałam, że to mróz zatrzymuje ludzi w domach. Zaczęłam się martwić i wstąpiłam do starego Renégo, żeby zobaczyć, czy nie jest chory. On jednak przyjął mnie w drzwiach i odparł szorstko, że woli siedzieć w domu. Mówiąc, nie patrzył na mnie. To samo nastąpiło, kiedy poszłam odwiedzić *madame* Foubert i żonę mera. Wytrąciło mnie to z równowagi. Powtarzałam sobie, że to tylko moja wyobraźnia, ale kiedyś idąc do apteki, znalazłam się w pobliżu Le Bar Blanc w porze obiadowej i zobaczyłam, że wewnątrz przy stoliku siedzą René i *madame* Foubert i grają w warcaby. W pierwszym momencie pomyślałam, że wzrok mnie myli. Gdy jednak stało się oczywiste, że jest inaczej, spuściłam głowę i minęłam bar jak najszybciej.

Tylko Liliane Béthune miała dla mnie życzliwy uśmiech. Któregoś ranka na krótko przed świtem przyłapałam ją na wsuwaniu koperty pod moje drzwi. Podskoczyła, kiedy odsunęłam zasuwę.

– Och, *mon Dieu*. Całe szczęście, że to ty – powiedziała, zakrywając ręką usta.

– Czy to jest to, co ja myślę? – zapytałam, zerkając na dużą kopertę bez adresu.

– Kto wie? – odparła, odwracając się w stronę placu. – Ja tam nic nie widzę.

Lecz Liliane Béthune była wyjątkiem. Z upływem dni zauważałam kolejne rzeczy: kiedy wchodziłam z kuchni do baru, rozmowa cichła, jakby temu, kto mówił, bardzo zależało na tym, żebym jej nie podsłuchała. Gdy sama coś mówiłam, reakcja była taka, jakby nikt mnie nie słyszał. Dwa razy zaproponowałam słoiczek bulionu czy zupy żonie mera, która odpowiedziała mi, że dziękuje, ale niczego im nie trzeba. Zaczęła rozmawiać ze mną w szczególny sposób, nie do końca nieprzyjazny, ale jakby odczuwała pewną ulgę, kiedy dawałam za wygraną i przestawałam ją zagadywać. Nigdy nie przyznałabym się do tego otwarcie, ale gdy zapadała noc i restauracja znów wypełniała się głosami, było to dla mnie niemal pociechą, nawet jeśli tak się składało, że te głosy były niemieckie.

Oświecił mnie Aurélien.

– Sophie?

– Tak?

Przygotowywałam ciasto na zapiekankę z zającem i warzywami. Ręce i fartuch miałam całe umączone i zastanawiałam się, czy mogę zaryzykować upieczenie z okrawków ciasteczek dla dzieci.

– Mogę cię o coś zapytać?

– Oczywiście. – Wytarłam dłonie o fartuch. Mój młodszy brat patrzył na mnie z dziwną miną, jakby myślał nad czymś usilnie.

– Czy ty… czy lubisz Niemców?

– Czy ich lubię?

– Tak.

– Co za śmieszne pytanie. Oczywiście, że nie. Chciałabym, żeby wszyscy sobie stąd poszli i żebyśmy mogli wrócić do normalnego życia.

– Ale lubisz *Herr Kommandanta*.

Znieruchomiałam z wałkiem w dłoniach, po czym odwróciłam się gwałtownie.

– Wiesz, że niebezpiecznie jest mówić takie rzeczy, że takie gadanie może narobić nam strasznych kłopotów.

– To nie moje gadanie ściąga na nas kłopoty.

Słyszałam dolatujące z baru rozmowy mieszkańców. Podeszłam do drzwi od kuchni i zamknęłam je tak, żebyśmy zostali tylko we dwoje. Kiedy znów się odezwałam, mój głos był cichy i opanowany.

– Powiedz, co masz na myśli, Aurélien.

– Mówią, że nie jesteś lepsza od Liliane Béthune.

– Co?

– *Monsieur* Suel widział cię, jak tańczyłaś z *Herr Kommandantem* w wigilię. Blisko niego, z zamkniętymi oczami, przytulona, jakbyś go kochała.

To był taki wstrząs, że omal nie zemdlałam.

– Co takiego?

– Mówią, że to był prawdziwy powód, dla którego nie chciałaś przyjść na *réveillon*, żebyś mogła zostać z nim sama. Mówią, że to dlatego dostajemy dodatkowe jedzenie. Że jesteś ulubienicą Niemców.

– Czy to dlatego wdajesz się w szkole w bójki? – Przypomniałam sobie jego podbite oko i to, z jaką niechęcią odmówił mi wyjaśnień, kiedy spytałam, jak do tego doszło.

– Czy to prawda?

– Nie, to nieprawda. – Odrzuciłam wałek na bok. – On mnie zapytał… zapytał, czy możemy zatańczyć, tylko raz, skoro są święta, a ja uznałam, że lepiej, żeby myślał o tańcu i pozostaniu w barze, niż zastanawiał się, co się odbywa u *madame* Poilâne. I nic ponadto. Twoja siostra usiłowała po prostu chronić was przez jeden wieczór. Ten taniec zapewnił ci kolację z pieczenią wieprzową, Aurélien.

– Ale ja go widziałem. Widziałem, jak się tobą zachwyca.

– Zachwyca się moim portretem. To wielka różnica.

– Słyszałem, jak z tobą rozmawia.

Zmarszczyłam brwi, a on wskazał wzrokiem na sufit. Oczywiście: te godziny spędzane na zaglądaniu tu przez szpary w podłodze pokoju numer trzy. Aurélien musiał słyszeć i widzieć wszystko.

– Nie zaprzeczysz, że on cię lubi. Mówi do ciebie per „tu", nie „vous", a ty mu na to pozwalasz.

– To niemiecki Kommandant, Aurélien. Nie mam za wiele do powiedzenia w kwestii tego, jak decyduje się do mnie zwracać.

– Oni o tobie gadają, Sophie. Siedzę na górze i słyszę, jak cię nazywają, i nie wiem, w co mam wierzyć. – W jego oczach błyszczały gniew i dezorientacja.

Podeszłam do niego i złapałam go za ramiona.

– W takim razie uwierz w to. Nie zrobiłam niczego, absolutnie niczego, co mogłoby zhańbić mnie albo mojego męża. Codziennie szukam nowych sposobów na to, żeby nasza rodzina dobrze się miała, żeby naszym sąsiadom i przyjaciołom nie brakowało jedzenia, otuchy i nadziei. Nic nie czuję do Kommandanta. Staram się pamiętać, że jest człowiekiem, tak samo jak my. Ale jeżeli ty, Aurélien, sądzisz, że kiedykolwiek zdradziłabym męża, to znaczy, że jesteś głupcem. Kocham Édouarda z całej duszy. Każdy dzień jego nieobecności odczuwam jak fizyczny ból. Nie śpię po nocach, myśląc o tym, co mogło go spotkać. I nigdy więcej nie chcę, żebyś mówił do mnie w ten sposób. Słyszysz?

Strząsnął moją rękę.

– Słyszysz mnie?

Z urażoną miną skinął głową.

– Ach tak – dodałam. Może nie powinnam była tego mówić, ale byłam wzburzona. – I nie potępiaj zbyt szybko Liliane Béthune. Może się okazać, że zawdzięczasz jej więcej, niż przypuszczasz.

Brat spiorunował mnie wzrokiem, po czym wyszedł z kuchni, trzaskając drzwiami. A ja przez kilka minut wpatrywałam się w ciasto, zanim sobie przypomniałam, że miałam zrobić zapiekankę.

Parę godzin później wybrałam się na spacer przez plac. Zazwyczaj to Hélène chodziła po chleb – *Kriegsbrot* – ale ja potrzebowałam przewietrzyć głowę, a atmosfera w barze zrobiła się przytłaczająca. Styczniowe powietrze było tak mroźne, że paliło mnie w płucach i powlekało nagie gałązki drzew warstewką lodu, więc naciągnęłam sobie czepek nisko na czoło i zasłoniłam usta szalem. Na ulicach było niewiele osób, ale mimo to tylko jedna z nich, *madame* Bonnard, skinęła mi głową. Powiedziałam sobie, że to dlatego, iż pod tyloma warstwami trudno poznać, że to ja.

Doszłam do rue des Bastides, która została przemianowana na Schieler Platz (nikt tak na nią nie mówił). Drzwi *boulangerie* były zamknięte, więc je pchnęłam. W środku *madame* Louvier i *madame* Durant pogrążone były w ożywionej rozmowie z *monsieur* Armandem. Umilkli, gdy tylko drzwi się za mną zamknęły.

– Dzień dobry – powiedziałam, poprawiając sobie koszyk pod pachą.

Dwie kobiety, opatulone w niezliczone warstwy wełny, nieznacznie skinęły mi głowami. *Monsieur* Armand stał po prostu z rękami na ladzie.

Odczekałam chwilę, po czym zwróciłam się do starszych pań.

– Jak się pani czuje, *madame* Louvier? Od kilku tygodni nie widujemy pani w Le Coq Rouge. Bałam się, że może pani zachorowała. – Mój głos sprawiał wrażenie nienaturalnie donośnego i wysokiego w małym sklepiku.

– Nie – odparła staruszka. – Ostatnio wolę spędzać czas w domu. – Mówiąc, nie patrzyła mi w oczy.

– Dostała pani ziemniaka, którego zostawiłam pani w zeszłym tygodniu?

– Dostałam. – Popatrzyła z ukosa na *monsieur* Armanda. – Oddałam go *madame* Grenouille. Ona jest… mniej wybredna w kwestii tego, skąd pochodzi jej jedzenie.

Stałam bez ruchu. A więc to tak. Niesprawiedliwość całej tej sytuacji smakowała gorzko niczym popiół.

– W takim razie mam nadzieję, że poszedł jej na zdrowie. *Monsieur* Armand, poproszę o chleb. Jeden bochenek dla mnie i jeden dla Hélène, jeśli pan łaskaw.

Och, jak bardzo w tamtej chwili marzyłam, żeby powiedział jeden ze swoich dowcipów. Jakiś nieprzyzwoity żarcik albo kalambur, po którym mrugnąłby znacząco. Ale piekarz patrzył tylko na mnie nieruchomym, wrogim spojrzeniem. Nie poszedł też na zaplecze, jak się spodziewałam. Właściwie nawet się nie poruszył. I kiedy już miałam powtórzyć swoją prośbę, on sięgnął pod ladę i położył na niej dwa bochenki czarnego chleba.

Wlepiłam w nie wzrok.

Wydawało się, że temperatura w małej *boulangerie* spadła, ale ja czułam, jak spojrzenia trzech pozostałych osób palą mnie żywym ogniem. Bochenki leżały na ladzie, gliniaste i ciemne.

Podniosłam wzrok i przełknęłam ślinę.

– Właściwie to coś mi się pomyliło. Nie potrzebujemy dziś pieczywa – powiedziałam cicho i odłożyłam portmonetkę z powrotem do koszyka.

– Ostatnio chyba w ogóle niczego wam nie brakuje – mruknęła *madame* Durant.

Odwróciłam się w jej stronę i spojrzałyśmy na siebie, staruszka i ja. A potem z wysoko uniesioną głową wyszłam ze sklepu. Co za hańba! Jaka niesprawiedliwość! Zauważyłam drwiące spojrzenia tych dwóch starych kobiet i zdałam sobie sprawę, że byłam głupia. Jak to możliwe, że tyle czasu zajęło mi zorientowanie się, co się dzieje pod moim nosem? Ruszyłam z powrotem w kierunku hotelu, z płonącymi policzkami i gonitwą myśli w głowie. W uszach dzwoniło mi tak głośno, że początkowo nie usłyszałam tego głosu.

– *Halt!*

Zatrzymałam się i rozejrzałam wokół.

– *Halt!*

W moją stronę maszerował niemiecki oficer z uniesioną ręką. Czekałam pod zrujnowanym pomnikiem burmistrza Leclerca, a na policzkach wciąż miałam wypieki. Mężczyzna zatrzymał się tuż przy mnie.

– Zignorowałaś mnie!

– Przepraszam, panie oficerze. Nie usłyszałam pana.

– Zignorowanie niemieckiego oficera jest wykroczeniem.

– Tak jak mówiłam, nie usłyszałam pana. Bardzo przepraszam.

Zsunęłam nieco szal z twarzy. I wtedy zobaczyłam, z kim mam do czynienia: był to młody oficer, który po pijanemu zaczepił w barze Hélène i który oberwał za to po głowie. Dojrzałam na jego skroni niewielką bliznę i zorientowałam się, że on też mnie rozpoznaje.

– Dokumenty.

Nie miałam ich w kieszeni. Byłam tak przejęta słowami Auréliena, że zostawiłam je na stole w hotelowym holu.

– Zapomniałam zabrać.

– Wyjście z domu bez dokumentów jest przestępstwem.

– Są tam – wskazałam na hotel. – Gdyby podszedł pan tam ze mną, mogłabym je pokazać...

– Nigdzie się nie wybieram. Co tu robisz?

– Ja tylko... byłam w *boulangerie*.

Mężczyzna zajrzał do mojego pustego koszyka.

– Kupić niewidzialny chleb?

– Rozmyśliłam się.

– Musi wam się nieźle powodzić w tym hotelu. Nikt inny nie rezygnuje dobrowolnie ze swojego przydziału.

– Nie powodzi mi się lepiej niż komukolwiek innemu.

– Proszę opróżnić kieszenie.

– Co?

Zamierzył się na mnie karabinem.

– Opróżnić kieszenie. I zdjąć z siebie trochę tych rzeczy, żebym zobaczył, co masz przy sobie.

W słońcu było minus jeden. Lodowaty wiatr smagał każdy skrawek odsłoniętej skóry. Postawiłam koszyk na ziemi i powoli ściągnęłam pierwszy szal.

– Rzuć to. Na ziemię – powiedział oficer. – I następny.

Rozejrzałam się dokoła. Domyślałam się, że po drugiej stronie placu przyglądają się nam klienci Le Coq Rouge. Z ociąganiem zdjęłam z siebie drugi szal, a potem ciężki płaszcz. Czułam na sobie wzrok pustych szyb wokół placu.

– Opróżnij kieszenie. – Żołnierz szturchnął mój płaszcz bagnetem, przeciągając nim po lodzie i błocie. – Wywróć na lewą stronę.

Pochyliłam się i włożyłam ręce do kieszeni. Zaczęłam dygotać, a moje palce, fioletowe z zimna, nie chciały mnie słuchać. Po kilku próbach udało mi się wyciągnąć z płaszcza książeczkę z kartkami żywnościowymi, dwa banknoty pięciofrankowe i skrawek papieru.

Niemiec wyrwał mi go.

– Co to jest?

– Nic ważnego, panie oficerze. To tylko… tylko podarunek od męża. Proszę, niech mi pan to odda.

Usłyszałam panikę we własnym głosie, i już wymawiając te słowa, wiedziałam, że to był błąd. Żołnierz rozłożył szkic Édouarda przedstawiający nas dwoje: on jako niedźwiedź w mundurze, ja poważna, w wykrochmalonej niebieskiej sukience.

– Konfiskuję to – powiedział Niemiec.

– Co?

– Nie wolno nosić z sobą wizerunków munduru armii francuskiej. Pozbędę się tego.

– Ale… – Nie mogłam w to uwierzyć. – To tylko śmieszny rysunek niedźwiedzia.

– Niedźwiedzia we francuskim mundurze. To może być szyfr.

– Ale… ale to tylko taki żart… błahostka, coś między mną a mężem. Proszę, niech pan tego nie niszczy. – Wyciągnęłam rękę, lecz on zabrał mi rysunek sprzed nosa. – Proszę… tak niewiele mam pamiątek…

Stałam tam, dygocząc z zimna, a oficer spojrzał mi w oczy i przedarł kartkę na pół. Następnie podarł dwa skrawki na strzępy, wpatrując się we mnie, gdy one spadały niczym konfetti na wilgotną ziemię.

– Następnym razem pamiętaj o dokumentach, kurwo – powiedział i odszedł w stronę pozostałych żołnierzy.

Hélène czekała na mnie, kiedy przeszłam przez drzwi, kurczowo ściskając moje lodowate, przemoczone szale. Wchodząc do środka, czułam na sobie wzrok klientów, ale nie miałam im nic do powiedzenia. Minęłam bar i znalazłam się w holu, walcząc ze zgrabiałymi palcami, by odwiesić szale na kołki.

– Co się stało? – Siostra stała za mną.

Byłam tak zdenerwowana, że ledwie mogłam mówić.

– Ten oficer, który cię wtedy zaczepił. Zniszczył rysunek Édouarda. Podarł go na strzępy, żeby się na nas zemścić za to, że Kommandant go wtedy uderzył. I nie mam chleba, bo *monsieur* Armand najwyraźniej też uważa mnie za kurwę.

Twarz miałam zdrętwiałą i z trudem udawało mi się mówić zrozumiale, ale byłam wściekła i mój głos niósł się po całym barze.

– Ćśś!

– Dlaczego? Dlaczego mam być cicho? Co ja zrobiłam nie tak? Ten lokal roi się od ludzi, którzy syczą i szepczą, i nikt nie mówi prawdy. – Trzęsłam się z gniewu i rozpaczy.

Hélène zamknęła drzwi do baru i zaciągnęła mnie po schodach do pustej sypialni, jednego z nielicznych miejsc, w których była szansa, że nikt nas nie podsłucha.

– Uspokój się i opowiedz mi wszystko po kolei. Co się stało?

I wtedy jej opowiedziałam. O tym, co usłyszałam od Auréliena, o tym, jak rozmawiały ze mną staruszki w *boulangerie*, o *monsieur* Armandzie i jego chlebie, którego teraz nie mogłyśmy jeść. Hélène wysłuchała tego wszystkiego, obejmując mnie ramionami, opierając swoją głowę o moją i potakując ze współczuciem. Aż nagle zapytała:

– Zatańczyłaś z nim?

Otarłam oczy.

– No, tak.

– Tańczyłaś z *Herr Kommandantem*?

– Nie patrz tak na mnie. Wiesz, co robiłam tamtej nocy. Wiesz, że byłam gotowa na wszystko, byle utrzymać Niemców z dala od *réveillon*. Zatrzymanie go tutaj oznaczało, że wy wszyscy mogliście biesiadować w spokoju. Mówiłaś, że to był dla ciebie najmilszy dzień od czasu wyjazdu Jean-Michela.

Hélène spojrzała na mnie.

– No, przecież tak powiedziałaś. Dokładnie tymi słowami.

Nadal milczała.

– Co? Czy ty też nazwiesz mnie kurwą?

Hélène przeniosła wzrok na swoje stopy. I w końcu odezwała się:

– Ja nie zatańczyłabym z Niemcem, Sophie.

Musiała minąć chwila, żeby dotarło do mnie znaczenie tego, co powiedziała. A potem wstałam i bez słowa ruszyłam z powrotem na dół. Usłyszałam, jak siostra woła mnie po imieniu, i gdzieś głęboko, w jakimś mrocznym zakamarku mojej duszy odnotowałam, że zrobiła to odrobinę za późno.

Tego wieczoru Hélène i ja krzątałyśmy się razem w milczeniu. Zwracałyśmy się do siebie najrzadziej, jak się dało, tylko po to, by potwierdzić, że tak, zapiekanka będzie gotowa na wpół do ósmej, że owszem, wino jest otwarte, i że istotnie butelek jest o cztery mniej niż w ubiegłym tygodniu. Aurélien był na górze z dziećmi. Tylko Mimi zeszła na dół, żeby się do mnie przytulić. Żarliwie oddałam jej uścisk, wdychając jej słodki dziecięcy zapach i czując jej miękką skórę przy mojej.

– Kocham cię, mała Mi – szepnęłam.

Uśmiechnęła się do mnie spod swojej długiej blond czupryny.

– Ja też cię kocham, ciociu Sophie – odparła.

Sięgnęłam do kieszonki fartucha i błyskawicznie wsunęłam dziewczynce do buzi paseczek upieczonego ciasta, który schowałam dla niej wcześniej. A potem, gdy mała uśmiechnęła się do mnie szeroko, Hélène zaprowadziła ją na górę, do łóżka.

W odróżnieniu od naszego nastroju, niemieccy żołnierze sprawiali wrażenie dziwnie wesołych. Nikt nie skarżył się na zmniejszone racje; niewielka ilość wina zdawała się im nie przeszkadzać. Tylko Kommandant wyglądał na przejętego i posępnego. Siedział sam, podczas gdy inni oficerowie wznosili toasty i wiwatowali. Zastanawiałam się, czy Aurélien jest na górze i słucha ich, i czy rozumie, o czym rozmawiają.

– Nie kłóćmy się – powiedziała Hélène, kiedy już wśliznęłyśmy się do łóżka. – To naprawdę męczące.

Wyciągnęła do mnie rękę, a ja uścisnęłam ją w ciemności. Obie jednak wiedziałyśmy, że coś się zmieniło.

Następnego ranka to Hélène poszła na targ. Od dłuższego czasu składał się on zaledwie z kilku straganów, z konserwami, strasznie drogimi jajkami i niewielką ilością warzyw, oraz ze stoiska pewnego staruszka z La Vendée, który szył nową bieliznę ze starych materiałów. Ja zostałam w barze, obsługując nielicznych klientów i usiłując nie zwracać uwagi na fakt, że ewidentnie wciąż jestem tematem nieżyczliwych dyskusji.

Około wpół do jedenastej zauważyłyśmy, że na zewnątrz zapanowało jakieś poruszenie. Przez chwilę zastanawiałam się, czy to nie kolejni jeńcy, ale nadbiegła Hélène z rozwianymi włosami i przerażeniem w oczach.

– Nigdy nie zgadniesz – powiedziała. – To Liliane.

Serce zaczęło mi walić jak młotem. Upuściłam popielniczki, które właśnie zmywałam, i pobiegłam do drzwi, otoczona przez pozostałych klientów, którzy jak jeden mąż poderwali się z krzeseł. Drogą zbliżała się Liliane Béthune. Miała na sobie astrachański płaszcz, ale nie wyglądała już jak paryska modelka. Nie miała na sobie nic poza nim. Jej nogi były pokryte fioletowymi plamami od mrozu i sińców. Stopy miała bose i zakrwawione, a lewe oko zapuchnięte. Rozczochrane włosy spadały jej na twarz i kulała tak, jakby każdy krok sprawiał jej nieopisany wysiłek. Po obu jej bokach szło dwóch niemieckich oficerów, którzy ją popędzali, a tuż za nimi grupa żołnierzy. Wyglądało na to, że wyjątkowo nie przeszkadza im, że wyszliśmy popatrzeć.

Jej piękny astrachański płaszcz był szary od brudu. Na plecach widniały nie tylko lepkie plamy krwi, ale także plwociny.

Wpatrując się w to wszystko, usłyszałam nagle szloch.

– *Maman! Maman!*

Z tyłu, przytrzymywana przez innych żołnierzy, szarpała się Édith, siedmioletnia córeczka Liliane. Szlochała i wyrywała się, usiłując dosięgnąć matki. Twarz miała wykrzywioną. Jeden z żołnierzy chwycił ją za ramię, nie pozwalając jej zbliżyć się ani na krok. Drugi uśmiechnął się złośliwie, jakby go to bawiło. Liliane szła przed siebie jak gdyby nieświadoma tego wszystkiego, zamknięta w swoim prywatnym świecie bólu, z pochyloną głową. Kiedy mijała hotel, rozległy się ciche gwizdy.

– Patrzcie na tę dumną kurwę!

– Myślisz, że Niemcy jeszcze cię zechcą, Liliane?

– Przejadła im się. Baba z wozu, koniom lżej.

Nie mogłam uwierzyć, że to są moi rodacy. Rozejrzałam się wokół, po tych pełnych nienawiści, pogardliwie uśmiechniętych twarzach, i kiedy nie byłam już w stanie tego znieść, przepchnęłam się pomiędzy nimi i podbiegłam do Édith.

– Dajcie mi to dziecko – zażądałam.

Teraz widziałam, że całe miasteczko wyległo, by obejrzeć widowisko. Gwizdali na Liliane z okien na piętrze, z drugiej strony rynku.

Édith zaniosła się szlochem, wołając błagalnie:

– *Maman!*

– Oddajcie mi dziewczynkę! – krzyknęłam. – A może Niemcy prześladują teraz także dzieci?

Trzymający ją żołnierz obejrzał się za siebie, a ja zobaczyłam *Herr Kommandanta* stojącego pod pocztą. Powiedział coś do oficera obok i po chwili mała była wolna. Chwyciłam ją w objęcia.

– Już dobrze, Édith. Pójdziesz ze mną.

Dziewczynka ukryła twarz w moim ramieniu, płacząc niepowstrzymanie i wciąż daremnie wyciągając rękę w stronę matki. Wydawało mi się, że widzę, jak twarz Liliane obraca się nieznacznie w moim kierunku, ale z takiej odległości nie sposób było stwierdzić.

Szybko zaniosłam Édith do baru, z dala od oczu miasteczka, z dala od gwizdów, które znów przybrały na sile, aż na zaplecze hotelu, gdzie nie będzie nic słyszała. Dziewczynką wstrząsnął histeryczny płacz, ale kto by się temu dziwił? Zabrałam ją do naszej sypialni, dałam wody, a potem przytuliłam ją i zaczęłam kołysać. Raz po raz powtarzałam jej, że wszystko będzie dobrze, że dopilnujemy, by wszystko było dobrze, chociaż wiedziałam, że nie jest to w naszej mocy. Édith płakała aż do zupełnego wyczerpania. Patrząc na jej opuchniętą buzię, domyślałam się, że przepłakała większość tej nocy. Bóg jeden wie, co widziała. Wreszcie poczułam, że jej ciałko w moich objęciach robi się bezwładne, i ułożyłam ją ostrożnie w moim łóżku, przykrywając kocami. A potem ruszyłam na dół.

Kiedy weszłam do baru, zapadła w nim cisza. Takiego ruchu nie było w Le Coq Rouge od wielu tygodni, a Hélène biegała między stolikami z pełną tacą. Zobaczyłam stojącego w drzwiach mera, a potem popatrzyłam na twarze przede mną i zdałam sobie sprawę, że nie znam już żadnej z tych osób.

– Jesteście zadowoleni? – zapytałam łamiącym się głosem. – Na górze leży dziecko, które patrzyło, jak plujecie na jego skatowaną matkę i szydzicie z niej. Ludzie, których uważała za swoich przyjaciół. Jesteście z siebie dumni?

Dłoń mojej siostry znalazła się na moim ramieniu.

– Sophie…

Strząsnęłam ją.

– Daj mi spokój z tym swoim „Sophie". Nie macie pojęcia, co zrobiliście. Myślicie, że wiecie wszystko o Liliane Béthune. No więc nic nie wiecie. NIC! – Z moich oczu kapały łzy wściekłości. – Wszyscy potrafiliście ją tak łatwo osądzić, ale równie łatwo braliście od niej to, co wam dawała, kiedy tak było wygodnie.

Mer podszedł ku mnie.

– Sophie, powinniśmy porozmawiać.

– Ach tak. Więc teraz chce pan ze mną rozmawiać! Od tygodni patrzy pan na mnie, jakbym psuła wam powietrze, ponieważ *monsieur* Suel jakoby uważa mnie za zdrajczynię i kurwę. Mnie! Która ryzykowała wszystko, żeby zanieść pańskiej córce jedzenie. Wszyscy woleliście uwierzyć jemu, a nie mnie! Więc może teraz ja nie chcę z panem rozmawiać, *monsieur*. Wiedząc to, co wiem, może wolałabym porozmawiać z Liliane Béthune!

Byłam rozwścieczona. Czułam się zupełnie wytrącona z równowagi, obłąkana, jakby leciały ze mnie iskry. Spojrzałam na te ich głupie twarze, na otwarte usta, i jeszcze raz strząsnęłam dłoń ze swojego ramienia.

– Jak myślicie, skąd brał się „Journal des Occupés"? Sądzicie, że przynosiły go ptaszki? A może przylatywał tu na czarodziejskim dywanie?

Hélène zaczęła popychać mnie w stronę drzwi.

– Nic mnie to nie obchodzi! Kto waszym zdaniem wam pomagał? Liliane wam pomagała! Wam wszystkim! Pomagała wam nawet wtedy, kiedy wy sraliście do jej chleba!

Znalazłam się w holu. Twarz Hélène była biała, za nią szedł mer i oboje popychali mnie naprzód, z dala od tamtych.

– Co? – zaprotestowałam. – Prawda jest dla was niewygodna? Czy nie wolno mi już się odzywać?

– Usiądź, Sophie. Na miłość boską, po prostu usiądź i zamilcz.

– Ja już nie znam tego miasta. Jak możecie wszyscy stać tam i na nią wrzeszczeć? Nawet jeżeli sypiała z Niemcami, to jak możecie w ten sposób traktować drugiego człowieka? Oni na nią pluli, Hélène, nie widziałaś? Całą ją opluli. Jakby nie była człowiekiem.

– Bardzo mi przykro z powodu *madame* Béthune – powiedział cicho mer. – Ale nie przyszedłem tutaj rozmawiać o niej. Chciałem pomówić z tobą.

– Nie mam panu nic do powiedzenia – odparłam, wycierając twarz obiema dłońmi.

Mer wziął głęboki oddech.

– Sophie. Mam wiadomości o twoim mężu.

Minęła chwila, zanim dotarło do mnie, co on powiedział.

Mer usiadł ciężko na schodach obok mnie. Hélène dalej trzymała mnie za rękę.

– Obawiam się, że nie są to dobre wiadomości. Kiedy dziś rano przez miasto przechodzili ostatni jeńcy, jeden z nich upuścił kartkę, mijając pocztę. Skrawek papieru. Listonosz go podniósł. Jest tam napisane, że Édouard Lefèvre był wśród pięciu mężczyzn wysłanych w zeszłym miesiącu do obozu pracy w Ardenach. Tak mi przykro, Sophie.

# 8

Uwięziony Édouard Lefèvre został oskarżony o podanie innemu więźniowi kawałka chleba wielkości pięści. Kiedy go za to pobito, stawiał zażarty opór. Słysząc to, omal się nie roześmiałam: cały Édouard.

Mój śmiech nie trwał jednak długo. Każda informacja, na jaką natrafiałam, zwiększała tylko mój strach. Obóz, w którym go przetrzymywano, miał opinię jednego z najgorszych: ludzie spali tam po dwustu w jednej szopie na gołych deskach; żywili się wodnistą zupą z kilkoma łuskami jęczmienia i od czasu do czasu zdechłą myszą. Pracowali w kamieniołomach albo przy budowie kolei, byli zmuszani do noszenia na własnych ramionach ciężkich żelaznych belek całymi kilometrami. Tych, którzy padali z wyczerpania, karano, bijąc ich lub nie dając im jedzenia. Wśród więźniów szerzyły się choroby, a za najdrobniejsze przewinienie można było dostać kulę w łeb.

Słuchałam tego wszystkiego i każdy z tych obrazów prześladował mnie w snach.

– Nic mu nie będzie, prawda? – zapytałam mera.

Poklepał mnie po ręce.

– Będziemy się wszyscy za niego modlili – odparł. Wstając, westchnął głęboko i to westchnienie było jak wyrok śmierci.

Mer odwiedzał nas niemal codziennie od czasu, jak wywieziono Liliane Béthune. W miarę jak prawda o niej rozchodziła się po miasteczku, w zbiorowej wyobraźni zaczął się powoli tworzyć nowy wizerunek Liliane. Wargi nie zaciskały się już automatycznie, gdy padało jej imię. Ktoś pod osłoną nocy nagryzmolił kredą słowo „héroïne" na placu targowym, i choć zostało szybko zmazane, wszyscy wiedzieliśmy, do kogo się odnosiło. Kilka cennych przedmiotów, które zostały skradzione z domu Liliane tuż po jej aresztowaniu, w tajemniczy sposób wróciło na miejsce.

Oczywiście wciąż były osoby, które, tak jak *mesdames* Louvier i Durant, nie uwierzyłyby w nic dobrego na jej temat, choćby widziano, jak dusi Niemców gołymi rękami. Jednak w naszym barze padały od czasu do czasu mgliste wyrazy żalu, Édith okazywano życzliwość, a do Le Coq Rouge trafiały używane dziecięce ubranka, a niekiedy nawet trochę jedzenia. Liliane wysłano podobno do obozu gdzieś na południe od naszego miasteczka. Jak wyjawił nam mer, miała szczęście, że nie została zastrzelona na miejscu. Podejrzewał, że to wstawiennictwo ze strony któregoś z oficerów ocaliło ją przed bezzwłoczną egzekucją.

– Ale nie ma sensu próbować interweniować, Sophie – powiedział. – Złapano ją na szpiegowaniu na rzecz Francuzów i nie sądzę, żeby zostało jej wiele czasu.

Co do mnie, nie byłam już *persona non grata*. Nie obchodziło mnie to zresztą specjalnie. Trudno mi było myśleć o sąsiadach tak jak dawniej. Édith nie odstępowała mnie ani na krok, niczym blady cień. Niewiele jadła i bez przerwy pytała o matkę. Powiedziałam jej szczerze, że nie wiem, co się stanie z Liliane, ale że ona, Édith, będzie z nami bezpieczna. Zaczęłam sypiać razem z nią w moim dawnym pokoju, żeby jej krzyki nie budziły dwójki młodszych dzieci. Wieczorami dziewczynka skradała się na czwarty stopień od góry, najbliższy punkt, z którego mogła zaglądać do kuchni, i znajdowałyśmy ją tam późno w nocy, kiedy już skończyłyśmy sprzątanie po kolacji, śpiącą twardo i obejmującą chudymi ramionkami swe kolana.

Moje obawy o jej matkę mieszały się ze strachem o męża. Dni upływały mi w niemym wirze rozpaczy i wyczerpania. Niewiele wieści docierało do miasteczka, a żadne się z niego nie wydostawały. Gdzieś daleko Édouard może głodować, leżeć w gorączce albo pobity. Mer otrzymał oficjalne informacje o trzech zgonach, dwóch na froncie, a jednym w obozie niedaleko Mons, oraz o wybuchu tyfusu w okolicach Lille. Każdy z tych strzępków wiadomości brałam do siebie.

Paradoksalnie Hélène zdawała się doskonale funkcjonować w tej atmosferze posępnych przeczuć. Myślę, że widok mojego załamania sprawił, iż uwierzyła, że najgorsze już się wydarzyło. Skoro Édouard, z całą swoją siłą i witalnością, stał w obliczu śmierci, to nie mogło być nadziei dla Jean-Michela, łagodnego intelektualisty. Nie mógł przetrwać – rozumowała moja siostra – więc ona może równie dobrze pogodzić się z tym i próbować żyć dalej. Wydawała się coraz silniejsza, namawiała mnie, żebym wstała, kiedy znajdowała mnie płaczącą po cichu w piwnicy, zmuszała mnie do jedzenia albo śpiewała Édith, Mimi i Jeanowi kołysanki dziwnie pogodnym głosem. Byłam wdzięczna za jej siłę. Nocami leżałam, tuląc do siebie dziecko innej kobiety, i marzyłam, by nigdy więcej nie musieć myśleć.

Pod koniec stycznia zmarła Louisa. Fakt, że wszyscy wiedzieliśmy, iż prędzej czy później się to stanie, nie czynił tego łatwiejszym. Mer i jego żona sprawiali wrażenie, jakby w ciągu jednej nocy postarzeli się o dziesięć lat.

– Powtarzam sobie, że to błogosławieństwo, że nie będzie musiała oglądać tego świata takim, jakim teraz jest – powiedział mi burmistrz, a ja pokiwałam głową. Żadne z nas w to nie wierzyło.

Pogrzeb miał się odbyć pięć dni później. Uznałam, że nie powinnyśmy zabierać na niego dzieci, więc powiedziałam Hélène, żeby poszła za mnie; a ja wezmę maluchy do lasku za dawną remizą strażacką. Ze względu na mrozy Niemcy pozwolili mieszkańcom miasteczka spędzać dwie godziny dziennie na zbieraniu w okolicznych lasach drew na opał. Nie byłam przekonana, czy uda nam się coś znaleźć: pod osłoną nocy drzewa zostały dawno ogołocone z wszelkich gałęzi nadających się do użytku. Musiałam jednak pobyć przez chwilę z dala od miasta, z dala od smutku, strachu i ciągłego nadzoru bądź to Niemców, bądź moich sąsiadów.

Południe było rześkie i ciche, a poprzez rachityczne sylwetki tych drzew, które jeszcze się ostały, słabo przeświecało słońce, jakby zbyt wyczerpane, by wznieść się więcej niż parę metrów nad horyzont. W takie dni jak ten nietrudno było spojrzeć na nasz krajobraz, tak jak ja teraz, i zadać sobie pytanie, czy nasz świat zmierza ku końcowi. Szłam i w duchu prowadziłam rozmowę z mężem, jak to mi się ostatnio często zdarzało. Bądź silny, Édouardzie. Wytrwaj. Po prostu pozostań przy życiu, a ja wiem, że będziemy znów razem. Édith i Mimi początkowo szły po obu moich stronach w milczeniu, a pod ich stopami chrzęściły zamarznięte liście, ale kiedy dotarłyśmy do lasku, nad dziewczynkami wziął górę jakiś dziecięcy impuls. Przystanęłam na chwilę, patrząc, jak biegną w stronę próchniejącego pnia, a potem wskakują na niego i zeskakują, trzymając się za ręce i chichocząc. Zelówki będą miały zdarte, a spódnice zabłocone, ale nie chciałam odmawiać im tej prostej pociechy.

Schyliłam się i włożyłam do koszyka kilka garści chrustu z nadzieją, że śmiech dzieci zagłuszy nieustanny szum trwogi w mojej głowie. I wtedy, podniósłszy się, zobaczyłam go: stał na polance z bronią przewieszona przez ramię i rozmawiał z jednym ze swoich ludzi. Usłyszał głosy dziewczynek i odwrócił się gwałtownie. Édith krzyknęła, rozejrzała się dokoła z wyrazem przerażenia na buzi i pędem puściła się w moją stronę. Zdezorientowana Mimi, potykając się, ruszyła za nią, usiłując pojąć, dlaczego jej przyjaciółka tak bardzo boi się człowieka, który co wieczór przychodzi do restauracji.

– Nie płacz, Édith, on nie zrobi nam krzywdy. Proszę, nie płacz. – Zobaczyłam, że on na nas patrzy, i oderwałam dziewczynkę od moich nóg. Kucnęłam, żeby z nią porozmawiać. – To *Herr Kommandant*. Pomówię z nim teraz o kolacji. Ty zostań tutaj i pobaw się z Mimi. Nic mi nie jest. Widzisz?

Biedactwo drżało, kiedy oddałam ją w ręce Mimi.

– Idźcie i pobawcie się tam przez chwilę. Ja tylko porozmawiam z *Herr Kommandantem*. Proszę, weźcie mój koszyk i zobaczcie, czy nie uda wam się znaleźć jakichś gałązek. Obiecuję wam, że nie stanie się nic złego.

Kiedy wreszcie udało mi się oderwać Édith od mojej spódnicy, podeszłam do tamtych. Oficer, który stał razem z nim, powiedział coś półgłosem, a ja otuliłam się szalem, krzyżujące ręce na piersi i czekając, aż Kommandant go odeśle.

– Pomyśleliśmy, że wybierzemy się zapolować – powiedział, spoglądając na puste niebo. – Na ptaki – dodał.

– Tutaj nie został już ani jeden – odparłam. – Dawno odfrunęły.

– To chyba całkiem rozsądnie z ich strony.

Z oddali słychać było stłumiony huk dział. Wrażenie było takie, jakby od tego powietrze wokół nas marszczyło się na moment.

– Czy to dziecko tej kurwy? – Mężczyzna przerzucił sobie broń przez ramię i zapalił papierosa. Spojrzałam za siebie, w stronę miejsca, gdzie dziewczynki stały przy spróchniałym pniu.

– Dziecko Liliane? Tak. Zostanie z nami.

Przyglądał jej się uważnie, a ja nie potrafiłam odgadnąć, o czym myśli.

– To mała dziewczynka – powiedziałam. – Nie rozumiała nic z tego, co się działo.

– Ach – odparł on, zaciągając się papierosem. – Niewiniątko.

– Tak. One naprawdę istnieją.

Spojrzał na mnie ostro, a ja musiałam siłą powstrzymać się przed spuszczeniem wzroku.

– *Herr Kommandant*. Muszę poprosić pana o przysługę.

– Przysługę?

– Mój mąż jest w obozie pracy w Ardenach.

– A ja mam nie pytać, skąd masz tę informację.

W jego wzroku nie było nic. Żadnej wskazówki.

Wciągnęłam powietrze.

– Zastanawiałam się... Chciałam zapytać, czy może mu pan pomóc. To dobry człowiek. Artysta, jak pan wie, nie żołnierz.

– A ty chcesz, żebym przekazał mu wiadomość.

– Chcę, żeby go pan stamtąd wydostał.

Mężczyzna uniósł brew.

– *Herr Kommandant*. Zachowuje się pan tak, jakbyśmy byli przyjaciółmi. Dlatego błagam pana. Proszę, niech pan pomoże mojemu mężowi. Wiem, co się dzieje w takich miejscach, że on ma niewielkie szanse na wyjście stamtąd żywym.

Nic nie odpowiedział, więc postanowiłam wykorzystać okazję i ciągnęłam dalej. Były to słowa, które w ciągu ostatnich kilku godzin powtarzałam sobie w głowie po tysiąc razy.

– Wie pan, że on spędził całe swoje życie w pogoni za sztuką, za pięknem. To spokojny człowiek, łagodny. Interesuje go malarstwo, taniec, jedzenie i picie. Wie pan, że z punktu widzenia sprawy niemieckiej nie ma znaczenia, czy on jest martwy, czy żywy.

*Kommandant* rozejrzał się wokół, po ogołoconym lesie, jakby chciał sprawdzić, dokąd poszli inni oficerowie, po czym znów zaciągnął się papierosem.

– Sporo ryzykujesz, zwracając się do mnie z taką prośbą. Widziałaś, jak twoi sąsiedzi traktują kobietę, którą podejrzewają o kolaborację z Niemcami.

– Oni już uważają mnie za kolaborantkę. Fakt, że przebywacie w naszym hotelu, najwyraźniej bez procesu przesądza o mojej winie.

– To, no i taniec z wrogiem.

Teraz to ja byłam zaskoczona.

– Mówiłem to już wcześniej, *madame*. W tym miasteczku nie dzieje się nic, o czym ja bym nie słyszał.

Staliśmy w milczeniu, spoglądając w stronę horyzontu. Niski pomruk w oddali sprawił, że ziemia pod naszymi stopami zadrżała lekko. Dziewczynki to poczuły: widziałam, że patrzą na swoje buty. W końcu mężczyzna po raz ostatni zaciągnął się papierosem i zgniótł go pod obcasem.

– Posłuchaj mnie. Jesteś inteligentną kobietą. Wydaje mi się, że znasz się na ludziach. A jednak postępujesz w sposób, który uprawniałby mnie, jako żołnierza wrogiej armii, do zastrzelenia cię bez procesu. Mimo to przychodzisz do mnie i oczekujesz, że nie tylko przymknę na to oko, ale jeszcze ci pomogę. Mojemu wrogowi.

Przełknęłam ślinę.

– To... to dlatego, że nie widzę w panu tylko... wroga.

Kommandant czekał.

– To pan powiedział... że czasem jesteśmy po prostu... dwojgiem ludzi.

Jego milczenie dodało mi odwagi. Zniżyłam głos.

– Wiem, że jest pan potężnym człowiekiem. Wpływowym. Jeżeli pan powie, że mają go wypuścić, wypuszczą go. Proszę.

– Nie wiesz, o co prosisz.

– Wiem, że jeżeli będzie musiał tam zostać, umrze.

Coś zamigotało przez chwilę w jego spojrzeniu.

– Wiem, że jest pan dżentelmenem. Uczonym. Wiem, że sztuka nie jest panu obojętna. Uratowanie artysty, którego pan podziwia, byłoby z pewnością... – Głos mnie zawiódł. Wyciągnęłam dłoń i dotknęłam jego ramienia. – *Herr Kommandant*. Proszę. Wie pan, że o nic bym pana nie poprosiła, ale o to błagam. Proszę, bardzo proszę, niech mi pan pomoże.

Miał taką poważną minę. I nagle zrobił coś nieoczekiwanego. Podniósł rękę i delikatnie odsunął kosmyk włosów z mojej twarzy. Zrobił to łagodnie, w zamyśleniu, jakby było to coś, co wyobrażał sobie od dłuższego czasu. Opanowałam szok i stałam bez ruchu.

– Sophie...

– Dam panu ten obraz – powiedziałam. – Ten, który tak się panu podoba.

Opuścił rękę. Westchnął i odwrócił się ode mnie.

– To najcenniejsza rzecz, jaką mam.

– Proszę wracać do domu, *madame* Lefèvre.

Poczułam, że panika ściska mnie za gardło.

– Co mam zrobić?

– Iść do domu. Zabierz dzieci i wracaj do domu.

– Zrobię wszystko. Jeśli uwolni pan mojego męża, zrobię wszystko. – Mój głos poniósł się echem po lesie. Czułam, jak jedyna szansa Édouarda na przeżycie wymyka mi się z rąk. Tamten szedł przed siebie, nie zważając na mnie. – Słyszał pan, co powiedziałam, *Herr Kommandant*?

I w tym momencie odwrócił się ku mnie z nagłą wściekłością. Ruszył w moją stronę i zatrzymał się dopiero, kiedy jego twarz dzieliło od mojej zaledwie kilka centymetrów. Czułam, jak owiewa mnie jego oddech. Kątem oka widziałam dziewczynki, znieruchomiałe z przejęcia. Nie okażę strachu.

On popatrzył na mnie, a potem zniżył głos.

– Sophie... – Obejrzał się na nie przez ramię. – Sophie, ja... nie widziałem żony od blisko trzech lat.

– A ja mojego męża od dwóch.

– Musisz wiedzieć... musisz wiedzieć, że to, o co mnie prosisz... – Odwrócił się ode mnie, jakby nie chciał patrzeć mi w twarz.

Przełknęłam ślinę.

– Proponuję panu obraz, *Herr Kommandant*.

Na policzku zaczął mu drgać mięsień. Mężczyzna wbił wzrok w jakiś punkt nad moim prawym ramieniem, a potem ruszył znów przed siebie, oddalając się ode mnie.

– *Madame*. Jest pani albo bardzo głupia, albo...

– Czy to kupi wolność mojemu mężowi? Czy... czy ja kupię wolność mojemu mężowi?

Zawrócił, a na jego twarzy malowała się udręka, jakbym zmuszała go do zrobienia czegoś, czego bardzo nie chce. Stał, nie odrywając wzroku od swoich butów. Wreszcie zrobił dwa kroki w moją stronę i znalazł się na tyle blisko, by mieć pewność, że nikt go nie podsłucha.

– Jutro w nocy. Przyjdź do mnie do koszar. Jak skończysz pracę w hotelu.

Trzymając się za ręce, wracałyśmy bocznymi ścieżkami, żeby nie musieć przechodzić przez plac, i kiedy wreszcie doszłyśmy do Le Coq Rouge, nasze spódnice były całe w błocie. Dziewczynki milczały, choć próbowałam je uspokoić, tłumacząc, że Niemiec był po prostu zdenerwowany, bo nie mógł zapolować na gołębie. Zrobiłam im do picia coś ciepłego, a potem zamknęłam się w swoim pokoju.

Położyłam się na łóżku i zakryłam oczy dłońmi, żeby nie widzieć światła. Leżałam tak może przez pół godziny. Później wstałam, wyciągnęłam z szafy moją niebieską wełnianą sukienkę i rozłożyłam ją na łóżku. Édouard zawsze mówił, że wyglądam w niej jak guwernantka. Mówił to w taki sposób, jakby bycie guwernantką było czymś nadzwyczajnym. Zdjęłam zabłoconą szarą suknię i pozwoliłam jej opaść na podłogę. Ściągnęłam grubą spódnicę spod spodu, której rąbek był także zachlapany błotem, i zostałam w halce i podkoszulce. Zdjęłam gorset, a potem bieliznę. W pokoju było zimno, ale ja nie zwracałam na to uwagi.

Stanęłam przed lustrem.

Od miesięcy nie patrzyłam na swoje ciało; nie miałam powodu. Teraz postać, która stała przede mną w poplamionym lustrze, wydawała się należeć do obcej osoby. Miałam wrażenie, że jestem o połowę węższa, niż byłam; piersi opadły mi i zmalały, nie były już sprężystymi kulami jasnego ciała. Podobnie jak moja pupa. I byłam chuda, pod skórą zaznaczały mi się teraz kości:

obojczyki, kości ramion i żebra sterczały coraz wyraźniej. Nawet moje włosy, kiedyś lśniące kolorem, wydawały się matowe.

Podeszłam bliżej i przyjrzałam się swojej twarzy: cieniom pod oczami, delikatnej pionowej linii pomiędzy brwiami. Zadrżałam, ale nie z zimna. Pomyślałam o dziewczynie, którą Édouard zostawił tutaj dwa lata temu. Pomyślałam o dotyku jego rąk na mojej talii, o miękkich wargach na mojej szyi. I zamknęłam oczy.

Od wielu dni był w podłym nastroju. Pracował nad obrazem przedstawiającym trzy kobiety siedzące wokół stołu i wciąż nie był zadowolony. Pozowałam mu w każdej z trzech pozycji i patrzyłam w milczeniu, jak on krzywi się i sapie. W pewnym momencie rzucił nawet paletę, chwytając się za włosy i przeklinając samego siebie.

– Przejdźmy się trochę – powiedziałam, prostując się. Wszystko mnie bolało od długotrwałego siedzenia w tej samej pozycji, ale nie zamierzałam dać tego po sobie poznać.

– Nie chcę się przejść.

– Édouardzie, w tym nastroju nic nie zdziałasz. Wyjdź ze mną na spacer, na dwadzieścia minut. No chodź. – Wzięłam płaszcz, owinęłam szyję szalem i stanęłam w drzwiach.

– Nie lubię, jak mi się przerywa – burknął mój mąż, sięgając po własny płaszcz.

Nie przeszkadzał mi jego zły humor. Zdążyłam się do tego przyzwyczaić. Kiedy praca szła Édouardowi dobrze, był najukochańszym z ludzi, radosnym, gotowym wszędzie dostrzegać piękno. Kiedy szła źle, było tak, jakby nad naszym mieszkankiem wisiała ciemna chmura. W pierwszych miesiącach naszego małżeństwa obawiałam się, że to w jakiś sposób moja wina, że powinnam być w stanie go rozweselić. Ale słuchając rozmów innych artystów w La Ruche albo w barach Dzielnicy Łacińskiej, zaczęłam dostrzegać ten sam rytm u nich wszystkich: wzloty, kiedy dzieło zostało z sukcesem ukończone albo sprzedane; upadki, kiedy nad czymś utknęli, kiedy za długo już pracowali nad jednym obrazem albo spotkali się z ostrą krytyką. Te nastroje były po prostu jak fronty atmosferyczne, do których należało się przystosować i znosić je ze spokojem.

Nie zawsze bywałam tak anielsko cierpliwa.

Szliśmy rue Soufflot, a Édouard gderał przez cały czas. Jest rozdrażniony. Nie pojmuje, dlaczego musimy iść na spacer. Nie pojmuje, dlaczego nie mogę zostawić go w spokoju. Ja go nie rozumiem. Nie zdaję sobie sprawy, w jakim on jest stresie. Do Webera i Purrmanna już odezwały się galerie przy Palais-Royal, proponując im indywidualne wystawy. Chodzą słuchy, że *monsieur* Matisse woli ich prace niż jego. Kiedy próbowałam go zapewnić, że jest inaczej, z lekceważeniem machał ręką, jakby moja opinia nie miała żadnego znaczenia. Jego grzmiąca tyrada ciągnęła się i ciągnęła, aż doszliśmy na lewy brzeg Sekwany, a ja wreszcie straciłam cierpliwość.

– Świetnie – powiedziałam, wysuwając rękę spod jego ramienia. – Jestem głupią sprzedawczynią. Jak można się spodziewać, że będę w stanie zrozumieć artystyczne napięcie, w jakim ty żyjesz? Jestem tylko osobą, która pierze ci ubrania i pozuje godzinami, cała obolała, podczas gdy ty zabawiasz się tym swoim węglem, no i odbiera pieniądze od ludzi, u których ty krępujesz się o nie upominać. Dobrze, Édouardzie, zostawię cię z tym. Może moja nieobecność przyniesie ci trochę zadowolenia.

Rozjuszona odmaszerowałam z podniesioną głową wzdłuż brzegu rzeki. Édouard dogonił mnie po kilku minutach.

– Przepraszam.

Szłam dalej przed siebie z niewzruszoną miną.

– Nie złość się, Sophie. Po prostu jestem nie w humorze.

– Ale nie musisz z tego powodu psuć humoru mnie. Ja tylko próbuję ci pomóc.

– Wiem. Wiem. Posłuchaj, zwolnij trochę. Zwolnij i przejdź się ze swoim mężem niewdzięcznikiem.

Wyciągnął rękę. Minę miał łagodną, błagalną. Wiedział, że nie potrafię mu się oprzeć.

Spiorunowałam go wzrokiem, po czym wzięłam go pod rękę i przez jakiś czas szliśmy w milczeniu. Édouard przykrył dłonią moją dłoń i zauważył, że jest zimna.

– Twoje rękawiczki!

– Zapomniałam.

– W takim razie gdzie masz kapelusz? – zapytał. – Przecież ty drżysz z zimna.

– Dobrze wiesz, że nie mam kapelusza na zimę. Ten aksamitny spacerowy nadgryzły mole, a ja nie miałam czasu go zacerować.

Zatrzymał się.

– Nie możesz chodzić w pocerowanym kapeluszu.

– Ten jest zupełnie dobry. Po prostu nie miałam czasu się nim zająć. – Nie dodałam, iż to dlatego, że biegałam po całej Rive Gauche, usiłując znaleźć dla niego materiały i odebrać pieniądze, które ludzie byli mu winni, żeby za nie zapłacić.

Znajdowaliśmy się przed jednym z najelegantszych sklepów z kapeluszami w Paryżu. Édouard to zauważył i pociągnął mnie tak, że oboje się zatrzymaliśmy.

– Chodź – powiedział.

– Nie bądź śmieszny.

– Nie sprzeciwiaj mi się, żono. Wiesz, jak łatwo wpędzić mnie w fatalny nastrój.

Złapał mnie za rękę i zanim zdążyłam cokolwiek powiedzieć, weszliśmy do sklepu. Drzwi zamknęły się za nami, trącając dzwonek, a ja rozejrzałam się wokół z zachwytem. Na półkach i w gablotach przy ścianach, zwielokrotnione przez wielkie lustra w pozłacanych ramkach, pyszniły się najpiękniejsze kapelusze, jakie kiedykolwiek widziałam: ogromne, kunsztowne kreacje w odcieniach głębokiej czerni lub intensywnego szkarłatu, z szerokimi rondami wykończonymi futrem albo koronką. W poruszonym przez nasze wejście powietrzu drżał puch z ogona marabuta. W pomieszczeniu pachniało suszonymi różami. Kobieta, która wyłoniła się z zaplecza, miała na sobie wąską satynową spódnicę do kostek – najmodniejszy strój na ulicach Paryża.

– Czym mogę służyć? – Jej spojrzenie przesunęło się po moim trzyletnim płaszczu i zwichrzonych włosach.

– Moja żona potrzebuje kapelusza.

W tamtym momencie chciałam go powstrzymać. Powiedzieć mu, że skoro koniecznie chce mi kupić kapelusz, możemy iść do La Femme Marché, że może uda mi się dostać tam zniżkę. Nie miał pojęcia, że to miejsce to salon słynnej projektantki, poza zasięgiem takich kobiet jak ja.

– Édouard, ja...

– Naprawdę wyjątkowego kapelusza.

– Oczywiście, proszę pana. Czy ma pan może na myśli coś konkretnego?

– Coś w tym rodzaju. – Mój mąż wskazał na wielki, ciemnoczerwony, wykończony puchem marabuta kapelusz w stylu dyrektoriatu. Ufarbowane na czarno pawie pióra kołysały się nad jego szerokim rondem, otaczając je jakby mgiełką.

– Édouard, ty nie mówisz poważnie – wymruczałam. Kobieta jednak zdążyła już z czcią wyjąć to cacko z gabloty i podczas gdy ja stałam, patrząc na męża z otwartymi ustami, ona ostrożnie umieściła kapelusz na mojej głowie, chowając mi włosy za kołnierz.

– Myślę, że wyglądałby jeszcze lepiej, gdyby *madame* zdjęła szal.

Projektantka ustawiła mnie przed lustrem i zdjęła mi szal tak delikatnie, jakby był utkany ze złotej przędzy. Ledwie to poczułam. Ten kapelusz całkowicie odmienił moją twarz. Po raz pierwszy w życiu wyglądałam jak jedna z kobiet, które kiedyś obsługiwałam.

– Pani mąż ma dobre oko – powiedziała projektantka.

– To dokładnie ten – rzekł Édouard radośnie.

– Édouardzie. – Odciągnęłam go na bok i zwróciłam się do niego niespokojnym szeptem. – Spójrz na metkę. On kosztuje tyle, co trzy twoje obrazy.

– Nic mnie to nie obchodzi. Chcę, żebyś miała ten kapelusz.

– Ale potem będziesz tego żałował. Będziesz miał żal do mnie. Powinieneś wydawać pieniądze na materiały, na płótna. To… to nie jestem ja.

Przerwał mi. Gestem przywołał tamtą kobietę.

– Wezmę go.

I wtedy, podczas gdy ona mówiła swojej asystentce, żeby przyniosła pudło, Édouard zwrócił się znów w stronę mojego odbicia. Lekko przesunął ręką po mojej szyi, łagodnie przechylił moją głowę na jedną stronę i spojrzał mi w oczy w lustrze. A potem, przekrzywiając kapelusz, schylił głowę i pocałował mnie w szyję, tam gdzie łączy się z ramieniem. Jego usta pozostały tam na tyle długo, że ja się zarumieniłam, a dwie zszokowane kobiety odwróciły wzrok, udając, że mają coś pilnego do roboty. Kiedy podniosłam głowę, patrząc lekko zamglonym wzrokiem, on nadal przyglądał mi się w lustrze.

– To ty, Sophie – powiedział miękko. – To zawsze jesteś ty…

Ten kapelusz był nadal w naszym mieszkaniu w Paryżu. Milion kilometrów poza moim zasięgiem.

Zacisnęłam zęby, odeszłam od lustra i zaczęłam się ubierać w niebieską wełnę.

Powiedziałam Hélène tego wieczoru po tym, jak ostatni niemiecki oficer opuścił nasz bar. Zamiatałyśmy podłogę w jadalni i sprzątałyśmy ostatnie okruszki ze stołów. Nie było ich wiele: w tym czasie nawet Niemcy zmiatali wszystko do czysta – racje były takie, że każdy zdawał się odchodzić od stołu z uczuciem niedosytu. Stanęłam z miotłą w ręku i cicho poprosiłam siostrę, żeby na chwilę przerwała. A potem powiedziałam jej o moim spacerze po lesie, o mojej prośbie skierowanej do Kommandanta i o tym, czego on zażądał w zamian.

Hélène pobladła.

– Nie zgodziłaś się na to?

– Nic nie odpowiedziałam.

– Och, dzięki Bogu. – Pokręciła głową, przykładając rękę do policzka. – Dzięki Bogu, że do niczego się nie zobowiązałaś.

– Ale... to nie znaczy, że nie pójdę.

Moja siostra nagle usiadła przy stole, a ja po chwili osunęłam się na krzesło naprzeciwko niej. Hélène namyślała się przez chwilę, a potem wzięła mnie za ręce.

– Sophie, wiem, że jesteś przerażona, ale zastanów się nad tym, co mówisz. Pomyśl o tym, co oni zrobili Liliane. Naprawdę oddałabyś się Niemcowi?

– Tego... tego mu nie obiecywałam.

Zmierzyła mnie wzrokiem.

– Myślę... że Kommandant na swój sposób jest honorowym człowiekiem. Zresztą może nawet nie chcieć, żebym... Nie powiedział niczego takiego wprost.

– Och, jak możesz być taka naiwna! – Siostra wzniosła ręce do nieba. – Kommandant zastrzelił niewinnego człowieka! Widziałaś, jak wali głową jednego z własnych ludzi o ścianę za zupełnie błahe przewinienie! I ty chcesz iść sama do jego mieszkania? Nie możesz tego zrobić! Pomyśl przez chwilę!

– Nie myślę prawie o niczym innym. Kommandant mnie lubi. Myślę, że na swój sposób mnie szanuje. A jeżeli tego nie zrobię, Édouard z pewnością umrze. Wiesz, co się dzieje w takich miejscach. Mer już uważa go praktycznie za nieboszczyka.

Hélène nachyliła się ku mnie nad stołem, mówiąc z przejęciem:

– Sophie, nie ma gwarancji, że *Herr Kommandant* postąpi honorowo. To Niemiec! Jakie masz podstawy, żeby wierzyć w choć jedno jego słowo? Mógłby cię wykorzystać, a potem palcem nie kiwnąć!

Nigdy nie widziałam mojej siostry tak rozgniewanej.

– Muszę iść i z nim porozmawiać. Nie mam innego wyjścia.

– Jeżeli to się wyda, Édouard nie będzie cię chciał.

Mierzyłyśmy się wzrokiem.

– Myślisz, że uda ci się to przed nim ukryć? Nie uda ci się. Jesteś zbyt uczciwa. A gdybyś nawet próbowała, to myślisz, że nasze miasteczko będzie milczeć?

Miała rację.

Hélène spojrzała na swoje dłonie. Potem wstała i nalała sobie wody. Piła ją powoli, dwa razy podnosząc na mnie wzrok, a w miarę jak milczenie się przeciągało, zaczęłam czuć jej dezaprobatę, kryjące się w niej zawoalowane pytanie, i rozgniewało mnie to.

– Myślisz, że zrobiłabym coś takiego z lekkim sercem?

– Nie wiem – odparła. – Od jakiegoś czasu wydaje mi się, że nic o tobie nie wiem.

Miałam wrażenie, jakby wymierzyła mi policzek. Zmierzyłyśmy się nienawistnym wzrokiem, a ja zrozumiałam, że balansujemy na krawędzi jakiejś otchłani. Nikt nie potrafi walczyć z tobą tak jak własna siostra; nikt inny nie zna twoich najczulszych punktów i nie uderzy w nie tak bezlitośnie. Widmo mojego tańca z Kommandantem czaiło się gdzieś w pobliżu i nagle poczułam, że nic nas nie chroni.

– Dobrze – odezwałam się. – W takim razie odpowiedz mi, Hélène. Gdyby to była twoja jedyna szansa na uratowanie Jean-Michela, co byś zrobiła?

Wreszcie zobaczyłam, że się waha.

– Życie albo śmierć. Co byś zrobiła, żeby go uratować? Wiem, że kochasz go bezgranicznie.

Przygryzła wargi i odwróciła się w stronę czarnego okna.

– To wszystko może się nie udać.

– Ale się uda.

– Możesz sobie w to wierzyć. Ale jesteś z natury impulsywna. A tutaj w grę wchodzi nie tylko twoja przyszłość.

I wtedy wstałam. Chciałam podejść do siostry. Chciałam kucnąć przy niej, objąć ją i usłyszeć, że wszystko będzie dobrze, że nikomu z nas nic się nie stanie. Ale patrząc na jej twarz, zrozumiałam, że nie ma już nic do powiedzenia, więc wygładziłam spódnicę i z miotłą w ręku ruszyłam w stronę drzwi do kuchni.

Tej nocy spałam niespokojnie. Śnił mi się Édouard, z twarzą wykrzywioną obrzydzeniem. Śniło mi się, że się kłócimy, że ja raz po raz próbuję go przekonać, że zrobiłam tylko to, co było słuszne, a on odwraca się ode mnie. W jednym ze snów odsunął swoje krzesło od stołu, przy którym siedzieliśmy, i wtedy zobaczyłam, że poniżej nie ma ciała: brakowało nóg i połowy torsu. „Proszę bardzo", powiedział do mnie. „Czy teraz jesteś zadowolona?"

Obudziłam się, szlochając, i zobaczyłam, że Édith patrzy na mnie swoimi czarnymi, niezgłębionymi oczami. Wyciągnęła rączkę i delikatnie dotknęła mojego mokrego policzka, jakby mi współczuła. Przyciągnęłam ją do siebie i leżałyśmy w ciszy, wtulone jedna w drugą, aż nadszedł świt.

Dzień minął mi jak we śnie. Przygotowałam dzieciom śniadanie, kiedy Hélène poszła na targ, i patrzyłam, jak Aurélien, który znów był w złym nastroju, prowadzi Édith do szkoły. O dziesiątej otworzyłam drzwi i obsłużyłam tych nielicznych klientów, którzy przychodzili o takiej porze. Stary René śmiał się z jakiegoś niemieckiego samochodu, który wpadł do rowu przy koszarach i nie dawał się wyciągnąć. Ten niefortunny wypadek na jakiś czas rozbawił cały bar. Uśmiechałam się blado i przytakiwałam, że rzeczywiście, to ich nauczy, i owszem, oto doskonały przykład niemieckiej biegłości w operowaniu pojazdami. Widziałam i słyszałam to wszystko tak, jakbym znajdowała się wewnątrz jakiejś bańki.

W porze obiadowej Aurélien i Édith przyszli po kromkę chleba i kawałeczek sera, a kiedy siedzieli w kuchni, dostaliśmy od mera wiadomość, że potrzebne będą koce i kilka kompletów sztućców, które trafią do nowych kwater przy drodze, jakiś kilometr dalej. Nasi klienci sarkali, patrząc na tę kartkę i wiedząc, że gdy wrócą do domów, zastaną tam podobne. Jakaś część mnie cieszyła się z tego, że widzą, iż my także podlegamy nakazom rekwizycji.

O trzeciej przystanęliśmy, by przyjrzeć się przejeżdżającemu niemieckiemu konwojowi transportującemu chorych; nasza droga drżała pod ciężarem pojazdów i koni. Przez jakiś czas po tym w barze panowała cisza. O czwartej zjawiła się żona mera, aby podziękować wszystkim za ich życzliwe listy i modlitwy, więc poprosiłyśmy ją, żeby została i napiła się kawy, ona jednak odmówiła. Towarzystwo nie miałoby z niej zbyt wielkiej pociechy, powiedziała przepraszająco. Chwiejnym krokiem ruszyła z powrotem przez plac, podtrzymywana przez męża.

O wpół do piątej wyszli ostatni klienci, a ja wiedziałam, że wraz z zapadnięciem zmroku nikt już nie przyjdzie, chociaż bar był otwarty jeszcze przez pół godziny. Podeszłam do okien w jadalni i zaciągnęłam zasłony, tak by nasze wnętrze znów było zaciemnione. W kuchni Hélène sprawdzała z Édith dyktando i od czasu do czasu podśpiewywała coś Mimi i Jeanowi. Édith bardzo polubiła małego i Hélène kilka razy podkreślała, jaka to dla niej pomoc, że dziewczynka tyle się z nim bawi. Hélène nigdy nie zakwestionowała mojej decyzji o sprowadzeniu jej do nas; nie przyszłoby jej do głowy odprawić dziecka, nawet jeśli oznaczało to mniej jedzenia dla każdego z nas.

Kiedy poszłam na górę, wyciągnęłam spomiędzy krokwi mój dziennik. Zabrałam się do pisania i wtedy zdałam sobie sprawę, że nie mam nic do powiedzenia. Nic, co by mnie nie obciążyło. Wcisnęłam kartki z powrotem do kryjówki i zaczęłam się zastanawiać, czy kiedykolwiek jeszcze będę miała co powiedzieć mojemu mężowi.

Niemcy nadeszli, bez Kommandanta, a my ich nakarmiłyśmy. Byli markotni; uświadomiłam sobie, że znów mam nadzieję, iż oznacza to jakieś fatalne dla nich wiadomości. Hélène co chwila na mnie zerkała, kiedy się krzątałyśmy; widziałam, że próbuje odgadnąć, co zamierzam zrobić. A ja podawałam, nalewałam wino, zmywałam i krótkim skinieniem głowy przyjmowałam podziękowania tych oficerów, którzy przyszli pochwalić naszą kolację. A potem, gdy już ostatni z nich wyszli, wzięłam na ręce Édith, która znów spała na schodach, i zaniosłam ją do mojego pokoju. Położyłam ją na łóżku i otuliłam kocem. Przez chwilę przyglądałam się jej, delikatnie odsuwając kosmyk włosów z jej policzka. Poruszyła się; na jej buzi nawet we śnie malował się niepokój.

Popatrzyłam na nią, by się upewnić, że się nie obudzi. A później wyszczotkowałam włosy i je upięłam, poruszając się powoli i z namysłem. Kiedy spojrzałam na swoje lustrzane odbicie w świetle świecy, coś przyciągnęło mój wzrok. Odwróciłam się i podniosłam liścik, który został wsunięty pod drzwi. Wbiłam wzrok w te słowa, w pismo Hélène.

Kiedy to się stanie, nie będzie już odwrotu.

I wtedy pomyślałam o martwym młodziutkim jeńcu w jego za dużych butach, o tych wynędzniałych mężczyznach, którzy szli naszą drogą jeszcze dziś po południu. I nagle wszystko stało się bardzo proste: nie było wyboru.

Włożyłam liścik do mojej kryjówki, a potem po cichu zeszłam po schodach. Kiedy doszłam na dół, objęłam wzrokiem wiszący na ścianie portret, po czym ostrożnie zdjęłam go z haczyka i owinęłam w szal, tak żeby nic nie wystawało. Okryłam się dwoma innymi szalami i wyszłam w ciemność. Zamykając za sobą drzwi, usłyszałam dobiegający ze szczytu schodów szept mojej siostry. W jej głosie dźwięczało ostrzeżenie.

Sophie.

## 9

Po tylu miesiącach spędzanych po godzinie policyjnej w domu dziwnie się czułam, idąc tak w ciemności. Lodowate ulice miasteczka były wyludnione, okna ślepe, zasłony nieruchome. Szłam szybko przed siebie poprzez mrok, okutana szalem, w nadziei, że nawet jeżeli się zdarzy, iż ktoś wyjrzy przez okno, zobaczy tylko tajemniczą postać przemykającą bocznymi uliczkami.

Było przenikliwie zimno, ale ja ledwie to czułam. Byłam odrętwiała. W ciągu tych piętnastu minut, jakie zajmowała droga na obrzeża miasteczka, do gospodarstwa Fourrierów, które Niemcy zajęli blisko rok wcześniej, straciłam zdolność myślenia. Stałam się rzeczą, idącą przed siebie. Bałam się, że jeśli pozwolę sobie na myślenie o tym, dokąd idę, nie będę w stanie zmusić moich nóg do ruchu, do stawiania jednej stopy przed drugą. Gdybym zaczęła myśleć, usłyszałabym przestrogi mojej siostry, bezlitosne głosy innych mieszkańców miasteczka, jeśli wyjdzie na jaw, że ktoś widział mnie, jak odwiedzam *Herr Kommandanta* pod osłoną nocy. Mogłabym usłyszeć swój własny strach.

Zamiast tego powtarzałam po cichu imię mojego męża niczym mantrę: „Édouard. Uwolnię Édouarda. Potrafię to zrobić". Obraz ściskałam mocno pod pachą.

Dotarłam na przedmieścia. Skręciłam w lewo, tam gdzie ubitą drogę zaczynały żłobić koleiny. Jej i tak nierówną powierzchnię niszczyły dodatkowo pojazdy wojskowe, sunące nią tam i z powrotem. Stary koń mojego ojca w zeszłym roku złamał nogę w jednej z tych kolein: jechał na nim jakiś Niemiec, który nie patrzył na drogę. Aurélien rozpłakał się, kiedy o tym usłyszał. Jeszcze jedna niewinna ofiara okupacji. Teraz już nikt nie płakał nad końmi.

Ściągnę Édouarda do domu.

Księżyc zniknął za chmurą, a ja szłam przed siebie, potykając się na nierównej drodze; kilka razy wdepnęłam w koleinę z lodowatą wodą, tak że moje buty i pończochy były teraz przemoczone. Zacisnęłam zziębnięte palce na portrecie z obawy, że mogłabym go upuścić. W oddali majaczyły światła wewnątrz domu, a ja nie przestawałam iść w ich stronę. Na skraju drogi poruszały się jakieś niewyraźne kształty, może króliki, a przed sobą zobaczyłam kontur skradającego się lisa, który przystanął na chwilę i spojrzał na mnie zuchwale, bez strachu. Chwilę później usłyszałam przerażony pisk królika i musiałam siłą opanować żółć, która podeszła mi do gardła.

Gospodarstwo było coraz bliżej, światła paliły się jasno. Do moich uszu dobiegł łoskot ciężarówki i zaczęłam szybciej oddychać. Skoczyłam do tyłu, w żywopłot, uchylając się przed promieniem reflektora, a pojazd minął mnie, podskakując i skrzypiąc. Z tyłu, pod brezentową plandeką, dostrzegłam niewyraźne twarze kobiet, siedzących jedna przy drugiej. Patrzyłam za nimi, aż zniknęły, a potem wygramoliłam się z żywopłotu, zaczepiając szalem o gałązki. Krążyły pogłoski, że Niemcy sprowadzają sobie dziewczęta spoza miasteczka; aż do tej pory wierzyłam, że to tylko pogłoski. Pomyślałam znów o Liliane i po cichu zmówiłam za nią modlitwę.

Znalazłam się przy wejściu na teren gospodarstwa. Jakieś trzydzieści metrów przede mną zobaczyłam, że ciężarówka się zatrzymuje, a podobne do cieni sylwetki kobiet idą w milczeniu do drzwi na lewo, jakby znały tę drogę na pamięć. Usłyszałam męskie głosy i odległy śpiew.

– *Halt.*

Przede mną wyrósł żołnierz. Podskoczyłam. Mężczyzna podniósł broń, po czym przyjrzał mi się z bliska. Wskazał ręką pozostałe kobiety.

– Nie… nie. Przyszłam zobaczyć się z *Herr Kommandantem.*

Niecierpliwie powtórzył gest.

– *Nein* – powiedziałam głośniej. – *Herr Kommandant.* Jestem… umówiona.

– *Herr Kommandant?*

Nie widziałam jego twarzy. Jednak postać zdawała się przyglądać mi uważnie, a po chwili przeszła przez podwórze do miejsca, gdzie majaczyły jakieś drzwi. Mężczyzna zastukał w nie i usłyszałam prowadzoną półgłosem rozmowę. Czekałam z walącym sercem, a na skórze czułam igiełki niepokoju.

– *Wie heisst?* – zapytał żołnierz, wróciwszy do mnie.

– Jestem *madame* Lefèvre – szepnęłam.

Wskazał ręką mój szal, który zsunęłam na chwilę z głowy, odsłaniając twarz. Mężczyzna machnął w kierunku drzwi po drugiej stronie podwórza.

– *Diese Tür. Obergeschosse. Grüne Tür auf der rechten Seite.*

– Co? – powiedziałam. – Nie rozumiem.

Znów się zniecierpliwił.

– *Da, da.*

Powtórzył gest, po czym złapał mnie za łokieć i szorstko popchnął naprzód. Byłam zszokowana, że w ten sposób odnosi się do gościa Kommandanta. I nagle zrozumiałam: moje zapewnienia, że jestem mężatką, nic nie znaczyły. Byłam po prostu jeszcze jedną kobietą odwiedzającą po zmroku Niemców. Cieszyłam się, że żołnierz nie widzi rumieńca, który zalał moje policzki. Wyrwałam łokieć z jego uścisku i sztywnym krokiem ruszyłam w stronę niewielkiego budynku po prawej.

Nietrudno było stwierdzić, który pokój należy do niego: tylko spod jednych drzwi sączyło się światło. Zawahałam się pod nimi, a potem zapukałam i odezwałam się cicho:

– *Herr Kommandant?*

Odgłos kroków, drzwi się otwarły, a ja cofnęłam się o krok. Był bez munduru, miał na sobie prążkowaną koszulę bez kołnierzyka, szelki, a w ręce trzymał książkę, jakbym mu w czymś przeszkodziła. Spojrzał na mnie, uśmiechnął się lekko, jak gdyby na powitanie, po czym odsunął się, by wpuścić mnie do środka.

Pokój był duży, z belkowanym stropem, a jego drewnianą podłogę pokrywały dywany; niektóre z nich znałam z domów sąsiadów. W środku stały stolik i krzesła, wojskowy kufer, którego mosiężne okucia błyszczały w świetle dwóch lamp gazowych, wieszak na ubrania, na którym wisiał mundur, i duży fotel bujany przy kominku z wesoło trzaskającym ogniem. Jego ciepło wyczuwało się wyraźnie nawet z drugiego końca pokoju. W kącie stało łóżko z dwiema grubymi kołdrami. Zerknęłam na nie i szybko odwróciłam wzrok.

– Proszę. – Stał za mną, zdejmując mi szale z pleców. – Pozwól, że to wezmę.

Pozwoliłam mu je zdjąć i powiesić na wieszaku, sama przyciskając wciąż obraz do piersi. Nawet kiedy stałam tam niemal sparaliżowana, wstydziłam się swoich niechlujnych ubrań. W taki mróz nie mogłyśmy prać ich zbyt często: wełna schła całymi tygodniami albo po prostu zamarzała w sztywne formy.

– Na zewnątrz jest lodowato – odezwał się Kommandant. – Czuję to po twoich ubraniach.

– Tak. – Mój głos, kiedy wydobył się z gardła, brzmiał, jakby należał do kogoś innego.

– Ta zima jest ciężka. I chyba mamy przed sobą jeszcze kilka takich miesięcy. Chcesz się czegoś napić? – Podszedł do stolika i nalał z karafki wino do dwóch kieliszków. Bez słowa wzięłam od niego jeden. Wciąż drżałam po moim spacerze.

– Możesz odłożyć ten pakunek – powiedział Niemiec.

Zapomniałam, że go trzymam. Nadal stojąc, opuściłam go na podłogę.

– Proszę – rzekł. – Proszę, usiądź.

Sprawiał wrażenie niemal zirytowanego, kiedy się zawahałam, jakby moje zdenerwowanie było dla niego obelgą.

Usiadłam na jednym z drewnianych krzeseł, opierając rękę na ramie obrazu. Nie wiem, dlaczego dodawało mi to otuchy.

– Nie przyszedłem dziś jeść do hotelu. Myślałem o tym, co powiedziałaś, że ze względu na naszą obecność w twoim domu jesteś już uważana za zdrajczynię.

Upiłam łyk wina.

– Nie chcę przysparzać ci więcej problemów, Sophie… więcej, niż sprawiamy wam już przez okupację.

Nie wiedziałam, co na to odpowiedzieć. Upiłam jeszcze jeden łyk. Jego oczy co chwila szukały moich, jakby czekał na jakąś reakcję.

Z drugiej strony podwórza słychać było śpiew. Zastanawiałam się, czy te dziewczęta są teraz z mężczyznami, a potem kim są, z jakich wiosek pochodzą. Czy one także będą potem prowadzone po ulicach jak zbrodniarki za to, co zrobiły? Czy wiedzą, jaki los spotkał Liliane Béthune?

– Jesteś głodna? – Kommandant wskazał ręką niedużą tacę z pieczywem i serem. Pokręciłam głową. Przez cały dzień nie miałam apetytu.

– Przyznaję, że nie dorównuje to standardom waszej kuchni. Myślałem niedawno o tym daniu z kaczki, które zrobiłyście w zeszłym miesiącu. Tym z pomarańczą. Może zrobicie je dla nas jeszcze raz. – Mówił i mówił. – Ale nasze zapasy się kurczą. Ostatnio śniło mi się bożonarodzeniowe ciasto, nazywa się *Stollen*. Macie takie we Francji?

Znów pokręciłam głową.

Usiedliśmy po dwóch stronach kominka. Czułam się naelektryzowana, jakby każda cząstka mnie zrobiła się musująca i przejrzysta. Miałam wrażenie, że on widzi, co jest pod moją skórą. Wie wszystko. Trzyma wszystkie karty. Słuchałam odległych głosów i od czasu do czasu zdawałam sobie sprawę z mojej obecności w tym miejscu. Jestem sama z Kommandantem, w niemieckich koszarach. W pokoju z łóżkiem.

– Myślał pan o tym, co powiedziałam? – wykrztusiłam wreszcie.

Wpatrywał się we mnie przez dłuższą chwilę.

– Czy odmawiasz nam przyjemności towarzyskiej pogawędki? Przełknęłam ślinę.

– Przepraszam. Ale muszę wiedzieć.

Upił łyk wina.

– Nie myślałem prawie o niczym innym.

– Zatem… – Zabrakło mi tchu. Pochyliłam się, odstawiłam kieliszek i odwinęłam szal z obrazu. Oparłam go o krzesło tak, żeby padł na niego blask z kominka, żeby Kommandant zobaczył go w najkorzystniejszym świetle. – Przyjmie go pan? Weźmie go pan w zamian za wolność mojego męża?

Powietrze w pokoju znieruchomiało. Nie spojrzał na obraz. Jego oczy spoczywały na mnie, bez mrugnięcia, niezgłębione.

– Gdybym mogła panu przekazać, ile znaczy dla mnie ten portret… gdyby pan wiedział, jak podtrzymywał mnie w najmroczniejszych chwilach… wtedy wiedziałby pan, że nie mogłabym oddać go lekką ręką. Ale… nie miałabym nic przeciwko temu, żeby obraz trafił do pana, *Herr Kommandant*.

– Friedrich. Mów mi Friedrich.

– Friedrich. Od dawna wiem, że… że rozumiesz twórczość mojego męża. Rozumiesz piękno. Rozumiesz, jak wiele z siebie wkłada artysta w swoje dzieło i dlaczego jest to coś nieskończenie cennego. I dlatego, chociaż ta strata będzie mnie bardzo wiele kosztować, oddam je chętnie. Tobie.

Nadal się we mnie wpatrywał. Nie odwracał wzroku. Wszystko zależało od tej chwili. Zauważyłam starą bliznę biegnącą kilka centymetrów od jego lewego ucha w dół po szyi, srebrzystą wypukłość. Zobaczyłam, że jego jasnoniebieskie oczy otoczone są czernią, jakby ktoś dla podkreślenia obrysował obie tęczówki.

– Nigdy nie chodziło o obraz, Sophie.

Stało się: mój los został przypieczętowany.

Na chwilę przymknęłam oczy, pozwalając sobie przyjąć to do wiadomości.

Kommandant zaczął mówić o sztuce. Mówił o nauczycielu, którego poznał jako młody człowiek, nauczycielu, który otworzył mu oczy na twórczość daleką od jego klasycystycznego wychowania.

Mówił o tym, jak próbował wytłumaczyć ten bardziej pierwotny, żywiołowy sposób malowania ojcu, i o swoim rozczarowaniu niezrozumieniem ze strony starszego mężczyzny.

– Powiedział mi, że te obrazy wyglądają na „niedokończone" – rzekł ze smutkiem. – Uważał, że zboczenie z drogi wytyczonej przez tradycję samo w sobie jest aktem buntu. Wydaje mi się, że moja żona myśli podobnie.

Ledwie go słyszałam. Podniosłam kieliszek i pociągnęłam długi łyk.

– Czy mogę jeszcze trochę wina? – zapytałam.

Opróżniłam kieliszek i poprosiłam o następną dolewkę. Nigdy nie piłam w ten sposób, ani przedtem, ani potem. Nic mnie nie obchodziło, czy sprawiam wrażenie niekulturalnej. Kommandant mówił dalej, cichym, monotonnym głosem. Nie prosił mnie o nic w zamian: wyglądało na to, że chce tylko, bym go słuchała. Chciał, żebym wiedziała, że pod tym mundurem i wojskową czapką kryje się ktoś inny. Ale ja ledwie go słyszałam. Pragnęłam, by świat wokół mnie przesłoniła mgła, żeby ta decyzja nie była moja.

– Myślisz, że zostalibyśmy przyjaciółmi, gdybyśmy się spotkali w innych okolicznościach? Lubię myśleć, że tak by było.

Usiłowałam zapomnieć, że jestem tam, w tym pokoju, z patrzącym na mnie Niemcem. Chciałam być rzeczą, bez czucia, bez świadomości.

– Może.

– Zatańczysz ze mną, Sophie?

Ciągle powtarzał moje imię, jakby miał do tego prawo.

Odstawiłam kieliszek i wstałam, z rękami zwisającymi bezwładnie po bokach, a on podszedł do gramofonu i nastawił powolnego walca. Zbliżył się do mnie, zawahał przez moment, a potem mnie objął. Kiedy płyta zatrzeszczała i popłynęła muzyka, zaczęliśmy tańczyć. Poruszałam się powoli po pokoju, z dłonią w jego dłoni, lekko dotykając palcami miękkiej bawełny jego koszuli. Tańczyłam, w głowie miałam pustkę i jak przez mgłę dotarło do mnie, że jego głowa opiera się o moją. Czułam zapach mydła i tytoniu, czułam, jak jego spodnie ocierają się o moją spódnicę. On trzymał mnie, nie przyciągając do siebie; ostrożnie, tak jak trzyma się coś kruchego. Zamknęłam oczy, pozwalając sobie na zatonięcie we mgle, usiłując skłonić moje myśli, żeby podążyły za muzyką, żeby zaniosły mnie gdzie indziej. Kilkakrotnie próbowałam wyobrazić sobie, że to Édouard, ale mój umysł nie chciał mi na to pozwolić. Wszystko w tym mężczyźnie było zbyt różne: jego dotyk, wzrost, zapach jego skóry.

– Czasami – odezwał się cicho – wydaje się, że na tym świecie zostało tak niewiele piękna. Tak mało radości. Myślisz, że życie jest ciężkie w twoim małym miasteczku. Ale gdybyś widziała to, co my widzimy poza nim… Nikt nie wygrywa. Na takiej wojnie nikt nie wygrywa.

Mówił jakby sam do siebie. Moje palce spoczywały na jego ramieniu. Wyczuwałam ruch jego mięśni pod koszulą, kiedy oddychał.

– Jestem dobrym człowiekiem, Sophie – wymamrotał. – Ważne jest dla mnie, żebyś to rozumiała. Żebyśmy się rozumieli.

A potem muzyka umilkła. Kommandant wypuścił mnie niechętnie i poszedł nastawić płytę jeszcze raz. Czekał, aż muzyka znów popłynie, a później, zamiast wrócić do tańca, popatrzył na mój portret. Poczułam iskierkę nadziei – może jednak zmieni jeszcze zdanie? – ale wtedy, po leciutkim wahaniu, mężczyzna podniósł rękę i delikatnym ruchem wyciągnął szpilkę z moich włosów. Stałam tam jak skamieniała, a on ostrożnie wyjmował pozostałe szpilki, jedną po drugiej, odkładając je na stół i dając moim włosom opaść miękko na twarz. Prawie nic nie wypił, lecz w spojrzeniu miał coś szklistego, gdy tak przyglądał mi się z wyrazem melancholii. Ja sama patrzyłam na niego bez mrugnięcia, jak porcelanowa lalka. Ale nie odwróciłam wzroku.

Kiedy moje włosy były już wolne, uniósł dłoń i pozwolił jednemu z pukli przesunąć się między jego palcami. Jego spokój przywodził na myśl człowieka, który boi się poruszyć, myśliwego, który nie chce spłoszyć zwierzyny. A potem łagodnie ujął moją twarz w dłonie i mnie pocałował. Poczułam przelotną panikę; nie byłam w stanie się zmusić, by oddać mu pocałunek. Zezwoliłam jednak moim wargom rozchylić się pod naporem jego warg i zamknęłam oczy. Szok sprawił, że moje ciało stało się dla mnie obce. Czułam, jak jego dłonie zaciskają się wokół mojej talii, jak popycha mnie w stronę łóżka. I przez cały czas cichy głos w mojej głowie przypominał mi, że to handel. Kupuję mężowi jego wolność. Musiałam tylko oddychać. Nie otwierając oczu, położyłam się na nieprawdopodobnie miękkiej kołdrze. Czułam jego dłonie na moich stopach, jak ściągają mi buty, a po chwili znalazły się na moich nogach i powoli wsunęły się pod spódnicę. Czułam jego wzrok na moim ciele, gdy one wznosiły się coraz wyżej.

Édouard.

Pocałował mnie. Całował moje usta, piersi, nagi brzuch; słyszałam jego oddech, oddech mężczyzny zagubionego w świecie własnych wyobrażeń. Całował moje kolana, moje uda w pończochach, dając ustom tulić się do nagiej skóry, jakby jej bliskość była źródłem niewysłowionej przyjemności.

– Sophie – wymruczał. – Och, Sophie...

I kiedy jego dłonie sięgnęły pomiędzy moje uda, jakaś zdradziecka część mnie nagle ożyła, wypełniając się ciepłem, które nie miało nic wspólnego z ogniem kominka. Jakaś część mnie wzięła rozbrat z sercem, odsłaniając swój głód dotyku, ciężaru drugiego ciała na moim ciele. Gdy jego wargi przesuwały się po mojej skórze, poruszyłam się lekko i nagle z moich ust wyrwał się cichy jęk. Jednak natarczywość jego reakcji, jego przyspieszony oddech na mojej twarzy stłumiły go tak samo szybko, jak się pojawił. Spódnice miałam zadarte, bluzkę zsuniętą z piersi i czując na nich jego usta, spostrzegłam, że zmieniam się w kamień, jak jakaś postać z baśni.

Niemieckie wargi. Niemieckie dłonie.

Leżał teraz na mnie, przyciskając mnie swoim ciężarem do łóżka. Czułam, jak jego dłonie szarpią za moją bieliznę, gorączkowo pragnąc dostać się do środka. Odepchnął moje kolano na bok i w desperacji niemal upadł na moją klatkę piersiową. Czułam go przy swojej nodze, twardego, bezlitosnego. Coś się rozdarło. A potem, z gwałtownym westchnieniem, znalazł się we mnie, moje oczy zamknęły się szczelnie, a szczęki zacisnęły, by nie dopuścić, by wyrwał mi się okrzyk protestu.

Pchaj. Pchaj. Pchaj. W uszach słyszałam jego chrapliwy oddech, na skórze czułam niewyraźnie wilgoć jego potu, przy udzie – klamrę od pasa. Moje ciało poruszało się, ponaglane jego natarczywością. O Boże, co ja zrobiłam? Pchaj. Pchaj. Pchaj. Moje pięści zacisnęły się na kołdrze, myśli miałam poplątane i nieuchwytne. Jakaś odległa część mnie niemal bardziej niż przeciwko czemukolwiek innemu buntowała się przeciwko miękkiemu, ciężkiemu ciepłu kołdry. Ukradzionej komuś. Tak jak kradli wszystko. Pod okupacją. Ja byłam pod okupacją. Zniknęłam. Byłam na ulicy w Paryżu, rue Soufflot. Słońce świeciło, a ja, idąc, widziałam wokół siebie wytworne paryskie damy i gołębie przechadzające się w cętkowanym cieniu drzew. Pod ramieniem czułam ramię męża. Chciałam coś do niego powiedzieć, ale zamiast tego wyrwał mi się cichy szloch. Scena znieruchomiała i zniknęła. I wtedy zdałam sobie niewyraźnie sprawę, że to ustało. Pchnięcia były coraz wolniejsze, aż wreszcie ustały. Wszystko się zatrzymało. Ta rzecz. Ta jego rzecz nie była już we mnie, ale spoczywała miękko i przepraszająco na mojej pachwinie. Otworzyłam powieki i przekonałam się, że patrzę prosto w jego oczy.

Twarz Kommandanta, tuż przy mojej, była zaczerwieniona i malowała się na niej udręka. Przestałam oddychać, gdy dotarło do mnie jego położenie. Nie miałam pojęcia, co robić. Ale oczy mężczyzny wpiły się w moje i on zrozumiał, że ja wiem. Odsunął się szorstko, uwalniając mnie spod swojego ciężaru.

– Ty... – zaczął.

– Co? – Miałam świadomość, że moje piersi są obnażone, a spódnica podciągnięta aż do talii.

– Twoja mina... taka...

Wstał, a ja odwróciwszy wzrok, usłyszałam, jak podciąga spodnie i je zapina. Unikał patrzenia na mnie, stojąc sztywno z ręką na czubku głowy.

– Prze-przepraszam – zaczęłam. Nie byłam pewna, za co właściwie przepraszam. – Co ja zrobiłam?

– Ty... ty... tego nie chciałaś! – Wskazał na mnie ręką. – Twoja twarz...

– Nie rozumiem. – W tamtej chwili byłam niemal rozzłoszczona; jego niesprawiedliwość dotknęła mnie do żywego. Czy on ma jakiekolwiek pojęcie o tym, co ja przeszłam? Czy wie, ile kosztowało mnie pozwolić się mu dotknąć? – Zrobiłam to, co chciałeś!

– Nie chciałem ciebie takiej! Chciałem... – powiedział, unosząc dłoń w geście frustracji. – Chciałem tego! Chciałem dziewczyny z obrazu!

Oboje w milczeniu wbiliśmy wzrok w portret. Dziewczyna spokojnie odwzajemniła nasze spojrzenia. Włosy opadały jej na szyję, wyraz twarzy miała wyzywający, wspaniały, zmysłowy. Moja twarz.

Obciągnęłam spódnicę i pospiesznie zapięłam bluzkę przy szyi. Kiedy się odezwałam, głos miałam niski i roztrzęsiony.

– Dałam panu… *Herr Kommandant*… wszystko, co byłam w stanie dać.

Jego oczy zrobiły się matowe, jak zamarznięte morze. Mięsień na jego szczęce zaczął gwałtownie drgać.

– Wyjdź stąd – powiedział cicho.

Zamrugałam powiekami.

– Przepraszam – wyjąkałam, gdy do mnie dotarło, że się nie przesłyszałam. – Jeżeli… mogę jakoś…

– WYJDŹ STĄD! – ryknął. Złapał mnie za ramię, wpijając się palcami w moje ciało, i pociągnął mnie gwałtownie przez pokój.

– Moje buty… szale!

– WYNOŚ SIĘ STĄD!

Miałam czas tylko chwycić swój obraz, po czym zostałam wypchnięta przez drzwi, potknęłam się i wylądowałam na kolanach u szczytu schodów, usiłując wciąż rozpaczliwie zrozumieć, co się wydarzyło. Zza drzwi dobiegł mnie straszliwy łoskot. A później kolejny, któremu towarzyszył odgłos rozbijanego szkła. Obejrzałam się za siebie. Potem boso zbiegłam po schodach, przecięłam podwórze i uciekłam.

Dotarcie do domu zajęło mi prawie godzinę. Po kilometrze straciłam czucie w stopach. Kiedy doszłam do miasteczka, były tak przemarznięte, że nie zdawałam sobie sprawy ze skaleczeń i otarć, których nabawiłam się podczas długiego spaceru kamienistą wiejską drogą. Szłam przed siebie, potykając się w ciemności, z obrazem pod pachą, drżąc w cienkiej bluzce, i nic nie czułam. Mój szok stopniowo ustępował miejsca zrozumieniu tego, co zrobiłam i co straciłam. W głowie mi szumiało. Szłam przez opustoszałe ulice rodzinnego miasteczka, nie dbając już o to, czy ktoś mnie widzi.

Dotarłam do Le Coq Rouge na krótko przed pierwszą w nocy. Stojąc na zewnątrz, usłyszałam, jak zegar wybija pojedynczą nutę, i przez chwilę zastanawiałam się, czy nie byłoby lepiej dla wszystkich, gdyby nie udało mi się dostać do środka. I wtedy, gdy tak stałam, za zasłonką ukazało się światełko i zasuwy zostały odsunięte. Pojawiła się Hélène w nocnym czepku, owinięta białym szalem. Musiała na mnie czekać.

Podniosłam wzrok na nią, na moją siostrę, i w tym momencie zrozumiałam, że ona przez cały czas miała rację. Zrozumiałam, że to, co zrobiłam, mogło zagrozić całej naszej rodzinie. Chciałam ją przeprosić. Chciałam jej powiedzieć, że rozumiem ogrom mojego błędu i że moja miłość do Édouarda, moje desperackie pragnienie, by nasze wspólne życie trwało dalej, uczyniły mnie ślepą na wszystko inne. Ale nie byłam w stanie wydobyć z siebie głosu. Stałam tylko w drzwiach bez słowa.

Oczy Hélène rozszerzyły się na widok moich nagich ramion i bosych stóp. Podała mi rękę i wciągnęła do środka, zamykając za mną drzwi. Otuliła mi ramiona szalem, odgarnęła włosy z mojej twarzy. Nic nie mówiąc, zaprowadziła mnie do kuchni, zamknęła drzwi i rozpaliła w piecu. Podgrzała kubek mleka, i kiedy ja trzymałam go w ręce (nie byłam w stanie go wypić), siostra zdjęła z haczyka na ścianie naszą blaszaną balię i postawiła ją na podłodze, przed piecem. Napełniła wodą jeden rondel po drugim, zagotowała ją, zdjęła z pieca i wlała do balii. Kiedy już była pełna, Hélène podeszła do mnie i ostrożnie zdjęła ze mnie szal. Rozpięła

mi bluzkę, a potem ściągnęła mi podkoszulkę przez głowę, jakbym była dzieckiem. Rozpięła guziki z tyłu spódnicy, rozsznuro-
wała gorset, po czym rozebrała mnie z halki, kładąc to wszystko
na kuchennym stole, aż w końcu stałam naga. Gdy zaczęłam się
trząść, siostra wzięła mnie za rękę i pomogła wejść do balii.

Woda była wrząca, ale ja ledwie to czułam. Opuściłam się do
niej tak, że większość mojego ciała, poza kolanami i ramionami,
znajdowała się pod wodą. Nie zwracałam uwagi na piekące ska-
leczenia na stopach. I wtedy moja siostra zakasała rękawy, wzięła
myjkę i zaczęła mnie namydlać, od włosów przez ramiona, plecy
aż po stopy. Kąpała mnie w milczeniu, dotykając czułymi dłońmi,
unosząc każdą moją kończynę, delikatnie wycierając każdy palec, dbając, by żadna część nie pozostała nieoczyszczona. Wy-
myła podeszwy moich stóp, ostrożnie usuwając kawałki kamieni,
które powbijały się w ranki. Umyła mi włosy, płucząc je w mi-
sce, aż woda zrobiła się czysta, po czym rozczesała je starannie,
pasmo po paśmie. Chwyciła myjkę i otarła łzy, które toczyły mi
się bezgłośnie po policzkach. Przez cały ten czas nic nie mówiła. Wreszcie, kiedy woda ostygła, a ja znów zaczęłam się trząść,
z zimna, wyczerpania albo czegoś całkiem innego, Hélène wzięła
duży ręcznik i owinęła mnie w niego. A potem mnie przytuliła,
ubrała w nocną koszulę i zaprowadziła na górę, do mojego łóżka.
Usypiając, usłyszałam jej szept:

– Och, Sophie. – I chyba już wtedy zdawałam sobie sprawę, co
sprowadziłam na nas wszystkich. – Coś ty zrobiła?

## 10

Dni mijały. Hélène i ja krzątałyśmy się przy codziennych sprawach niczym dwie aktorki. Z daleka wyglądałyśmy może tak jak zawsze, lecz każda z nas miotała się w coraz większym niepokoju. Nie rozmawiałyśmy o tym, co się stało. Ja mało sypiałam, czasem zaledwie dwie godziny w ciągu nocy. Zmuszałam się do jedzenia. Mój żołądek zwijał się ciasno wokół mojego strachu, podczas gdy reszta mnie zdawała się rozsypywać.

Obsesyjnie powracałam do wydarzeń tamtego fatalnego wieczoru, przeklinając moją naiwność, głupotę i dumę. Ponieważ to duma musiała być przyczyną tego wszystkiego. Gdybym udawała, że cieszą mnie względy Kommandanta, gdybym naśladowała mój własny portret, mogłabym zdobyć jego zachwyt. Mogłabym uratować męża. Czy to byłoby takie straszne? Zamiast tego trzymałam się kurczowo tego absurdalnego wyobrażenia, że pozwalając sobie na stanie się rzeczą, obiektem, pomniejszam w jakiś sposób moją niewierność. Że w jakiś sposób dochowuję nam wiary. Jakby to mogło sprawić Édouardowi jakąkolwiek różnicę.

Codziennie czekałam z duszą na ramieniu i milcząc, patrzyłam, jak do baru wchodzą oficerowie, a Kommandanta z nimi nie ma. Bałam się z nim zobaczyć, ale jeszcze bardziej bałam się jego nieobecności i tego, co mogła oznaczać. Pewnej nocy Hélène zebrała się na odwagę i zapytała oficera ze szpakowatym wąsem, gdzie jest Kommandant, ale tamten tylko machnął ręką i powiedział, że jest „zbyt zajęty". Spojrzenie mojej siostry spotkało się z moim i wiedziałam, że dla żadnej z nas nie jest to pocieszeniem.

Patrzyłam na Hélène i przytłaczał mnie ciężar własnej winy. Za każdym razem, kiedy siostra zerkała na dzieci, wiedziałam, że zastanawia się, co z nimi będzie. Raz zobaczyłam, jak rozmawia po cichu z merem, i wydawało mi się, że słyszałam, jak prosi go, by wziął je do siebie, gdyby coś jej się stało. Mówię tak, ponieważ na jego twarzy odbiło się przerażenie, jakby był zdumiony, że coś takiego w ogóle przeszło jej przez myśl. Widziałam nowe zmarszczki wokół jej oczu i ust i wiedziałam, że to moje dzieło.

Młodsze dzieci wydawały się nieświadome naszych prywatnych lęków. Jean i Mimi bawili się jak zawsze, jęczeli i skarżyli się na zimno albo drobne przewinienia drugiego. Pod wpływem głodu robili się marudni. Obecnie nie ośmielałam się podbierać z niemieckich zapasów choćby najdrobniejszych resztek, ale odmawiać dzieciom nie było łatwo. Aurélien znów zamknął się we własnym przygnębieniu. Jadł bez słowa i nie odzywał się do żadnej z nas. Zastanawiałam się, czy znowu wdaje się w szkole w bójki, lecz byłam zbyt przejęta innymi sprawami, by dłużej to roztrząsać. Édith jednak wiedziała. Jej wrażliwość sprawiała, że ta dziewczynka wyczuwała wszystko. Nie odstępowała mnie na krok. Nocą spała, ściskając rąbek mojej nocnej koszuli w swej piąstce, a gdy się budziłam, jej wielkie czarne oczy były utkwione we mnie. Kiedy zdarzało mi się kątem oka dostrzec gdzieś własne odbicie, moja twarz była wymizerowana, trudna do rozpoznania nawet dla mnie samej.

Dotarły do nas wiadomości o kolejnych dwóch miasteczkach zajętych przez Niemców na północnym wschodzie. Racje żywnościowe były coraz mniejsze. Każdy dzień zdawał się dłuższy niż poprzedni. Podawałam posiłki, sprzątałam i gotowałam, ale moje myśli wypełniały chaos i znużenie. Może Kommandant po prostu się nie pojawi. Może tak się wstydzi tego, co zaszło między nami, że nie jest w stanie spojrzeć mi w oczy. Może on także czuje się winny. Może zginął. Może Édouard wejdzie przez te drzwi. Może jutro wojna się skończy. Kiedy dochodziłam do tego punktu, zazwyczaj musiałam usiąść i wziąć głęboki oddech.

– Idź na górę się przespać – mruczała wtedy Hélène.

Zastanawiałam się, czy mnie nienawidzi. Gdybym była na jej miejscu, trudno byłoby mi się od tego powstrzymać.

Dwa razy wróciłam do moich schowanych listów, jeszcze z czasów, zanim zostaliśmy terytorium niemieckim. Czytałam słowa Édouarda, o jego nowych przyjaźniach, o nędznych racjach żywnościowych i dobrych nastrojach, i czułam się tak, jakbym słuchała ducha. Czytałam słowa pełne czułości, obietnice, że wkrótce będziemy znów razem, że myśli o mnie w dzień i w nocy.

Robię to dla Francji, ale także, z bardziej egoistycznych pobudek, dla nas – żebym mógł przez Wolną Francję wrócić do mojej żony. Domowe zacisze; nasze poddasze, kawa w Bar du Lyons, popołudnia, które spędzaliśmy przytuleni w łóżku, a Ty podawałaś mi plasterki obranej pomarańczy... Rzeczy, które wówczas były domowe i powszednie, obecnie nabrały świetlistych barw skarbu. Czy wiesz, jak bardzo tęsknię za tym, by móc Ci przynieść kawę?

Popatrzeć, jak czeszesz włosy? Czy wiesz, jak bardzo tęsknię za widokiem Ciebie, śmiejącej się po drugiej stronie stołu, i za świadomością, że to ja jestem przyczyną Twojego szczęścia? Wydobywam te wspomnienia, by się pocieszyć, by przypomnieć sobie, dlaczego tutaj jestem. Uważaj na siebie – dla mnie. Wiedz, że pozostaję Twoim oddanym mężem.

Czytałam jego słowa i teraz miałam dodatkowy powód, by się zastanawiać, czy jeszcze kiedykolwiek je usłyszę.

Byłam w piwnicy, zmieniając baryłkę z piwem, kiedy usłyszałam odgłos kroków na kamieniach. We drzwiach pojawiła się sylwetka Hélène i zasłoniła światło.

– Przyszedł mer. Mówi, że Niemcy po ciebie idą.

Serce przestało mi bić.

Moja siostra podbiegła do ściany i zaczęła wyjmować obluzowane cegły.

– Idź. Jeżeli się pospieszysz, uda ci się wyjść drzwiami od sąsiadów.

Gorączkowo wyciągała kolejne cegły. Gdy w ścianie pojawił się otwór szerokości niedużej baryłki, zwróciła się ku mnie. Spojrzała na swoje ręce, ściągnęła obrączkę i podała mi ją, po czym zdjęła z ramion szal.

– Weź to. I idź. Ja ich zatrzymam. Ale pospiesz się, Sophie, oni idą już przez plac.

Popatrzyłam na obrączkę leżącą na mojej dłoni.

– Nie mogę – powiedziałam.

– Dlaczego?

– A jeżeli on dotrzyma umowy?

– *Herr Kommandant*? Umowy? Jak na Boga miałby jej dotrzymać? Oni tu po ciebie idą, Sophie! Idą, żeby cię ukarać, zamknąć w obozie. Przecież ty go ciężko obraziłaś! Oni chcą cię stąd wywieźć!

– Ale zastanów się, Hélène. Gdyby on chciał mnie ukarać, zastrzeliłby mnie albo zrobiłby ze mną to, co z Liliane Béthune.

– Ryzykując, że wyjdzie na jaw, za co cię karze? Czyś ty zwariowała?

– Nie. – Zaczęło mi się rozjaśniać w głowie. – Potrzebował czasu, żeby przemyśleć to, jak zareagował, i teraz wysyła mnie do Édouarda. Ja to wiem.

Hélène popchnęła mnie w stronę otworu w ścianie.

– Nie jesteś sobą, Sophie. Przemawia przez ciebie brak snu, strach, mania... Niedługo otrzeźwiejesz. Ale teraz musisz iść. Mer mówi, żebyś poszła do *madame* Poilâne i tę noc spędziła pod podłogą w jej stodole. Spróbuję potem przesłać ci wiadomość.

Strząsnęłam jej rękę.

– Nie... nie. Nie rozumiesz? Kommandant nie może sprowadzić tu Édouarda, bo wyjdzie na jaw, co on sam zrobił. Ale jeżeli odeśle mnie stąd, razem z Édouardem, to będzie mógł uwolnić nas oboje.

– Sophie! Nie możemy dłużej rozmawiać!

– Ja dotrzymałam umowy.

– IDŹ!

– Nie. – Mierzyłyśmy się wzrokiem w niemal zupełnej ciemności. – Nigdzie nie idę.

Ujęłam jej rękę i włożyłam w nią obrączkę, zaciskając na niej palce siostry. Powtórzyłam cicho:

– Nie idę.

Twarz Hélène wykrzywiła rozpacz.

– Nie możesz pozwolić, żeby cię zabrali, Sophie. To szaleństwo. Oni cię wywiozą do obozu! Słyszysz mnie? Do obozu! W takie samo miejsce, jakie mówiłaś, że zabije Édouarda!

Ale ja ledwie ją słyszałam. Wyprostowałam się i odetchnęłam. Poczułam dziwną ulgę. Skoro idą tylko po mnie, to znaczy, że Hélène jest bezpieczna, i dzieci też.

– Jestem pewna, że przez cały czas miałam rację co do niego. Przemyślał to sobie w świetle dnia i zrozumiał, że ja starałam się pomimo wszystko dotrzymać umowy. To człowiek honoru. Powiedział, że jesteśmy przyjaciółmi.

Teraz moja siostra płakała.

– Proszę, Sophie, proszę, nie rób tego. Sama nie wiesz, co mówisz. Masz jeszcze czas… – Usiłowała zablokować mi drogę, ale ja przepchnęłam się obok niej i ruszyłam po schodach na górę.

Kiedy się ukazałam, oni byli już przy wejściu do baru; dwóch mężczyzn w mundurach. W barze zapadła cisza i dwadzieścia par oczu spoczęło na mnie. Widziałam starego René, którego dłonie drżały na krawędzi stolika, i *mesdames* Louvier i Durant, rozmawiające przyciszonym głosem. Mer stał obok jednego z oficerów, gestykulował namiętnie, usiłując go przekonać, żeby zmienił zdanie, że musiała zajść jakaś pomyłka.

– Takie są rozkazy Kommandanta – powiedział oficer.

– Ale ona nic nie zrobiła! To jakaś kpina!

– *Courage*, Sophie – krzyknął ktoś.

Czułam się jak we śnie. Czas zdawał się zwalniać bieg, głosy wokół mnie dobiegały jakby z oddali.

Jeden z oficerów gestem nakazał mi podejść i znalazłam się na zewnątrz. Blade światło słoneczne zalewało plac. Na ulicy stali ludzie i czekali, by zobaczyć przyczynę poruszenia w barze. Przystanęłam na chwilę i rozejrzałam się wokół, mrugając, oślepiona słońcem po panującym w piwnicy mroku. Wszystko wydało mi się nagle krystalicznie czyste, jakby narysowane od nowa, jaśniej i wyraźniej, jakby miało zapisać się w ten sposób w mojej pamięci. Ksiądz stojący przed pocztą przeżegnał się na widok samochodu, który po mnie przysłali. Zdałam sobie sprawę, że to ten sam pojazd, który przywiózł do koszar tamte kobiety. Miałam wrażenie, jakby to było wieki temu.

Mer krzyczał:

– Nie pozwolimy na to! Chcę wnieść oficjalną skargę! Nie pozwolę wam zabrać tej dziewczyny, dopóki nie porozmawiam z Kommandantem!

– To jego rozkaz.

Nieduża grupka starszych ludzi zaczęła otaczać żołnierzy, jakby chcieli stworzyć barierę.

– Nie możecie prześladować niewinnych kobiet! – protestowała *madame* Louvier. – Przejmujecie jej dom, robicie z niej swoją służącą, a teraz chcecie ją uwięzić? Bez powodu?

– Sophie. Proszę. – Moja siostra znów pojawiła się obok. – Weź przynajmniej swoje rzeczy. – Wcisnęła mi płócienną torbę. Wylewały się z niej przedmioty, które upchnęła tam w pośpiechu. – Uważaj na siebie. Słyszysz? Uważaj na siebie i wróć do nas.

Zgromadzony tłum zaczął szemrać. Ludzie byli rozgorączkowani, gniewni, przybywało ich z każdą chwilą. Zerknęłam w bok i zobaczyłam Auréliena, z zaczerwienioną twarzą, na której malowała się wściekłość. Stał na chodniku z *monsieur* Suelem. Nie chciałam, żeby się w to mieszał. Gdyby teraz rzucił się na Niemców, byłaby to katastrofa. Poza tym ważne było, żeby Hélène miała koło siebie jakiegoś sprzymierzeńca przez najbliższe kilka miesięcy. Przepchnęłam się w jego stronę.

– Aurélien, jesteś jedynym mężczyzną w domu. Musisz dbać o wszystkich, kiedy mnie nie będzie – zaczęłam, ale on mi przerwał.

– Sama jesteś sobie winna! – krzyknął. – Wiem, co zrobiłaś! Wiem, co zrobiłaś z tym Niemcem!

Nagle wszystko się zatrzymało. Patrzyłam na mojego brata, na którego twarzy cierpienie mieszało się z wściekłością.

– Słyszałem, jak rozmawiałaś z Hélène. Widziałem cię, jak wróciłaś tamtej nocy!

Kątem oka zauważyłam wymianę spojrzeń wokół mnie. Mówiły: czy Aurélien Bessette powiedział to, co mi się wydaje?

– To nie… – zaczęłam. Ale on odwrócił się na pięcie i popędził z powrotem do baru.

Znowu zapadła cisza. Oskarżenie Auréliena powtarzano półgłosem tym, którzy go nie usłyszeli. Dostrzegłam szok na twarzach wokół mnie i spłoszone spojrzenie Hélène uciekające w bok. Teraz byłam Liliane Béthune. Tylko bez łagodzącego czynnika udziału w ruchu oporu. Atmosfera wokół mnie zagęściła się niemal namacalnie.

Dłoń Hélène wyciągnęła się ku mojej.

– Powinnaś była uciec – wyszeptała łamiącym się głosem. – Powinnaś była uciec, Sophie… – Chciała mnie objąć, ale odciągnięto ją.

Jeden z żołnierzy złapał mnie za ramię i popchnął w stronę ciężarówki. Ktoś w oddali coś krzyknął, ale nie potrafiłam rozróżnić, czy to protest skierowany do Niemców, czy jakaś obelga pod moim adresem. A potem usłyszałam: „Putain! Putain!" i zadrżałam.

On mnie wysyła do Édouarda – powiedziałam sobie, czując, że serce zaraz wyrwie mi się z piersi. – Wiem, że tak jest. Muszę w to wierzyć.

A później usłyszałam, jak jej głos przerywa ciszę.

– Sophie! – Głos dziecka, przeszywający i udręczony. – Sophie! Sophie!

Édith przedarła się przez zgromadzony tłum, rzuciła się ku mnie i przywarła do moich nóg.

– Nie odchodź. Mówiłaś, że mnie nie zostawisz.

Od kiedy z nami zamieszkała, nie wypowiedziała tylu słów naraz. Przełknęłam ślinę, a do oczu napłynęły mi łzy. Pochyliłam się i otoczyłam ją ramionami. Jak mogę ją zostawić? W głowie miałam pustkę, a całe moje czucie zawęziło się do dotknięcia jej małych rączek.

I wtedy podniosłam wzrok i zobaczyłam, że niemieccy żołnierze ją obserwują, jakby się nad czymś zastanawiali. Wyciągnęłam dłoń i pogłaskałam ją po włosach.

– Édith, musisz zostać z Hélène i być dzielna. Twoja *maman* i ja po ciebie wrócimy. Obiecuję.

Nie uwierzyła mi. Oczy miała rozszerzone strachem.

– Nic złego mi się nie stanie. Obiecuję. Jadę spotkać się z mężem. – Starałam się mówić tak, żeby mi uwierzyła, wlać w mój głos pewność i otuchę.

– Nie – powiedziała dziewczynka, ściskając mnie jeszcze mocniej. – Nie. Proszę, nie zostawiaj mnie.

Serce mi się krajało. Spojrzałam na moją siostrę z niemym błaganiem w oczach: „Zabierz ją ode mnie. Nie pozwól jej na to patrzeć". Hélène rozchyliła zaciśnięte paluszki dziewczynki. Szlochała.

– Proszę, nie zabierajcie mojej siostry – zwróciła się do żołnierzy, odciągając Édith. – Ona nie wie, co robi. Proszę, nie zabierajcie mojej siostry. Ona na to nie zasłużyła.

Mer objął ją ramieniem. Na jego twarzy malowało się oszołomienie; słowa Auréliena odebrały mu zapał do walki.

– Nic mi nie będzie, Édith. Bądź silna – zawołałam do niej, przekrzykując hałas.

A potem ktoś na mnie splunął i nagle to zobaczyłam, ten cienki, obrzydliwy ślad na moim rękawie. Tłum zaczął gwizdać. Ogarnęła mnie panika.

– Hélène? – zawołałam. – Hélène?

Niemieckie ręce wepchnęły mnie szorstko na tył ciężarówki. Znalazłam się w ciemnym wnętrzu, na drewnianej ławce. Jakiś żołnierz zajął miejsce naprzeciwko mnie, karabin miał oparty w zgięciu łokcia. Plandeka opadła, silnik odpalił. Jego hałas przybrał na sile i to samo stało się z głosem tłumu, jakby rozzuchwaliło to ludzi, którzy chcieli mnie zelżyć. Przez chwilę zastanawiałam się, czy nie mogłabym wyskoczyć z samochodu przez wąską szparę w plandece, ale wtedy usłyszałam okrzyk: „Kurwa!", a po nim zawodzenie Édith, ostry stuk kamienia uderzającego w bok ciężarówki i ostrzegawcze szczeknięcie żołnierza. Wzdrygnęłam się, gdy kolejny kamień uderzył w plandekę za moimi plecami. Niemiec patrzył na mnie nieruchomym wzrokiem. Ledwie dostrzegalny pogardliwy uśmiech na jego twarzy uświadomił mi, że popełniłam straszliwy błąd.

Usiadłam z rękami złożonymi na torbie i zaczęłam się trząść. Ciężarówka ruszyła, a ja nie próbowałam uchylić klapy i wyjrzeć na zewnątrz. Nie chciałam czuć na sobie spojrzeń mieszkańców miasteczka. Nie chciałam słyszeć ich werdyktu. Usiadłam na nadkolu, powoli ukryłam twarz w dłoniach i zaczęłam mruczeć do siebie: „Édouard, Édouard, Édouard". A potem: „Tak mi przykro". Sama nie wiedziałam, kogo przepraszam.

Dopiero kiedy wyjechaliśmy na przedmieścia, odważyłam się podnieść wzrok. Przez szparę w łopoczącej plandece mignął mi czerwony szyld Le Coq Rouge, błyszczący w zimowym słońcu, i jasnoniebieska sukienka Édith na skraju tłumu. Była coraz mniejsza i mniejsza, aż wreszcie, podobnie jak całe miasto, zniknęła.

# Część druga

## 11

*Londyn 2006*

Liv biegnie wzdłuż rzeki z torebką wciśniętą pod pachę i telefonem pomiędzy uchem a ramieniem. Gdzieś w okolicach Embankment ciężkie szare niebo nad Londynem rozdarło się, zalewając centrum stolicy niemal tropikalną ulewą, i całe śródmieście stoi teraz w korku, rury wydechowe taksówek dymią, a szyby są zaparowane przez oddechy pasażerów.

– Wiem – mówi po raz piętnasty Liv, która ma przemoczoną kurtkę i włosy przylepione do głowy. – Wiem... Tak, zdaję sobie sprawę z warunków. Czekam po prostu na parę płatności, które... – Szybkim ruchem wskakuje w bramę, wyciąga z torebki szpilki i zakłada je, po czym wbija wzrok w swoje mokre baletki, uświadamiając sobie, że nie ma gdzie ich włożyć. – Tak. Tak, jestem... Nie, moja sytuacja się nie zmieniła. W ostatnim czasie nie.

Wybiega z bramy i jest z powrotem na chodniku, przebiega przez ulicę i kieruje się w stronę Aldwych, ściskając w dłoni mokre buty. Spod kół przejeżdżającego samochodu tryska fontanna wody i zalewa jej stopy, a Liv zatrzymuje się, patrząc z niedowierzaniem za oddalającymi się światłami.

– Czy to ma być jakiś żart? – wrzeszczy. I zaraz dodaje: – Nie, to nie do pana… Dean. Nie do ciebie… Tak, mam świadomość, że po prostu wykonujesz swoje obowiązki. Posłuchaj – mówi – w poniedziałek będę miała pieniądze. Okej? Przecież nigdy wcześniej nie spóźniałam się z opłatami. No dobrze, raz.

Nadjeżdża kolejna taksówka i tym razem Liv udaje się zręcznie skryć w bramie.

– Tak. Rozumiem, Dean… Wiem. Musi ci być naprawdę ciężko. Posłuchaj, obiecuję, że dostaniesz je w poniedziałek… Tak. Tak, zdecydowanie. I przepraszam za te krzyki… Ja też mam nadzieję, że dostaniesz tę nową pracę, Dean.

Zatrzaskuje klapkę telefonu, wpycha go do torebki i podnosi wzrok na szyld restauracji. Pochyla się szybko, żeby zerknąć na swoje odbicie w lusterku samochodu, i się załamuje. Nic się nie da zrobić. Już jest spóźniona o czterdzieści minut.

Liv odgarnia z twarzy mokre włosy i spogląda z tęsknotą w stronę ulicy. A potem bierze głęboki oddech, popycha drzwi do restauracji i wchodzi do środka.


– Oto i ona! – Kristen Solberg wstaje z krzesła w centralnej części długiego stołu i rozpościera ramiona na powitanie, hałaśliwie całując powietrze kilka centymetrów od obu policzków Liv. – Mój Boże, przecież ty jesteś przemoknięta! – Jej włosy spływają oczywiście w dół lśniącą kasztanową falą.

– Tak. Przyszłam piechotą. Nie najlepsza decyzja.

– Słuchajcie wszyscy, to jest Liv Halston. Robi w naszej fundacji cudowne rzeczy. I mieszka w najbardziej niesamowitym domu w całym Londynie. – Kristen uśmiecha się dobrotliwie, po czym zniża głos. – Uznam to za osobistą porażkę, jeżeli do świąt nie porwie jej jakiś fantastyczny facet.

Rozlega się powitalny pomruk. Liv czuje, jak skóra piecze ją z zażenowania. Uśmiecha się z wysiłkiem i celowo nie patrzy w oczy żadnej z osób siedzących koło niej. Sven spogląda na nią wzrokiem, w którym malują się przeprosiny za to, co ma zaraz nastąpić.

– Zachowałam dla ciebie miejsce – mówi Kristen. – Obok Rogera. Jest fantastyczny. – Posyła Liv znaczące spojrzenie, prowadząc ją w stronę pustego krzesła. – Będziesz nim zachwycona.

Przy stole siedzą same pary. Ależ oczywiście. Osiem par. I Roger. Liv wyczuwa, jak inne kobiety ukradkiem przyglądają jej się badawczo spoza uprzejmych uśmiechów, usiłując stwierdzić, czy jako jedyna singielka może stanowić dla nich zagrożenie. Ten wyraz twarzy jest jej niestety zbyt dobrze znany. Mężczyźni zerkają spod oka, przyglądając jej się z własnych powodów. Liv czuje powiew ciepłego, pachnącego czosnkiem oddechu Rogera, kiedy ten nachyla się i poklepuje krzesło obok siebie.

Wyciąga rękę.

– Rog. Jesteś bardzo mokra. – Udaje mu się wypowiedzieć to tak, żeby zabrzmiało nieco lubieżnie; to najwyraźniej typ absolwenta ekskluzywnej prywatnej szkoły, który nie jest w stanie rozmawiać z kobietą, nie wprowadzając przy tym seksualnego podtekstu.

Liv zasłania się kurtką.

– Tak. Rzeczywiście jestem.

Uśmiechają się do siebie blado. On ma przerzedzone rudoblond włosy i rumianą cerę człowieka, który spędza dużo czasu na wsi. Nalewa jej wino.

– A więc. Czym się zajmujesz, Liv? – Wymawia jej imię tak, jakby ona je wymyśliła, a on nie chciał się z nią sprzeczać.

– Głównie pisaniem tekstów reklamowych.

– Ach tak. Teksty reklamowe. – Oboje na chwilę milkną. – Masz dzieci?

– Nie. A ty?

– Dwoje. Chłopcy. Obaj są w szkole z internatem. I powiem ci szczerze, że to jest dla nich najlepsze miejsce. Czyli... żadnych dzieci, tak? I żadnego faceta w zanadrzu. Ile masz lat, trzydzieści parę?

Liv przełyka ślinę, starając się nie zwracać uwagi na to, jak zabolało ją to pytanie.

– Trzydzieści.

– No, to nie powinnaś za długo czekać. A może jesteś jedną z tych... – podnosi palce i rysuje w powietrzu cudzysłów – silnych niezależnych kobiet?

– Tak – odpowiada Liv z uśmiechem. – Przed ostatnią aktualizacją CV usunęłam sobie jajniki. Tak na wszelki wypadek.

Roger wpatruje się w nią z otwartymi ustami, a potem wybucha gromkim śmiechem.

– Ha! A to dobre! Tak. Kobieta z poczuciem humoru. I bardzo dobrze... jajniki... ha, ha. – Jego głos cichnie. Mężczyzna pociąga łyk wina. – Moja żona odeszła ode mnie, kiedy miała trzydzieści dziewięć lat. Wygląda na to, że u dziewczyn to trudny wiek. – Opróżnia kieliszek i sięga po butelkę, żeby sobie dolać. – Chociaż dla niej chyba nie taki trudny, biorąc pod uwagę, że dała dyla z tym Portorykańczykiem, Viktorem, domem we Francji i połową mojej cholernej emerytury. Te baby... – Zwraca się do Liv. – Ani z taką żyć, ani jej zastrzelić, jak to mówią, co? – Podnosi rękę i posyła w kierunku sufitu w restauracji serię z wyimaginowanego pistoletu.

To będzie długi wieczór. Liv dalej się uśmiecha, nalewa sobie drugi kieliszek wina i zagłębia się w menu, obiecując sobie, że choćby Kristen następnym razem była nie wiadomo jak przekonująca, ona prędzej odgryzie sobie rękę, niż da się jeszcze kiedykolwiek namówić na przyjęcie w restauracji.

Wieczór się dłuży, pary obgadują jakichś ludzi, których ona nigdy nie spotkała, potrawy zjawiają się przeraźliwie powoli. Kristen odsyła swoje główne danie do kuchni, żeby przygotowali je jeszcze raz dokładnie według jej instrukcji. Wydaje ciche westchnienie znużenia, jakby niepowodzenie kuchni w podaniu szpinaku osobno było straszliwym nadużyciem jej zaufania. Sven patrzy na nią z pobłażaniem. Liv siedzi uwięziona pomiędzy szerokimi plecami mężczyzny imieniem Martin, którego przyjaciółka żony zawzięcie usiłuje zagarnąć, a Rogerem.

– Suka – mówi on w pewnej chwili.

– Proszę?

– Najpierw przeszkadzały jej moje włosy w nosie. Potem paznokcie u nóg. Zawsze znalazła jakiś powód, żeby się wykręcić od... no wiesz – Roger układa kciuk i palec wskazujący jednej ręki w literę „O" i wsuwa w nią drugi palec. – Albo ból głowy. Ale przy Viktorku jakoś jej głowa nie bolała, co? O, nie. Założę się, że nic jej nie obchodzi, jakiej długości on ma te przeklęte paznokcie. – Pociąga haust wina. – Założę się, że z łóżka nie wychodzą, jak jakieś pieprzone króliki.

Na talerzu Liv stygnie jagnięcina. Kobieta starannie składa sztućce.

– No, a jak to było z tobą?

Podnosi na niego wzrok z nadzieją, że nie chodzi mu o... ale oczywiście chodzi.

– Kristen mówiła, że miałaś wcześniej męża. Wspólnika Svena.

– Tak.

– I co, zostawił cię?

Liv przełyka ślinę. Z wysiłkiem udaje jej się zapanować nad wyrazem twarzy.

– W pewnym sensie.

Roger kręci głową.

– Ja już nie wiem. Co się porobiło z tymi ludźmi? Czemu nie wystarcza im po prostu to, co mają? – Bierze wykałaczkę i zaczyna grzebać nią energicznie w zębie trzonowym, przerywając, by z ponurą satysfakcją przyjrzeć się temu, co wygrzebał.

Liv spogląda w stronę drugiego końca stołu i napotyka wzrok Kristen. Kristen sugestywnie unosi brwi i ukradkiem pokazuje jej wzniesione do góry kciuki. „Świetny gość!”, stwierdza bezgłośnie.

– Przeproszę cię na chwilę – mówi Liv, odsuwając krzesło. – Pilnie potrzebuję skorzystać z toalety.

Liv siedzi w cichej kabinie tak długo, jak tylko się da, żeby ktoś nie uznał, że konieczna jest interwencja, i słucha, jak kilka kobiet wchodzi i dokonuje ablucji. Sprawdza na telefonie nieistniejące e-maile i gra w scrabble. Wreszcie, po zaliczeniu słowa „nieżyt", wstaje, spuszcza wodę i myje ręce, wpatrując się w swoje odbicie z rodzajem perwersyjnej satysfakcji. Pod jednym okiem rozmazał jej się makijaż. Poprawia go w lustrze, zastanawiając się, po co właściwie zawraca sobie tym głowę, skoro i tak ma usiąść znów obok Rogera.

Zerka na zegarek. Kiedy będzie mogła powiedzieć, że ma rano zebranie i ruszyć do domu? Przy odrobinie szczęścia, gdy znajdzie się z powrotem w sali, Roger będzie już tak pijany, że nie będzie pamiętał, iż ona tam w ogóle była.

Liv po raz ostatni patrzy na swoje odbicie, odgarnia włosy z twarzy i robi do siebie minę. Po co to wszystko? A potem otwiera drzwi.

– Liv! Liv, chodź tutaj! Chcę ci coś powiedzieć!

Roger stoi i gorączkowo wymachuje rękami. Twarz ma jeszcze czerwieńszą, a włosy z jednej strony stoją mu dęba. Niewykluczone, myśli Liv, że on jest pół człowiekiem, a pół strusiem. Czuje przypływ paniki, uświadamiając sobie, że będzie musiała spędzić w jego towarzystwie jeszcze pół godziny. Przywykła już do tego: do niemal wszechogarniającego fizycznego pragnienia, żeby się usunąć, być samą na ciemnych ulicach; żeby nie musieć być w ogóle nikim.

Siada ostrożnie, jak ktoś, kto szykuje się do sprintu, i wypija jeszcze pół kieliszka wina.

– Naprawdę powinnam iść – mówi.

Pozostali goście zaczynają gwałtownie protestować, jakby te słowa były dla nich osobistym afrontem. Liv zostaje. Jej uśmiech zmienia się w grymas. Zaczyna się przyglądać poszczególnym parom, u których domowe napięcia stają się coraz bardziej widoczne wraz z każdym kieliszkiem wina. Tamta kobieta nie lubi swojego męża. Przewraca oczami na każdy jego komentarz. Tego mężczyznę wszystko nudzi, przypuszczalnie także własna żona. Nałogowo sprawdza pod stołem wiadomości na telefonie. Liv zerka na zegarek i bezmyślnie potakuje monotonnej litanii małżeńskich niesprawiedliwości wygłaszanej przez Rogera. Po cichu gra sama z sobą w Restauracyjne Bingo. Obstawia „Czesne za szkołę" i „Ceny domów". Już ma rozpocząć kategorię „Wypasione wakacje w Europie", kiedy ktoś klepie ją w ramię.

– Przepraszam. Telefon do pani.

Liv odwraca się gwałtownie. Kelnerka ma bladą skórę i długie ciemne włosy, które spływają wzdłuż jej twarzy jak para na wpół zaciągniętych zasłon. Kiwa na nią swoim notesem. Liv ma niewyraźne przeczucie, że skądś zna tę twarz.

– Co?

– Pilny telefon. To chyba ktoś z rodziny.

Liv się waha. Z rodziny? Ale to promyczek światła w tunelu.

– A – mówi. – Jasne.

– Zaprowadzić panią do telefonu?

„Pilny telefon" – mówi bezgłośnie do Kristen i pokazuje na kelnerkę, która wskazuje w stronę kuchni.

Twarz Kristen układa się w wyraz przesadnego zatroskania. Nachyla się i mówi coś do Rogera, który ogląda się za siebie i wyciąga rękę, jakby chciał ją powstrzymać. A potem Liv odchodzi, idąc za niską ciemnowłosą dziewczyną przez na wpół pustą restaurację, mijając bar i wchodząc na wyłożony boazerią korytarz.

Po dyskretnym półmroku restauracji blask w kuchni jest oślepiający, a matowy połysk stalowych powierzchni sprawia, że światło odbija się po całym pomieszczeniu. Dwaj ubrani na biało mężczyźni nie zwracają na nią uwagi, podając garnki w stronę zmywalni. Coś się smaży, syczy i pryska w kącie; ktoś z zawrotną prędkością mówi po hiszpańsku. Dziewczyna kiwa do niej zza drzwi wahadłowych i nagle Liv znajduje się w tylnym holu, w szatni.

– Gdzie jest telefon? – mówi Liv, kiedy się zatrzymują.

Dziewczyna wyciąga z kieszeni fartuszka paczkę papierosów i zapala jednego.

– Jaki telefon? – pyta bez wyrazu.

– Mówiła pani, że ktoś do mnie dzwonił?

– A. To. Nie ma telefonu. Po prostu wyglądałaś, jakbyś potrzebowała ratunku. – Zaciąga się, wypuszcza długą smugę dymu i czeka przez chwilę. – Nie poznajesz mnie, co? Mo. Mo Stewart. – Wzdycha, kiedy Liv marszczy brwi. – Byłam z tobą w grupie na uniwerku. Na zajęciach z renesansowego malarstwa we Włoszech. I rysowania z natury.

Liv cofa się pamięcią do czasu studiów. I nagle ją sobie przypomina: mała gotka siedząca w kącie, milcząca na każdych zajęciach, z wyrazem wystudiowanej obojętności na twarzy i paznokciami pomalowanymi na agresywny, świecący fiolet.

– Wow. W ogóle się nie zmieniłaś. – I tak rzeczywiście jest. Mówiąc to, Liv nie ma pewności, czy to do końca komplement.

– A ty tak – odpowiada Mo, przypatrując jej się. – Wyglądasz... no nie wiem. Sztywniacko...

– Sztywniacko.

– Może nie sztywniacko. Inaczej. Na zmęczoną. Z drugiej strony nie sądzę, żeby siedzenie obok tego poczciwego przygłupa to była świetna zabawa. Co to ma być? Jakiś wieczór dla singli?

– Wygląda na to, że tylko dla mnie.

– Jezu. Masz. – Podaje Liv papierosa. – Zapal to, a ja pójdę do tamtych i powiem, że musiałaś wyjść. Sparaliżowana babka cioteczna. A może coś mroczniejszego? AIDS? Ebola? Masz jakieś preferencje co do natężenia cierpień? – Wręcza Liv zapalniczkę.

– Nie palę.

– To nie dla ciebie. W ten sposób zdążę wypalić dwa, zanim Dino zauważy. Czy ona będzie chciała, żebyś zapłaciła za siebie?

– O. Racja. – Liv grzebie w torebce w poszukiwaniu portfela. Perspektywa wolności sprawia, że przez chwilę kręci jej się w głowie.

Mo bierze banknoty i liczy je starannie.

– Napiwek dla mnie? – mówi z kamienną twarzą. Nie wygląda na to, żeby żartowała.

Liv mruga oczami, po czym wyciąga jeszcze jeden banknot pięciofuntowy i wręcza go dziewczynie.

– Dzięks – mówi Mo i wsuwa go sobie do kieszonki fartuszka. – Czy wyglądam dramatycznie? – Robi minę wyrażającą lekki brak zainteresowania, po czym, jakby godząc się z tym, że brakuje jej odpowiednich mięśni twarzy, by okazać zatroskanie, znika znów w korytarzu.

Liv nie wie, czy ma wyjść, czy czekać, aż dziewczyna wróci. Rozgląda się wokół po tylnym holu, patrzy na tanie płaszcze na wieszaku, na brudne wiadro i mop pod nim, i w końcu siada na drewnianym stołku, trzymając w ręce bezużytecznego papierosa. Słysząc kroki, wstaje, ale okazuje się, że to mężczyzna o oliwkowej skórze, którego czaszka błyszczy w przyćmionym świetle. Właściciel? Trzyma kieliszek z bursztynowym płynem.

– Proszę – mówi, podając jej drinka. A kiedy Liv protestuje, dodaje: – Dla złagodzenia szoku – mruga i znika.

Liv siada i sączy alkohol. Z oddali, poprzez kuchenne hałasy, dobiega ją głos Rogera, unoszący się w sprzeciwie, i szuranie krzeseł. Spogląda na zegarek. Jest kwadrans po jedenastej. Kucharze wychodzą z kuchni, ściągają płaszcze z wieszaka i znikają, a mijając ją, kiwają jej lekko głową, jakby nie było nic niezwykłego w tym, że klientka spędza dwadzieścia minut w korytarzu dla personelu, popijając brandy.

Kiedy Mo znów się pojawia, nie ma już na sobie fartuszka. Trzyma w ręce pęk kluczy, mija Liv i zamyka wyjście ewakuacyjne.

– Poszli sobie – mówi, ściągając włosy w węzeł. – Twoje gorące ciacho mówiło coś o tym, że chce cię pocieszyć. Na twoim miejscu wyłączyłabym na jakiś czas telefon.

– Dziękuję – odpowiada Liv. – To naprawdę ładnie z twojej strony.

– Nie ma za co. Kawy?

Restauracja jest pusta. Liv wpatruje się w stół, przy którym siedziała, podczas gdy kelner energicznie zamiata wokół krzeseł, a potem rozkłada sztućce z bezmyślną, automatyczną sprawnością kogoś, kto robił to tysiące razy. Mo włącza ekspres do kawy i pokazuje Liv, żeby usiadła. Tak naprawdę wolałaby pójść do domu, ale rozumie, że wolność ma swoją cenę i że prawdopodobnie jest nią krótka, nieco sztywna rozmowa o starych dobrych czasach.

– Nie mogę uwierzyć, że wszyscy wyszli tak nagle – mówi, podczas gdy Mo zapala kolejnego papierosa.

– A. Jakaś kobieta zobaczyła na komórce wiadomość, której zdaje się nie powinna oglądać. Atmosfera trochę siadła – informuje Mo. – Chyba lunche biznesowe zazwyczaj nie wiążą się ze szczypaniem sutków.

– Słyszałaś to?

– Tutaj wszystko się słyszy. Większość klientów nie przestaje rozmawiać, kiedy kelnerzy są w pobliżu. – Włącza urządzenie do spieniania mleka, dodając: – Fartuszek daje człowiekowi supermoce. Na przykład sprawia, że staje się praktycznie niewidzialny.

Liv myśli teraz z zakłopotaniem, że nie zwróciła uwagi na pojawienie się Mo przy stoliku. Mo spogląda na nią z uśmieszkiem, jakby słyszała jej myśli.

– Nie przejmuj się. Jestem przyzwyczajona do bycia Wielką Niezauważaną.

– A więc – mówi Liv, przyjmując kawę – co porabiasz?

– Przez te ostatnie prawie dziesięć lat? Hm, to i owo. Bycie kelnerką mi pasuje. Nie mam aż takich ambicji, żeby pchać się za bar – stwierdza z kamienną twarzą. – A ty?

– A, różne rzeczy jako wolny strzelec. Pracuję na własny rachunek. Nie nadawałabym się do pracy w biurze. – Liv się uśmiecha.

Mo zaciąga się papierosem.

– A to niespodzianka – mówi. – Zawsze byłaś jedną z tych złotych dziewcząt.

– Złotych dziewcząt?

– No, ty i ta twoja opalona ekipa, wszystkie z długimi nogami, włosami i facetami kręcącymi się dookoła jak satelici. Coś jak w powieściach Scotta Fitzgeralda. Myślałam, że będziesz... no nie wiem. W telewizji. Albo gdzieś w mediach, jako aktorka czy coś.

Gdyby Liv przeczytała te słowa na kartce, mogłaby wyczuć w nich nutę sarkazmu. Ale w głosie Mo nie ma żadnego rozgoryczenia.

– Nie – odpowiada jej i wpatruje się w brzeg swojej spódnicy.

Liv dopija kawę. Kelner poszedł do domu. A filiżanka Mo jest pusta. Jest za kwadrans dwunasta.

– Musisz tu pozamykać? W którą stronę idziesz?

– Nigdzie. Zostaję tutaj.

– Masz tu gdzieś mieszkanie?

– Nie. Ale Dino nie ma nic przeciwko temu. – Mo gasi papierosa, wstaje i opróżnia popielniczkę. – Właściwie Dino o tym nie wie. Po prostu myśli, że jestem bardzo sumienna. Zawsze wychodzę z pracy ostatnia. „Dlaczego inni nie mogą być tacy jak ty?" – Wskazuje za siebie kciukiem. – Mam w szafce śpiwór i nastawiam sobie budzik na piątą trzydzieści. Mam w tej chwili pewne problemy mieszkaniowe. To znaczy na żadne mnie nie stać.

Liv wlepia w nią wzrok.

– Nie rób takiej zszokowanej miny. Ta ława jest wygodniejsza niż niejedno mieszkanie do wynajęcia, w jakim miałam okazję spać, wierz mi.

Później nie będzie pewna, co kazało jej to powiedzieć. Liv rzadko wpuszcza kogokolwiek do domu, nie wspominając już o ludziach, których nie widziała od lat. Ale zanim zdąży się zorientować, jej usta się otwierają i wychodzą z nich słowa:

– Możesz się przespać u mnie. Tylko dzisiaj – dodaje, kiedy dociera do niej, co właśnie powiedziała. – Ale mam wolny pokój.

I prysznic z hydromasażem. – Świadoma, że mogło to zabrzmieć protekcjonalnie, dorzuca: – Pogadamy sobie. Będzie fajnie.

Twarz Mo nic nie wyraża. Potem robi taką minę, jakby to ona wyświadczała Liv przysługę.

– Skoro tak mówisz – rzuca i idzie po swój płaszcz.

Liv widzi swój dom na długo przedtem, zanim do niego dotrze: jego ściany z bladoniebieskiego szkła odznaczają się ponad starym składem cukru, jakby na jego dachu wylądowało coś nie z tego świata. David to lubił; lubił móc na niego pokazać, kiedy szli do domu ze znajomymi czy potencjalnymi klientami. Podobała mu się jego niespójność z ciemnobrązową cegłą okolicznych wiktoriańskich magazynów, to, jak grał ze światłem i jak odbijała się w nim płynąca w dole woda. Podobało mu się to, że ta konstrukcja stała się charakterystycznym punktem w nadrzecznym krajobrazie Londynu. Była to, jak mawiał, nieustająca reklama jego pracy.

Kiedy dom został wybudowany, prawie dziesięć lat temu, materiałem, jakiego używał David, było szkło, przyjazne środowisku i o zaawansowanych właściwościach termicznych. Jego projekty łatwo zauważyć w całym Londynie; kluczem jest przejrzystość, mówił. Budynki powinny ujawniać swoje przeznaczenie, a także strukturę. Jedyne nieprzejrzyste pomieszczenia były to łazienki, a nawet w ich przypadku często trzeba go było przekonywać, żeby nie wstawiał luster weneckich. To było typowe dla Davida – nie mógł uwierzyć, że osobę siedzącą w toalecie może denerwować to, iż widzi, co się dzieje na zewnątrz, nawet mając pewność, że nikt nie jest w stanie zajrzeć do środka.

Znajomi zazdrościli jej tego domu, jego lokalizacji i tego, że od czasu do czasu pojawiał się w magazynach wnętrzarskich z wyższej półki – Liv jednak wiedziała, że po cichu mówią sobie, że taki minimalizm doprowadziłby ich do szaleństwa. David miał to we krwi, ten pęd do oczyszczania, do usuwania wszystkiego, co niekonieczne. Każda rzecz w domu musiała przejść test Williama Morrisa: czy jest funkcjonalna i czy jest piękna? A potem: czy jest absolutnie niezbędna? Na początku, gdy zostali parą, bardzo ją to męczyło. David przygryzał wargi, kiedy ona rozrzucała ubrania po podłodze w sypialni, wstawiała do kuchni bukiety tanich kwiatów albo bibeloty z bazaru. Teraz Liv jest wdzięczna za pustkę w swoim domu; za jego oszczędność i ascetyzm.

– Ale. Zaje. Biste. – Wychodzą z rozklekotanej windy do Szklanego Domu i na twarzy Mo pojawia się nietypowy wyraz ożywienia. – To twój dom? Serio? Jakim cudem udało ci się zamieszkać w czymś takim?

– Mój mąż go zbudował. – Liv przechodzi przez przedpokój, starannie wiesza klucze na pojedynczym srebrnym haczyku i włącza wewnętrzne światło.

– Twój były? Jeeezu. I pozwolił ci go zatrzymać?

– Niezupełnie. – Liv przyciska guzik i patrzy, jak przesłony na dachu odsuwają się bezszelestnie, otwierając nad kuchnią widok rozgwieżdżonego nieba. – Zmarł.

Stoi tam z twarzą zwróconą sztywno do góry, przygotowując się na wybuch niezręcznego współczucia. Z biegiem czasu wyjaśnianie tego wszystkiego wcale nie staje się łatwiejsze. Minęły cztery lata, a te słowa nadal wywołują u niej odruchowe ukłucie bólu, jakby nieobecność Davida była raną utajoną wciąż głęboko w jej ciele.

Ale Mo milczy. Kiedy wreszcie się odzywa, mówi po prostu:

– Kiepska sprawa. – Twarz ma bladą i beznamiętną.

– No – odpowiada Liv i wzdycha cicho. – No, naprawdę.

Liv słucha w radiu wiadomości o pierwszej w nocy. Towarzyszy jej mglista świadomość dźwięków dobiegających z łazienki dla gości, lekkie mrowienie niepokoju, które czuje, ilekroć w domu jest ktoś oprócz niej. Wyciera granitowe blaty i poleruje je miękką ściereczką. Zmiata z podłogi nieistniejące okruszki. Wreszcie rusza korytarzem ze szkła łączonego z drewnem, a potem wchodzi po wiszących schodach z drewna i szkła akrylowego do swojej sypialni. Rząd nieoznakowanych drzwi do szafek lśni, nie dając żadnej wskazówki co do kryjących się za nimi nielicznych ubrań. Łóżko stoi na środku pokoju, obszerne i puste, a na kapie leżą dwa ponaglenia, które zostawiła tam dziś rano. Liv siada, wkłada je starannie z powrotem do kopert i patrzy prosto przed siebie, na portret *Dziewczyny, którą kochałeś*, wyrazisty w swojej złoconej ramie na tle zgaszonego seledynu i szarości reszty pokoju, i pozwala swoim myślom odpłynąć.

Przypomina ciebie.

Wcale mnie nie przypomina.

Roześmiała się wtedy do niego beztrosko, wciąż jeszcze zarumieniona od młodej miłości. Wciąż jeszcze gotowa uwierzyć w jego wizję jej osoby.

Wyglądasz dokładnie tak samo, kiedy…

Dziewczyna, Którą Kochałeś uśmiecha się.

Liv zaczyna się rozbierać, składając ubrania i kładąc je schludnie na krześle w nogach łóżka. Zamyka oczy, a potem gasi światło, żeby nie musieć znów patrzeć na ten obraz.

# 12

Niektórzy funkcjonują lepiej, kiedy ich życiem rządzi ustalony porządek, i Liv Halston należy do takich osób. W dni powszednie wstaje o siódmej trzydzieści, wkłada adidasy, bierze iPoda i zanim zdąży się zastanowić, co robi, już z rozespanym wzrokiem jedzie w dół rozklekotaną windą i znajduje się na zewnątrz, gdzie rusza na półgodzinną przebieżkę wzdłuż rzeki. Na pewnym etapie, przemykając pomiędzy ponurymi pracownikami biurowymi i wymijając gwałtownie cofające furgonetki dostawcze, Liv całkiem się rozbudza, a do jej mózgu powoli zaczyna docierać rytm muzyki w uszach i miękkie uderzenia stóp o chodnik. A co najważniejsze, jeszcze raz udaje jej się uciec od tego momentu, który nadal napełnia ją przerażeniem: tych pierwszych minut po obudzeniu, gdy bezbronność oznacza, że wciąż może spaść na nią poczucie straty, niezapowiedziane i podstępne, zmieniając jej myśli w czarny smog. Zaczęła biegać po tym, jak zdała sobie sprawę, że może używać świata zewnętrznego, hałasu w słuchawkach i własnego ruchu jako czegoś służącego do odwracania uwagi. Teraz jest to już jej nałogiem, polisą ubezpieczeniową. Nie muszę myśleć. Nie muszę myśleć. Nie musze myśleć.

Zwłaszcza dzisiaj.

Zwalnia kroku, przechodząc w energiczny chód, kupuje kawę i wjeżdża windą z powrotem do Szklanego Domu; oczy szczypią ją od potu, na koszulce ma brzydkie wilgotne plamy. Bierze prysznic, ubiera się, wypija kawę i zjada dwie grzanki z marmoladą pomarańczową. Nie trzyma w domu prawie żadnego jedzenia, bo doszła do wniosku, że widok pełnej lodówki jest dla niej dziwnie przytłaczający; przypomina jej, że powinna gotować i jeść, a nie żywić się krakersami i serem. Lodówka pełna jedzenia to ciche oskarżenie wymierzone w jej samotniczy tryb życia.

Później siada przy biurku i otwiera pocztę, sprawdzając, czy przez noc spłynęły jakieś oferty pracy z portalu copywriterzynagodziny.com. Czy też, jak to bywa ostatnio, nie.

– Mo? Zostawiam ci kawę pod drzwiami.

Stoi z przechyloną głową i czeka na jakiś znak życia. Jest kwadrans po ósmej: za wcześnie, żeby budzić gościa? Tak dawno nikt u niej nie nocował, że Liv nie wie już, jak ma się zachowywać. Czeka niezręcznie, spodziewając się jakiejś zaspanej odpowiedzi, choćby zirytowanego pomruku, a potem stwierdza, że Mo śpi. W końcu pracowała przez cały wieczór. Liv cicho stawia styropianowy kubek pod jej drzwiami, na wszelki wypadek, i rusza pod prysznic.

W skrzynce ma cztery wiadomości.

Szanowna Pani,

dostałem Pani e-mail ze strony copywriterzynagodziny.com. Jestem właścicielem firmy produkującej spersonalizowane artykuły papiernicze. Zaprojektowaliśmy ulotkę, która wymaga pewnych poprawek. Widzę, że Pani stawka wynosi 100 funtów za 1000 słów. Czy byłaby Pani skłonna zejść nieco z ceny? Mamy obecnie bardzo ograniczony budżet. Zawartość ulotki to na ten moment około 1250 słów.

Z poważaniem
Terence Blank

Livvy, kochanie,

tu Twój ojciec. Caroline ode mnie odeszła. Jestem osamotniony. Postanowiłem nigdy więcej nie zadawać się z kobietami. Zadzwoń do mnie w wolnej chwili.

Cześć, Liv,

czwartek bez zmian? Dzieciaki nie mogą się doczekać. W tej chwili spodziewamy się około dwudziestu, ale jak wiesz, jest to zawsze dosyć płynne. Daj mi znać, gdybyś czegoś potrzebowała.

Pozdrowienia
Abiola

Szanowna Pani,

kilkakrotnie usiłowaliśmy skontaktować się z Panią telefonicznie, bez powodzenia. Uprzejmie proszę o kontakt w celu ustalenia terminu, w którym moglibyśmy omówić sytuację dotyczącą Pani zadłużenia. Jeżeli to nie nastąpi, będziemy zmuszeni naliczyć dodatkowe opłaty.

Proszę także, by potwierdziła Pani, czy numer telefonu, którym dysponujemy, jest aktualny.

Z poważaniem
Damian Watts
Dział Rachunków Osobistych NatWest Bank

Liv pisze odpowiedź na pierwszą wiadomość.

Szanowny Panie. Bardzo chciałabym pójść Panu na rękę i zejść z ceny. Niestety moja konstrukcja biologiczna sprawia, że muszę także jeść. Powodzenia z ulotką.

Wie, że na pewno znajdzie się ktoś, kto zrobi to taniej, ktoś, kto niespecjalnie przejmuje się gramatyką czy ortografią i nie zauważy, że w tekście ulotki słowo „tą" zamiast „tę" powtarza się dwadzieścia dwa razy. Ale ma już dość prób obniżania jej i tak skromnych stawek.

Tato, wpadnę do Ciebie później. Gdyby Caroline zdecydowała się jednak wrócić do tego czasu, upewnij się proszę, że jesteś ubrany. Pani Patel mówi, że w zeszłym tygodniu znów podlewałeś japońskie anemony nago, a znasz zdanie policji na ten temat.

Liv x

Ostatnim razem, kiedy przyjechała pocieszać ojca po jednym ze zniknięć Caroline, otworzył drzwi ubrany w orientalny jedwabny szlafrok damski, rozchylony na przedzie, i zamknął ją w czułym uścisku, zanim zdążyła zaprotestować.

– Jestem twoim ojcem, na litość boską – mruczał, gdy go potem strofowała.

Choć już od blisko dziesięciu lat nie grał w żadnej sensownej produkcji, Michael Worthing nigdy nie utracił swojego dziecięcego braku zahamowań, podobnie jak zniecierpliwienia tym, co nazywał „opakowaniami". W dzieciństwie Liv przestała zapraszać do siebie koleżanki po tym, jak Samantha Howcroft wróciła do domu i powiedziała mamie, że pan Worthing chodzi „i wszystko mu się majta". (Powiedziała także wszystkim w szkole, że tata

Liv ma siusiaka jak wielgachna parówa. Ojciec sprawiał wrażenie dziwnie mało tym urażonego).

Caroline, jego płomiennowłosej dziewczynie od niemal piętnastu lat, nie przeszkadzała jego nagość. Właściwie sama nie miała nic przeciwko chodzeniu po domu półnago. Liv czasem myślała sobie, że widok tych dwóch bladych, obwisłych starych ciał jest dla niej bardziej znajomy niż jej własnego.

Caroline była wielką namiętnością ojca i raz na parę miesięcy opuszczała dom rozwścieczona, powołując się na jego nieznośność, brak zarobków oraz przelotne, płomienne romanse z innymi kobietami. Liv nigdy nie potrafiła pojąć, co one w nim widzą.

– Żądza życia, kochanie! – wołał ojciec. – Pasja! Jeżeli nic z tego nie masz, to jesteś trupem.

Liv czasem myśli po cichu, że jest dla ojca pewnym rozczarowaniem.

Dopija kawę i pisze wiadomość do Abioli.

Cześć, Abiola,

będę pod budynkiem Conaghy o czternastej. Z naszej strony bez zmian. Są trochę zdenerwowani, ale jak najbardziej za. Mam nadzieję, że u Ciebie wszystko dobrze.

Pozdrowienia
Liv

Wysyła wiadomość i wbija wzrok w tę z banku. Palce Liv nieruchomieją na klawiaturze. A potem kobieta wyciąga rękę i wciska „usuń".

Jakaś rozsądna część jej osoby wie, że dłużej tak być nie może. Słyszy odległą, złowieszczą wrzawę równo złożonych

ostatecznych wezwań w kopertach, niczym zgiełk armii na-
jeźdźców. W którymś momencie nie będzie już w stanie ich
opanować, zbyć ich, wymknąć im się niepostrzeżenie. Żyje jak
mysz kościelna, niewiele kupuje, rzadko wychodzi, ale to wciąż
jest za mało. Bankomaty mają tendencję do wypluwania jej
kart płatniczych i kredytowych. W zeszłym roku zjawiła się
u niej przedstawicielka urzędu miasta, by na nowo obliczyć wysokość podatku od nieruchomości. Kobieta przeszła się po Szklanym Domu, a potem spojrzała na Liv takim wzrokiem, jakby
ta próbowała coś im zabrać. Jakby urągało jej to, że ona, prawie
dziewczynka, mieszka sama w takim domu. Liv trudno było
mieć do niej pretensje: od czasu śmierci Davida, mieszkając tu,
czuła się jak oszustka. Jest kimś w rodzaju kuratorki, chronią-
cej pamięć o Davidzie, utrzymującej to miejsce w takim stanie,
w jakim on by sobie życzył.

Teraz Liv płaci podatek w najwyższym możliwym wymiarze,
takim samym jak bankierzy z sześciocyfrowymi pensjami i finan-
siści z gigantycznymi premiami. W niektórych miesiącach czynsz
zjada ponad połowę jej zarobków.

Nie otwiera już listów z wyciągami z konta. Nie ma po co. Wie
dokładnie, co w nich znajdzie.


– Sam jestem sobie winny. – Ojciec teatralnie ukrywa głowę
w dłoniach. Spomiędzy palców sterczą mu kępki rzadkich siwych
włosów. Wokół niego po kuchni porozrzucane są garnki i talerze,
świadectwo przerwanej kolacji: pół parmezanu, miska zastygłego
makaronu, „Mary Celeste" rodzinnej dysharmonii. – Wiedziałem,
że nie powinienem się do niej zbliżać. Lecz, ach! Byłem jak ćma
lecąca do ognia. I to jakiego ognia! Ten żar! Ten żar! – W jego
głosie dźwięczy oszołomienie.

Liv potakuje ze współczuciem. Po cichu usiłuje pogodzić tę epicką opowieść o seksualnym dramacie z Jean, pięćdziesięcioparoletnią kobietą, właścicielką pobliskiej kwiaciarni, która pali dwie paczki dziennie i której szare kostki wystają z przykrótkich spodni jak dwa kawałki rozmrożonego morszczuka.

– Wiedzieliśmy, że tak nie można. I starałem się, Boże, naprawdę starałem się zachowywać jak należy. Ale któregoś popołudnia wstąpiłem tam, szukając cebulek kwiatowych, a ona stanęła za mną, pachnąca frezjami, i zanim się obejrzałem, ja także stałem, nabrzmiały jak młody pąk...

– Wystarczy, tato. Zbędne szczegóły. – Liv nastawia czajnik. Zaczyna sprzątać naczynia z blatów, a ojciec osusza swój kieliszek. – Jest za wcześnie na wino.

– Nigdy nie jest za wcześnie na wino. To nektar bogów. Moja jedyna pociecha.

– Twoje życie to jedna długa pociecha.

– Jakim sposobem wychowałem kobietę o takiej woli, takich bezwzględnych zasadach?

– Bo to nie ty mnie wychowałeś. Tylko mama.

Ojciec kręci głową z pewną melancholią, nie pamiętając najwyraźniej tych czasów, kiedy przeklinał ją za to, ze odeszła od niego, gdy Liv była dzieckiem, ani gdy wzywał pomsty bogów na jej nielojalną głowę. Liv czasem myślała, że z dniem śmierci jej matki, sześć lat temu, krótkie i potrzaskane małżeństwo jej rodziców zostało niejako na nowo stworzone w umyśle jej ojca, tak że ta bezlitosna kobieta, ta hetera, ta jędza, która nastawiła przeciwko niemu jego jedyne dziecko, teraz przypominała Maryję Dziewicę. Jej to nie przeszkadzało. Sama tak robiła. Kiedy traci się matkę, stopniowo zaczyna ona jawić się w wyobraźni jako ideał. Jako seria łagodnych pocałunków, czułych słów i pokrzepiający uścisk.

Parę lat temu Liv wysłuchała swoich znajomych, wymieniających całą litanię irytujących zachowań swoich wścibskich matek, z takim samym brakiem zrozumienia, jak gdyby mówili po koreańsku.

– Zamknęłaś się w sobie pod wpływem straty.

– Po prostu nie zakochuję się w każdym przedstawicielu płci przeciwnej, który akurat sprzedaje mi pomidory w puszce.

Otworzyła szuflady, szukając filtrów do kawy. Dom ojca był równie zabałaganiony i chaotyczny, jak jej uporządkowany.

– Parę dni temu widziałem Jasmine w Pig's Foot. – Ojciec rozpromienia się. – Co to za cudowna dziewczyna. Pytała o ciebie.

Liv znajduje filtry, otwiera jeden zręcznie i wsypuje do niego kawę.

– Tak?

– Wychodzi za jakiegoś Hiszpana. Gość wygląda jak Errol Flynn. Nie potrafił oderwać od niej wzroku. Ja zresztą też. Kiedy ta dziewczyna chodzi, kołysze biodrami w sposób dosłownie hipnotyzujący. Tamten zabiera ją i dziecko. Cudze, jak mi się zdaje. Będą mieszkać w Madrycie.

Liv nalewa kawę do kubka i podaje go ojcu.

– Dlaczego już jej nie odwiedzasz? Przecież byłyście takimi dobrymi przyjaciółkami? – pyta on.

Liv wzrusza ramionami.

– Z czasem ludzie się od siebie oddalają.

Nie może mu powiedzieć, że to tylko połowa powodu. Oto rzeczy związane ze stratą męża, o których nikt ci nie mówi: że wyczerpanie doprowadzi do tego, iż będziesz chciała tylko spać i spać, i że w niektóre dni sam akt obudzenia się sprawi, że powieki natychmiast opadną ci z powrotem, i że nawet przetrwanie kolejnego dnia będzie się wydawać nadludzkim wysiłkiem – i że będziesz irracjonalnie nienawidzić swoich znajomych: za każdym razem, kiedy ktoś cię odwiedzi albo przejdzie przez ulicę, by cię przytulić i powiedzieć, że jest mu tak strasznie przykro, ty spojrzysz na tę osobę, jej męża i malutkie dzieci i będziesz wstrząśnięta gwałtownością własnej zawiści. Dlaczego oni żyją, a David umarł? Czemu ten nudny, tępy Richard ze swoimi znajomymi z City, weekendowymi wyjazdami golfowymi i całkowitym brakiem zainteresowania czymkolwiek poza swoim własnym ciasnym zadowolonym z siebie światem żyje, kiedy David, błyskotliwy, kochający, wielkoduszny, namiętny David musiał umrzeć? Dlaczego ten zakompleksiony Tim może się rozmnażać, sprowadzać na ten świat kolejne pokolenia małych, pozbawionych wyobraźni Timów, podczas gdy zdumiewający umysł Davida, jego dobroć, jego pocałunki zostały na zawsze unicestwione?

Liv pamiętała niezliczone razy, kiedy krzyczała bezgłośnie w łazienkach, wybiegała bez słowa wyjaśnienia z zatłoczonych pokojów, świadoma swojej pozornej nieuprzejmości, lecz niezdolna do opanowania się. Musiały upłynąć lata, zanim nauczyła się patrzeć na cudze szczęście, nie opłakując własnego.

Od pewnego czasu złość zniknęła, ale Liv woli oglądać rodzinną harmonię z bezpiecznej odległości i u ludzi, których nie zna zbyt dobrze, jakby szczęście było jedynie naukową koncepcją, z której udowodnienia można być zadowolonym.

Nie widuje się już z przyjaciółkami z tamtych czasów, ani z Cherry, ani z Jasmine, ani z nikim innym. Z kobietami pamiętającymi ją jako dziewczynę, którą dawniej była. Jest to zbyt skomplikowane, żeby to wyjaśniać. A Liv nie jest szczególnie dumna z tego, co to mówi o niej.

– No cóż, myślę, że powinnaś się z nią spotkać, zanim wyjedzie. Uwielbiałem patrzeć, jak razem gdzieś wychodzicie, niczym dwie młode boginie.

– Kiedy zamierzasz zadzwonić do Caroline? – pyta Liv, ścierając z sosnowego stołu okruchy i próbując zmyć okrągły ślad po kieliszku z czerwonym winem.

– Ona nie chce ze mną rozmawiać. Wczoraj w nocy nagrałem jej czternaście wiadomości.

– Musisz przestać sypiać z innymi kobietami, tato.

– Wiem.

– I musisz zacząć zarabiać.

– Wiem.

– I musisz się ubrać. Gdybym była na jej miejscu, weszła do domu i zobaczyła cię w tym stanie, odwróciłabym się na pięcie i natychmiast wróciła, skąd przyszłam.

– Mam na sobie jej szlafrok.

– Domyśliłam się.

– Pachnie jeszcze nią. – Ojciec z wyrazem prawdziwej rozpaczy na twarzy wącha rękaw Caroline, a w oczach wzbierają mu łzy. – Co ja mam zrobić, jeśli ona nie wróci?

Liv nieruchomieje, a twarz w jednej chwili jej tężeje. Zastanawia się, czy ojciec ma pojęcie, co to za dzień. A potem patrzy na tego sponiewieranego mężczyznę w damskim szlafroku, na to, jak jego błękitne żyły sterczą dumnie spod pergaminowej skóry, i odwraca się w stronę zlewu.

– Wiesz co, tato? Chyba powinieneś spytać o to kogoś innego.

## 13

Starszy pan ostrożnie opuszcza się na krzesło i wzdycha z ulgą, jakby przejście przez pokój było dla niego sporym wysiłkiem. Jego syn, który stoi nieco dalej, przygląda mu się z niepokojem.

Paul McCafferty czeka, a potem zerka na Miriam, swoją sekretarkę.

– Napije się pan kawy albo herbaty? – pyta kobieta.

Starszy pan kręci nieznacznie głową.

– Nie, dziękuję.

Jego spojrzenie mówi „Wolałbym przejść od razu do rzeczy".

– Zostawię panów. – Miriam wycofuje się z niewielkiego gabinetu.

Paul otwiera teczkę. Kładzie ręce na biurku, czując na sobie wzrok pana Nowickiego.

– Cóż, zaprosiłem tu dziś pana, bo mam wiadomości. Początkowo, kiedy zwrócił się pan do mnie, ostrzegałem, że sprawa może być trudna ze względu na nieudokumentowane pochodzenie obrazu. Jak pan wie, wiele galerii niechętnie rozstaje się z dziełami, o ile nie ma niepodważalnych dowodów…

– Pamiętam ten obraz wyraźnie. – Starszy mężczyzna podnosi rękę.

– Naturalnie. Wie pan też, że ta konkretna galeria początkowo odmawiała jakiejkolwiek współpracy z nami, pomimo nieścisłości w dokumentach dotyczących tego, jak oni sami weszli w jego posiadanie. Sprawę dodatkowo komplikował gwałtowny wzrost wartości omawianego dzieła. Była ona tym trudniejsza, że nie dysponował pan żadnym wizerunkiem, na którym moglibyśmy się oprzeć.

– Jakim cudem miałbym być w stanie dokładnie opisać ten rysunek? Miałem dziesięć lat, gdy zmusili nas do opuszczenia domu – dziesięć lat. Potrafiłby mi pan opisać, co wisiało na ścianach u pańskich rodziców, kiedy pan miał dziesięć lat?

– Nie, panie Nowicki, nie potrafiłbym.

– Czy mieliśmy już wtedy wiedzieć, że nigdy nie pozwolą nam wrócić do własnego domu? To niedorzeczne, ten cały system. Dlaczego muszę udowadniać, że coś nam ukradziono? Po tym wszystkim, przez co przeszliśmy…

– Tato, rozmawialiśmy już o tym… – Syn, Jason, kładzie rękę na przedramieniu ojca, a wargi starszego mężczyzny zaciskają się niechętnie, jakby był przyzwyczajony do tego, że się go ucisza.

– I właśnie o tym chciałem z panem porozmawiać – mówi Paul. – Ostrzegałem pana, że wynik jest niepewny. Kiedy spotkaliśmy się w styczniu, wspomniał pan o przyjaźni pana matki z sąsiadem, Arturem Bohmannem, który wyemigrował do Ameryki.

– Tak. To byli dobrzy sąsiedzi. Wiem, że on widział ten obraz w naszym domu. Odwiedzał nas wielokrotnie. Grałem w piłkę z jego córką… ale on umarł. Mówiłem panu, że umarł.

– No więc udało mi się odszukać żyjących członków jego rodziny, w Des Moines. A jego wnuczka, Anne-Marie, przewertowała rodzinne albumy i w jednym z nich natrafiła na to.

Paul wyciąga kartkę ze swojej teczki i przesuwa ją po biurku w stronę pana Nowickiego.

Jakość zdjęcia nie jest idealna, ale czarno-biały obraz jest wyraźnie widoczny. Na obitej tapicerką kanapie siedzi w sztywnym uścisku rodzina. Kobieta uśmiecha się ostrożnie, trzymając na kolanach niemowlę z oczami jak guziczki. Mężczyzna z sumiastym wąsem odchyla się do tyłu, rękę ma wyciągniętą wzdłuż oparcia. Szczerbaty chłopiec uśmiecha się szeroko. Na ścianie za nimi wisi obraz przedstawiający tańczącą dziewczynę.

– To on – mówi pan Nowicki cicho, podnosząc do ust artretyczną dłoń. – Degas.

– Sprawdziłem to w banku obrazów, a potem skontaktowałem się z Fundacją Edgara Degasa. Wysłałem to zdjęcie do ich działu prawnego, razem z oświadczeniem córki Artura Bohmanna, w którym potwierdza, że ona także pamięta, iż widziała ten obraz w domu pańskich rodziców i słyszała, jak pański ojciec mówił o tym, jak go kupił.

Zawiesza głos.

– Ale to nie wszystko, co pamięta Anne-Marie. Mówi, że po ucieczce pańskich rodziców Artur Bohmann pewnej nocy poszedł do ich mieszkania, by spróbować zabrać z niego to, co zostało z rodzinnych kosztowności. Powiedział swojej żonie, babce Anne-Marie, że był przekonany, iż dotarł tam w samą porę, bo wyglądało na to, że w międzyczasie nikt tam nie wchodził. Dopiero wychodząc, zorientował się, że brakuje obrazu. Kobieta mówi, że ponieważ wszystko inne było na swoim miejscu, jej dziadek zawsze sądził, iż pańska rodzina zabrała go z sobą. Potem zaś, ponieważ zaczęli państwo z sobą korespondować dopiero kilka lat później, kwestia ta nigdy nie została poruszona.

– Nie – odpowiada starszy mężczyzna, wpatrując się w zdjęcie. – Nie. Nie mieliśmy nic. Tylko obrączkę mojej matki i pierścionek zaręczynowy. – Do oczu napływają mu łzy.

– Niewykluczone, że hitlerowcy wiedzieli o tym obrazie. Istnieją dowody wskazujące na systematyczne zawłaszczanie wybitnych dzieł sztuki przez niemieckich okupantów.

– To pan Dreschler. On im powiedział. Zawsze wiedziałem, że im powiedział. I on nazywał się przyjacielem ojca! – Dłonie drżą mu na kolanach. Nie jest to nietypowa reakcja, mimo że upłynęło już z górą sześćdziesiąt lat. Wielu klientów Paula pamięta sytuacje i wydarzenia z lat czterdziestych znacznie wyraźniej niż to, jak się znaleźli w jego biurze.

– Tak, no cóż, zajrzeliśmy do ksiąg pana Dreschlera i jest w nich wiele niewyjaśnionych transakcji z Niemcami; jedna z nich wspomina po prostu o Degasie. Nie precyzuje, o jakiego Degasa chodzi, jednak daty oraz fakt, że w tamtym okresie nie mogło być w państwa okolicy wielu tego typu obrazów, przemawiają na naszą korzyść.

Starszy mężczyzna powoli zwraca się w stronę syna. „Widzisz?", mówi jego mina.

– No więc, panie Nowicki, wczoraj otrzymałem odpowiedź z galerii. Czy chce pan, żebym ją odczytał?

– Tak.

Szanowny Panie McCafferty,

w świetle dostarczonych przez Pana nowych dowodów oraz luk w naszej dokumentacji dotyczącej pochodzenia obrazu, a także świadomości cierpień, które stały się udziałem rodziny pana Nowickiego, postanowiliśmy nie kwestionować roszczenia dotyczącego

*Femme, dansant* Degasa. Rada zarządzająca galerii zwróciła się do naszych prawników, by wstrzymali się od dalszych działań, i oczekujemy Pańskich instrukcji dotyczących przekazania fizycznego obiektu.

Paul czeka.

Starszy mężczyzna sprawia wrażenie pogrążonego w myślach. Wreszcie podnosi wzrok.

– Oddają go?

Paul kiwa głową. Nie potrafi opanować uśmiechu. To była długa i trudna sprawa, a satysfakcjonujące rozwiązanie nadeszło zaskakująco prędko.

– Naprawdę nam go oddają? Przyznają, że został nam skradziony?

– Musi pan tylko dać im znać, dokąd mają go wysłać.

Zapada długa cisza. Jason Nowicki z trudem odrywa wzrok od ojca. Podnosi ręce i ociera sobie z oczu łzy.

– Przepraszam – mówi. – Nie wiem, czemu…

– To normalne. – Paul wyjmuje spod biurka pudełko z chusteczkami i podaje je mężczyźnie. – Te sprawy zawsze budzą emocje. Nigdy nie chodzi tylko o obraz.

– To ciągnie się od tak dawna. Strata tego Degasa była jak nieustanne przypomnienie o tym wszystkim, co mój ojciec i dziadkowie wycierpieli podczas wojny. I nie byłem pewien, czy pan… – Wydyma policzki. – To niesamowite. Odszukał pan rodzinę tamtego człowieka. Mówili, że jest pan dobry, ale…

Paul potrząsa głową.

– Taką mam pracę.

Razem z Jasonem spoglądają na starszego mężczyznę, który nadal wpatruje się w zdjęcie. Sprawia wrażenie skurczonego, jakby przytłoczył go ciężar wydarzeń sprzed kilkudziesięciu lat. Jednocześnie przebiega im przez głowę ta sama myśl.

– Dobrze się czujesz, tato?

– Panie Nowicki?

Mężczyzna prostuje się lekko, jakby dopiero teraz sobie przypomniał, że oni tu są. Jego dłoń spoczywa na fotografii.

Paul opiera się na krześle, trzymając pióro niczym pomost pomiędzy dłońmi.

– A zatem. Wracając do obrazu. Mogę panu polecić specjalistyczną firmę zajmującą się transportem dzieł sztuki. Potrzebny jest do tego odpowiednio zabezpieczony pojazd z kontrolowaną temperaturą i wilgotnością powietrza wewnątrz oraz zawieszeniem pneumatycznym. Sugerowałbym też ubezpieczenie obrazu, zanim znajdzie się u pana. Nie muszę panu tłumaczyć, że tego typu...

– Ma pan kontakty do domów aukcyjnych?

– Słucham?

Na policzki pana Nowickiego powrócił kolor.

– Ma pan kontakty do jakichś domów aukcyjnych? Rozmawiałem z jednym jakiś czas temu, ale za dużo chcieli. Dwadzieścia procent, jeśli się nie mylę. Plus podatek. To za dużo.

– Chce pan... chce pan go wycenić przed ubezpieczeniem?

– Nie. Chcę go sprzedać. – Mężczyzna otwiera podniszczony skórzany portfel i nie podnosząc wzroku, wsuwa do niego zdjęcie. – Podobno to dobry moment. Cudzoziemcy kupują co popadnie... – Lekceważąco macha ręką.

Jason wpatruje się w niego.

– Ale tato...

– To wszystko sporo kosztowało. Mamy rachunki do popłacenia.

– Ale mówiłeś…

Pan Nowicki odwraca się od syna.

– Może pan to dla mnie sprawdzić? Rozumiem, że fakturę przyśle mi pan pocztą.

Na ulicy ktoś trzaska drzwiami; dźwięk odbija się od elewacji budynków. Z przyległego gabinetu dobiega Paula stłumiony głos Miriam rozmawiającej przez telefon. Paul przełyka ślinę.

– Tak zrobię – mówi opanowanym głosem.

Długa cisza. W końcu starszy mężczyzna podnosi się z krzesła.

– Cóż, to bardzo dobra wiadomość – stwierdza wreszcie i uśmiecha się powściągliwie do Paula. – Naprawdę bardzo dobra. Bardzo panu dziękuję, panie McCafferty.

– Nie ma sprawy – odpowiada Paul. Wstaje i wyciąga rękę.

Po wyjściu dwóch mężczyzn Paul McCafferty siada na swoim krześle. Zamyka teczkę, a potem oczy.


– Nie możesz brać tego do siebie – mówi Janey.

– Wiem. Po prostu…

– To nie nasza sprawa. Naszym zadaniem jest odzyskiwanie tych dzieł.

– Wiem. Tylko pan Nowicki bez przerwy mówił o tym, jaki ten obraz był ważny dla całej rodziny i jak reprezentował wszystko, co stracili, i…

– Paul, nie myśl o tym więcej.

– W naszym wydziale takie rzeczy się nie zdarzały. – Mężczyzna wstaje i zaczyna krążyć po ciasnym gabinecie Janey. Zatrzymuje się przy oknie i wygląda na zewnątrz. – Oddawało się ludziom ich rzeczy, a oni się po prostu cieszyli.

– Nie chcesz wracać do policji.

– Wiem. Tak tylko mówię. Za każdym razem mnie to rozwala, te sprawy o zwrot dzieł sztuki.

– No, zarobiłeś dla nas honorarium w sprawie, której nie byłam pewna, czy podołasz. A te pieniądze pójdą na twoją przeprowadzkę, tak? Więc oboje powinniśmy być zadowoleni. Proszę. – Janey popycha w jego stronę teczkę. – To powinno cię pocieszyć. Spłynęło wczoraj. Sprawa wygląda na całkiem prostą.

Paul wyjmuje dokumenty z teczki. Portret kobiety, zaginiony w 1916 roku; jego kradzież została odkryta dopiero dziesięć lat temu podczas przeglądu prac artysty przeprowadzonego przez żyjących członków jego rodziny. Na następnej kartce widnieje tenże obraz, wiszący teraz dumnie na minimalistycznej ścianie. Zdjęcie ukazało się kilka lat wcześniej w kolorowym czasopiśmie.

– Pierwsza wojna światowa?

– Przepisy o przedawnieniu najwyraźniej go nie dotyczą. Wszystko wydaje się dosyć jednoznaczne. Mówią, że mają dowody na to, iż Niemcy ukradli obraz podczas wojny, i więcej go nie widziano. Kilka lat temu ktoś z rodziny otwiera stare czasopismo i zgadnij, co widzi na rozkładówce...

– Są pewni, że to oryginał?

– Nie było żadnych reprodukcji.

Paul kręci głową, wydarzenia tego poranka na chwilę idą w niepamięć, a on uświadamia sobie, że znów czuje tę przelotną, mimowolną ekscytację.

– I proszę bardzo. Prawie sto lat później. Wisi sobie po prostu na ścianie u jakiegoś bogatego małżeństwa.

– W artykule jest tylko napisane, że to gdzieś w centrum Londynu. Tego typu czasopisma zawsze tak robią. Nie chcą zachęcać włamywaczy, podając dokładny adres. Ale domyślam się, że nie powinno być trudno ich namierzyć – w końcu wymieniają tych ludzi z nazwiska.

Paul zamyka teczkę. Ciągle ma przed oczami zaciśnięte wargi pana Nowickiego i to spojrzenie jego syna, jakby widział ojca pierwszy raz w życiu.

– Jest pan Amerykaninem, tak? – powiedział do niego starszy człowiek, kiedy stali przy drzwiach gabinetu. – Nigdy pan tego nie zrozumie.

Dłoń Janey spoczywa lekko na jego ramieniu.

– Jak idą poszukiwania mieszkania?

– Nienadzwyczajnie. Jak na razie wszystkie fajne rzeczy sprzątają mi sprzed nosa ludzie z gotówką.

– No cóż, gdybyś miał ochotę się rozerwać, to moglibyśmy pójść razem coś przegryźć. Nie mam planów na wieczór.

Paul zdobywa się na uśmiech. Usiłuje nie zauważać tego, jak ręka Janey unosi się do jej włosów, ani tego bolesnego błysku nadziei w jej uśmiechu. Odsuwa się od niej.

– Pracuję do późna. Mam parę spraw do domknięcia. Ale dzięki. Tą nową teczką zajmę się jutro z samego rana.

Liv wraca do domu o piątej, po ugotowaniu obiadu dla ojca i odkurzeniu parteru jego domu. Caroline rzadko odkurza i kolory spłowiałych perskich dywaników były wyraźnie żywsze, kiedy Liv skończyła sprzątanie. Wokół niej miasto buzuje w ciepłe letnie popołudnie, hałas samochodów jest wszechobecny, a znad asfaltu unosi się woń benzyny.

– Cześć, Fran – mówi Liv, docierając do głównego wejścia.

Kobieta w wełnianej czapce wciśniętej na uszy pomimo upału kiwa głową na powitanie. Przetrząsa wnętrze plastikowej reklamówki. Ma ich niezliczoną ilość, przewiązanych sznurkiem albo wciśniętych jedna w drugą, i nieustannie je sortuje i przekłada. Dziś przesunęła swoje dwa kartony, pokryte niebieskim nieprzemakalnym brezentem, pod względną osłonę, jaką tworzy wejście do mieszkania dozorcy. Poprzedni dozorca przez wiele lat tolerował Fran, a nawet korzystał z jej usług jako nieoficjalnego punktu przechowywania przesyłek. Ten nowy – mówi Fran, kiedy Liv przynosi jej kawę – ciągle jej grozi, że ją stąd wyrzuci. Niektórzy mieszkańcy skarżą się, że Fran obniża standard budynku.

– Miałaś gościa.

– Co? Aha. Kiedy wyszła?

Liv nie zostawiła ani liściku, ani klucza. Zastanawia się, czy nie powinna później wpaść do restauracji i upewnić się, że u Mo wszystko w porządku. Jednak już teraz wie, że tego nie zrobi. Czuje niewyraźną ulgę na myśl o cichym, pustym domu.

Fran wzrusza ramionami.

– Chcesz się czegoś napić? – pyta Liv, otwierając drzwi.

– Marzyłabym o herbacie – mówi Fran i dodaje: „Poproszę trzy łyżeczki cukru", jakby Liv nigdy wcześniej nie robiła jej herbaty. A potem, z zaaferowaną miną kogoś, kto ma zdecydowanie za dużo do roboty, żeby tak stać i sobie gadać, wraca do swoich toreb.


Liv wyczuwa zapach dymu natychmiast po otwarciu drzwi. Mo siedzi po turecku na podłodze przy niskim szklanym stoliku, w jednej ręce ma książkę w miękkiej okładce, a drugą opiera papieros o biały spodeczek.

– Cześć – mówi, nie podnosząc wzroku.

Liv stoi z kluczem w dłoni i się w nią wpatruje.

– My-myślałam, że wyszłaś. Fran tak mówiła.

– A. Ta pani na dole? No. Właśnie wróciłam.

– Skąd?

– Z mojej dziennej zmiany.

– Pracujesz na dzienną zmianę?

– W domu opieki. Mam nadzieję, że rano zanadto nie hałasowałam. Starałam się wyjść po cichu. Myślałam, że ta cała akcja z szufladami w biurku może cię obudzić. Wstawanie o szóstej potrafi zniszczyć klimat „gość w dom, Bóg w dom".

– Akcja z szufladami w biurku?

– Nie zostawiłaś klucza.

Liv marszczy brwi. Ma poczucie, że nie nadąża za tą rozmową. Mo odkłada książkę i mówi powoli.

– Musiałam trochę poszperać, zanim znalazłam zapasowy klucz w szufladzie w biurku.

– Zaglądałaś mi do szuflad?

– Pomyślałam, że to najbardziej oczywiste miejsce. – Przewraca stronę. – Nie przejmuj się. Włożyłam go z powrotem. – I pod nosem dodaje: – Rany, ty to lubisz mieć porządek.

Wraca do książki. Do książki Davida, jak zauważa Liv, zerkając na grzbiet. To sfatygowane wydanie *Wprowadzenia do współczesnej architektury*, jednej z jego ulubionych pozycji. Liv ma go jeszcze przed oczami, jak czyta ją, wyciągnięty na sofie. Widok tej książki w cudzych rękach sprawia, że w żołądku ściska ją z niepokoju. Liv odkłada torbę i idzie do kuchni.

Granitowe blaty przysypane są okruszkami. Na stole stoją dwa kubki, w ich wnętrzach odznaczają się brązowe kręgi. Koło tostera leży torba z krojonym pieczywem, przewrócona i na wpół otwarta. Na brzegu zlewu tkwi zużyta torebka z herbatą, a z osełki niesolonego masła sterczy nóż, niczym z piersi zamordowanej ofiary.

Liv stoi tam przez chwilę, a potem zaczyna sprzątać, zmiata resztki do kosza na śmieci, ładuje kubki i talerze do zmywarki. Wciska guzik, by rozsunąć przesłony na suficie, a kiedy te są już otwarte, drugim guzikiem otwiera szklany dach, machając rękami, by pozbyć się zapachu dymu.

Odwraca się i widzi, że Mo stoi w drzwiach.

– Nie możesz tu palić. Po prostu nie możesz – mówi Liv. W jej głosie słychać dziwną nutkę paniki.

– A. Jasne. Nie wiedziałam, że masz taras.

– Nie. Na tarasie też nie. Proszę. Po prostu tutaj nie pal.

Mo zerka na blat i widzi, że Liv gorączkowo sprząta.

– Hej, zrobię to przed wyjściem. Naprawdę.

– Nic się nie stało.

– Ewidentnie się stało, inaczej nie byłabyś taka wkurzona. Słuchaj. Przestań. Sama po sobie posprzątam. Serio.

Liv przerywa. Wie, że przesadza, ale nie potrafi nic na to poradzić. Chce po prostu, żeby Mo sobie poszła.

– Muszę zanieść Fran herbatę – mówi.

Przez całą drogę na parter krew dudni jej w uszach.

Kiedy wraca, w kuchni jest porządek. Mo cicho porusza się po pomieszczeniu.

– Chyba jestem trochę leniwa, jeśli chodzi o ogarnianie takich rzeczy od razu – odzywa się, gdy Liv wchodzi do mieszkania. – To przez to całe sprzątanie w pracy. Staruszkowie, klienci w restauracji… Tyle się tego robi przez cały dzień, że potem w domu człowiek się trochę buntuje.

Liv usiłuje się nie zjeżyć na dźwięk słowa „dom". I wtedy dociera do niej ten drugi zapach, przebijający spod dymu. A w piekarniku świeci się światło.

Pochyla się, żeby zajrzeć do środka, i widzi naczynie żaroodporne, na którego powierzchni bulgocze coś serowego.

– Zrobiłam kolację. Zapiekanka z makaronem. Wrzuciłam po prostu do środka parę rzeczy, które udało mi się dostać w sklepie na rogu. Będzie gotowa za jakieś dziesięć minut. Zamierzałam zjeść później, ale skoro ty już jesteś...

Liv nie pamięta, kiedy ostatnio choćby włączyła piekarnik.

– Aha – mówi Mo, sięgając po rękawice kuchenne. – I dzwonił ktoś z urzędu miasta.

– Co?

– No. Coś z podatkiem komunalnym.

Liv czuje, jak nogi się pod nią uginają.

– Przedstawiłam się jako ty, więc ten gość powiedział mi, ile im wisisz. Całkiem sporo. – Podaje jej karteczkę z nagryzmoloną liczbą.

Kiedy Liv otwiera usta, żeby zaprotestować, Mo dorzuca:

– No, musiałam się upewnić, że facet się dobrze dodzwonił. Najpierw też pomyślałam, że to musi być jakaś pomyłka.

Liv wiedziała z grubsza, ile to będzie, ale zobaczenie tego na piśmie to mimo wszystko szok. Czuje utkwiony w sobie wzrok Mo i po jej nietypowo długim milczeniu poznaje, że dziewczyna odgadła prawdę.

– Hej. Siadaj. Jak człowiek sobie podje, to zaraz wszystko wygląda lepiej.

Czuje, jak Mo podprowadza ją do krzesła. A potem dziewczyna otwiera drzwiczki piekarnika i kuchnię wypełnia rzadko tu spotykany zapach domowego jedzenia.

– A gdyby tak nie było, to cóż, słyszałam o jednej bardzo wygodnej ławie.

Jedzenie jest dobre. Liv zjada pełny talerz, po czym siada z rękami złożonymi na brzuchu, zastanawiając się, dlaczego tak ją dziwi, że Mo naprawdę umie gotować.

– Dzięki – mówi, podczas gdy dziewczyna wyciera z talerza ostatki jedzenia. – To było naprawdę dobre. Nie pamiętam, kiedy ostatnio tak się najadłam.

– Nie ma sprawy.

„A teraz musisz iść". Słowa, które od dwudziestu godzin ma na końcu języka, nie nadchodzą. Liv nie chce, żeby Mo już sobie poszła. Nie chce być sama z ludźmi od podatku, wezwaniami do zapłaty i własnymi niekontrolowanymi myślami; czuje nagłą wdzięczność za to, że dziś wieczorem będzie miała z kim porozmawiać – to taka ludzka tarcza chroniąca ją przed tą datą.

– A więc. Liv Worthing. Ta cała historia ze śmiercią męża...

Liv składa sztućce.

– Wolałabym o tym nie rozmawiać.

Czuje na sobie wzrok Mo.

– Dobra. Żadnych zmarłych mężów. No to... co z chłopakami?

– Chłopakami?

– Od czasu... Tego, Którego Imienia Nie Wolno Wymawiać. Ktoś na poważnie?

– Nie.

Mo zdejmuje kawałek sera z brzegu naczynia do zapiekania.

– Jakieś nieprzemyślane bzykanka?

– Nic z tych rzeczy.

Mo wybałusza na nią oczy.

– Ani jednego? Od jak dawna?

– Cztery lata – mamrocze Liv.

Kłamie. Było jedno, trzy lata temu, po tym, jak życzliwe przyjaciółki uparły się, że Liv musi „iść naprzód". Jakby David to była jakaś przeszkoda. Najpierw upiła się niemal do nieprzytomności, żeby być w stanie to zrobić, a potem strasznie płakała; na przemian wysmarkiwała nos i zanosiła się potężnym szlochem smutku, poczucia winy i obrzydzenia do siebie samej. Tamten mężczyzna – nie pamięta nawet jego imienia – ledwie był w stanie powstrzymać się od wyrazów ulgi, kiedy powiedziała, że wraca do domu. Nawet teraz, gdy o tym myśli, czuje lodowaty wstyd.

– Przez cztery lata nic? A ty... ile masz lat? Trzydzieści? Co to ma być, jakieś seksualne sati? Co ty wyprawiasz, Worthing? Czekasz z tym na Pana Zmarłego Męża w zaświatach?

– Nazywam się Halston. Liv Halston. I... po prostu... nie spotkałam nikogo, z kim... – Liv postanawia zmienić kierunek rozmowy. – No dobra, a jak u ciebie? Masz w zanadrzu jakiegoś sympatycznego emo, który lubi się ciąć? – Najlepszą obroną jest atak.

Palce Mo skradają się w stronę papierosów i zaraz cofają.

– Nie narzekam.

Liv czeka.

– Mam taki układ.

– Układ?

– Z Ranikiem, sommelierem. Co parę tygodni spotykamy się na zaawansowane technicznie, acz totalnie bezduszne spółkowanie. Kiedy zaczynaliśmy, był do niczego, ale powoli zaczyna łapać, o co chodzi. – Mo zjada jeszcze jeden bezpański kawałek sera. – Chociaż ciągle przesadza z oglądaniem pornoli. To widać.

– Nikogo poważnego?

– Moi rodzice przestali pytać o wnuki gdzieś w okolicach przełomu stuleci.

– O Boże. Przypomniałaś mi, że muszę zadzwonić do taty. – Liv nagle przychodzi do głowy pewien pomysł. Wstaje i sięga po torebkę. – Słuchaj, a może skoczyłabym do sklepu po wino?

Będzie dobrze, mówi sobie. Pogadamy o rodzicach, ludziach, których nie pamiętam, o studiach, o pracach Mo, sprowadzę rozmowę na tematy niezwiązane z seksem i ani się obejrzę, a już będzie jutro, w domu będzie z powrotem normalnie, a dzisiejsza data znów będzie odległa o rok.

Mo odsuwa krzesło od stołu.

– Nie dla mnie – mówi, zbierając swój talerz. – Muszę się przebrać i lecieć.

– Lecieć?

– Do pracy.

Dłoń Liv spoczywa na jej portfelu.

– Ale... przecież mówiłaś, że dopiero co skończyłaś.

– Dzienną zmianę. A teraz zaczynam wieczorną. No, za jakieś dwadzieścia minut. – Unosi włosy i je upina. – Ogarniesz zmywanie? I czy mogę znów wziąć ten klucz?

Przelotne poczucie dobrostanu, które przyniósł z sobą posiłek, pryska jak bańka mydlana. Liv siada przy na wpół uprzątniętym stole i słucha fałszywego nucenia Mo, odgłosów jej mycia i szorowania zębów w łazience dla gości, a w końcu cichego dźwięku zamykanych drzwi do sypialni.

Krzyczy w tamtą stronę:

– Myślisz, że przydałaby im się dziś dodatkowa osoba? To znaczy... mogłabym w czymś pomóc. Może. Na pewno poradziłabym sobie z kelnerowaniem.

Cisza.

– Pracowałam kiedyś w barze.

– Ja też. Miałam ochotę wbić ludziom nóż w oko. Jeszcze bardziej niż podczas kelnerowania.

Mo jest już w holu, ubrana w czarną koszulę i skórzaną kurtkę, pod pachą ma fartuszek.

– Do zobaczenia później, laska – woła. – No, chyba że mi się dziś poszczęści z Ranikiem.

I znika na dole, wciągnięta znów w świat żyjących. W miarę jak echo jej głosu zamiera, cisza Szklanego Domu staje się czymś namacalnym i przytłaczającym, a Liv z narastającym poczuciem paniki zdaje sobie sprawę, że jej dom, jej azyl szykuje się do zdrady.

Wie, że nie może spędzić tu tego wieczoru sama.

## 14

Oto miejsca, w których nie należy pić w pojedynkę, jeśli jesteś kobietą.

1. Bazookas: kiedyś był tam Biały Koń, cichy pub na rogu, naprzeciwko kawiarni, pełen zapadniętych pluszowych foteli i okazjonalnych końskich gadżetów; jego nadgryziony zębem czasu szyld był prawie nieczytelny z powodu odpadającej farby. Teraz jest tam neonowy bar ze striptizem, gdzie biznesmeni docierają późnym wieczorem, a dziewczyny z tapetą na napiętych twarzach wychodzą w butach na koturnie gdzieś przed świtem, kopcąc jak lokomotywy i narzekając na niskie napiwki.

2. Dino's: lokalna winiarnia, bardzo popularna przez całe lata dziewięćdziesiąte, postanowiła radykalnie zmienić swój image i obecnie jest rustykalną jadłodajnią, za dnia przyciągającą młode seksowne mamuśki. Po dwudziestej organizuje raz na jakiś czas szybkie randki. Przez resztę czasu,

z wyjątkiem piątków, jej ogromne okna pozwalają zauważyć, że lokal zieje bolesną pustką.

3. Wszystkie starsze puby w uliczkach za rzeką, przyciągające niewielkie grupki niechętnych miejscowych, mężczyzn, którzy palą własnej roboty skręty w towarzystwie swoich pitbulli i którzy zmierzyliby samotną kobietę w pubie takim wzrokiem, jak mułła panienkę przechadzającą się w bikini.

4. Którekolwiek z nowych, wesołych i tłocznych miejsc nad rzeką, pełnych ludzi młodszych od ciebie, głównie roześmianych grup znajomych z torbami Apple'a i w grubych czarnych okularach – każda z nich sprawi, że poczujesz się jeszcze bardziej samotna, niż gdybyś siedziała w domu.

Liv przez chwilę igra z myślą o kupieniu wina i zabraniu go do domu. Jednak za każdym razem, kiedy wyobraża sobie siebie siedzącą w pojedynkę w tej pustej białej przestrzeni, ogarnia ją nieoczekiwany strach. Nie chce oglądać telewizji: ostatnie trzy lata przekonały ją, że tego wieczoru chichot losu rozbrzmiewa donośniej niż zwykle, w prozaicznych zazwyczaj serialach komediowych znienacka ginie czyjś mąż, a program przyrodniczy zostaje zastąpiony takim o nagłej śmierci. Nie chce znów przyłapać się na tym, że stoi przed *Dziewczyną, którą kochałeś* i wspomina dzień, kiedy ją razem kupili, widząc w wyrazie twarzy tej kobiety miłość i spełnienie, które ona także kiedyś czuła. Nie chce znów wyciągać wspólnych zdjęć z Davidem i odczuwać tej znużonej pewności, że już nigdy nikogo tak nie pokocha i że chociaż potrafi przypomnieć sobie dokładnie zmarszczki w kącikach jego oczu albo sposób, w jaki jego palce trzymały kubek, nie jest już w stanie odtworzyć tego, na co składały się te elementy.

Nie chce czuć choćby najlżejszej pokusy, by zadzwonić na numer jego komórki, jak to obsesyjnie robiła przez pierwszy rok po jego śmierci, by móc usłyszeć głos nagrany na automatyczną sekretarkę. Obecnie przez większość dni ta strata jest częścią jej samej, dziwnym ciężarem, który z sobą nosi, niewidocznym dla wszystkich poza nią, subtelnie zmieniającym sposób, w jaki się porusza. Dziś jednak, w rocznicę jego śmierci, nie da się niczego przewidzieć.

I w tym momencie Liv przypomina sobie coś, co powiedziała jedna z kobiet na przyjęciu poprzedniego wieczoru. „Kiedy moja siostra ma ochotę wyjść sama na miasto, tak żeby nikt jej nie zaczepiał, idzie do baru dla gejów. Dobre, co?" Niecałe dziesięć minut na piechotę stąd jest taki bar. Liv mijała go setki razy, nie zastanawiając się nawet, co kryje się za ochronnymi kratami z drutu na oknach. Nikt nie będzie jej zaczepiał w barze dla gejów. Liv sięga po kurtkę, torebkę i klucze. Teraz przynajmniej ma jakiś plan.

– No, to faktycznie trochę głupio.

– To było raz. Kilka miesięcy temu. Ale mam wrażenie, że ona do końca o tym nie zapomniała.

– Jasne, przecież jesteś REWELACYJNY. – Greg, szczerząc zęby, wyciera kolejny kufel i odstawia go na półkę.

– Nie… To znaczy, no raczej – mówi Paul. – Ale serio, Greg, mam wyrzuty sumienia za każdym razem, gdy ona na mnie patrzy. Jakby… jakbym obiecał coś, z czego nie jestem w stanie się wywiązać.

– Jaka jest złota zasada, bracie? Gdzie się uczy i pracuje, tam się pałą nie wojuje.

– Byłem pijany. To był ten wieczór, kiedy Leonie powiedziała mi, że ona i Jake przeprowadzają się do Mitcha. Byłem…

– Straciłeś czujność. – Greg włącza swój telewizyjny głos. – Szefowa przydybała cię, kiedy byłeś bezbronny. Spoiła cię. A teraz czujesz się zwyczajnie wykorzystany. Czekaj… – Znika, by obsłużyć klienta. Jak na czwartek jest duży ruch, wszystkie stoliki zajęte, przy barze ciągle kolejka, wesoły gwar rozmów słychać głośniej niż muzykę. Paul zamierzał po pracy wrócić do domu, ale rzadko ma szansę pogadać z bratem, no i dobrze jest od czasu do czasu wypić parę głębszych. Nawet jeżeli człowiek musi przez cały czas unikać kontaktu wzrokowego z siedemdziesięcioma procentami klienteli.

Greg wkłada pieniądze do kasy i wraca do Paula.

– Posłuchaj, wiem, jak to brzmi. Ale ona jest w porządku. Fatalnie się czuję, musząc się od niej tak ciągle opędzać.

– Bracie, ty to masz przerąbane.

– Nie wiesz, jak to jest.

– Jasne, bo nikt nigdy do ciebie nie uderza, jeżeli jesteś zajęty. A już na pewno nie w barze dla gejów. W życiu. – Greg odstawia następny kufel na półkę. – Słuchaj, to może po prostu usiądziesz z nią i powiesz, że jest cudowną osobą, bla, bla, bla, ale nie jesteś nią zainteresowany w ten sposób?

– Kiedy to by było niezręczne. Bo współpracujemy z sobą tak ściśle i w ogóle…

– A to nie jest niezręczne? To całe „Wiesz, Paul, gdybyś po skończeniu tej sprawy miał przypadkiem chęć na szybki numerek…"? – Uwaga Grega przenosi się na drugi koniec baru. – Aj-aj. Z tą chyba będą kłopoty.

Paul przez cały wieczór niewyraźnie zdawał sobie sprawę z obecności tej dziewczyny. Kiedy się zjawiła, wyglądała na całkowicie opanowaną, a on uznał, że pewnie na kogoś czeka. Teraz dziewczyna usiłuje wdrapać się z powrotem na stołek przy barze. Podejmuje dwie próby i przy drugiej zatacza się nagle do tyłu. Odgarnia sobie włosy z oczu i wpatruje się w bar tak, jakby to był wierzchołek Mount Everestu. Rozpędza się i podskakuje. Gdy ląduje na stołku, wyciąga przed siebie obie ręce, żeby złapać równowagę, i intensywnie mruga powiekami, jakby potrzebowała kilku sekund, by uwierzyć, że naprawdę jej się udało. Podnosi twarz ku Gregowi.

– Przepraszam? Czy mogę jeszcze jedno wino? – Wyciąga do niego pusty kieliszek.

Spojrzenie Grega, rozbawione i zmęczone zarazem, przenosi się na Paula i zaraz z powrotem.

– Za dziesięć minut zamykamy – mówi brat, przerzucając sobie ściereczkę przez ramię. Świetnie sobie radzi z pijanymi. Paul nigdy nie widział, żeby Greg dał się wyprowadzić z równowagi. Pod tym względem są, według słów matki, jak niebo i ziemia.

– Czyli mam dziesięć minut, żeby je wypić? – pyta dziewczyna, a jej uśmiech nieco blednie.

Nie wygląda na lesbijkę. Z drugiej strony w dzisiejszych czasach mało która wygląda. Paul nie dzieli się tym spostrzeżeniem z bratem, który by mu powiedział, że za dużo czasu spędził w policji.

– Skarbie, nie zrozum mnie źle, ale jeżeli wypijesz jeszcze kieliszek, będę się o ciebie martwił. A ja okropnie nie lubię kończyć zmiany i martwić się o klientów.

– Malutki – prosi dziewczyna. Uśmiecha się tak, że serce się kraje. – Ja normalnie w ogóle nie piję.

– No tak. O takich właśnie martwię się najbardziej.

– To... – W jej oczach widać napięcie. – To jest ciężki dzień. Naprawdę ciężki dzień. Proszę, czy mogę jeszcze tylko jeden kieliszek? A potem możesz mi wezwać jakąś elegancką taksówkę z jakiejś solidnej firmy, ja wrócę do domu i zwalę się na łóżko, a ty będziesz mógł wrócić do domu i się o mnie nie martwić.

Greg znów spogląda na Paula i wzdycha. Widzisz, co ja tu muszę znosić?

– Malutki – mówi. – Bardzo malutki.

Uśmiech dziewczyny znika, powieki jej opadają, a ona chwiejnie sięga w dół po swoją torebkę. Paul odwraca się w stronę baru, wyciąga telefon i sprawdza, czy nie ma wiadomości. Jutro Jake ma być u niego, i chociaż jego stosunki z Leonie są obecnie przyjacielskie, jakaś część jego wciąż się obawia, że była żona znajdzie powód, by odwołać wizytę małego.

– Moja torebka!

Spogląda w tamtą stronę.

– Nie ma mojej torebki! – Kobieta zsunęła się ze stołka i rozgląda się po podłodze, jedną ręką trzymając się baru. Kiedy podnosi wzrok, twarz ma bladą jak chusta.

– Brałaś ją z sobą do toalety? – Greg przechyla się przez bar.

– Nie – odpowiada dziewczyna, omiatając salę wzrokiem. – Schowałam pod stołkiem.

– Zostawiłaś torebkę pod stołkiem? – Greg cmoka językiem. – Nie czytałaś napisów?

W całym barze wiszą ostrzeżenia: „Nie zostawiać toreb bez opieki – w okolicy grasują złodzieje". Tylko z miejsca, gdzie siedzi Paul, widać takie trzy.

Nie czytała.

– Bardzo mi przykro. Ale tutaj naprawdę nie jest bezpiecznie.

Kobieta przenosi spojrzenie z jednego mężczyzny na drugiego i, mimo że ledwo się trzyma na nogach, Paul widzi, że zgadła, co sobie o niej myślą. Głupia pijana laska.

Paul wyciąga telefon.

– Zadzwonię po policję.

– I powiesz im, że byłam na tyle głupia, żeby zostawić torebkę pod stołkiem? – Chowa twarz w dłoniach. – O Boże. Właśnie wypłaciłam z bankomatu dwieście funtów na podatek komunalny. Nie do wiary. Dwieście. Funtów.

– To już drugi raz w tym tygodniu – odzywa się Greg. – Czekamy, aż nam zainstalują kamery. Ale to jakaś epidemia. Strasznie mi przykro.

Dziewczyna podnosi wzrok i wyciera twarz. Wydaje z siebie długie, urywane westchnienie. Ewidentnie usiłuje nie wybuchnąć płaczem. Na barze stoi nietknięty kieliszek z winem.

– Strasznie mi przykro. Ale chyba nie będę w stanie za to zapłacić.

– W ogóle się tym nie przejmuj – mówi Greg. – Paul, ty zadzwoń po policję. A ja pójdę zrobić jej kawę. No dobrze. Kończymy, panie i panowie, bardzo proszę…

Tutejsza policja nie przyjeżdża w sprawie zaginionych torebek. Nadają kobiecie, która ma na imię Liv, numer sprawy, obiecują przesłać jej list na temat wsparcia dla ofiar i mówią, że będą się z nią kontaktować, gdyby coś znaleźli. Nikt nie ma wątpliwości, że raczej się nie skontaktują.

Kiedy kobieta się rozłącza, bar już od dawna jest pusty. Greg otwiera drzwi, żeby ich wypuścić, a Liv sięga po kurtkę.

– Nocuje u mnie koleżanka. Ma zapasowy klucz.

– Chcesz, żebym do niej zadzwonił? – Paul znów wyciąga telefon.

Dziewczyna spogląda na niego bez wyrazu.

– Nie znam jej numeru. Ale wiem, gdzie pracuje.

Paul czeka.

– To taka restauracja jakieś dziesięć minut stąd. W stronę Blackfriars.

Jest północ. Paul spogląda na zegar. Jest zmęczony, a syn przyjeżdża do niego jutro o wpół do ósmej rano. Ale nie może tak po prostu zostawić tu pijanej kobiety, której większość ostatniej godziny ewidentnie upłynęła na powstrzymywaniu się od płaczu, i kazać jej spacerować w środku nocy w pojedynkę po South Bank.

– Przejdę się z tobą – mówi.

Dostrzega w jej spojrzeniu nieufność; widzi, że dziewczyna szykuje się do odmowy. Greg dotyka jej ramienia.

– Nie bój się, skarbie. To były gliniarz.

Paul czuje, jak kobieta znów taksuje go wzrokiem. Makijaż rozmazał jej się pod jednym okiem, a on musi się bardzo powstrzymywać, żeby go nie wytrzeć.

– Mogę poręczyć za jego dobry charakter. Ten facet jest genetycznie uwarunkowany do robienia takich rzeczy, coś jak bernardyn w ludzkiej skórze.

– Właśnie. Dzięki, Greg.

Dziewczyna wkłada kurtkę.

– Jeżeli to naprawdę dla ciebie nie problem, to byłabym ci bardzo wdzięczna.

– Paul, zadzwonię do ciebie jutro. I powodzenia, panno Liv. Mam nadzieję, że wszystko się ułoży. – Greg czeka, aż tamci dwoje się oddalą, a potem rygluje drzwi.

Idą szybko, ich kroki rozbrzmiewają na pustych brukowanych ulicach, a dźwięk odbija się od milczących budynków wokół. Zaczęło padać i Paul wciska ręce głęboko do kieszeni, chowając głowę w kołnierz. Mijają dwóch młodych ludzi w bluzach z kapturem, a Paul zauważa, że dziewczyna przysuwa się trochę do niego.

– Zastrzegłaś karty? – pyta.

– O. Nie. – Świeże powietrze powoli ją otrzeźwia. Wygląda na przybitą i od czasu do czasu lekko się potyka. Podałby jej ramię, ale nie przypuszcza, żeby je przyjęła. – Nie pomyślałam o tym.

– Pamiętasz, jakie masz?

– Jedną MasterCard i jedną Barclays.

– Poczekaj. Znam kogoś, kto może nam pomóc. – Mężczyzna wybiera numer. – Sherrie?... Cześć. Tu McCafferty... Tak, w porządku, dzięki. Wszystko dobrze. A u was? – Czeka. – Posłuchaj, czy możesz coś dla mnie zrobić? Przesłałabyś mi numery, pod które się dzwoni w sprawie skradzionych kart płatniczych? MasterCard i Barclays. Znajomej właśnie zwinęli torebkę... Tak. Dzięki, Sherrie. Pozdrów ode mnie chłopaków. No i do rychłego.

Wybiera numer, który dostał w esemesie, i podaje dziewczynie telefon.

– Gliny – mówi. – Mały światek.

A potem idzie w milczeniu, podczas gdy ona wyjaśnia sytuację konsultantowi.

– Dziękuję – odzywa się dziewczyna, zwracając mu telefon.

– Nie ma sprawy.

– Byłabym zdziwiona, gdyby udało im się wyciągnąć z nich jakiekolwiek pieniądze. – Liv uśmiecha się żałośnie.

Dochodzą do tej hiszpańskiej restauracji. Światła są pogaszone, a drzwi zamknięte. Paul chowa się w bramie, a Liv zagląda do środka przez okno, jakby chciała je skłonić, żeby dało jakiś znak życia.

Paul patrzy na zegarek.

– Jest kwadrans po dwunastej. Pewnie już na dziś skończyli.

Liv stoi i przygryza wargi.

– Może ona jest u mnie. Czy mogłabym jeszcze raz pożyczyć od ciebie telefon?

Wręcza go dziewczynie, a ona podnosi urządzenie do światła, żeby lepiej widzieć ekran. Paul patrzy, jak wystukuje numer, a potem odwraca się od niego, bezwiednie przeczesując ręką włosy. Liv zerka przez ramię i posyła mu krótki, niepewny uśmiech, po czym znów się odwraca. Wystukuje kolejny numer, a potem trzeci.

– Masz jeszcze kogoś, do kogo mogłabyś zadzwonić?

– Mojego tatę. Właśnie próbowałam. Ale tam też nikt nie odpowiada. Chociaż całkiem możliwe, że on po prostu śpi. Przeważnie nie sposób go dobudzić.

Sprawia wrażenie kompletnie zagubionej.

– Posłuchaj, może wynajmę ci pokój w hotelu? Oddasz mi, jak odzyskasz karty.

Dziewczyna stoi i przygryza wargi. Dwieście funtów. Paul przypomina sobie, z jaką rozpaczą to powiedziała. To nie jest osoba, którą stać na hotel w centrum Londynu.

Deszcz pada teraz mocniej, ochlapując im nogi, a woda bulgocze w rynsztokach. Paul odzywa się niemal bez zastanowienia:

– Wiesz co? Robi się późno. Mieszkam jakieś dwadzieścia minut stąd. Chcesz się spokojnie zastanowić u mnie? Moglibyśmy tam zdecydować, co dalej.

Dziewczyna oddaje mu telefon. Paul widzi, że przez chwilę toczy z sobą walkę. A potem uśmiecha się z lekką obawą i rusza naprzód u jego boku.

– Dziękuję. I przepraszam. Ja… naprawdę nie planowałam zepsuć wieczoru jeszcze jednej osobie.

Liv jest coraz bardziej milcząca, w miarę jak zbliżają się do jego mieszkania, a Paul domyśla się, że kobieta trzeźwieje: głos rozsądku w jej głowie zaczyna ją pytać, na co się właśnie zgodziła. Paul zastanawia się, czy gdzieś czeka na nią dziewczyna. Jest ładna, ale w sposób typowy dla kobiety, która nie chce przyciągać męskiej uwagi: niemal bez makijażu, włosy ściągnięte w kucyk. Czy to coś lesbijskiego? Cerę ma za dobrą jak na kogoś, kto często pije. Ładnie umięśnione nogi i długi krok pozwalają przypuszczać, że regularnie ćwiczy. Ale postawę ma obronną, z rękami skrzyżowanymi na piersiach.

Docierają do jego mieszkania, położonego nad kawiarnią na obrzeżach dzielnicy Theatreland, i Paul odsuwa się od dziewczyny na sporą odległość, otwierając drzwi.

Włącza światło i podchodzi od razu do niskiego stolika. Zdejmuje z niego gazety i poranny kubek, patrząc na mieszkanie oczami obcej osoby: ciasne, przeładowane książkami, zdjęciami i meblami. Na szczęście nigdzie nie widać zbłąkanych skarpetek ani prania. Paul przechodzi do części kuchennej, włącza czajnik, podaje Liv ręcznik do wytarcia włosów i patrzy, jak dziewczyna ostrożnie porusza się po pokoju, najwyraźniej uspokojona widokiem pełnych regałów i zdjęć na kredensie: on w mundurze, on i Jake objęci, z szerokimi uśmiechami.

– To twój syn?

– Tak.

– Podobny do ciebie. – Liv bierze do ręki zdjęcie przedstawiające jego, Jake'a i Leonie, zrobione, kiedy mały miał cztery latka. Drugą ręką nadal trzyma się za brzuch. Zaproponowałby jej T-shirt, ale nie chce, by sobie pomyślała, że on próbuje ją skłonić do zdjęcia ubrań.

– A to jego mama?

– Tak.

– Czyli… nie jesteś gejem?

Paulowi przez chwilę brakuje słów, a potem odpowiada:

– Nie! Ach. Nie, to bar mojego brata.

– Aha.

Mężczyzna pokazuje na zdjęcie przedstawiające go w mundurze.

– To na przykład nie jestem ja podczas wykonywania układu do piosenki Village People. Naprawdę byłem gliniarzem.

Dziewczyna wybucha śmiechem, takim, który pojawia się, kiedy jedyną alternatywą są łzy. Potem ociera oczy i posyła mu zakłopotany uśmiech.

– Przepraszam. Dziś nie jest dobry dzień. I tak było, jeszcze zanim ukradli mi torebkę.

Ona jest naprawdę ładna, myśli nagle Paul. W jej wyglądzie jest jakaś bezbronność, jakby ktoś zdjął z niej jedną warstwę skóry. Zwraca się ku niemu, a on gwałtownie odwraca wzrok.

– Paul, masz coś do picia? To znaczy, nie chodzi mi o kawę. Wiem, że pewnie uważasz mnie za kompletną pijaczkę, ale w tej chwili naprawdę bardżo przydałoby mi się coś mocniejszego.

Mężczyzna wyłącza czajnik, nalewa im po kieliszku wina i wchodzi do części salonowej. Dziewczyna siedzi na brzegu kanapy, łokcie ma między kolanami.

– Chcesz o tym pogadać? Byli gliniarze słyszeli niejedno. – Podaje jej kieliszek. – Znacznie gorsze rzeczy niż te twoje. Mógłbym się założyć.

– Nie bardzo. – Liv głośno upija łyk wina. A potem nagle odwraca się do Paula. – Albo właściwie tak. Mój mąż umarł dokładnie cztery lata temu. Umarł. Większość ludzi nie była w stanie wtedy nawet wymówić tego słowa, a teraz powtarzają mi, że powinnam iść naprzód. Nie mam pojęcia, jak to zrobić. W moim domu mieszka gotka, a ja nawet nie pamiętam jej nazwiska. Wiszę pieniądze wszystkim wokół. I poszłam dziś do baru dla gejów, bo za nic nie chciałam być sama w domu, a tam ukradli mi torebkę z dwustoma funtami, które pożyczyłam z karty kredytowej, żeby zapłacić podatek od nieruchomości. A kiedy zapytałeś, do kogo jeszcze mogłabym zadzwonić, jedyną osobą, która przyszła mi do głowy jako ktoś, u kogo mogłabym się przespać, była Fran, kobieta, która mieszka w kartonie pod moim budynkiem.

Paul jest tak zajęty przetrawianiem słowa „mąż", że ledwie słyszy całą resztę.

– No cóż, mogłabyś się przespać u mnie.

Znowu to nieufne spojrzenie.

– W łóżku mojego syna. Nie jest najwygodniejsze na świecie. To znaczy mój brat sypiał w nim po rozstaniu ze swoim ostatnim chłopakiem i mówi, że od tego czasu musi chodzić do kręgarza, no ale zawsze to łóżko. – Urywa. – Pewnie jest mimo wszystko lepsze niż karton.

Liv zerka na niego z ukosa.

– No dobra. Nieznacznie lepsze.

Dziewczyna ukrywa gorzki uśmiech w swoim kieliszku.

– I tak nie mogłabym prosić o to Fran. Cholera, ona nigdy nie zaprasza mnie do środka.

– No, to już po prostu brak kultury. Ja w każdym razie nie miałbym ochoty jej odwiedzać. Zostań tutaj. Znajdę ci jakąś szczoteczkę do zębów.

Niekiedy, myśli sobie Liv, można nagle znaleźć się w równoległym świecie. Myślisz, że wiesz, co cię czeka – okropny wieczór przed telewizorem, picie w barze, zabawa w chowanego z własną przeszłością – i nagle zjeżdżasz z torów w zupełnie nową stronę, o której nawet nie wiedziałaś, że istnieje. Z pozoru to jedna wielka katastrofa: skradziona torebka, utracone pieniądze, nieżyjący mąż, życie, które potoczyło się na opak. A potem siedzisz w malutkim mieszkanku Amerykanina z mocno niebieskimi oczami i włosami jak szpakowate futro, jest prawie trzecia nad ranem, a on rozśmiesza cię tak, że naprawdę się śmiejesz, jakbyś nie miała absolutnie żadnych zmartwień.

Dużo wypiła. Od kiedy tu dotarła, opróżniła co najmniej trzy kieliszki, a w barze było ich zdecydowanie więcej. Ale osiągnęła ten rzadko spotykany stan przyjemnej alkoholowej równowagi. Nie jest na tyle pijana, by było jej niedobrze czy żeby nie wiedziała, co się dookoła dzieje. Jest po prostu akurat tak wesoła, by czuć się zawieszona, unosić się w tym miłym momencie, z tym mężczyzną, śmiechem i ciasnym mieszkankiem, z którym nie wiążą się żadne wspomnienia. Gadali, gadali i gadali, a ich głosy robiły się coraz donośniejsze i bardziej natarczywe. I powiedziała mu wszystko, wyzwolona przez szok i alkohol, a także fakt, że to zupełnie obcy człowiek, którego prawdopodobnie nigdy więcej nie zobaczy. On opowiedział jej o tym, jakim koszmarem był rozwód, o polityce panującej w policji i dlaczego on się do niej nie nadaje, i dlaczego tęskni za Nowym Jorkiem, ale nie może tam wrócić, dopóki jego syn nie dorośnie. Liv chce powiedzieć mu wszystko, bo on zdaje się wszystko rozumieć. Opowiedziała mu o swoim smutku i gniewie, i o tym, jak patrzy na inne pary i po prostu nie widzi sensu próbować jeszcze raz. Ponieważ żadna z nich nie wydaje się tak naprawdę, uczciwie szczęśliwa. Ani jedna.

– No dobra. Zabawię się w adwokata diabła. – Paul odstawia kieliszek. – I uwaga, są to słowa człowieka, który totalnie spieprzył własny związek. Ale byliście małżeństwem przez cztery lata, tak?

– Tak.

– Nie chcę, żeby to zabrzmiało cynicznie, ani nic w tym rodzaju, ale nie sądzisz, że jednym z powodów, dla których w twojej głowie wszystko wygląda idealnie, jest to, że on umarł? Wszystko jest zawsze doskonalsze, jeśli szybko się skończyło. Dowodzi tego chociażby gigantyczna popularność nieżyjących ikon kina.

– Czyli mówisz, że gdyby on żył, to zrobilibyśmy się tak samo zrzędliwi i mielibyśmy siebie tak samo dosyć jak wszyscy inni?

– Niekoniecznie. Ale przyzwyczajenie i dzieci, praca i codzienne stresy na pewno potrafią odebrać uczuciu sporo romantyzmu.

– Mówisz to na podstawie własnego doświadczenia?

– No. Chyba tak.

– Cóż, ale tak się nie stało. – Liv kategorycznie kręci głową. Pokój kołysze się lekko.

– Daj spokój, musiały się zdarzać takie momenty, że miałaś go dosyć. Każdemu się zdarzają. No wiesz: kiedy narzekał, że za dużo wydajesz, albo puszczał w łóżku bąki, albo nie opuszczał deski sedesowej...

Liv jeszcze raz kręci głową.

– Dlaczego wszyscy to robią? Czemu wszyscy się uparli, żeby umniejszyć to, co było między nami? Wiesz co? My byliśmy po prostu szczęśliwi. Nie kłóciliśmy się. Ani o deskę, ani o bąki, ani o nic innego. Po prostu się lubiliśmy. Naprawdę się lubiliśmy. Byliśmy... szczęśliwi. – Kobieta walczy ze łzami i odwraca głowę w stronę okna, powstrzymując płacz siłą woli. Nie będzie dziś płakać. Nie będzie.

Długa cisza. A niech to, myśli Liv.

– W takim razie wspaniale trafiliście – mówi głos za jej plecami.

Liv się odwraca, a Paul McCafferty podsuwa jej ostatni kieliszek wina.

– Wspaniale?

– Niewielu osobom przydarza się coś takiego. Choćby przez cztery lata. Powinnaś być wdzięczna.

Wdzięczna. Kiedy on tak to mówi, to naprawdę ma sens.

– Tak – odpowiada Liv po chwili. – Tak, powinnam.

– Właściwie takie historie dają mi nadzieję.

Liv się uśmiecha.

– Jak miło coś takiego usłyszeć.

– Cóż, to prawda. Za… Jak mu na imię? – Paul unosi kieliszek.

– David.

– Za Davida. Jednego z tych porządnych facetów.

Liv się uśmiecha – szeroko i nieoczekiwanie. Zauważa w jego spojrzeniu odcień zaskoczenia.

– Tak – mówi. – Za Davida.

Paul upija łyk ze swojego kieliszka.

– Wiesz, pierwszy raz zdarza mi się, żebym zaprosił do siebie dziewczynę i skończył na piciu zdrowia jej męża.

I znowu on: śmiech, musujący i łaskoczący ją w środku, niespodziewany gość.

Paul zwraca się ku niej.

– Wiesz, przez cały wieczór miałem ochotę to zrobić. – Nachyla się w jej stronę i zanim Liv zdąża znieruchomieć, wysuwa kciuk i delikatnie wyciera nim coś pod jej lewym okiem. – Tusz – mówi, trzymając kciuk w górze. – Nie wiedziałem, czy się zorientowałaś.

Liv wpatruje się w niego i nagle przez jej ciało przepływa coś nieoczekiwanego i elektryzującego. Spogląda na jego silne, piegowate ręce, na to jak kołnierzyk styka się z jego szyją, i czuje, że ma pustkę w głowie. Odstawia kieliszek, nachyla się i, nim on cokolwiek powie, robi tę jedyną rzecz, o jakiej jest w stanie myśleć, i ustami dotyka jego ust. Przelotny wstrząs fizycznego kontaktu, a potem czuje jego oddech na swojej skórze, dłoń, która unosi się, by spocząć na jej talii, i on oddaje jej pocałunek, usta ma miękkie, ciepłe; smakują lekko taniną. Pozwala sobie wtulić się w niego, czuje, jak jej oddech staje się coraz szybszy, przyspieszają go alkohol, dotyk i to cudowne uczucie, że ktoś ją po prostu obejmuje. O Boże, ten mężczyzna. Jej oczy są zamknięte, w głowie jej się kręci, a jego pocałunki są miękkie i przepyszne.

A potem on się odsuwa. Musi minąć sekunda, żeby do Liv to dotarło. Ona także się odsuwa, zaledwie o kilka centymetrów, bez tchu. Kim ty jesteś?

Mężczyzna patrzy jej prosto w oczy. Mruga powiekami.

– Wiesz… uważam, że jesteś absolutnie cudowna. Ale w takich sprawach mam pewne zasady.

Liv czuje, że jej wargi są spuchnięte.

– Masz… masz kogoś?

– Nie. Po prostu… – Paul przeczesuje ręką włosy. Zaciska zęby. – Liv, nie sprawiasz wrażenia…

– Jestem pijana.

– Tak, tak, jesteś.

Dziewczyna wzdycha.

– Dawniej po pijaku byłam świetna w łóżku.

– Musisz teraz przestać mówić. Ja bardzo się staram zachować w porządku.

Liv opada z powrotem na poduszki na sofie.

– Poważnie. Niektóre kobiety do niczego się nie nadają, gdy są pijane. Ze mną było inaczej.

– Liv…

– A ty jesteś… przepyszny.

Na jego podbródku widać już zarost, jak zwiastun nadchodzącego poranka. Liv ma ochotę przesunąć palcami po tej króciutkiej szczecinie, poczuć na własnej skórze, jaka jest szorstka. Wyciąga rękę, a Paul się uchyla.

– Iiii już mnie nie ma. Okej, tak jest, nie ma mnie. – Wstaje, bierze głęboki oddech. Nie patrzy w jej stronę. – Yy, tam jest pokój mojego syna. Gdybyś potrzebowała napić się wody czy coś, to tam jest kran. I, yy, daje wodę.

Bierze do ręki czasopismo i znów je odkłada. A potem robi to samo z drugim czasopismem.

– A tu są czasopisma. Gdybyś chciała sobie poczytać. Mnóstwo…

To nie może się tak skończyć. Liv pragnie go tak bardzo, jakby całe jej ciało emanowało pożądaniem. W tym momencie byłaby gotowa dosłownie go błagać. Ciągle czuje żar jego dłoni na swojej talii, smak jego ust. Przez chwilę wpatrują się jedno w drugie. „Czujesz to? Nie odchodź", zaklina go w myślach. „Proszę, nie zostawiaj mnie".

– Dobranoc, Liv – mówi Paul.

Patrzy na nią jeszcze przez moment, a potem odchodzi korytarzem i cicho zamyka za sobą drzwi sypialni.

Cztery godziny później Liv budzi się w komórce, pod kołdrą w barwach Arsenalu, a w głowie łupie ją tak strasznie, że musi dotknąć jej ręką, by się upewnić, że nikt jej nie bije. Mruga oczami, wbija załzawiony wzrok w postacie z japońskiej kreskówki na przeciwległej ścianie i pozwala pamięci na powolne poskładanie w całość kawałków informacji z poprzedniej nocy.

Skradziona torebka. Liv zamyka oczy. O nie.

Obce łóżko. Nie ma kluczy. Boże, ona nie ma kluczy. Ani pieniędzy. Usiłuje się poruszyć i ból przeszywa jej głowę tak, że Liv omal nie krzyczy.

A potem przypomina sobie tego mężczyznę. Pete? Paul? Widzi siebie, jak idzie z nim przez opustoszałe ulice. A później widzi, jak nachyla się, żeby go pocałować, a on grzecznie się wycofuje.

– O nie – mówi cicho, po czym zakrywa oczy rękami. – Co ja...

Siada na łóżku i przemieszcza się w stronę jego brzegu, zauważając żółty plastikowy samochodzik obok swojej prawej stopy. A wtedy, na dźwięk otwieranych drzwi i uruchamianego prysznica w pomieszczeniu obok, Liv chwyta buty i kurtkę i wychodzi z mieszkania w kakofonię dziennego światła.

## 15

– Mam trochę takie wrażenie, jakby to była inwazja. – Prezes cofa się, krzyżując ramiona na piersi, i śmieje się nerwowo. – Czy… czy wszyscy się tak czują?

– O tak – odpowiada kobieta. To dosyć typowa reakcja.

Wokół niej około piętnaściorga nastolatków porusza się żwawo po obszernym lobby Conaghy Securities. Dwóch – Edun i Cam – przeskakuje nad poręczami biegnącymi wzdłuż szklanych ścian, tam i z powrotem, ich szerokie dłonie zręcznie manewrują ciężarem ciał chłopców, a lśniąco białe adidasy skrzypią, odrywając się od podłogi z wapienia. Kilkoro innych przebiegło już na wewnętrzny dziedziniec, chwiejąc się i piszcząc ze śmiechu na krawędziach idealnie poustawianych kładek, wskazując w dół na ogromne karpie koi pływające spokojnie pomiędzy kanciastymi basenami.

– Czy oni zawsze są… tacy głośni? – pyta prezes.

Abiola, wychowawczyni pracująca z młodzieżą, staje obok Liv.

– Tak. Zazwyczaj dajemy im dziesięć minut na oswojenie się z przestrzenią. I wtedy przekona się pan, że uspokajają się zaskakująco szybko.

– I… nic nigdy nie niszczą?

– Nigdy. – Liv patrzy, jak Cam biegnie lekko po drewnianej poręczy i pod koniec zeskakuje na palce. – W żadnej z firm z listy, którą panu wysłałam, nie zdarzyła się choćby przesunięta wykładzina. – W jego wzroku dostrzega niedowierzanie. – Nie można zapominać, że przeciętne brytyjskie dziecko mieszka w domu, w którym powierzchnia podłogi wynosi mniej niż siedemdziesiąt sześć metrów kwadratowych. – Kiwa głową. – A te tutaj najprawdopodobniej dorastały w znacznie mniejszej przestrzeni. Nic dziwnego, że kiedy puści się je wolno w czymś takim, przez pewien czas nie mogą usiedzieć w miejscu. Ale proszę obserwować. Ta przestrzeń powoli zacznie na nich działać.

Raz w miesiącu Fundacja Davida Halstona, należąca do firmy Solberg Halston Architects, organizuje dla dzieci z ubogich rodzin wycieczkę do budynku o szczególnych walorach architektonicznych. David był przekonany, że młodzi ludzie powinni nie tylko uczyć się o otaczających ich budynkach, ale móc się po nich swobodnie poruszać, użytkować ich przestrzeń po swojemu, by zrozumieć, jak to działa. Chciał, żeby czerpali z tego radość. Liv wciąż pamięta, jak po raz pierwszy przyglądała się Davidowi rozmawiającemu o tym z grupą bengalskich dzieciaków z biednej dzielnicy Whitechapel.

– Co mówi to wejście, kiedy przez nie przechodzicie? – zapytał, wskazując na potężną bramę.

– Pieniądze – powiedziało jedno z dzieci i wszystkie wybuchnęły śmiechem.

– To – odparł David z uśmiechem – jest dokładnie to, co ma mówić. To jest firma maklerska. To wejście, ze swoimi marmurowymi filarami i złotymi literami, mówi do was: „Dajcie nam swoje pieniądze. A my zarobimy dla was WIĘCEJ PIENIĘDZY". To wejście krzyczy: „Znamy Się Na Pieniądzach".

– Ej, Nikhil, to dlatego twoje drzwi mają niecały metr. – Jeden z chłopców popchnął drugiego i obaj przewrócili się ze śmiechem.

Ale to działało. Liv już wtedy zauważyła, że to działa. David skłonił ich do myślenia o przestrzeni wokół: czy czują się w niej wolni, czy źli, czy smutni. Pokazał im, jak światło i przestrzeń poruszają się, jakby były żywe, w najdziwniejszych budynkach.

– Oni muszą zobaczyć, że istnieje alternatywa dla tych pudełek, w których mieszkają – powiedział. – Muszą zrozumieć, że ich otoczenie wpływa na to, jak się czują.

Od jego śmierci Liv przejęła, za błogosławieństwem Svena, rolę Davida, spotykając się z dyrektorami firm, przekonując ich o korzyściach płynących z programu i namawiając, by wpuścili ich do środka. Pomogło jej to przetrwać pierwsze miesiące, kiedy miała poczucie, że jej życie nie ma specjalnego sensu. Teraz była to jedyna rzecz, którą robiła co miesiąc i autentycznie się na nią cieszyła.

– Proszę pani? Można dotykać ryb?

– Nie. Obawiam się, że dotykać nie wolno. Czy są wszyscy?

Poczekała, aż Abiola szybko przeliczy obecnych.

– Dobrze. Zaczniemy tutaj. Chcę, żebyście wszyscy przez dziesięć sekund stali bez ruchu, a potem powiedzieli mi, jak się czujecie w tej przestrzeni.

– Spokojnie – powiedział ktoś, kiedy śmiech już ucichł.

– Dlaczego?

– No nie wiem. To chyba ta woda. I dźwięk tego jakby wodospadu. Jest spokojny.

– Co jeszcze sprawia, że czujecie spokój?

– Niebo. Tu nie ma dachu, co nie?

– Zgadza się. Jak myślicie, dlaczego nad tym fragmentem nie ma dachu?

– Hajs im się skończył. – Nowy wybuch śmiechu.

– A kiedy wychodzicie na zewnątrz, to co najpierw robicie? Nie, Dean, wiem, co chcesz powiedzieć. Nie to.

– Biorę głęboki oddech. Oddycham.

– Tylko że u nas w powietrzu jest pełno syfu. A oni pewnie sobie to powietrze filtrują, czy coś w tym stylu.

– Ta przestrzeń jest otwarta. Nie mogą go przefiltrować.

– Ale ja i tak oddycham. Tak głęboko. Nie cierpię być zamknięta w ciasnych pomieszczeniach. W moim pokoju nie ma okien i muszę spać przy otwartych drzwiach, bo inaczej się czuję, jakbym była w trumnie.

– A w pokoju mojego brata nie ma okien i mama kupiła mu taki plakat, gdzie jest okno.

Zaczynają porównywać swoje pokoje. Liv je lubi, te dzieciaki, i boi się o nie, kiedy słyszy, jak od niechcenia mówią o rzeczach, których są pozbawione, o tym, jak dziewięćdziesiąt dziewięć procent ich życia upływa w obrębie dwóch–trzech kilometrów kwadratowych, ograniczonych albo fizycznymi barierami, albo autentycznym strachem przed rywalizującymi z sobą gangami i nielegalnym naruszeniem granic.

To drobna rzecz, ta fundacja. Szansa na to, by poczuć, że życie Davida nie poszło na marne; że jego pomysły żyją dalej. Czasem pojawia się naprawdę zdolny dzieciak – taki, który w lot chwyta idee Davida – a ona stara się mu jakoś pomóc, porozmawiać z jego nauczycielami albo zorganizować stypendium. Parę razy poznała nawet ich rodziców. Jeden z pierwszych podopiecznych Davida studiuje teraz architekturę, a fundacja opłaca mu czesne.

Ale dla większości z nich jest to po prostu okno na inny świat, godzina–dwie, podczas których mogą ćwiczyć parkour na cudzych schodach, poręczach i w holach wykładanych marmurem, okazja, by na chwilę znaleźć się w świecie Mamony, choćby pod oszołomionym spojrzeniem bogaczy, których ona przekonała, żeby ich tu wpuścili.

– Kilka lat temu przeprowadzono badania, które wykazały, że jeżeli zmniejszy się ilość powierzchni przypadającej na dziecko z dwóch i pół do półtora metra kwadratowego, to dzieci stają się bardziej agresywne i mniej skłonne do wchodzenia z sobą w interakcje. Co o tym myślicie?

Cam huśta się na poręczy.

– Mam wspólny pokój z bratem i przez połowę czasu mam ochotę go stłuc. Ciągle kładzie rzeczy po mojej stronie.

– To w jakich miejscach czujecie się dobrze? Czy tutaj jest wam dobrze?

– Ja się tu czuję, jakbym nie miała żadnych problemów.

– Spoko są te rośliny. Te takie z dużymi liśćmi.

– O rany. Ja to bym sobie tylko tutaj siedział i gapił się na ryby. Tu jest tak zacisznie.

Pomruk aprobaty.

– A potem bym jedną złapał i kazał mamie usmażyć do tego frytek, co nie?

Wszyscy wybuchają śmiechem. Liv zerka na Abiolę i, wbrew sobie, także zaczyna się śmiać.


– Dobrze poszło? – Sven wstaje zza biurka, by się z nią przywitać. Liv całuje go w policzek, odkłada torebkę i siada na białym skórzanym krześle Eamesa naprzeciwko. Utarło się już, że po każdej takiej wycieczce przychodzi do biura Solberg Halston Associates napić się kawy i zdać relację. Zawsze jest bardziej zmęczona, niż się spodziewała.

– Świetnie. Kiedy pan Conaghy zdał już sobie sprawę, że oni nie zamierzają zacząć nurkować w sadzawkach na dziedzińcu, to był chyba pod sporym wrażeniem. Został dłużej, żeby z nimi porozmawiać. Myślę, że może mi się nawet udać go namówić, by dołączył do naszych sponsorów.

– To dobrze. Dobrze to słyszeć. Usiądź, zrobię ci kawy. Jak się czujesz? Jak twoja chora krewna?

Liv patrzy na niego tępym wzrokiem.

– Twoja ciotka?

Czuje, jak jej szyję oblewa rumieniec.

– A. No tak, nie najgorzej, dzięki. Lepiej.

Sven podaje jej kawę i spogląda na nią odrobinkę zbyt długo. Jego krzesło skrzypi cicho, gdy na nim siada.

– Musisz wybaczyć Kristen. Czasem ją ponosi. Mówiłem jej, że moim zdaniem ten facet to idiota.

– Och – krzywi się Liv. – Czy to było aż tak widoczne?

– Nie dla Kristen. Ona nie wie, że eboli z reguły nie leczy się operacyjnie. – Sven uśmiecha się, słysząc jęk Liv. – W ogóle się tym nie przejmuj. Roger Folds to dupek. A poza tym po prostu miło było zobaczyć cię znowu wśród ludzi. – Zdejmuje okulary. – Poważnie. Powinnaś częściej wychodzić.

– Hm, no cóż, ostatnio trochę zaczęłam.

Liv się rumieni, myśląc o nocy z Paulem McCaffertym. Przekonała się, że od tego czasu wraca do niej nieustannie, zamartwiając się tamtymi wydarzeniami, jakby dotykała językiem bolącego zęba. Co kazało jej się tak zachować? Co on sobie o niej pomyślał? A potem ten nieprzewidywalny dreszcz, ślad tamtego pocałunku. Jest jej zimno ze wstydu, ale on pali ją łagodnie, trwając wciąż na jej wargach. Ma poczucie, że jakaś długo uśpiona część niej wróciła do życia. To trochę niepokojące.

– A jak tam Goldstein?

– Już niedługo. Mieliśmy trochę kłopotów z nowymi przepisami budowlanymi, ale wszystko jest już prawie gotowe. W każdym razie Goldsteinowie są zadowoleni.

– Masz jakieś zdjęcia?

Budynek Goldsteinów to było wymarzone zlecenie Davida: potężna, organiczna konstrukcja ze szkła, zajmująca połowę placu na obrzeżach City. Pracował nad nią przez dwa lata ich małżeństwa, przekonując majętnych braci Goldsteinów do swojej śmiałej wizji, do stworzenia czegoś odległego od kanciastych zamków z betonu wokół nich, i zmarł, będąc w trakcie tej pracy. Sven przejął projekt i nadzorował go na etapie planowania, a teraz zarządzał pracami konstrukcyjnymi. Budowa była problematyczna, transport materiałów z Chin się opóźniał, szkło było nie takie, jak trzeba, fundamenty okazały się nieodpowiednie do gliniastego londyńskiego podłoża. Ale teraz wreszcie budynek wznosi się dokładnie według planu, a każda tafla szkła lśni niczym łuska jakiegoś gigantycznego węża.

Sven przerzuca dokumenty na biurku, wyławia spomiędzy nich zdjęcie i podaje je Liv. Kobieta spogląda na potężną konstrukcję otoczoną niebieskim parkanem, ale w jakiś trudny do określenia sposób noszącą już piętno Davida.

– Będzie cudowny. – Nie może się powstrzymać od uśmiechu.

– Miałem ci powiedzieć: zgodzili się umieścić w lobby pamiątkową tabliczkę z jego nazwiskiem.

– Naprawdę? – Wzruszenie ściska Liv za gardło.

– Tak. Jerry Goldstein powiedział mi w zeszłym tygodniu. Pomyśleli, że miło byłoby uczcić w jakiś sposób pamięć Davida. Bardzo go lubili.

Liv przez chwilę nic nie mówi; czeka, aż jej myśli się uspokoją.

– To… to wspaniale.

– Tak też sobie pomyślałem. Przyjdziesz na otwarcie?

– Z radością.

– Świetnie. A jak tam inne sprawy?

Liv upija łyk kawy. Zawsze czuje się nieco skrępowana, rozmawiając ze Svenem o swoim życiu. Ma poczucie, że ten brak kierunku musi go rozczarowywać.

– Cóż, wygląda na to, że dorobiłam się współlokatorki. Jest to... ciekawe doświadczenie. Dalej biegam. W pracy za wiele się nie dzieje.

– Bardzo jest kiepsko?

Liv próbuje się uśmiechnąć.

– Szczerze? Prawdopodobnie lepiej bym zarabiała, pracując w fabryce w Bangladeszu.

Sven spuszcza wzrok na swoje dłonie.

– Nie... nie zastanawiałaś się nad rozejrzeniem się za innym zajęciem?

– Nie bardzo potrafię robić cokolwiek innego.

Liv od dawna wie, że zrezygnowanie z pracy i jeżdżenie wszędzie z Davidem to nie było z jej strony najmądrzejsze posunięcie. Kiedy jej znajomi powoli budowali sobie kariery i spędzali po dwanaście godzin w biurach, ona po prostu podróżowała z nim do Paryża, Sydney, Barcelony. Nie musiała pracować. Bycie cały czas z dala od niego wydawało się głupie. A potem do niczego się nie nadawała. Przez długi czas.

– Musiałam w zeszłym roku obciążyć dom hipoteką. I teraz nie nadążam ze spłatą. – Ostatnie zdanie wyrzuca z siebie niczym wyznanie grzesznika.

Sven jednak nie wygląda na zaskoczonego.

– Wiesz... gdybyś kiedykolwiek chciała go sprzedać, mógłbym bez problemu znaleźć kupca.

– Sprzedać?

– To duży dom jak dla jednej osoby. I... sam nie wiem. Jesteś tam strasznie odizolowana, Liv. To była dla Davida fantastyczna okazja do zdobywania architektonicznych szlifów, no i cudowna kryjówka dla was dwojga, ale czy nie sądzisz, że dobrze byłoby wrócić znów pomiędzy ludzi? Gdzieś, gdzie więcej się dzieje? Może jakieś miłe mieszkanko w środku Notting Hill albo Clerkenwell?

– Nie mogę sprzedać domu Davida.

– Dlaczego nie?

– Bo to byłoby po prostu nie w porządku.

Sven nie mówi tego, co jest oczywiste. Nie musi: widać to w sposobie, w jaki odchyla się na krześle, jak zamyka usta, powstrzymując się od komentarza.

– No cóż – odzywa się, opierając się znów o biurko. – Ja po prostu rzucam taką myśl.

Za jego plecami porusza się ogromny żuraw, żelazne dźwigary przecinają niebo, przemieszczając się w kierunku przepastnego miejsca na dach po drugiej stronie drogi. Kiedy firma Solberg Halston Architects się tu przeniosła, z okna widać było rząd obskurnych lokalików – bukmacher, pralnia, sklep z używaną odzieżą – z cegły w odcieniu brudnego brązu, z oknami zmatowiałymi od gromadzącego się latami kurzu i ołowiu. Teraz jest tam po prostu dziura. Niewykluczone, że następnym razem, gdy tu przyjdzie, Liv zupełnie nie rozpozna tego widoku.

– Jak tam dzieci? – pyta nagle. A Sven, z wyczuciem kogoś, kto zna ją od lat, taktownie zmienia temat.

W połowie comiesięcznego zebrania Paul zauważa, że Miriam, wspólna sekretarka jego i Janey, usiadła nie na krześle, tylko na dwóch dużych kartonach z teczkami. Siedzi niezgrabnie, nogi ma ustawione pod dziwnym kątem, usiłując utrzymać spódnicę na przyzwoitej wysokości, a plecami opiera się o kolejne pudła.

W pewnym momencie gdzieś w połowie lat dziewięćdziesiątych odzyskiwanie skradzionych dzieł sztuki stało się lukratywnym biznesem. W ich Agencji Poszukiwań i Restytucji nikt chyba się tego nie spodziewał i dlatego piętnaście lat później zebrania odbywają się w coraz bardziej zagraconym gabinecie Janey, łokcie zgromadzonych zahaczają o chwiejne sterty teczek albo pudełka z faksami i kserokopiami, a jeżeli w grę wchodzi spotkanie z klientem, przenoszą się na dół, do najbliższej kawiarni. Paul nieraz wspominał o tym, że powinni poszukać sobie nowego lokalu. Janey za każdym razem spogląda na niego tak, jakby pierwszy raz to słyszała, i mówi, że tak, tak, to dobry pomysł. A potem nic z tym nie robi.

– Miriam? – Paul wstaje i proponuje jej swoje krzesło, ona jednak odmawia.

– Naprawdę – mówi. – Tak jest w porządku. – Kilkakrotnie kiwa głową, jakby usiłowała przekonać samą siebie.

– Wpadasz do „Nierozwiązanych sporów 1996" – zauważa Paul. Ma ochotę dodać: I widzę, jaki masz kolor majtek.

– Naprawdę, całkiem mi wygodnie.

– Miriam. Poważnie, ja mogę sobie po prostu...

– Miriam nic nie jest, Paul. Naprawdę. – Janey poprawia okulary na nosie.

– O tak. Bardzo mi tu wygodnie. – Miriam nie przestaje kiwać głową, aż Paul odwraca wzrok. Ma wyrzuty sumienia.

– A więc taką mamy sytuację odnośnie do personelu i kwestii biurowych. A tak poza tym?

Sean, ich prawnik, referuje, co czeka ich w najbliższym czasie: apel do rządu hiszpańskiego o zwrot zrabowanego Velázqueza prywatnemu kolekcjonerowi, dwie wyjątkowe odzyskane rzeźby, możliwe zmiany w prawie dotyczącym roszczeń restytucyjnych. Paul odchyla się na krześle i opiera długopis o zeszyt.

I znów ma ją przed oczami, z tym zrezygnowanym uśmiechem. Nieoczekiwany wybuch jej śmiechu. Smutek w drobniutkich zmarszczkach wokół jej oczu. „Dawniej po pijaku byłam świetna w łóżku. Poważnie".

Paul nie chce przyznać się przed sobą do rozczarowania, jakie poczuł, kiedy wyszedł tamtego ranka z łazienki i przekonał się, że ona po prostu sobie poszła. Kołdra jego syna leżała równiutko, a w miejscu, gdzie znajdowała się ta dziewczyna, teraz był tylko jej brak. Żadnego liściku. Żadnego numeru. Nic.

– To wasza stała klientka? – zapytał od niechcenia Grega przez telefon.

– Nie. Pierwszy raz ją widziałem. Przykro mi, że cię w to wpakowałem, bracie.

– Nie ma sprawy – odparł Paul. Nie powiedział nawet Gregowi, żeby był czujny na wypadek, gdyby ona wróciła. Coś mówiło mu, że tak się nie stanie.

– Paul?

Z wysiłkiem wraca myślami do leżącego przed nim zeszytu A4.

– Yy… Cóż, jak wiecie, udało nam się uzyskać zwrot obrazu Nowickich. Zamierzają wystawić go na aukcji. Jest to dla nas oczywiście duża – yy – satysfakcja. – Ignoruje ostrzegawcze spojrzenie Janey. – A w tym miesiącu mam spotkanie w sprawie kolekcji figurek z Bonhams, nowy ślad w sprawie Lowry'ego, skradzionego z rezydencji w Ayrshire i… – Przerzuca papiery. – Ten francuski obraz, zrabowany podczas pierwszej wojny światowej, który objawił się w domu jakiegoś architekta w Londynie. Domyślam się, biorąc pod uwagę jego wartość, że łatwo z niego nie zrezygnują.

Ale sprawa wygląda na dosyć jasną, o ile uda nam się ustalić, że rzeczywiście został skradziony. Sean, gdybyś mógł poszukać jakichś precedensów w sprawach dotyczących pierwszej wojny światowej, tak na wszelki wypadek.

Sean gryzmoli coś w notatniku.

– Poza tym mam te zlecenia z zeszłego miesiąca, nad którymi dalej pracuję, i rozmawiam z ubezpieczycielami o tym, czy warto angażować się w ten nowy rejestr dzieł sztuki.

– Jeszcze jeden? – pyta Janey.

– Chodzi o redukcje w Wydziale do spraw Sztuki i Antyków – mówi Paul. – Ubezpieczyciele zaczynają się niepokoić.

– Ale to może być dobra wiadomość dla nas. A jak sytuacja ze Stubbsami?

Paul stuka długopisem o biurko.

– Utknęła w martwym punkcie.

– Sean?

– Ciężka sprawa. Szukam precedensu, ale to się może skończyć w sądzie.

Janey kiwa głową, a potem unosi ją na dźwięk telefonu Paula.

– Przepraszam – mówi Paul, wyszarpując go z kieszeni. Wpatruje się w nazwisko dzwoniącego. – Wybaczcie mi, chyba powinienem to odebrać. Sherrie. Cześć.

Czuje, jak spojrzenie Janey wwierca mu się w plecy, podczas gdy on ostrożnie wymija nogi kolegów i wchodzi do swojego gabinetu. Zamyka za sobą drzwi.

– Poważnie?… Jak się nazywa? Liv. Nie, wiem tylko tyle… Tak? A możesz ją opisać?… Tak, brzmi podobnie. Włosy ciemnoblond, może blond, do ramion. Kucyk?… Telefon, portfel… nie wiem co jeszcze. Nie ma adresu?… Nie. Jasne. Sherrie, możesz coś dla mnie zrobić? Czy ja mógłbym to odebrać?

Wygląda przez okno.

– Tak. Tak. Właśnie do mnie dotarło. – Chyba wymyśliłem, jak mogę to jej oddać.

– Halo?

– Czy to Liv?

– Nie.

Pauza.

– Yy… zastałem ją?

– Jesteś komornikiem?

– Nie.

– No, to wyszła.

– A wiesz, kiedy wróci?

– Na pewno nie jesteś komornikiem?

– Na pewno nie jestem komornikiem. Mam jej torebkę.

– Jesteś złodziejem? Bo jeśli chcesz ją szantażować, to tracisz czas.

– Nie jestem złodziejem. Ani komornikiem. Jestem człowiekiem, który znalazł jej komórkę i usiłuje oddać ją właścicielce. – Paul poluzowuje sobie kołnierzyk.

Długa pauza.

– Skąd masz ten numer?

– Miałem go w komórce. Pożyczyła ją ode mnie, żeby zadzwonić do domu.

– Byłeś z nią?

Paul czuje wewnątrz jakieś przyjemne ukłucie. Waha się przez chwilę, nie chce sprawiać wrażenia zbyt zainteresowanego.

– Czemu? Wspominała o mnie?

– Nie. – Odgłos gotującej się wody. – Jestem po prostu wścibska. Słuchaj, Liv udała się w swoją doroczną podróż za próg domu.

Jeśli wpadniesz koło czwartej, powinna już być z powrotem. A jak nie, to ja jej przekażę tę torebkę.

– A ty jesteś…?

Długa, podejrzliwa pauza.

– Kobietą, która przekazuje Liv skradzione torebki.

– Aha. To jaki jest adres?

– Nie wiesz? – Znów cisza. – Hmm. Zróbmy tak: przyjdź na róg Audley Street i Packers Lane i ktoś tam do ciebie wyjdzie…

– Nie jestem złodziejem torebek.

– Tak co chwilę twierdzisz. Zadzwoń, kiedy tam będziesz. – Paul słyszy, jak tamta myśli. – Gdyby nikt nie odbierał, po prostu przekaż ją kobiecie w kartonie przy tylnych drzwiach. Ma na imię Fran. A gdybyśmy zdecydowały się z tobą spotkać, to żadnych numerów. Mamy broń.

I nim on zdąży cokolwiek odpowiedzieć, dziewczyna się rozłącza. Paul siedzi przy biurku, wpatrując się w telefon.

Janey wchodzi do jego gabinetu bez pukania. Zaczęło go to drażnić, ten sposób, w jaki to robi. Ma wrażenie, jakby kobieta usiłowała go na czymś przyłapać.

– Ten obraz Lefèvre'a. Czy wysłaliśmy już pismo o wszczęciu dochodzenia?

– Nie. Sprawdzam jeszcze, czy był gdzieś wystawiany.

– Mamy aktualny adres właściciela?

– W redakcji tego czasopisma go nie zachowali. Ale to nic nie szkodzi, prześlę to do jego biura. Skoro jest architektem, to nie powinno być trudno go znaleźć. Firma pewnie nie jest na jego nazwisko.

– Dobrze. Właśnie dostałam wiadomość, że wysuwający roszczenie za kilka tygodni przyjeżdżają do Londynu i chcą się spotkać.

Byłoby świetnie, gdyby udało nam się do tego czasu uzyskać wstępną odpowiedź. Podałbyś mi jakiś termin?

– Tak zrobię.

Paul wpatruje się intensywnie w swój komputer, choć ma przed sobą tylko wygaszacz ekranu, aż wreszcie Janey orientuje się w sytuacji i wychodzi.

Mo jest w domu. Jej obecność jest dziwnie dyskretna, nawet biorąc pod uwagę szokującą czerń jej włosów i ubrań. Od czasu do czasu Liv budzi się o szóstej i słyszy, jak Mo chodzi cicho po mieszkaniu, szykując się do wyjścia na poranną zmianę w domu opieki. Obecność drugiej osoby w domu okazuje się nieoczekiwanie krzepiąca.

Mo codziennie gotuje albo przynosi jedzenie z restauracji, zostawiając w lodówce naczynia przykryte folią, a na stole w kuchni karteczki z nagryzmolonymi instrukcjami. „Podgrzewaj przez 40 min w 180 st. Wiązałoby się to z WŁĄCZENIEM PIEKARNIKA" i „DOKOŃCZ TO, BO JUTRO WYPEŁZNIE Z POJEMNIKA I NAS ZABIJE". W domu nie czuć już zapachu papierosów. Liv podejrzewa, że Mo niekiedy wymyka się na dymka na tarasie, ale nie pyta.

W ich trybie życia wykształcił się pewien porządek. Liv wstaje tak jak wcześniej, jej stopy uderzają o betonowy chodnik, głowę wypełnia jej hałas. Przestała kupować kawę, więc robi Fran herbatę, zjada grzanki i siada przy biurku, usiłując nie zamartwiać się brakiem zleceń. Obecnie jednak zauważa, że właściwie czeka na dźwięk klucza w zamku o piętnastej, na powrót Mo do domu. Mo nie zaproponowała, że będzie płacić czynsz – a Liv nie jest pewna, czy którakolwiek z nich chce mieć poczucie, że łączy je jakaś formalna umowa – ale dzień po tym, jak usłyszała o kradzieży torebki, na stole w kuchni pojawił się stosik pomiętych banknotów.

„Nadzwyczajny podatek komunalny", głosił towarzyszący mu liścik. „Nie rób o to od razu wielkiego halo".

Liv nie zrobiła nawet najmniejszego halo. Nie miała wyboru.

Piją razem herbatę i czytają bezpłatną londyńską gazetę, kiedy dzwoni telefon. Mo podnosi głowę jak węszący pies myśliwski, zerka na zegarek i mówi:

– A. Wiem, kto to.

Liv wraca do gazety.

– To ten facet z twoją torebką.

Kubek Liv nieruchomieje w pół drogi do ust.

– Co?

– Zapomniałam ci powiedzieć. Dzwonił wcześniej. Powiedziałam mu, żeby czekał na rogu, to do niego zejdziemy.

– Jaki facet?

– Nie wiem. Sprawdziłam tylko, czy to nie komornik.

– O Boże. On naprawdę ją ma? Myślisz, że będzie chciał znaleźne? – Liv przetrząsa kieszenie. Ma cztery funty w monetach i trochę miedziaków, które trzyma teraz na wyciągniętej ręce. – Nie za dużo, co?

– Poza usługami seksualnymi nie masz chyba nic więcej do zaoferowania.

– Czyli cztery funty.

Ruszają do windy, Liv ściska pieniądze. Mo uśmiecha się krzywo.

– Co?

– Tak sobie pomyślałam. Śmiesznie by było, gdybyśmy my ukradły torbę jemu. Wiesz, napadły na niego. Dziewczyny bandziorki. – Chichocze. – Ukradłam kiedyś kredę z poczty. Mam wprawę.

Liv jest zbulwersowana.

– No co? – pyta Mo posępnie. – Miałam siedem lat.

Stoją w milczeniu, a winda zatrzymuje się na parterze. Kiedy drzwi się otwierają, Mo mówi:

– Mogłybyśmy bez problemu dać nogę. On nie zna twojego adresu.

– Mo… – zaczyna Liv, ale wychodząc z budynku, widzi mężczyznę na rogu, kolor jego włosów, sposób, w jaki przeczesuje je ręką, i odwraca się błyskawicznie z płonącymi policzkami.

– Co? Dokąd idziesz?

– Nie mogę tam wyjść.

– Dlaczego? Widzę twoją torebkę. Facet wygląda w porządku. Chyba to nie bandyta. Ma na sobie buty. Żaden bandyta nie chodzi w butach.

– Weźmiesz ją dla mnie? Proszę… ja nie mogę z nim rozmawiać.

– Dlaczego? – Mo przygląda jej się badawczo. – Czemu zrobiłaś się taka czerwona?

– Posłuchaj, spałam u niego. To jest po prostu krępujące.

– O mój Boże. Bzyknęłaś się z tym facetem.

– Wcale nie.

– Pewnie, że tak. – Mo mruży oczy. – Albo chciałaś. CHCIAŁAŚ. Przejrzałam cię w pół sekundy.

– Mo, czy możesz po prostu wziąć dla mnie tę torbę? Powiedz mu tylko, że mnie nie ma. Proszę?

I zanim Mo zdąży coś odpowiedzieć, Liv jest już z powrotem w windzie i gorączkowo wciska guzik, a w jej głowie kłębi się milion myśli. Kiedy dojeżdża do Szklanego Domu, opiera czoło o drzwi i słucha, jak wali jej serce.

Mam trzydzieści lat, mówi sobie.

Za nią otwierają się drzwi od windy.

– O Boże, dzięki, Mo, ja…

Przed nią stoi Paul McCafferty.

– Gdzie jest Mo? – pyta niemądrze Liv.

– To twoja współlokatorka? Jest… niebanalna.

Liv nie jest w stanie mówić. Język spuchł jej tak, że wypełnia całe wnętrze ust. Podnosi rękę do włosów – ma świadomość, że ich nie umyła.

– No, mniejsza z tym – mówi mężczyzna. – Hej.

– Cześć.

Paul wyciąga rękę.

– Twoja torebka. To twoja torebka, prawda?

– Nie mogę uwierzyć, że ją znalazłeś.

– Dobrze sobie radzę ze znajdywaniem różnych rzeczy. Taką mam pracę.

– A. Tak. Były gliniarz. No, to dziękuję. Naprawdę.

– Była w koszu na śmieci, jeśli cię to interesuje. Razem z dwiema innymi. Pod biblioteką uniwersytecką. Znalazł je dozorca i zaniósł wszystkie na policję. Obawiam się, że twoje karty i telefon przepadły… Za to dobra wiadomość jest taka, że gotówka była nadal w środku.

– Co?

– No. Niebywałe. Dwieście funtów. Sprawdziłem.

Uczucie ulgi zalewa Liv niczym ciepła kąpiel.

– Naprawdę? Zostawili pieniądze? Nie rozumiem.

– Ja też. Jedyne, co mi przychodzi do głowy, to że wypadły z portfela, kiedy tamci go otworzyli.

Liv bierze torebkę i ją przetrząsa. Dwieście funtów jest gdzieś na dnie, razem z jej szczotką do włosów, książką, którą czytała tamtego ranka, i zabłąkaną szminką.

– Nigdy nie słyszałem, żeby coś takiego się zdarzyło. No, ale przydadzą się, nie? Jedno zmartwienie mniej.

Paul się uśmiecha. Nie takim współczującym uśmiechem w rodzaju och-ty-biedna-pijaczko-co-się-do-mnie-przystawiałaś, tylko uśmiechem kogoś, kto się z czegoś autentycznie cieszy.

Liv orientuje się, że go odwzajemnia.

– To po prostu… niesamowite.

– To co, dostanę cztery funty znaleźnego? – Liv mruga powiekami. – Mo mi powiedziała. Żartowałem. Naprawdę. – Śmieje się. – Ale… – Przez chwilę przygląda się swoim stopom. – Liv, umówiłabyś się kiedyś ze mną? – A gdy ona od razu nie odpowiada, mężczyzna dodaje: – To nie musi być nic wielkiego. Moglibyśmy się nie upijać. Ani nie iść do baru dla gejów. Moglibyśmy nawet sobie pospacerować, trzymając swoje własne klucze, i nie dać sobie ukraść żadnej torby.

– Dobrze – mówi Liv powoli i zauważa, że znów się uśmiecha. – Byłoby miło.


Paul McCafferty pogwizduje sobie przez całą drogę w dół tą hałaśliwą, rozklekotaną windą. Kiedy dociera na parter, wyciąga z kieszeni potwierdzenie wypłaty, zgniata je w kulkę i wyrzuca do najbliższego kosza.

# 16

Spotykają się cztery razy. Za pierwszym idą na pizzę i Liv pije tylko wodę mineralną do momentu, gdy uznaje, że on naprawdę nie uważa jej za pijaczkę, i wtedy pozwala sobie na jeden dżin z tonikiem. Jest to najlepszy dżin z tonikiem, jaki kiedykolwiek piła. Paul odprowadza ją do domu i już wygląda na to, że zaraz sobie pójdzie, ale potem po krótkiej i lekko niezręcznej chwili całuje ją w policzek i oboje się śmieją, jakby mieli świadomość, że to wszystko jest nieco krępujące. Liv bez zastanowienia nachyla się i całuje go, jak należy, krótko, ale wymownie. Można z tego pocałunku wyczytać to i owo na jej temat. I potem ona ma uczucie, że trochę brakuje jej tchu. A on idzie do windy tyłem i kiedy drzwi się zamykają, wciąż uśmiecha się szeroko.

Podoba jej się.

Za drugim razem idą na koncert zespołu poleconego przez jego brata i jest okropnie. Po dwudziestu minutach Liv z pewną ulgą zdaje sobie sprawę, że on także uważa, iż jest okropnie, a kiedy pyta ją, czy chce wyjść, orientują się, że trzymają się za ręce, żeby tłum ich nie rozdzielił, gdy przepychają się do wyjścia. Z jakichś powodów nie przestają się trzymać aż do chwili, kiedy docierają do jego mieszkania. Tam rozmawiają o tym, jak byli dziećmi, o zespołach, które lubią, o rasach psów i o tym, jak straszne są cukinie, a potem całują się na kanapie, aż Liv czuje, że ma nogi jak z waty. Przez dwa następne dni jej podbródek jest intensywnie różowy.

Parę dni później Paul dzwoni do niej w porze lunchu i mówi, że akurat przechodził koło pobliskiej kawiarni i czy może ona ma ochotę na szybką kawę.

– Naprawdę tędy przechodziłeś? – pyta Liv po tym, jak kawa z ciastkiem przeciągnęła się najbardziej, jak tylko to możliwe w ramach jego przerwy na lunch.

– Jasne – odpowiada on, a potem, ku jej zachwytowi, uszy mu różowieją. Paul zauważa, że ona na niego patrzy, i podnosi rękę do lewego ucha. – A. Rany. Zupełnie nie umiem kłamać.

Za czwartym razem idą do restauracji. Ojciec dzwoni do Liv tuż przed deserem i mówi, że Caroline znów od niego odeszła. Zawodzi w słuchawce tak głośno, że Paul dosłownie podskakuje po drugiej stronie stolika.

– Muszę jechać – stwierdza Liv i dziękuje mu za pomoc. Nie jest gotowa na spotkanie tych dwóch mężczyzn, szczególnie wobec możliwości, że ojciec nie będzie miał na sobie spodni.

Kiedy pół godziny później dociera do niego do domu, Caroline jest już na miejscu.

– Zapomniałem, że dziś ma zajęcia z rysowania z natury – tłumaczy zmieszany ojciec.

Paul nie próbuje posunąć się dalej. Liv zastanawia się przez chwilę, czy za dużo mówi o Davidzie; czy może w jakiś sposób sprawia wrażenie nieprzystępnej. Ale potem myśli, że może po prostu on zachowuje się jak dżentelmen. Kiedy indziej znów myśli niemal z oburzeniem, że David jest częścią jej historii i że jeżeli Paul chce z nią być, to cóż, będzie musiał to zaakceptować. Odbywa z nim kilka rozmów w wyobraźni oraz dwie wyobrażone kłótnie.

Budzi się, myśląc o nim, o tym, jak on pochyla się ku niej, gdy jej słucha, jakby nie chciał uronić ani słowa, o tym, jak włosy na skroniach ma przedwcześnie posiwiałe, i o jego niebieskich jak ocean oczach. Zapomniała już, jak to jest budzić się z myślą o kimś, chcieć być fizycznie blisko niego, czuć lekki zawrót głowy na wspomnienie zapachu jego skóry. Nadal ma za mało zleceń, ale mniej jej to przeszkadza. Czasem w ciągu dnia dostaje od niego esemesa i słyszy go wypowiadanego z amerykańskim akcentem.

Obawia się okazać Paulowi McCafferty'emu, jak bardzo go lubi. Boi się, że zrobi coś nie tak: wygląda na to, że zasady zmieniły się w ciągu tych dziewięciu lat, które upłynęły od jej ostatniej randki. Słucha Mo i jej beznamiętnych spostrzeżeń na temat portali randkowych, „przyjaźni na rozszerzonych zasadach", tego, co wypada, a co nie wypada w łóżku – jak to powinna się depilować, przystrzygać i znać „techniki" – i czuje się tak, jakby słuchała kogoś mówiącego po chińsku.

Trudno jest jej połączyć Paula McCafferty'ego z propagowanym przez Mo obrazem mężczyzn: obleśnych, nieuczciwych, samolubnych leni z obsesją na punkcie porno. On jest spokojny i prostolinijny, sprawia wrażenie otwartej księgi. To dlatego, jak mówi, wspinanie się po szczeblach kariery w specjalistycznej jednostce nowojorskiej policji mu nie odpowiadało.

– Im wyżej człowiek się wdrapie, tym bardziej wszystkie zasady się zacierają, a to, co czarne albo białe, robi się coraz bardziej szare.

Jedyna sytuacja, w której sprawia wrażenie niepewnego i zaczyna mówić z wahaniem, to kiedy rozmawiają o jego synu.

– Rozwody są do kitu – stwierdza. – Wszyscy mówimy sobie, że dzieciom nic nie będzie, że tak jest lepiej, niż żeby dwoje nieszczęśliwych ludzi na siebie wrzeszczało, ale nigdy nie mamy odwagi zapytać ich, jaka jest prawda.

– Prawda?

– Czego one chcą. Bo znamy odpowiedź. I byłaby dla nas ciosem. – Paul zapatrzył się gdzieś w przestrzeń, lecz kilka sekund później na jego twarz wrócił uśmiech. – Tak czy siak, Jake jest świetny. Naprawdę świetny. Znacznie lepszy, niż oboje sobie zasłużyliśmy.

Liv podoba się jego amerykańskość, która sprawia, że mężczyzna jest w pewien sposób inny i zupełnie nieporównywalny z Davidem. Paula cechuje wrodzona kurtuazja; należy do mężczyzn, którzy instynktownie otwierają przed kobietą drzwi, nie dlatego, żeby wykonać jakiś rycerski gest, ale dlatego, że nie przyszłoby im do głowy nie otworzyć ich, skoro ktoś potrzebuje przejść. Ma w sobie jakiś rodzaj naturalnego autorytetu: ludzie dosłownie schodzą mu z drogi, kiedy idzie ulicą. Nie wydaje się tego świadomy.

– O Boziu, ale cię trafiło – podsumowuje Mo.

– Co? Tak tylko mówię. Przyjemnie jest spędzać czas z kimś, kto jest taki…

Mo chrząka.

– Facet w tym tygodniu zaliczy bzykanko, nie widzę inaczej.

Tylko że Liv do tej pory nie zaprosiła go do Szklanego Domu. Mo wyczuwa jej wahanie.

– No dobra, Roszpunko. O ile nie zamierzasz zostać na wieki w tej swojej wieży, to będziesz musiała pozwolić jakiemuś księciu dotknąć twoich włosów.

– Sama nie wiem…

– Tak też sobie myślałam – mówi Mo. – Powinnyśmy poprzestawiać trochę rzeczy w twoim pokoju. Zmienić coś w tym domu. Inaczej zawsze będziesz się czuła, jakbyś sprowadzała kogoś do domu Davida.

Liv podejrzewa, że będzie się tak czuła niezależnie od ustawienia mebli. Ale we wtorek po południu, kiedy Mo ma wolne, przesuwają łóżko na drugą stronę pokoju, stawiając je pod betonową ścianą w kolorze alabastru, która przebiega przez środek domu jak architektoniczny kręgosłup. Nie jest to naturalne miejsce dla łóżka, gdyby ktoś chciał się czepiać, jednak Liv musi przyznać, że fakt, iż wszystko wygląda jakoś inaczej, ma w sobie coś ożywczego.

– No dobrze – odzywa się Mo, patrząc na *Dziewczynę, którą kochałeś*. – Ten obraz trzeba powiesić gdzieś indziej.

– Nie. Zostaje tutaj.

– Ale mówiłaś, że kupił ci go David. A to oznacza...

– Nic mnie to nie obchodzi. Ona zostaje. A zresztą... – Liv spogląda na kobietę w ramie przez zmrużone oczy. – Myślę, że w salonie wyglądałaby dziwnie. Jest zbyt... intymna.

– Intymna?

– Ona jest... seksowna. Nie uważasz?

Mo przygląda się portretowi.

– Osobiście tego nie widzę. Szczerze mówiąc, gdyby to był mój pokój, to dałabym tam gigantyczny telewizor z płaskim ekranem.

Mo wychodzi, a Liv patrzy na obraz i pierwszy raz nie czuje ukłucia żalu. „A ty jak myślisz?", pyta dziewczynę. „Czy to już czas, żeby w końcu iść naprzód?"


W piątek rano wszystko zaczyna się psuć.

– Czyli masz jakiegoś gorącego faceta! – Ojciec robi krok w przód i zamyka ją w niedźwiedzim uścisku. Jest pełen *joie de vivre*, wylewny i mądry. Znowu mówi wykrzyknikami. Jest także ubrany.

– To po prostu... Tato, nie chcę robić z tego wielkiej afery.

– Ależ to cudownie! Jesteś piękną młodą kobietą! Tak właśnie obmyśliła to natura: powinnaś wychodzić do ludzi, stroszyć piórka, błyszczeć!

– Nie mam piórek, tato. – Liv upija łyk herbaty. – I nie jestem przekonana co do tego błyszczenia.

– Co planujesz założyć? Coś trochę bardziej kolorowego? Caroline, co powinna włożyć?

Caroline wchodzi do kuchni, upinając długie rude włosy. Pracowała nad swoim gobelinem i czuć ją z lekka owcami.

– Ona ma trzydzieści lat, Michael. Potrafi sama wybierać sobie ubrania.

– Ale popatrz tylko, jak ona się zakrywa! Wciąż hołduje estetyce Davida: same czernie, szarości i bezkształtne rzeczy. Powinnaś wziąć przykład z Caroline, kochanie. Spójrz, co za kolory! Tak ubrana kobieta przyciąga wzrok…

– Twój wzrok przyciągnęłaby nawet kobieta przebrana za jaka – mówi Caroline, włączając czajnik. W jej głosie jednak nie słychać goryczy. Ojciec staje za nią i przytula się do jej pleców. Przymyka oczy z wyrazem ekstazy.

– My, mężczyźni… jesteśmy pierwotnymi stworzeniami. Nasz wzrok nieodmiennie przyciąga to, co kolorowe i piękne. – Otwiera jedno oko i przygląda się Liv. – Może… może przynajmniej mogłabyś założyć coś trochę mniej męskiego.

– Męskiego?

Ojciec robi krok w tył.

– Wielki czarny sweter. Czarne dżinsy. Zero makijażu. Osobiście nie określiłbym tego jako zmysłową kobiecość.

– Załóż to, w czym będziesz się dobrze czuła, Liv. Nie zwracaj na niego uwagi.

– Myślicie, że wyglądam męsko?

– Przypominam ci, że poznałaś go w barze dla gejów. Może lubi kobiety, które wyglądają nieco… chłopięco.

– Ależ z ciebie stary dureń – stwierdza Caroline i wychodzi z pokoju, niosąc wysoko swój kubek.

– Czyli wyglądam jak lesbijka-babochłop.

– Ja tylko mówię, że mogłabyś trochę bardziej podkreślić swoje atuty. Może podkręcić włosy. Założyć pasek, pochwalić się talią…

Caroline wsuwa znów głowę przez drzwi.

– Nieważne, co na siebie włożysz, kochanie. Zadbaj tylko, żeby mieć dobrą bieliznę. Koniec końców tylko to się liczy.

Ojciec patrzy, jak Caroline znika, i posyła jej w powietrzu pocałunek.

– Bielizna! – mówi z czcią.

Liv spogląda w dół, na swoje ubranie.

– No, dzięki, tato. Super się teraz czuję. Po prostu… super.

– Cała przyjemność po mojej stronie. Do usług. – Mężczyzna wali dłonią w sosnowy blat stołu. – I daj znać, jak poszło! Randka! Co za emocje!


Liv wpatruje się w siebie w lustrze. Minęły trzy lata od ostatniego razu, kiedy jakiś mężczyzna oglądał jej nagie ciało, a cztery od czasu, gdy je oglądał, a ona była na tyle trzeźwa, żeby się tym przejmować. Postąpiła zgodnie ze wskazówkami Mo: wydepilowała niemal całe owłosienie na ciele, zrobiła peeling twarzy, nałożyła na włosy odżywkę. Przetrząsnęła całą szufladę z bielizną, aż wreszcie znalazła coś, co można określić jako na swój sposób kuszące i niezszarzałe ze starości. Pomalowała paznokcie u stóp i wypiłowała te u rąk, zamiast po prostu zaatakować je obcinaczem.

David nigdy nie zwracał uwagi na takie rzeczy. Ale Davida już tu nie ma.

Przekopała się przez swoją szafę, przeglądając niezliczone wieszaki z czerniami i szarościami, neutralnymi czarnymi spodniami i swetrami. Musi przyznać, że to wszystko jest głównie praktyczne. Wreszcie zdecydowała się na czarną ołówkową spódnicę i sweter z dekoltem w serek. Zestawiła je z parą czerwonych szpilek z motylkami na wysokości palców, które kupiła i założyła tylko raz, na wesele, ale jakoś nigdy ich nie wyrzuciła. Może nie jest to ostatni krzyk mody, ale nikt nie uznałby ich za obuwie lesbijki-babochłopa.

– Wow! Ale wyglądasz! – W drzwiach staje Mo z plecakiem zarzuconym na ramię, gotowa do wyjścia do pracy.

– Czy to przesada? – Liv z powątpiewaniem wysuwa przed siebie kostkę.

– Wyglądasz świetnie. Nie masz na sobie babcinych majtek, co? Liv wciąga powietrze.

– Nie, nie mam na sobie babcinych majtek. Chociaż właściwie nie czuję się w obowiązku informować na bieżąco wszystkich wokół o swoich decyzjach w sprawie bielizny.

– W takim razie do dzieła, tylko postaraj się nie rozmnożyć. Zostawiłam ci to danie z kurczakiem, co obiecałam, w lodówce jest miska z sałatką. Dodaj tylko sos. Ja dziś nocuję u Ranica, więc nie będę się wam plątać pod nogami. Cały dom do waszej dyspozycji. – Mo uśmiecha się do Liv znacząco, a potem zbiega po schodach.

Liv odwraca się znów w stronę lustra. Patrzy na nią kobieta w spódnicy i z przesadnym makijażem. Liv robi kilka kroków po pokoju, trochę niepewnie przez te nowe buty, usiłując zrozumieć, co ją tak niepokoi. Spódnica leży idealnie. Dzięki regularnemu bieganiu nogi są zgrabne i ładnie wyrzeźbione. Buty stanowią dobry akcent kolorystyczny, kontrastujący z resztą stroju. Bielizna jest seksowna, ale nie wyzywająca. Liv krzyżuje ramiona na piersiach i siada na brzegu łóżka. Paul ma tu być za godzinę.

Kobieta podnosi wzrok na *Dziewczynę, którą kochałeś*. Chcę wyglądać tak jak ty, mówi jej bezgłośnie.

Po raz pierwszy nie znajduje w tym uśmiechu nic dla siebie. Wydaje się niemal drwiący.

Ten uśmiech mówi: nie masz szans.

Liv na dłuższą chwilę zamyka oczy. A potem bierze do ręki telefon i pisze do Paula:

Zmiana planów. Czy moglibyśmy jednak pójść gdzieś na drinka?

– Czyli… masz dosyć gotowania? Bo mogłem zamówić coś na wynos.

Paul odchyla się na krześle, zerkając w stronę grupki rozwrzeszczanych pracowników biurowych, którzy sprawiają wrażenie, jakby spędzili tam całe popołudnie, sądząc po ogólnej atmosferze pijackiej zalotności. Widać, że budzą w nim ciche rozbawienie, te drapieżne kobiety, ten księgowy drzemiący w kącie.

– Ja… po prostu musiałam wyrwać się na trochę z domu.

– A, no tak. Praca z domu, jasna sprawa. Zapominam, jak to potrafi doprowadzić człowieka do szaleństwa. Kiedy mój brat się tutaj przeprowadził, spędził kilka tygodni u mnie, pisząc listy motywacyjne, i gdy wracałem z pracy, dosłownie gadał do mnie non stop przez godzinę.

– Razem przyjechaliście z Ameryki?

– On tu przyleciał, żeby być przy mnie, kiedy się rozwiodłem. Byłem wtedy w kiepskim stanie. No, a potem już tam po prostu nie wrócił.

Paul mieszka w Anglii od dziesięciu lat. Jego żona Angielka była bardzo nieszczęśliwa, tęskniła za domem, zwłaszcza gdy Jake był malutki, więc on zrezygnował dla niej z pracy w nowojorskiej policji.

– Kiedy się tu znaleźliśmy, okazało się, że problem jest z nami, a nie z miejscem. O, patrz. Gość w granatowym garniturze będzie próbował poderwać dziewczynę z tą świetną fryzurą.

Liv upija łyk drinka.

– To nie są prawdziwe włosy.

Paul mruży oczy.

– Co? Chyba żartujesz. To peruka?

– Są przedłużane. To widać.

– Ja nie widzę. A teraz mi powiesz, że piersi też ma sztuczne, tak?

– Nie, prawdziwe. Cierpi na czworocyc.

– Czworocyc?

– Za mały stanik. Wygląda przez to, jakby miała cztery.

Paul śmieje się tak bardzo, że zaczyna się krztusić. Nie pamięta, kiedy ostatnio śmiał się aż tak. Liv uśmiecha się do niego niemal niechętnie. Zachowuje się dziś trochę dziwnie, jakby wszystkie jej reakcje spowalniała jakaś tocząca się wewnątrz niej oddzielna rozmowa.

Paulowi udaje się opanować.

– No więc jak sądzisz? – mówi, próbując pomóc jej się odprężyć. – Czy dziewczyna z czworocycem na to pójdzie?

– Może po jeszcze jednym drinku. Nie jestem pewna, czy on jej się naprawdę podoba.

– Tak. Ciągle zerka przez ramię, gdy z nim rozmawia. Chyba woli tego w szarych butach.

– Żadna kobieta nie woli szarych butów. Możesz mi wierzyć.

Paul unosi brew i odstawia drinka.

– I widzisz, właśnie dlatego mężczyznom łatwiej jest rozbijać atomy i najeżdżać na cudze kraje niż próbować pojąć, co się dzieje w głowach kobiet.

– Pff. Jak będziesz miał szczęście, to któregoś dnia pozwolę ci zajrzeć do regulaminu. – Paul spogląda na nią, a Liv się rumieni, jakby powiedziała za dużo. Nagle zapada dziwnie niezręczna cisza. Kobieta wbija wzrok w swój kieliszek. – Tęsknisz za Nowym Jorkiem?

– Lubię tam wpadać. Teraz kiedy wracam do domu, wszyscy nabijają się z mojego akcentu.

Liv sprawia wrażenie, jakby słuchała go jednym uchem.

– Niepotrzebnie masz taką przejętą minę – mówi Paul. – Naprawdę. Dobrze mi tutaj.

– Och. Nie. Przepraszam. Nie chciałam… – Głos więźnie jej w gardle. Następuje długa cisza. A potem Liv podnosi na niego wzrok i odzywa się, opierając palec na brzegu kieliszka. – Paul… Chciałam cię poprosić, żebyś przyszedł dziś do mnie. Chciałam, żebyśmy… Ale ja… ja po prostu… Jest za wcześnie. Nie mogę. Nie jestem w stanie. Dlatego odwołałam tę kolację. – Słowa padają bezładnie. Liv czerwieni się aż po cebulki włosów.

Paul otwiera usta, a później je zamyka. Nachyla się ku niej i mówi cicho:

– Wystarczyłoby „Nie jestem głodna".

Oczy Liv rozszerzają się, a ona garbi się lekko nad stolikiem.

– O Boże. Randka z kimś takim jak ja to chyba jakiś koszmar, prawda?

– Może troszkę przesadzasz ze szczerością.

Liv jęczy.

– Przepraszam. Nie mam pojęcia, co…

Paul pochyla się i lekko dotyka jej ręki. Chce, żeby przestała tak się przejmować.

– Liv – mówi spokojnie. – Podobasz mi się. Uważam, że jesteś wspaniała. Ale naprawdę rozumiem, że przez długi czas żyłaś w pojedynkę. I nie… ja nie… – Jemu także brakuje słów. Ma wrażenie, że jest za wcześnie na taką rozmowę. A w dodatku gdzieś pod tym wszystkim mimo woli zmaga się z uczuciem zawodu. – Ech, nieważne! Masz ochotę na pizzę? Bo ja konam z głodu. Chodźmy coś zjeść i wprawiać się w zakłopotanie gdzie indziej.

Czuje jej kolano tuż przy swoim.

– Wiesz, ja mam w domu jedzenie.

Paul zaczyna się śmiać. I przestaje.

– Dobrze. No więc teraz nie wiem, co powiedzieć.

– Powiedz: „To byłoby super". A potem możesz dodać: „Liv, a teraz zamknij się, proszę, zanim jeszcze bardziej wszystko skomplikujesz".

– W takim razie byłoby to super – mówi Paul. Podaje jej płaszcz tak, żeby mogła się w niego wsunąć, a później wychodzą z pubu.

Tym razem nie idą w milczeniu. Coś się między nimi otworzyło, może za sprawą jego słów albo jej nagłego uczucia ulgi. Liv śmieje się prawie z wszystkiego, co on mówi. Przemykają pomiędzy turystami, bez tchu pakują się do taksówki, a kiedy on siada na tylnym siedzeniu, wyciągając ramię tak, żeby mogła się o nie oprzeć, ona wtula się w niego i wdycha jego czysty, męski zapach, i czuje lekki zawrót głowy na myśl o tym, jakie ma szczęście.

Dojeżdżają pod jej budynek, a Paul śmieje się z ich spotkania. Z Mo i jej przeświadczenia, że on jest złodziejem torebek.

– Nie wymigasz się od znaleźnego – mówi z kamienną twarzą. – Mo powiedziała, że należą mi się cztery funty.

– Mo uważa także, że nie ma nic niewłaściwego w dolewaniu płynu do naczyń do drinków klientom, którzy jej się nie spodobali.

– Płynu do naczyń?

– Podobno od tego siusiają przez całą noc. Mo w ten sposób zabawia się w Boga z romantycznymi oczekiwaniami swoich gości. Nie chcesz wiedzieć, co robi z kawą ludzi, którzy naprawdę ją zdenerwowali.

Paul z podziwem kręci głową.

– Mo się marnuje w tej robocie. Świat zorganizowanej przestępczości przyjąłby tę dziewczynę z otwartymi ramionami.

Wysiadają z taksówki i idą w stronę budynku. Powietrze jest chłodne, czuć w nim zbliżającą się jesień; zdaje się kąsać skórę Liv. Oboje pospiesznie chronią się w dusznym cieple holu. Liv czuje się teraz trochę głupio. W pewien sposób widzi, że przez ostatnie czterdzieści osiem godzin Paul McCafferty przestał być osobą i zaczął się stawać jakąś ideą, rzeczą. Symbolem jej własnej przemiany. To za duży ciężar jak na tak świeżą znajomość.

W uchu rozbrzmiewa jej głos Mo: „Rany, dziewczyno. Ty za dużo myślisz".

A potem, gdy Paul zatrzaskuje za nimi drzwi od windy, nagle zapada milczenie. Winda pnie się powoli w górę, klekocąc i brzęcząc, światło migocze tak jak zawsze. Mija pierwsze piętro, a do ich uszu dobiega odległe echo kroków kogoś, kto idzie schodami, i kilka taktów na wiolonczeli z czyjegoś mieszkania.

Liv jest dotkliwie świadoma jego bliskości w tej ciasnej przestrzeni, cytrusowego zapachu jego płynu po goleniu, tego, że jego ręka jeszcze przed chwilą obejmowała jej ramiona. Spuszcza wzrok i nagle żałuje, że przebrała się w tę niemodną spódnicę, w buty na płaskim obcasie. Żałuje, że nie założyła tych z motylkami.

Podnosi wzrok i widzi, że on się jej przygląda. Nie śmieje się. Wyciąga do niej rękę, a kiedy ona ją bierze, mężczyzna powoli przyciąga ją do siebie przez te dwa kroki, które dzielą ich w windzie, i pochyla twarz ku niej tak, że znajdują się tuż przy sobie. Ale jej nie całuje.

Jego niebieskie oczy niespiesznie przesuwają się po jej twarzy: po oczach, rzęsach, brwiach, wargach, aż Liv czuje się dziwnie obnażona. Czuje jego oddech na swojej skórze; jego usta są tak blisko, że mogłaby nachylić się do przodu i delikatnie je ugryźć.

Nadal jej nie całuje.

Po jej ciele przebiega dreszcz tęsknoty.

– Nie mogę przestać o tobie myśleć – mruczy mężczyzna.

– To dobrze.

Dotyka nosem jej nosa. Stykają się samymi czubkami warg. Liv czuje ciężar jego ciała przy swoim. Ma wrażenie, że nogi chyba zaczęły jej się trząść.

– Tak, to dobrze. To znaczy, nie, jestem przerażona. Ale w dobrym sensie. Ja… ja chyba…

– Nie mów już – mruczy on. Liv czuje jego słowa na swoich wargach, opuszki jego palców przesuwają się po jej szyi, a ona nie może wydobyć z siebie głosu.

A potem są na najwyższym piętrze i się całują. Mężczyzna szarpnięciem otwiera drzwi i chwiejnym krokiem wychodzą na zewnątrz, nadal do siebie przyciśnięci; pomiędzy nimi drży pożądanie. Ona ma rękę na jego plecach, pod koszulą, wchłania żar jego skóry. Wyciąga drugą rękę za siebie i szamocze się z zamkiem, aż wreszcie drzwi ustępują.

Oboje wpadają do mieszkania. Liv nie włącza światła. Zatacza się do tyłu, oszołomiona teraz jego ustami na jej ustach, jego dłońmi na jej talii. Pragnie go tak bardzo, że nogi ma jak z waty. Zderza się ze ścianą i słyszy, jak on cicho klnie.

– Tutaj – szepcze Liv. – Teraz.

Jego ciało, masywne, tuż przy niej. Są w kuchni. Księżyc wisi nad świetlikiem w dachu, oblewając pomieszczenie zimnym niebieskim światłem. Do środka wtargnęło coś niebezpiecznego, co jest ciemne, żywe i przepyszne. Liv waha się przez króciutką chwilę, a potem ściąga sweter przez głowę. Jest osobą, którą znała dawno temu, nieustraszoną, zachłanną. Nie odrywając wzroku od jego oczu, podnosi ręce i rozpina sobie bluzkę. Jeden, dwa, trzy guziki. Bluzka zsuwa się z jej ramion, tak że kobieta jest obnażona do talii. Jej naga skóra napina się w chłodnym powietrzu. Jego spojrzenie zsuwa się w dół po jej piersiach, a ona oddycha coraz szybciej. Wszystko się zatrzymuje.

W pomieszczeniu nie słychać nic poza rytmem ich oddechów. Liv czuje się jak zahipnotyzowana. Pochyla się do przodu i w tej krótkiej przerwie coś narasta, intensywne i wspaniałe, i oto się całują, pocałunkiem, na który czekała latami, takim, który nie myśli o zakończeniu. Liv wdycha zapach jego płynu po goleniu, jej myśli wirują, i nagle w głowie ma pustkę. Zapomina, gdzie są. On odsuwa się łagodnie i uśmiecha do niej.

– Co? – Liv ma szkliste spojrzenie, brak jej tchu.

– Ty. – Paul nie potrafi znaleźć słów. Uśmiech rozjaśnia jej twarz, a potem Liv całuje go, dopóki nie poczuje się zagubiona, oszołomiona, dopóki nie opuści jej rozsądek, aż wreszcie słyszy tylko narastający, uporczywy szum własnego pragnienia. Tutaj. Teraz. Jego ramiona obejmują ją coraz ciaśniej, Liv czuje jego wargi na swoim obojczyku. Wyciąga ku niemu ręce, oddech ma płytki i urywany, serce wali jej jak szalone, odczuwa wszystko z taką intensywnością, że drży, gdy jego palce przesuwają się po jej skórze. Ma ochotę śmiać się z radości. Paul zdziera koszulę przez głowę. Ich pocałunki są coraz głębsze, wyczerpujące. Mężczyzna sadza ją niezgrabnie na blacie, a ona obejmuje go nogami. On się nachyla, zadzierając jej spódnicę aż do pasa, ona wygina plecy w łuk i pozwala skórze zetknąć się z zimnym granitem, tak że patrzy na przeszklony sufit, z dłońmi wplątanymi w jego włosy. Wokół niej okiennice są otwarte, szklane ściany są jak okno wychodzące na nocne niebo. Liv wpatruje się w rozgwieżdżoną ciemność i myśli niemal z triumfem: Ja nadal żyję.

A potem zamyka oczy i zupełnie przestaje myśleć.

Jego głos przetacza się przez jej ciało niczym grom.

– Liv?

Obejmuje ją. Kobieta słyszy własny oddech.

– Liv?

Przebiega ją ostatni dreszcz.

– Wszystko w porządku?

– Przepraszam. Tak. Bardzo… bardzo dawno czegoś takiego nie czułam.

Jego ramiona obejmują ją ciaśniej; milcząca odpowiedź. Znów cisza.

– Zimno ci?

Liv uspokaja oddech i dopiero wtedy odpowiada.

– Lodowato.

Paul zsadza ją z blatu i sięga po swoją koszulę leżącą na podłodze, a następnie powoli otula nią Liv. Patrzą na siebie w mroku.

– No cóż… to było… – Liv chce powiedzieć coś dowcipnego, beztroskiego. Ale nie jest w stanie wydobyć z siebie głosu. Czuje się odrętwiała. Boi się go wypuścić, jakby on był jedyną kotwicą trzymającą ją przy ziemi.

Prawdziwy świat daje o sobie znać. Liv zdaje sobie sprawę z dźwięków dobiegających z ulicy, jakby zbyt głośnych, z chłodu wapienia pod swoimi stopami. Chyba zgubiła but.

– Chyba nie zamknęliśmy drzwi wejściowych – mówi, zerkając w stronę korytarza.

– Hm… mniejsza o but. Wiedziałaś, że nie masz dachu?

Liv podnosi wzrok. Nie pamięta, żeby go otwierała. Musiała przypadkiem wcisnąć guzik, kiedy wpadli do kuchni. Wokół nich sączy się jesienne powietrze, wywołując gęsią skórkę na jej obnażonym ciele, jakby ono także dopiero teraz zdało sobie sprawę, co się wydarzyło. Czarny sweter Mo zwisa z oparcia krzesła jak rozpostarte skrzydła lądującego sępa.

– Poczekaj – mówi Liv.

Przechodzi przez kuchnię i naciska guzik, słuchając szumu zamykającego się dachu. Paul wpatruje się w ogromny świetlik, potem przenosi wzrok na nią, a później powoli obraca się wokół własnej osi, gdy tymczasem jego oczy przyzwyczajają się do mroku i rejestrują otoczenie.

– No cóż, to… Zupełnie nie tego się spodziewałem.

– Dlaczego? Czego się spodziewałeś?

– Nie wiem… Ta cała sprawa z twoim podatkiem komunalnym… – Znów zerka na przeszklony sufit. – Jakiegoś zagraconego mieszkanka. Czegoś jak u mnie. To jest…

– Dom Davida. On go zbudował.

Przez twarz Paula przemyka cień.

– Och. Za dużo o nim mówię?

– Nie. – Paul rozgląda się po salonie i wydyma policzki. – Wolno ci. On… yy… to był chyba niezły gość.

Liv nalewa im po szklance wody, usiłując opanować uczucie skrępowania, gdy oboje się ubierają. Paul podaje jej bluzkę, żeby się w nią wsunęła. Spoglądają na siebie i niemal wybuchają śmiechem, nagle w jakiś perwersyjny sposób zawstydzeni we własnych ubraniach.

– No to... co teraz? Potrzebujesz przestrzeni? – Po czym dorzuca: – Muszę cię ostrzec: jeżeli chcesz, żebym sobie poszedł, to możliwe, że będziesz musiała poczekać, aż nogi przestaną mi się trząść.

Liv patrzy na Paula McCafferty'ego, na jego sylwetkę, już w tej chwili tak bardzo znajomą. Nie chce, żeby sobie poszedł. Chce położyć się przy nim, otoczona jego ramionami, z głową wtuloną w jego pierś. Chce się obudzić bez tego natychmiastowego, strasznego przymusu ucieczki od własnych myśli. Jest świadoma cienia wątpliwości – David – ale odpycha to od siebie. Przyszedł czas, by żyć tu i teraz. Jest czymś więcej niż dziewczyną, którą zostawił David.

Nie włącza światła. Bierze Paula za rękę i prowadzi go przez ciemny dom, po schodach w górę, do swojego łóżka.

Nie śpią. Godziny zmieniają się w cudowną mgłę splecionych rąk i nóg, i cichych głosów. Liv zapomniała już o tej nieopisanej radości, jaką daje wtulenie się w ciało, od którego nie potrafisz się oderwać. Czuje się tak, jakby ktoś napełnił ją świeżą energią, jakby zajmowała nową przestrzeń w atmosferze.

Jest szósta rano, kiedy zimna iskierka świtu wreszcie przesącza się do pokoju.

– To miejsce jest niesamowite – mruczy Paul, wyglądając przez okno. Ich nogi są splecione, jego pocałunki naznaczyły całą jej skórę. Liv czuje się odurzona szczęściem.

– Rzeczywiście. Chociaż tak naprawdę nie stać mnie na mieszkanie tutaj. – Liv spogląda na niego poprzez półmrok. – Jestem w bardzo kiepskiej sytuacji finansowej. Powiedziano mi, że powinnam to sprzedać.

– Ale ty nie chcesz.

– Bo mam poczucie, że to by była… jakby zdrada.

– No cóż, rozumiem, dlaczego nie chcesz go zostawić – mówi Paul. – Pięknie tu. I tak cicho. – Znów spogląda w górę. – Wow. Móc tak po prostu rozsunąć sobie dach, kiedy masz ochotę…

Liv wysuwa się częściowo z jego objęć, żeby móc zwrócić się w stronę długiego okna, oparłszy głowę o zgięcie jego ramienia.

– Czasem lubię rano patrzeć na barki płynące w stronę Tower Bridge. Spójrz. Kiedy światło jest takie jak trzeba, zmienia rzekę w płynne złoto.

– Płynne złoto, tak?

Milkną i na ich oczach pokój zaczyna usłużnie wypełniać się światłem. Liv spogląda na rzekę, patrzy, jak stopniowo się rozświetla, niczym nitka prowadząca do jej przyszłości. „Czy tak może być?", pyta. „Czy wolno mi być jeszcze raz tak szczęśliwą?"

Paul jest tak cicho, że Liv zastanawia się, czy w końcu nie usnął. Ale kiedy zwraca się w jego stronę, on patrzy na ścianę naprzeciwko łóżka. Wpatruje się w *Dziewczynę, którą kochałeś*, ledwie widoczną w świetle brzasku. Liv przekręca się na bok i przygląda mężczyźnie. Jest jak zaczarowany, jego oczy ani na chwilę nie odrywają się od obrazu, podczas gdy światło jest coraz mocniejsze. On ją rozumie, myśli Liv. Czuje ukłucie czegoś, co właściwie może być czystą radością.

– Podoba ci się?

Paul sprawia wrażenie, jakby jej nie słyszał.

Liv wtula się znów w niego, opiera twarz na jego ramieniu.

– Za kilka minut zobaczysz wyraźniej kolory. Nazywa się *Dziewczyna, którą kochałeś*. A w każdym razie my – ja – tak uważam. Z tyłu, na ramie jest taki napis. Ona... to jest moja ulubiona rzecz w całym domu. Właściwie ulubiona na całym świecie. – Urywa. – David dał mi ją podczas naszego miodowego miesiąca.

Paul milczy. Liv przesuwa palcem po jego ręce.

– Wiem, że to brzmi głupio, ale po jego śmierci po prostu nie chciałam w niczym uczestniczyć. Całymi tygodniami się stąd nie ruszałam. Ja... nie chciałam widzieć żadnych innych ludzi. Ale nawet kiedy było bardzo źle, w jej twarzy było coś takiego... To była jedyna twarz, na jaką byłam w stanie patrzeć. Była jak przypomnienie, że to przetrwam. – Liv wzdycha głęboko. – A potem, kiedy ty się pojawiłeś, zdałam sobie sprawę, że przypomina mi o czymś jeszcze. O dziewczynie, którą kiedyś byłam. Która nie martwiła się na okrągło. I która potrafiła się bawić, która po prostu... robiła różne rzeczy. O dziewczynie, którą chcę znów być.

Paul nadal milczy.

Powiedziała za dużo. Chce teraz, żeby Paul przysunął twarz do jej twarzy, chce poczuć na sobie jego ciężar.

Ale on nic nie odpowiada. Liv czeka przez chwilę, a potem mówi, tylko po to, by przerwać ciszę:

– To pewnie brzmi bez sensu... być tak przywiązanym do obrazu...

Kiedy on zwraca się ku niej, twarz ma dziwną: napiętą i wymizerowaną. Liv widzi to nawet w panującym wciąż półmroku. Paul przełyka ślinę.

– Liv... jak się nazywasz?

Kobieta robi minę.

– Liv. Przecież w...

– Nie. Nazwisko.

Mruga powiekami.

– Halston. Mam na nazwisko Halston. Ach tak. My chyba nigdy… – Nie rozumie, o co chodzi. Chce, żeby on przestał patrzeć na ten obraz. Nagle dociera do niej, że nastrój odprężenia zniknął i że jego miejsce zajęło coś dziwnego. Leżą w coraz bardziej niezręcznej ciszy.

Paul unosi rękę do głowy.

– Yy… Liv? Chyba będę się zbierał. Mam… mam do załatwienia parę rzeczy w związku z pracą.

Liv czuje się tak, jakby zabrakło jej tchu. Potrzebuje chwili, zanim będzie w stanie się odezwać, a kiedy to robi, głos ma dziwnie wysoki, obcy.

– O szóstej rano?

– Tak. Przykro mi.

– Ach. – Liv mruga oczami. – Aha. Tak.

Paul wyskakuje z łóżka i zaczyna się ubierać. Ona w oszołomieniu patrzy, jak on wciąga i zapina spodnie, w jakim dzikim tempie wrzuca na siebie koszulę. Kiedy jest już ubrany, odwraca się do niej, waha przez chwilę, po czym całuje ją szybko w policzek. Liv nieświadomie podciąga sobie kołdrę pod brodę.

– Jesteś pewny, że nie chcesz śniadania?

– Nie. Prze-przepraszam. – Nie uśmiecha się.

– Nic się nie stało.

On chce stąd wyjść jak najszybciej. Liv czuje, jak powoli ogarnia ją poczucie upokorzenia, niczym trucizna rozlewająca się po żyłach.

Dotarłszy do drzwi sypialni, mężczyzna ledwie jest w stanie spojrzeć jej w oczy. Potrząsa głową jak ktoś, kto usiłuje pozbyć się uporczywej muchy.

– Yy… Posłuchaj. Ja… ja do ciebie zadzwonię.

– Dobrze. – Liv stara się, żeby zabrzmiało to lekko. – Jak chcesz.

Kiedy drzwi się za nim zamykają, ona pochyla się do przodu:

– Mam nadzieję, że w pracy…

Liv z niedowierzaniem wpatruje się w miejsce, gdzie przed chwilą był on, a jej sztucznie pogodne słowa rozbrzmiewają echem w milczącym domu. Pustka zakrada się w przestrzeń, którą Paul McCafferty jakimś sposobem otworzył w jej wnętrzu.

17

Biuro jest puste, tak jak się spodziewał. Wbiega do środka, nad jego głową stare jarzeniówki mrugają i rozbłyskują niechętnie, a on kieruje się prosto do swojego gabinetu. Zaczyna przetrząsać sterty teczek i skoroszytów na biurku, nie zważając na to, że dokumenty rozsypują się po podłodze, aż wreszcie znajduje to, czego szukał. Następnie zapala lampkę i rozkłada przed sobą kserokopię artykułu, wygładzając ją dłońmi.

– Żebym się mylił – mruczy. – Żeby się tylko okazało, że coś mi się pomyliło.

Ściana Szklanego Domu jest tylko częściowo widoczna, ponieważ wizerunek obrazu został powiększony, tak żeby wypełnić kartkę A4. Ale ten obraz to bez wątpienia *Dziewczyna, którą kochałeś*. A na prawo od niej widać sięgające od podłogi do sufitu okno, które pokazała mu Liv, to wychodzące na Tilbury.

Paul przebiega wzrokiem fragment tekstu.

Halston zaprojektował pokój tak, by jego mieszkańców budziło poranne słońce. „Początkowo miałem zamiar umieścić tu system

277

ekranów chroniących w lecie przed światłem", mówi. „Okazuje się jednak, że kiedy człowiek budzi się naturalnie, jest mniej zmęczony. Więc do tej pory nie zadałem sobie trudu, żeby je tu wstawić".

Zaraz za główną sypialnią znajduje się japoński

W tym miejscu urywa się skserowany fragment. Paul wpatruje się w niego przez chwilę, a potem włącza komputer i wpisuje w wyszukiwarkę „DAVID HALSTON". Nerwowo bębni palcami po biurku, czekając, aż strona się załaduje.

Wiele znanych osobistości złożyło wczoraj hołd architektowi moderniście, Davidowi Halstonowi, który zmarł nagle w Lizbonie w wieku trzydziestu ośmiu lat. Wstępne raporty sugerują, że jego śmierć była wynikiem niezdiagnozowanej niewydolności serca. Przedstawiciele miejscowej policji nie przypuszczają, by istniały powody do podejrzeń.

Rodzina otoczyła opieką dwudziestosześcioletnią Olivię Halston, zamężną od czterech lat z wybitnym architektem i przebywającą z nim w chwili jego śmierci. Przedstawiciel brytyjskiego konsulatu w Lizbonie zaapelował o niezakłócanie rodzinie zmarłego spokoju podczas przeżywania żałoby.

Śmierć Halstona położyła kres błyskotliwej karierze, wyróżniającej się innowacyjnym wykorzystaniem szkła, i liczni architekci zgromadzili się wczoraj, by oddać cześć…

Paul powoli opuszcza się na krzesło. Przerzuca resztę dokumentów, po czym odczytuje jeszcze raz list od prawników rodziny Lefèvre.

jednoznaczna sprawa, która wziąwszy pod uwagę okoliczności, nie powinna być objęta przedawnieniem... skradziony z hotelu w St Péronne około roku 1917, wkrótce po tym jak żona artysty została uwięziona przez okupantów...

Mamy nadzieję, że APiR będzie w stanie zakończyć tę sprawę w sposób szybki i satysfakcjonujący. Nasz budżet przewiduje możliwość wypłacenia obecnym właścicielom pewnej sumy w ramach rekompensaty, jednak jej wysokość stanowić może jedynie niewielką część szacunkowej wartości dzieła w przypadku wystawienia go na aukcji.

Paul mógłby się założyć, że ona nie ma pojęcia, kto namalował ten obraz. Słyszy jej głos, nieśmiały i dziwnie dumny: „To jest moja ulubiona rzecz w całym domu. Właściwie ulubiona na całym świecie".

Ukrywa twarz w dłoniach. Nie podnosi jej, dopóki telefon na biurku nie zaczyna dzwonić.

Słońce wstaje nad równninym krajobrazem wschodniego Londynu, zalewając sypialnię bladym złotem. Ściany lśnią przez chwilę, niemal fosforyzujące światło odbija się od ich białych powierzchni, tak że kiedy indziej Liv jęknęłaby, zacisnęła powieki i schowała głowę pod kołdrą. Teraz jednak leży w wielkim łóżku zupełnie nieruchomo, pod karkiem ma dużą poduszkę i niewidzącym wzrokiem wpatruje się w poranne niebo.

Wszystko poszło nie tak.

Wciąż ma przed oczami jego twarz, ciągle słyszy słowa jego zawoalowanego odrzucenia. „Chyba będę się zbierał".

Leży tak od blisko dwóch godzin, z komórką w ręce, i zastanawia się, czy coś do niego napisać.

„Między nami wszystko w porządku? Miałam wrażenie, że nagle…"

„Przepraszam, jeśli za dużo mówiłam o Davidzie. Trudno mi zapamiętać, że nie każdy…"

„Dziękuję za cudowny wieczór. Mam nadzieję, że to tylko chwilowy nawał pracy. Jeśli masz czas w niedzielę, chętnie…"

„Co zrobiłam nie tak?"

Nie wysyła żadnej z tych wiadomości. Raz po raz odtwarza w głowie wszystkie etapy rozmowy, zastanawiając się nad każdym zwrotem, każdym słowem, skrupulatnie, niczym archeolog przesiewający kości. Czy to w tym momencie on zmienił zdanie? A może ona coś zrobiła? Czy chodziło o jakieś seksualne dziwactwo, z którego nie zdawała sobie sprawy? A może o samo przebywanie w Szklanym Domu? W domu, w którym wprawdzie nie było już żadnych jego przedmiotów, ale który cały był tak przesiąknięty Davidem, że równie dobrze mógłby mieć na sobie wyryty jego wielki wizerunek, jak napis wykuty w skale? Czy ona całkowicie nietrafnie odczytała zachowanie Paula? Za każdym razem, kiedy rozważa te potencjalne gafy, żołądek ściska się jej z niepokoju.

Lubiłam go, myśli Liv. Naprawdę go lubiłam.

A potem, wiedząc, że sen nie przyjdzie, wstaje z łóżka i cicho schodzi do kuchni. Pod powiekami czuje piasek, a reszta jej ciała jest jak wydrążona. Parzy kawę i siada przy kuchennym stole, dmuchając na nią, kiedy otwierają się drzwi wejściowe.

– Zapomniałam karty. O tej porze nie wejdę bez niej do domu opieki. Wybacz… zamierzałam zakraść się do środka, żeby wam nie przeszkadzać. – Mo zatrzymuje się i spogląda za plecy Liv, jakby kogoś szukała. – No i… co? Zjadłaś go?

– Wrócił do siebie.

Mo sięga do szafy i zaczyna przetrząsać kieszenie wiszącej w niej kurtki. Znajduje kartę i chowa ją u siebie.

– Słuchaj, Liv, będziesz musiała coś z tym zrobić. Cztery lata to za długo, żeby nie...

– Ja nie chciałam, żeby wychodził. – Liv przełyka ślinę. – To on uciekł.

Mo wybucha śmiechem i milknie nagle, uświadamiając sobie, że Liv mówi poważnie.

– Dosłownie wybiegł z sypialni. – Nic jej nie obchodzi, że brzmi to żałośnie: i tak nie może się już czuć gorzej niż w tej chwili.

– Przed czy po bzykanku?

Liv pociąga łyk kawy.

– Zgadnij.

– Aj. Aż tak źle było?

– Nie, było super. To znaczy, tak mi się zdawało. Chociaż z drugiej strony od pewnego czasu trudno mnie nazwać specjalistką w tej dziedzinie.

Mo rozgląda się po mieszkaniu, jakby szukała poszlak.

– Pochowałaś swoje zdjęcia Davida, tak?

– No przecież.

– I nie wykrzyknęłaś na przykład imienia Davida w kluczowym momencie?

– Nie. – Liv przypomina sobie, jak Paul ją obejmował. – Powiedziałam mu, że przy nim czuję się zupełnie nową osobą.

Mo ze smutkiem potrząsa głową.

– Oj, Liv. Niedobrze. Wygląda na to, że trafił ci się Toksyczny Kawaler.

– Co?

– Mężczyzna idealny. Szczery, troskliwy, usłużny. Świata poza tobą nie widzi, dopóki się nie zorientuje, że ty też go lubisz.

I wtedy zmyka gdzie pieprz rośnie. Jest taki typ bezbronnej, spragnionej czułości kobiety, który leci na niego jak ćma do ognia. Wychodziłoby na to, że to ty. – Mo marszczy brwi. – Chociaż przyznaję, że mnie zaskoczyłaś. Naprawdę nie sądziłam, że to taki facet.

Liv spuszcza wzrok na swój kubek. A potem mówi z obronną nutką w głosie:

– Niewykluczone, że wspomniałam coś o Davidzie. Kiedy pokazywałam mu obraz.

Oczy Mo się rozszerzają, a potem wznoszą ku sufitowi.

– No, wydawało mi się, że mogę być z nim szczera. Przecież on wie, przez co przeszłam. Myślałam, że to nie jest dla niego problem. – Liv słyszy, jak brzmi jej własny głos: nerwowo. – Mówił, że nie jest.

Mo wstaje i podchodzi do chlebaka. Sięga po kromkę, składa ją na pół i odgryza kęs.

– Liv, nie możesz być szczera na temat innych mężczyzn. Żaden facet nie chce słyszeć, jaki fantastyczny był ten przed nim, nawet jeżeli on już nie żyje. Równie dobrze mogłabyś wygłosić mu pogadankę „O największych penisach, z jakimi się zetknęłam”.

– Nie mogę udawać, że David nie jest częścią mojej przeszłości.

– Nie, ale nie musi być całą twoją teraźniejszością. – A kiedy Liv spogląda na nią spode łba, Mo dodaje: – Szczerze? Jesteś trochę jak zdarta płyta. Mam wrażenie, że nawet kiedy o nim nie mówisz, to myślisz, czy by czegoś o nim nie powiedzieć.

To mogło nawet być prawdą kilka tygodni temu. Ale nie teraz. Liv chce otworzyć nowy rozdział. Chciała otworzyć nowy rozdział z Paulem.

– No cóż. Nie ma to w tej chwili większego znaczenia, prawda? Wszystko popsułam. On tu już raczej nie wróci. – Upija łyk kawy.

Gorący płyn parzy ją w język. – Głupia byłam, że narobiłam sobie nadziei.

Mo kładzie jej rękę na ramieniu.

– Faceci są dziwni. Przecież gołym okiem było widać, w jakim jesteś stanie. O cholera, ale się zrobiło późno. Słuchaj, idź się teraz wybiegać. Ja wrócę o trzeciej, zadzwonię do restauracji, że jestem chora, i potem będziemy mogły sobie poprzeklinać i powymyślać różne średniowieczne tortury dla walniętych facetów, którzy sami nie wiedzą, czego chcą. Na górze mam plastelinę, lepię z niej sobie czasem laleczki wudu. Możesz naszykować wykałaczki? Albo jakieś szpikulce? Ja muszę lecieć.

Mo zgarnia zapasowe klucze, salutuje Liv złożoną kromką i znika, zanim ta zdąży wydobyć z siebie głos.

W ciągu ostatnich pięciu lat APiR zwróciła ponad dwieście czterdzieści dzieł sztuki właścicielom lub potomkom właścicieli, którzy byli przekonani, że nigdy więcej ich nie zobaczą. Paul nasłuchał się opowieści o wojennych okrucieństwach, historii bardziej przerażających niż cokolwiek, z czym zetknął się podczas pracy w nowojorskiej policji; powtarzanych z taką precyzją i wyrazistością, jakby wydarzyły się wczoraj, a nie sześćdziesiąt lat temu. Napatrzył się na cierpienie, niesione poprzez lata niczym drogocenne dziedzictwo, wypisane na twarzach tych, co zostawali z tyłu.

Trzymał za ręce staruszki, które płakały słodko-gorzkimi łzami, znalazłszy się w tym samym pomieszczeniu co portrecik skradziony ich zamordowanym rodzicom, widział milczący zachwyt na twarzach młodszych członków rodziny, po raz pierwszy patrzących na zaginiony przed laty obraz. Wykłócał się z dyrektorami wielkich państwowych galerii i przygryzał wargi, kiedy będące przedmiotem zaciekłych walk rzeźby wracały do rodzin, po czym natychmiast wystawiano je na sprzedaż. Niemniej przez większość czasu jego praca, w ciągu tych pięciu lat, od kiedy ją wykonywał, dawała mu poczucie, że jest po stronie jakiegoś podstawowego prawa. Słuchając opowieści pełnych grozy i zdrad, opowieści o rodzinach mordowanych i wysiedlanych podczas drugiej wojny światowej, jakby te zbrodnie wydarzyły się wczoraj, i wiedząc, że ich ofiary nadal muszą dzień po dniu żyć z tą niesprawiedliwością, cieszył się, iż może choćby w niewielkim stopniu przyczynić się do zrekompensowania im tego wszystkiego.

Nigdy dotąd nie musiał radzić sobie z niczym podobnym.

– Cholera – mówi Greg. – Ciężka sprawa.

Są na spacerze z psami Grega, dwoma nadpobudliwymi terierami. Poranek jest wyjątkowo zimny jak na tę porę roku i Paul żałuje, że nie założył jeszcze jednego swetra.

– Nie wierzyłem własnym oczom. Ten sam obraz. Trzy metry ode mnie.

– I co powiedziałeś?

Paul szczelniej owija szyję szalikiem.

– Nic. Nie wiedziałem, co miałbym powiedzieć. Po prostu… wyszedłem.

– Uciekłeś?

– Potrzebowałem czasu, żeby to przemyśleć.

Pirat, mniejszy z piesków Grega, wystrzelił na drugą stronę trawnika niczym pocisk samonaprowadzający. Obaj mężczyźni zatrzymują się i patrzą na niego, czekając, aż okaże się, co jest jego celem.

– Tylko niech to nie będzie kot, błagam, niech to nie będzie kot. A, w porządku. To Ruda. – W oddali Pirat rzuca się radośnie na spanielkę i dwa psy zaczynają ganiać się obłąkańczo, zataczając coraz większe koła w wysokiej trawie. – A kiedy to było? Wczoraj?

– Przedwczoraj. Wiem, że powinienem do niej zadzwonić. Tylko nie potrafię wymyślić, co jej powiem.

– Przypuszczam, że „oddawaj ten cholerny obraz" nie odniosłoby pożądanego skutku. – Greg przywołuje starszego psa do nogi i unosi dłoń do czoła, usiłując namierzyć Pirata. – Bracie, chyba będziesz musiał pogodzić się z tym, że los właśnie zdmuchnął ci tę dziewczynę sprzed nosa.

Paul wciska ręce głęboko do kieszeni.

– Zależało mi na niej.

Greg zerka na niego spod oka.

– Co? Tak na serio ci zależało?

– No. Ona… nie mogę przestać o niej myśleć.

Brat przypatruje mu się badawczo.

– Dobra. No to zrobiło się ciekawie… Pirat. Do nogi! O rany. Przyszedł ten wyżeł. Nie cierpię tego psa. Rozmawiałeś o tym z szefową?

– Jasne. Bo Janey tylko marzy o tym, żeby pogawędzić ze mną o innej kobiecie. Nie. Zapytałem tylko prawnika, jakie według niego mamy szanse. On jest zdania, że raczej wygramy.

„Paul, te sprawy się nie przedawniają" – powiedział Sean, ledwie podnosząc wzrok znad dokumentów. „Przecież wiesz".

– No to co zrobisz? – Greg przypina psu smycz do obroży, stoi i czeka.

– Niewiele mogę zrobić. Obraz musi wrócić do prawowitych właścicieli. Nie wiem, jak ona to przyjmie.

– Może zrozumie. Nigdy nic nie wiadomo. – Greg idzie po trawie w stronę Pirata, który biega w kółko, ujadając szaleńczo ku niebu i ostrzegając je, by się nie zbliżało. – Słuchaj, skoro ona jest spłukana, a w grę wchodzą konkretne pieniądze, to może się okazać, że w ogóle robisz jej przysługę. – Rusza biegiem i rzuca przez ramię ostatnie słowa, które wiatr niesie w kierunku Paula. – A zresztą, może ona czuje do ciebie to samo co ty do niej i wszystko inne ma gdzieś. Musisz pamiętać, stary, że ostatecznie to tylko obraz.

Paul wpatruje się w plecy brata. To nigdy nie jest tylko obraz, myśli.

Jake jest u kolegi. Paul przyjeżdża po niego o wpół do czwartej, zgodnie z umową, a mały staje w drzwiach domu, włosy ma zmierzwione, kurtka zaś zwisa mu z ramion – wygląda na to, że chłopak szykuje się już do zostania nastolatkiem. Paula za każdym razem zdumiewa ten znajomy wstrząs, ten pierwotny charakter ojcowskiej miłości. Niekiedy musi się ze wszystkich sił powstrzymywać, żeby nie wprawiać syna w zakłopotanie głębią swojego uczucia. Obejmuje chłopca ramieniem za szyję, przyciąga go do siebie i od niechcenia całuje w głowę, po czym ruszają w stronę metra.

– Cześć, kolego.

– Cześć, tato.

Jake jest wesoły, pokazuje mu różne ustawienia nowej gry elektronicznej. Paul kiwa głową i się uśmiecha, ale łapie się jednocześnie na tym, że równolegle prowadzi w głowie inną dyskusję. Ciągle rozpracowuje to po cichu. Co ma jej powiedzieć? Prawdę? Czy ona zrozumie, jeśli jej wytłumaczy? A może powinien po prostu trzymać się od niej z daleka? W końcu praca jest wszystkim. Przekonał się o tym już dawno.

Jednak kiedy tak siedzi obok syna i patrzy, jak jego kciuki migają błyskawicznie – mały jest całkowicie pochłonięty grą – myśli Paula znów odpływają. Czuje dotyk Liv leżącej po wszystkim u jego boku, miękkiej i uległej, widzi, jak podnosi na niego rozespane oczy, jakby była oszołomiona głębią własnych uczuć.

– Masz już nowe mieszkanie?

– Nie. Jeszcze nie.

Nie mogę przestać o tobie myśleć.

– Możemy dzisiaj iść na pizzę?

– Pewnie.

– Na serio?

– Mhm – przytakuje Paul. Wyraz bólu na jej twarzy, kiedy on odwracał się, żeby wyjść. Była taka przejrzysta, każde jej uczucie odbijało się na twarzy, jakby – tak samo jak jej dom – nigdy nie wiedziała, co powinna ukrywać.

– I lody?

– Pewnie.

Jestem przerażona. Ale w dobrym sensie.

A on uciekł. Bez słowa wyjaśnienia.

– A kupisz mi *Super Mario Smash Bros* na Nintendo?

– Hola, hola, młody człowieku – odpowiada Paul.

Weekend dłuży się, przytłoczony milczeniem. Mo wychodzi i wraca. Jej nowy werdykt w sprawie Paula:

– Rozwiedziony Toksyczny Kawaler. Najgorszy gatunek. – Robi dla Liv figurkę Paula z plasteliny i każe jej wbijać w nią różne rzeczy.

Liv musi przyznać, że włosy miniaturowego Paula są niepokojąco realistyczne.

– Myślisz, że rozboli go od tego brzuch?

– Nie mogę ci tego zagwarantować. Za to ty poczujesz się lepiej.

Liv bierze do ręki wykałaczkę i z wahaniem robi miniaturowemu Paulowi dziurkę na pępek, ale czuje natychmiastowe wyrzuty sumienia i wygładza ją kciukiem. Nie do końca potrafi połączyć tę wersję Paula z tą, którą sama zna, ale jest na tyle inteligentna, by wiedzieć, że pewnych spraw nie warto roztrząsać. Zastosowała się do rady Mo i biegała, dopóki nie rozbolały ją łydki. Wysprzątała Szklany Dom od strychu do parteru. Wyrzuciła do śmieci buty z motylkami. Cztery razy sprawdzała, czy nikt nie dzwonił, po czym wyłączyła telefon, wściekła na siebie za to, że w ogóle ją to obchodzi.

– Słabo. Nawet nie złamałaś mu palców u nóg. Chcesz, żebym zrobiła mu coś w twoim imieniu? – pyta Mo, przyglądając się w poniedziałek rano figurce z plasteliny.

– Nie. Dzięki. Naprawdę.

– Jesteś za miękka. Wiesz co, jak wrócę z roboty, to zgnieciemy go w kulkę i przerobimy na popielniczkę.

Kiedy Liv wraca do kuchni, widzi, że Mo wetknęła mu w czubek głowy piętnaście zapałek.

W poniedziałek nadchodzą dwa zlecenia. Jedno to tekst do katalogu jakiejś firmy zajmującej się sprzedażą bezpośrednią, który roi się od błędów gramatycznych i ortograficznych. Do osiemnastej Liv zdążyła poprawić w nim tyle, że praktycznie napisała go od nowa. Stawka jest beznadziejna. Liv się tym nie przejmuje. Fakt, że może pracować, zamiast myśleć, przynosi jej taką ulgę, iż spokojnie mogłaby napisać im drugi katalog za darmo.

Dzwonek do drzwi. Pewnie Mo zostawiła klucze w pracy. Liv podnosi się z krzesła, przeciąga i rusza w stronę domofonu.

– Zapomniałaś kluczy.

– Tu Paul.

Zastyga w bezruchu.

– Och. Cześć.

– Czy mogę wejść?

– Naprawdę nie trzeba. Ja…

– Proszę? Musimy porozmawiać.

Liv nie ma czasu przejrzeć się w lustrze ani przeczesać włosów. Stoi w rozterce, z jednym palcem na przycisku. Naciska go, po czym odsuwa się jak ktoś, kto szykuje się na wybuch.

Winda, skrzypiąc, jedzie w górę, a Liv czuje, jak żołądek jej się zaciska, podczas gdy dźwięk przybiera na sile. A potem widzi go przed sobą, jak patrzy wprost na nią przez kratę windy. Paul ma na sobie miękką brązową kurtkę, a w oczach wyraz nietypowej czujności. Wygląda na wyczerpanego.

– Hej.

On wychodzi z windy i czeka w korytarzu. Liv stoi w obronnej postawie, z ramionami założonymi na piersiach.

– Witaj.

– Czy mogę... wejść?

Liv robi krok w tył.

– Chcesz się czegoś napić? To znaczy... wstąpisz na chwilę?

Paul słyszy w jej głosie nutę zdenerwowania.

– Bardzo chętnie, dziękuję.

Liv idzie przez dom do kuchni, plecy ma sztywno wyprostowane, a Paul podąża za nią. Przygotowując herbatę, ma świadomość, że on się jej przygląda. Kiedy podaje mu kubek, widzi, że mężczyzna masuje sobie w zamyśleniu skroń. Dostrzegając jej wzrok, przybiera niemal przepraszający wyraz twarzy.

– Głowa mnie boli.

Liv spogląda na plastelinową figurkę na lodówce i oblewa się rumieńcem skruchy. Przechodząc, celowo strąca ją za lodówkę.

Paul odstawia kubek na stół.

– No dobrze. To jest naprawdę trudne. Przyszedłbym do ciebie wcześniej, ale był u mnie syn, a ja potrzebowałem sobie przemyśleć, co mam zrobić. Posłuchaj, zaraz ci wszystko wyjaśnię. Ale dobrze by było, żebyś najpierw usiadła.

Liv wbija w niego wzrok.

– O Boże. Jesteś żonaty.

– Nie jestem. To by było... niemalże prostsze. Proszę, Liv. Po prostu usiądź.

Ona dalej stoi. Paul wyciąga list z kieszeni kurtki i wręcza go Liv.

– Co to jest?

– Po prostu to przeczytaj. A potem ja postaram ci się wszystko wyjaśnić.

APiR

Apartament 6, 115 Grantham Street

London W1

15 października 2006 r.

Szanowna Pani Halston,

reprezentujemy organizację o nazwie Agencja Poszukiwań i Restytucji, powołaną w celu zwracania dzieł sztuki osobom, które utraciły je wskutek grabieży bądź wymuszonej sprzedaży artefaktów z prywatnych kolekcji podczas wojny.

Zgodnie z naszymi informacjami jest Pani właścicielką obrazu pędzla francuskiego artysty Édouarda Lefèvre'a, zatytułowanego *Dziewczyna, którą kochałeś*. Otrzymaliśmy od zstępnych pana Lefèvre'a pisemne potwierdzenie, że praca ta znajdowała się w posiadaniu żony artysty i stała się obiektem przymusowej sprzedaży. Występujące z roszczeniem osoby, również narodowości francuskiej, pragną, by dzieło powróciło do rodziny artysty, i zgodnie z konwencją genewską oraz w myśl konwencji haskiej o ochronie dóbr kultury w razie konfliktu zbrojnego informujemy Panią, że jako ich przedstawiciele będziemy dochodzić wspomnianego roszczenia.

W wielu przypadkach dzieła udaje się zwrócić prawowitym właścicielom przy minimalnej interwencji prawnej. W związku z tym zachęcamy Panią do skontaktowania się z nami w celu umówienia spotkania pomiędzy Panią a reprezentantami rodziny Lefèvre, tak by móc rozpocząć postępowanie.

Zdajemy sobie sprawę, że tego rodzaju informacja może stanowić dla Pani pewien wstrząs. Chcielibyśmy jednak przypomnieć, że istnieją liczne precedensy w sprawach o zwrot dzieł sztuki uzyskanych w wyniku przestępstw wojennych. Warto dodać, że spadkobiercy mogą być skłonni udzielić Pani dyskrecjonalnej rekompensaty finansowej.

Mamy głęboką nadzieję, że podobnie jak w innych tego rodzaju przypadkach, świadomość, iż dzieło po latach powraca wreszcie do prawowitych właścicieli, będzie dla osób, których to dotyczy, źródłem dodatkowej satysfakcji.

Gdyby chciała Pani omówić szczegóły sprawy, zachęcamy do kontaktu z nami.

Paul McCafferty
Janey Dickinson
Dyrektorowie APiR

Liv wpatruje się w nazwisko na dole strony i kuchnia nagle znika za mgłą. Odczytuje je ponownie, myśląc, że to na pewno jakiś żart. Nie, to nie ten Paul McCafferty, to jakiś zupełnie inny Paul McCafferty. Muszą być ich setki. Przecież to całkiem pospolite nazwisko. I wtedy Liv przypomina sobie ten szczególny sposób, w jaki on patrzył na obraz trzy dni wcześniej, i to, jak potem nie był w stanie spojrzeć jej w oczy. Ciężko siada na krześle.

– Czy to jakiś żart?

– Chciałbym, żeby tak było.

– Co to jest to całe cholerne APiR?

– Odszukujemy zaginione dzieła sztuki i nadzorujemy ich zwrot do pierwotnych właścicieli.

– My? – Liv wpatruje się w list. – Co... co to ma wspólnego ze mną?

– *Dziewczyna, którą kochałeś* jest przedmiotem roszczenia restytucyjnego. Namalował ją artysta o nazwisku Édouard Lefèvre. Jego rodzina chce ją odzyskać.

– Ale... to jest absurdalne. Mam ją od lat. Od blisko dziesięciu lat.

Paul sięga do kieszeni i wyciąga z niej drugi list, z kolorowym wizerunkiem obrazu.

– To przyszło do nas do biura kilka tygodni temu. Leżało na tacce ze sprawami do załatwienia. Byłem zajęty innymi rzeczami, więc nie skojarzyłem jednego z drugim. A potem, kiedy zaprosiłaś mnie na górę, od razu go rozpoznałem.

Liv rzuca okiem na list i kserokopię. Z kolorowej kartki patrzy na nią zamazana reprodukcja jej własnego obrazu.

– „Przegląd Architektoniczny".

– Tak. To chyba to.

– Przyszli tutaj, żeby zrobić zdjęcia do artykułu o Szklanym Domu zaraz po tym, jak się pobraliśmy. – Dłoń Liv unosi się do jej ust. – David uznał, że to będzie dobra reklama dla jego firmy.

– Rodzina Lefèvre jakiś czas temu zaczęła gromadzić informacje na temat wszystkich prac Édouarda Lefèvre'a i okazało się, że części z nich brakuje. Jedną z nich jest *Dziewczyna, którą kochałeś*. Nie ma żadnych dokumentów na temat jej losów po 1917 roku. Możesz mi powiedzieć, jak do was trafiła?

– To jakiś obłęd. To było... David kupił ją od jednej Amerykanki. W Barcelonie.

– Od właścicielki galerii? Masz pokwitowanie?

– Coś w tym rodzaju. Ale to jest praktycznie bezwartościowe.
Ta kobieta chciała ją wyrzucić. Wystawiła ją na ulicę.

Paul przeciąga ręką po twarzy.

– Wiesz, co to była za kobieta?

Liv kręci głową.

– To było tyle lat temu...

– Liv, musisz sobie przypomnieć. To naprawdę ważne.

Dziewczyna wybucha:

– Nie pamiętam! Nie możesz tak po prostu przychodzić tu
i kazać mi udowodnić, że jestem właścicielką mojego własnego
obrazu, tylko dlatego, że ktoś gdzieś tam uznał, że ten obraz milion
lat temu należał do niego! Co to w ogóle ma znaczyć? – Wstaje
i zaczyna chodzić dookoła stołu w kuchni. – W głowie mi się to
nie mieści.

Paul chowa twarz w dłoniach. A potem podnosi głowę i patrzy na Liv.

– Liv, strasznie mi przykro. To najgorszy przypadek, z jakim
miałem w życiu do czynienia.

– Przypadek?

– Na tym polega moja praca. Szukam skradzionych dzieł sztuki
i zwracam je właścicielom.

Liv słyszy w jego głosie obcą nutę nieprzejednania.

– Ale to nie jest kradzione. David uczciwie je kupił. A potem
dał je mnie. Ten obraz jest mój.

– On został skradziony, Liv. Prawie sto lat temu, owszem, ale
został skradziony. Posłuchaj, dobra wiadomość jest taka, że oni są
gotowi zaproponować ci rekompensatę.

– Rekompensatę? Myślisz, że tu chodzi o pieniądze?

– Mówię tylko…

Liv staje i podnosi dłoń do czoła.

– Wiesz co, Paul? Chyba najlepiej będzie, jak sobie pójdziesz.

– Wiem, że ten obraz dużo dla ciebie znaczy, ale musisz zrozumieć…

– Naprawdę. Chciałabym, żebyś już sobie poszedł.

Wpatrują się w siebie. Liv czuje się tak, jakby była radioaktywna. Nie jest pewna, czy kiedykolwiek była aż tak wściekła.

– Posłuchaj, postaram się wymyślić jakiś sposób, żeby porozumieć się…

– Do widzenia, Paul.

Wychodzi za mężczyzną na schody. Kiedy zatrzaskuje za nim drzwi, huk rozlega się tak głośno, że Liv czuje, jak pod nią drży cały budynek.

## 18

Ich miesiąc miodowy. Albo raczej coś w tym rodzaju. David pracował nad nowym centrum konferencyjnym w Barcelonie, monolityczną konstrukcją budowaną tak, by odbijać niebieskie niebo i migotliwe morze. Pamięta, że była zaskoczona, jak płynnie mówi po hiszpańsku, i pełna podziwu zarówno dla tych rzeczy, które on wiedział, jak i tych, których ona wcześniej nie wiedziała o nim. Każde popołudnie spędzali, leżąc w hotelowym łóżku, a potem przechadzali się średniowiecznymi ulicami Dzielnicy Gotyckiej i El Born, szukając schronienia w cieniu, zatrzymując się, by wypić mojito, oparci leniwie jedno o drugie, a ich skóra lepiła się od upału. Liv nadal pamięta widok jego dłoni spoczywającej na jej udzie. David miał ręce rzemieślnika. Kiedy je na czymś opierał, palce miał nieco rozsunięte, jakby zawsze przytrzymywał jakiś niewidzialny plan.

Szli właśnie skrajem Plaça de Catalunya, kiedy usłyszeli głos Amerykanki. Krzyczała na trzech niewzruszonych mężczyzn, bliska łez, podczas gdy ci wyłaniali się zza pokrytych boazerią drzwi, wyrzucając przed kamienicę meble, sprzęty domowe i bibeloty.

– Nie macie prawa! – wykrzyknęła.

David puścił rękę Liv i podszedł w ich stronę. Kobieta – koścista osoba w średnim wieku, z jasnoblond włosami – jęknęła z rozpaczą, kiedy przed domem wylądowało krzesło. Wokół zebrała się grupka zaciekawionych turystów.

– Wszystko w porządku? – zapytał David, kładąc rękę na jej łokciu.

– To właściciel. Wyrzuca wszystkie rzeczy mojej mamy. Tłumaczę mu, że nie mam co z nimi zrobić.

– A gdzie jest pani mama?

– Nie żyje. Przyjechałam tu, żeby to wszystko przejrzeć, a on mówi, że już dziś ma tu tego nie być. Ci ludzie po prostu wyrzucają te rzeczy na ulicę, a ja nie mam pojęcia, co z nimi zrobić.

Pamięta, jak David wszystkim się zajął, jak powiedział Liv, żeby zabrała kobietę do kawiarni po drugiej stronie ulicy, i jak zwrócił się do tamtych mężczyzn po hiszpańsku, podczas gdy Amerykanka – Marianne Johnson – usiadła i wypiła szklankę wody z lodem, zerkając z niepokojem w stronę kamienicy. Dopiero co przyleciała, zwierzyła się Liv. Słowo daje, że nie ma pojęcia, co się tu w ogóle dzieje.

– Tak mi przykro. Kiedy zmarła pani mama?

– Och, już trzy miesiące temu. Wiem, że powinnam była zrobić coś wcześniej. Ale to takie trudne, kiedy nie mówi się po hiszpańsku. Musiałam załatwić transport jej ciała samolotem do domu... i świeżo się rozwiodłam, więc wszystko jest na mojej głowie...

Jej kłykcie były wielkie i białe, a poniżej nich tłoczyła się oszałamiająca ilość plastikowych pierścionków. Na włosach kobieta miała turkusową opaskę w perski wzór. Co chwila podnosiła do niej rękę i dotykała jej, jakby dodawało jej to otuchy.

David rozmawiał z mężczyzną, który wyglądał na właściciela. Początkowo sprawiał wrażenie niezbyt życzliwego, ale teraz, dziesięć minut później, serdecznie ściskali sobie ręce. David pojawił się przy ich stoliku. Powiedział, że Marianne powinna zdecydować, które rzeczy chce zatrzymać, i że on ma numer do firmy transportowej, która może je zapakować i przewieźć samolotem do Stanów. Właściciel zgodził się, żeby do jutra zostały w mieszkaniu. Resztę mogą za niewielką opłatą usunąć ludzie od przeprowadzek.

– Nie brakuje pani gotówki? – zapytał David cicho. Takim właśnie był człowiekiem.

Marianne Johnson niemal rozpłakała się z wdzięczności. Pomogli jej posortować rzeczy, układając je po lewej albo po prawej, zależnie od jej decyzji. Kiedy tak tam stali, a kobieta wskazywała na różne przedmioty, które przesuwali uważnie na jedną stronę, Liv przyjrzała się dokładniej temu, co leżało na chodniku. Była tam maszyna do pisania marki Corona i wielkie, oprawne w skórę albumy, pełne wyblakłych wycinków z gazet.

– Mama była dziennikarką – powiedziała kobieta, kładąc je ostrożnie na kamiennym stopniu. – Nazywała się Louanne Baker. Pamiętam, jak używała tej maszyny, gdy byłam mała.

– A to co? – Liv wskazała na nieduży brązowy przedmiot. Choć z tej odległości nie była w stanie zobaczyć tego dokładnie, wstrząsnął nią instynktowny dreszcz. Zauważyła coś, co przypominało zęby.

– A. To. To są zmumifikowane indiańskie główki mamy. Zbierała różne rzeczy. Gdzieś tam jest też niemiecki hełm. Myślicie, że zechciałoby je jakieś muzeum?

– Na lotnisku miałaby pani z nimi ubaw przy kontroli celnej.

– O Boże. Może po prostu zostawię to na ulicy i ucieknę. – Marianne przystanęła na chwilę, by otrzeć pot z czoła. – Co za upał! Ledwo żyję.

I wtedy Liv zobaczyła obraz. Stał oparty o bujany fotel, a twarz na nim przykuwała uwagę nawet wśród całego tego zgiełku i rozgardiaszu. Pochyliła się i ostrożnie obróciła go w swoją stronę. Ze środka podniszczonej złoconej ramy spojrzała na nią dziewczyna. W jej wzroku było coś zaczepnego. Na ramiona spadała jej burza złotorudych włosów; nikły uśmiech mówił o pewnej dumie, i o czymś bardziej intymnym. Czymś seksualnym.

– Przypomina ciebie – wymruczał półgłosem stojący obok niej David. – Wyglądasz dokładnie tak samo.

Włosy Liv były blond, a nie rude, i krótkie. Ale zrozumiała w jednej chwili. Spojrzenia, jakie wymienili, sprawiły, że ulica na moment przestała istnieć.

David zwrócił się ku Marianne Johnson.

– Nie chce pani tego zatrzymać?

Kobieta się wyprostowała i spojrzała na niego, mrużąc oczy.

– Och, nie. Nie sądzę.

David zniżył głos.

– Pozwoliłaby mi pani go kupić?

– Kupić? Możesz go sobie wziąć. Przynajmniej tyle mogę zrobić dla człowieka, który uratował mi życie.

Ale on odmówił. I stali tak na chodniku, pochłonięci przedziwnym targowaniem *à rebours* – David upierał się, że zapłaci jej więcej, niż Marianne była gotowa przyjąć. Liv dalej sortowała wiszące na wieszakach ubrania, aż wreszcie zobaczyła, jak tamci dwoje dobijają targu i wymieniają uścisk dłoni.

– Chętnie bym go wam dała – odezwała się Marianne, podczas gdy David odliczał banknoty. – Prawdę mówiąc, nigdy za nim nie przepadałam. Kiedy byłam mała, myślałam, że ona się ze mnie wyśmiewa. Zawsze wydawała się trochę przemądrzała.

O zmierzchu pożegnali się, zostawiając kobiecie numer komórki Davida. Przed pustym mieszkaniem widniał czysty chodnik, a Marianne Johnson zbierała swoje rzeczy, żeby wrócić z nimi do hotelu. Odeszli w gęstym upale; David cały promieniał, jakby zdobył jakiś wielki skarb, i trzymał obraz z taką samą czcią, z jaką później tego samego wieczoru miał obejmować Liv.

– To powinien być twój prezent ślubny – powiedział. – Zwłaszcza że nic ode mnie nie dostałaś.

– Myślałam, że nie chcesz, by cokolwiek zakłócało czystość linii twoich ścian – zaczęła się z nim droczyć Liv.

Zatrzymali się na gwarnej ulicy i jeszcze raz podnieśli obraz, żeby się mu przyjrzeć. Liv pamięta napiętą, opaloną skórę na swoim karku i połyskliwą warstewkę kurzu na swych ramionach. Upalne ulice Barcelony, popołudniowe słońce odbite w jego oczach.

– Myślę, że możemy złamać zasady dla czegoś, co oboje kochamy.

– Czyli ty i David kupiliście ten portret w dobrej wierze, tak? – pyta Kristen. Przerywa i uderza po ręce nastolatkę grzebiącą w lodówce. – Nie. Żadnego musu czekoladowego. Potem nie będziesz chciała jeść kolacji.

– Tak. Udało mi się nawet wygrzebać rachunek. – Miała go w torebce: skrawek papieru wydarty z okładki czasopisma. „Przyjęte z wdzięcznością za portret, prawdop. tytuł *Dziewczyna, którą kochałeś*. 300 franków – Marianne Baker".

– Czyli jest twój. Kupiłaś go, masz pokwitowanie. To chyba kończy sprawę. Tasmin? Powiesz George'owi, że za dziesięć minut jest kolacja?

– Mam nadzieję. A ta kobieta, od której go kupiliśmy, mówiła, że jej matka miała go przez pół wieku. Nie zamierzała go nawet sprzedawać, chciała nam go dać. David się uparł, żeby jej zapłacić.

– Szczerze mówiąc, to wszystko jest po prostu absurdalne. – Kristen przerywa mieszanie sałatki i wznosi ręce w górę. – No bo do czego to ma doprowadzić? Jeśli kupiłaś dom, a ktoś ukradł tę ziemię podczas jakiejś grabieży w średniowieczu, to pewnego dnia jakaś osoba przyjdzie i zażąda zwrotu domu? Czy mamy zwrócić mój pierścionek zaręczynowy, bo diament został wydobyty nie z tego kawałka Afryki, co trzeba? To była pierwsza wojna światowa, na litość boską. Prawie sto lat temu. Ci prawnicy za daleko się posuwają.

Liv opiera się na krześle. Tamtego popołudnia zadzwoniła roztrzęsiona do Svena, a on powiedział jej, żeby przyjechała wieczorem. Był pokrzepiająco spokojny, kiedy powiedziała mu o tym liście, a czytając go, dosłownie wzruszał ramionami.

– To pewnie coś w rodzaju namawiania ofiar wypadków do procesu o odszkodowanie. Wszystko to razem brzmi mało prawdopodobnie. Sprawdzę to, ale na twoim miejscu bym się nie przejmował. Masz pokwitowanie, kupiłaś go legalnie, więc nie przypuszczam, żeby sprawa miała jakiekolwiek szanse w sądzie.

Kristen stawia miskę z sałatką na stole.

– A co to w ogóle za malarz? Lubisz oliwki?

– Podobno nazywa się Édouard Lefèvre. Ale obraz nie jest podpisany. I lubię, dzięki.

– Chciałam ci coś powiedzieć… po naszej ostatniej rozmowie. – Kristen spogląda znacząco na córkę i odsyła ją na górę. – No idź, Tasmin. Mamusia potrzebuje chwili dla siebie.

Liv czeka, a Tasmin z ociąganiem wychodzi z kuchni, rzucając im przez ramię zawiedzione spojrzenie.

– Chodzi o Roga.

– Kogo?

– Mam złe wieści. – Kristen krzywi się i nachyla nad stołem. Robi głęboki, teatralny wdech. – Chciałam ci powiedzieć w zeszłym tygodniu, ale nie wiedziałam, jak to zrobić. Widzisz, on naprawdę uznał, że jesteś szalenie miła, ale obawiam się, że... cóż... mówi, że nie jesteś w jego typie.

– Tak?

– W gruncie rzeczy szuka kogoś... młodszego. Tak mi przykro. Pomyślałam po prostu, że powinnaś znać prawdę. Nie mogłam znieść myśli o tym, że siedzisz i czekasz, aż on do ciebie zadzwoni.

Liv usiłuje przybrać normalny wyraz twarzy, kiedy do pokoju wchodzi Sven. W ręce ma kartkę wypełnioną odręcznie nagryzmolonymi notatkami.

– Przed chwilą rozmawiałem ze znajomym z domu aukcyjnego Sotheby's. No więc... zła wiadomość jest taka, że APiR to szanowana organizacja. Odszukują skradzione dzieła sztuki, ale także coraz częściej zajmują się trudniejszymi sprawami, czyli pracami, które zniknęły podczas wojny. W ciągu ostatnich kilku lat udało im się zwrócić parę głośnych dzieł, w tym takich z narodowych kolekcji. Wygląda na to, że takich spraw jest z roku na rok coraz więcej.

– Ale *Dziewczyna* to nie żadne głośne dzieło sztuki. To po prostu olejny obrazek, który przywieźliśmy sobie z miodowego miesiąca.

– Cóż... do pewnego stopnia jest to prawda. Liv, czy po dostaniu listu sprawdziłaś, co to za jeden, ten Lefèvre?

Była to pierwsza rzecz, którą zrobiła. Jeden z mniej znanych członków szkoły impresjonistów na początku ubiegłego stulecia. Znalazła jedną sepiową fotografię dużego mężczyzny z ciemnymi oczami i włosami, które sięgały mu do kołnierzyka. Przez krótki czas uczył się u Matisse'a.

– Zaczynam rozumieć, dlaczego jego praca – jeśli to rzeczywiście jego praca – może być przedmiotem tego typu roszczenia.

– Mów dalej. – Liv wsuwa sobie do ust oliwkę. Kristen stoi obok niej ze ściereczką w dłoni.

– Nie wspomniałem mu naturalnie o tym liście, a on nie może wycenić obrazu, póki go nie zobaczy, ale na podstawie ostatniej aukcji obrazu Lefèvre'a oraz jego pochodzenia szacują, że portret może spokojnie być wart coś pomiędzy dwoma a trzema milionami funtów.

– Co? – pyta słabo Liv.

– Tak. Prezent ślubny od Davida okazał się niezłą inwestycją. Mój znajomy powiedział dosłownie „minimum dwa miliony funtów". Właściwie to radzi, żebyś natychmiast dała obraz do wyceny, by go ubezpieczyć. Wygląda na to, że nasz Lefèvre narobił ostatnio sporego zamieszania na rynku dzieł sztuki. Rosjanie mają do niego słabość i przez to ceny poszybowały w górę.

Liv połyka oliwkę w całości i zaczyna się krztusić. Kristen uderza ją po plecach i nalewa jej szklankę wody. Liv pociąga łyk, a w jej głowie ciągle rozbrzmiewają słowa Svena. Wydają się nie mieć żadnego sensu.

– Czyli właściwie trudno się dziwić, że zaczynają się zgłaszać ludzie z nadzieją na udział w zyskach. Poprosiłem Shirley z biura, żeby wyszukała opisy paru takich spraw i przesłała je do mnie. No więc wygląda to tak, że tacy spadkobiercy grzebią trochę w rodzinnej historii, zgłaszają roszczenie, opowiadają, ile ten obraz znaczył dla ich dziadków i jakim strasznym ciosem była dla nich jego strata… Po czym go odzyskują, i co się dzieje?

– Co się dzieje? – pyta Kristen.

– Sprzedają go. I są bogatsi, niż kiedykolwiek im się śniło.

W kuchni zapada cisza.

– Dwa do trzech milionów funtów? Ale... ale my za nią zapłaciliśmy dwieście euro.

– To jak w tym programie *Łowcy okazji* – mówi radośnie Kristen.

– Cały David. Wszystko, czego dotknął, zamieniało się w złoto. – Sven nalewa sobie kieliszek wina. – Szkoda, że tamci się dowiedzieli, że obraz jest u was w domu. Sądzę, że bez żadnego nakazu ani jednoznacznych poszlak nie byliby w stanie udowodnić, że to ty go masz. Czy oni wiedzą na pewno, że portret jest u ciebie?

Liv myśli o Paulu. Czuje pustkę w żołądku.

– Tak – odpowiada. – Wiedzą, że go mam.

– Rozumiem. No, tak czy inaczej – Sven siada obok niej i kładzie jej ręką na ramieniu – musimy znaleźć ci porządnego prawnika. I to szybko.

Przez następne dwa dni Liv czuje się jak lunatyczka, w głowie kręci jej się od natłoku myśli, serce wali jak oszalałe. Idzie do dentysty, kupuje chleb i mleko, oddaje zlecenia w terminie, znosi Fran z góry kubki z herbatą i zabiera je z powrotem, kiedy Fran się skarży, że zapomniała o cukrze. Wszystko to ledwie dociera do świadomości Liv. Myśli o tym, jak Paul ją pocałował, o tym przypadkowym pierwszym spotkaniu, o jego wielkodusznej propozycji pomocy. Czy od samego początku miał to wszystko zaplanowane? Czyżby, biorąc pod uwagę wartość obrazu, Liv padła ofiarą jakiegoś wyrafinowanego podstępu? Wpisuje w Google „Paul McCafferty" i czyta referencje z czasów jego pracy w nowojorskiej policji, o jego „umiejętności wniknięcia w sposób myślenia przestępcy" i „przebiegłej taktyce". Wszystko, w co wierzyła na jego temat, rozwiewa się jak mgła.

Myśli Liv wirują i zderzają się z sobą, zbaczając w nowe, okropne rejony. Dwa razy zrobiło się jej tak niedobrze, że musiała odejść od stołu i przemyć twarz zimną wodą, opierając czoło o chłodną porcelanę umywalki.

W listopadzie zeszłego roku APiR umożliwiło zwrot niewielkiego obrazu Cézanne'a rodzinie rosyjskich Żydów. Wartość obrazu szacowano na jakieś piętnaście milionów funtów. APiR, jak można przeczytać na ich stronie w dziale *O nas*, dostaje prowizję od wartości odzyskanego dzieła.

Paul wysyła do niej trzy esemesy: „Możemy porozmawiać? Wiem, że to trudne, ale proszę – czy możemy po prostu o tym pomówić?". Zwroty, których używa, są takie rozsądne. Brzmią prawie tak, jakby pochodziły od kogoś godnego zaufania. Liv mało sypia i zmusza się do jedzenia.

Mo patrzy na to wszystko i wyjątkowo nic nie mówi.

Liv biega. Co rano, a niekiedy także wieczorem. Bieganie zastępuje jej myślenie, jedzenie, a czasem nawet sen. Biega, aż mięśnie łydek zaczynają ją palić i ma wrażenie, że jej płuca zaraz wybuchną. Znajduje nowe trasy: uliczkami Southwark, po moście prosto w lśniące wąwozy City, pomiędzy bankierów w garniturach i niosące kawę sekretarki.

Wychodzi z domu w piątek o szóstej. Jest piękny rześki wieczór, z tych, które sprawiają, że cały Londyn nabiera wyglądu tła do jakiegoś romantycznego filmu. W nieruchomym powietrzu unosi się obłoczek oddechu Liv, która naciągnęła na uszy wełnianą czapkę – ściągnie ją trochę przed Waterloo Bridge. W oddali błyszczą światła Square Mile; autobusy pełzną wzdłuż Embankment; ulice wypełnia szum. Liv zakłada słuchawki, zamyka drzwi do budynku, wciska klucze do kieszeni szortów i rusza przed siebie. Pozwala, by jej umysł zalała fala ogłuszającego dudnienia, muzyki tak rytmicznej i nieprzerwanej, że nie zostawia miejsca na żadne myśli.

– Liv.

Mężczyzna zastępuje jej drogę, a ona potyka się i wyciąga przed siebie rękę, po czym natychmiast cofa ją, jakby się oparzyła, zdając sobie sprawę, kto przed nią stoi.

– Liv, musimy porozmawiać.

Ubrany jest w tę brązową kurtkę, kołnierz ma podniesiony dla ochrony przed chłodem, a pod pachą trzyma teczkę z dokumentami. Ich spojrzenia się spotykają, Liv błyskawicznie odwraca się na pięcie, zanim zdąży cokolwiek poczuć, i rusza biegiem, a serce wali jej jak młotem.

On biegnie za nią. Liv się nie ogląda, ale poprzez dudnienie w uszach dolatuje do niej jego głos. Pogłaśnia muzykę i niemal czuje wibrację jego kroków na chodniku za sobą.

– Liv. – Jego dłoń wyciąga się ku niej, a dziewczyna bez namysłu bierze zamach prawą ręką i z całej siły uderza go w twarz. Wstrząs uderzenia jest tak wielki, że oboje zataczają się w tył. Paul przyciska dłoń do nosa.

Liv wyciąga słuchawki z uszu.

– Zostaw mnie w spokoju! – wrzeszczy, odzyskując równowagę. – Po prostu się odpieprz.

– Chcę z tobą porozmawiać. – Spod jego palców wypływa strużka krwi. Paul spogląda w dół i ją zauważa. – Jezu. – Upuszcza teczkę i z trudem udaje mu się wolną ręką wyciągnąć z kieszeni dużą bawełnianą chustkę, którą przykłada sobie do nosa. Drugą rękę podnosi w pojednawczym geście. – Liv, wiem, że w tej chwili jesteś na mnie wściekła, ale…

– Wściekła na ciebie? Wściekła na ciebie? To nie oddaje nawet ułamka tego, co do ciebie w tej chwili czuję. Podstępem dostajesz się do mojego domu, wciskasz jakiś kit o tym, że znalazłeś moją torebkę, bierzesz mnie na piękne słówka, pakujesz mi się do łóżka, a potem – a to ci dopiero – widzisz przed sobą obraz, którego odzyskanie przypadkiem zlecono ci właśnie za ogromną prowizję.

– Co? – Słowa Paula dobiegają niewyraźnie zza chustki. – Co? Myślisz, że ukradłem ci torebkę? Myślisz, że ja to wszystko zaaranżowałem? Czyś ty zwariowała?

– Nie zbliżaj się do mnie. – Głos jej drży, w uszach słyszy dzwonienie. Idzie po chodniku tyłem, byle dalej od niego. Ludzie przystanęli, żeby na nich popatrzeć.

Paul rusza za nią.

– Nie. Ty mnie posłuchaj. Chociaż przez minutę. Jestem byłym gliniarzem. Nie zajmuję się kradzieżą torebek, ani nawet, szczerze mówiąc, ich zwracaniem. Poznałem cię, spodobałaś mi się, a potem odkryłem, że przez jakieś bezsensowne zrządzenie losu jesteś akurat właścicielką obrazu, którego odszukanie mi zlecono. Gdybym mógł przekazać to zlecenie komukolwiek innemu, wierz mi, że bym to zrobił. Przykro mi. Ale musisz mnie posłuchać.

Odejmuje chustkę od twarzy. Na wardze ma krew.

– Ten obraz został skradziony, Liv. Milion razy sprawdzałem wszystkie dokumenty. To portret Sophie Lefèvre, żony artysty. Zabrali ją Niemcy, a obraz zniknął zaraz potem. Ukradli go.

– To było sto lat temu.

– I myślisz, że to znaczy, że nic się nie stało? Wiesz, jakie to uczucie, kiedy ktoś wydziera ci to, co kochasz?

– Dziwnym trafem – odparowuje Liv – tak.

– Liv, wiem, że jesteś dobrym człowiekiem. Wiem, że zupełnie się tego nie spodziewałaś, ale jeśli się nad tym zastanowisz, zrobisz to, co słuszne. Upływ czasu nie zmienia krzywdy w sprawiedliwość. A twój obraz został skradziony rodzinie tej biednej dziewczyny. To była ostatnia rzecz, która im po niej została, i powinna być u nich. Jedynym właściwym wyjściem w tej sytuacji jest zwrócenie im tego portretu. – Głos ma cichy, niemal przekonujący. – Myślę, że znając prawdę o tym, co się z nią stało, spojrzysz na Sophie Lefèvre zupełnie innym okiem.

– Och, oszczędź mi tych swoich świętoszkowatych bredni.

– Co?

– Myślisz, że nie wiem, ile on jest wart?

Paul wlepia w nią wzrok.

– Myślisz, że nie prześwietliłam ciebie i twojej firmy? Tego, jak działacie? Wiem, o co tu chodzi, Paul, i nie ma to nic wspólnego ze sprawiedliwością. – Liv wykrzywia usta. – Boże, miałeś mnie chyba za skończoną frajerkę. Głupia dziewczyna, która siedzi w tym swoim pustym domu, ciągle opłakuje męża i nie ma pojęcia o tym, co się dzieje pod jej własnym nosem. Tu chodzi o kasę, Paul. Ty i wszyscy inni, którzy za tym stoją, chcecie jej, bo jest warta fortunę. No cóż, mnie nie chodzi o kasę. Mnie się nie da kupić… i jej także nie. A teraz zostaw mnie w spokoju.

Odwraca się na pięcie i rusza biegiem, zanim on zdąży powiedzieć choć słowo, a donośny odgłos krwi tętniącej jej w uszach zagłusza wszystko inne. Zwalnia dopiero, kiedy jest już przy Southbank Centre, i ogląda się za siebie. Mężczyzna zniknął, wchłonięty przez rzeszę ludzi wracających londyńskimi ulicami na kolację. Liv dobiega wreszcie do domu, powstrzymując łzy. Głowę wypełniają jej myśli o Sophie Lefèvre. „To była ostatnia rzecz, która im po niej została, i powinna do nich wrócić", przypomina sobie słowa Paula.

– Idź do diabła – powtarza pod nosem, usiłując o nich nie myśleć. Idź do diabła, idź do diabła, idź do diabła.

– Liv!

Podskakuje, kiedy z jej bramy wychodzi mężczyzna. Ale to tylko ojciec, w czarnym berecie wciśniętym na głowę, z tęczowym szalikiem wokół szyi i w starym tweedowym płaszczu sięgającym kolan. W świetle latarni jego twarz ma złocisty odcień. Rozpościera ramiona, żeby ją uściskać, ukazując przy tym wypłowiałą koszulkę Sex Pistols.

– Jesteś wreszcie! Nie odzywałaś się do nas od czasu tej gorącej randki. Pomyślałem, że wpadnę do ciebie i dowiem się, jak poszło!

## 19

– Napije się pani kawy?

Liv podnosi wzrok na sekretarkę.

– Poproszę.

Siedzi nieruchomo na eleganckim skórzanym fotelu, patrząc niewidzącym wzrokiem na gazetę, którą od piętnastu minut udaje, że czyta.

Ma na sobie swoją jedyną garsonkę. Krój jest już pewnie niemodny, ale Liv uznała, że dziś musi czuć się opanowana; w ryzach. Od czasu pierwszej wizyty w biurze prawnika ma wrażenie, że jest tutaj nie na swoim miejscu. Teraz potrzebuje poczucia, że przemawia za nią coś więcej niż tylko jej własny tupet.

– Henry zjechał na dół, by zaczekać na nich przy recepcji. Niebawem tu będą. – Kobieta z profesjonalnym uśmiechem robi na szpilkach w tył zwrot i odchodzi.

Prawdziwa kawa. I nic dziwnego, biorąc pod uwagę ich stawkę za godzinę. Jak podkreślił Sven, nie ma sensu walczyć bez odpowiedniej amunicji. Skonsultował się ze znajomymi w domach aukcyjnych i w palestrze, żeby ustalić, kto najlepiej sprawdza się w przypadku spraw o restytucję dzieł sztuki. Niestety, dodał, za potężne działa słono się płaci. Ilekroć Liv patrzy na Henry'ego Phillipsa, na jego starannie ostrzyżone włosy, piękne ręcznie robione buty i złocistą wakacyjną opaleniznę na jego pulchnej twarzy, nie potrafi powstrzymać myśli: jesteś bogaty dzięki takim ludziom jak ja.

Do jej uszu dobiega dźwięk kroków i czyjeś głosy. Wstaje, wygładza spódnicę i przywołuje na twarz wyraz opanowania. I zaraz spostrzega jego, z niebieskim wełnianym krawatem pod szyją, z teczką pod pachą, jak wchodzi tuż za Henrym, razem z dwojgiem ludzi, których Liv nie rozpoznaje. Paul zauważa jej wzrok, a ona natychmiast odwraca głowę, czując mrowienie na karku.

– Liv? Wszyscy już są. Przejdziemy do sali konferencyjnej? Sekretarka zaraz przyniesie twoją kawę.

Dziewczyna nie odrywa wzroku od Henry'ego, który mija ją i przytrzymuje drzwi przed drugą kobietą. Liv czuje obecność Paula, tak jakby promieniowało od niego ciepło. Jest tutaj, obok niej. Ma na sobie dżinsy, jakby to spotkanie znaczyło dla niego tak niewiele, że równie dobrze mógłby ubrać się w ten sposób na spacer.

– Udało ci się ostatnio wyłudzić coś cennego od jakichś innych kobiet? – pyta Liv cicho; na tyle cicho, żeby tylko on to usłyszał.

– Nie. Byłem zbyt zajęty kradzieżą torebek i uwodzeniem łatwowiernych.

Ona gwałtownie podnosi głowę i ich spojrzenia się spotykają. Liv spostrzega z pewnym zdumieniem, że Paul jest tak samo wściekły jak ona.

Ściany sali konferencyjnej wyłożono drewnem, krzesła są ciężkie i obite skórą. Jedną ze ścian pokrywają w całości oprawne w skórę książki. Pomieszczenie tchnie duchem lat wypełnionych rozsądnymi prawomocnymi ugodami i stateczną mądrością. Liv idzie za Henrym i po chwili wszyscy już siedzą, w dwóch rzędach naprzeciwko siebie. Ona patrzy na swój notatnik, na ręce, na kawę – wszędzie byle nie na Paula.

– A zatem… – Henry czeka, aż sekretarka naleje wszystkim kawy, po czym łączy opuszki palców. – Zebraliśmy się tutaj, żeby omówić w sposób bezstronny roszczenie wysunięte przeciwko pani Halston przez organizację APiR i postarać się ustalić, czy istnieje sposób, by osiągnąć porozumienie bez uciekania się do rozwiązań prawnych.

Liv spogląda na osoby siedzące naprzeciwko. Kobieta ma trzydzieści kilka lat. Ciemne włosy spiralnymi lokami okalają jej twarz, na której maluje się wyraz skupienia i stanowczości. Zapisuje coś w notatniku. Mężczyzna obok niej jest Francuzem o ciężkich rysach Serge'a Gainsbourga w średnim wieku. Liv często miała wrażenie, że narodowość można rozpoznać po twarzy, nie słysząc nawet, jak ktoś mówi. Ten człowiek jest tak bardzo galijski, że równie dobrze mógłby palić gauloise'a i mieć na szyi wieniec cebuli.

Następny siedzi Paul.

– Myślę, że warto się najpierw pokrótce przedstawić. Ja nazywam się Henry Phillips i reprezentuję panią Halston. To jest Sean Flaherty, reprezentujący APiR, oraz Paul McCafferty i Janey Dickinson, jej dyrektorowie. To *monsieur* André Lefèvre, przedstawiciel rodziny Lefèvre zgłaszającej roszczenie wspólnie z APiR. Gwoli wyjaśnienia, APiR to organizacja specjalizująca się w odszukiwaniu i odzyskiwaniu…

– Wiem, czym się zajmuje – odpowiada Liv.

Ale on jest tak blisko… Po drugiej stronie stołu, dokładnie naprzeciwko niej, tak że Liv widzi pojedyncze żyłki na jego rękach i to, jak jego mankiety wysuwają się z rękawów. Ma na sobie tę samą koszulę co tego wieczoru, kiedy się poznali. Gdyby wyciągnęła pod stołem stopy, dotknęłaby jego stóp. Liv starannie chowa swoje pod krzesłem i sięga po filiżankę z kawą.

– Paul, zechciej wyjaśnić pani Halston, skąd wzięło się roszczenie.

– Tak – dodaje Liv lodowato. – Chętnie posłucham.

Powoli unosi twarz i widzi, że Paul patrzy prosto na nią. Zastanawia się, czy on wyczuwa, jak bardzo jest rozdygotana. Ma poczucie, że wszyscy muszą to widzieć; zdradza ją każdy oddech.

– Otóż... chciałbym zacząć od przeprosin – odzywa się Paul. – Zdaję sobie sprawę, że ta wiadomość musiała być dla pani pewnym wstrząsem. Przykro nam z tego powodu. Smutna prawda jest taka, że tego typu spraw nie sposób załatwić bezboleśnie.

Patrzy prosto na nią. Liv czuje, że on czeka na jakiś sygnał zrozumienia z jej strony, na jakiś znak. Pod biurkiem wbija paznokcie w swoje kolana, żeby być w stanie się skoncentrować.

– Nikt nie chce zabierać czegoś, co zgodnie z prawem należy do innej osoby. I nie o to nam chodzi. Niemniej faktem jest, że wiele lat temu, podczas wojny, dopuszczono się niesprawiedliwości. Obraz *Dziewczyna, którą kochałeś* autorstwa Édouarda Lefèvre'a, którego właścicielką była jego żona, został zabrany i trafił w niemieckie ręce.

– Nie wie pan tego na pewno – mówi Liv.

– Liv. – W głosie Henry'ego słychać ostrzeżenie.

– Zdobyliśmy pewien dokument, pamiętnik należący do sąsiadki *madame* Lefèvre, który wskazuje na to, że portret żony artysty został skradziony bądź przymusowo odebrany rodzinie przez niemieckiego Kommandanta mieszkającego wówczas w tamtych stronach. Otóż niniejszy przypadek jest o tyle nietypowy, że większość prowadzonych przez nas spraw dotyczy strat poniesionych podczas drugiej wojny światowej, tutaj natomiast przypuszczamy, że pierwszej kradzieży dokonano w trakcie pierwszej wojny światowej. Niemniej jednak stosuje się do niej konwencja haska.

– A więc dlaczego teraz? – pyta Liv. – Blisko sto lat po tym, jak obraz został, według pańskich słów, skradziony. Wygodnie się składa, że *monsieur* Lefèvre jest akurat w tej chwili wart wielokrotnie więcej, nie sądzi pan?

– Posiada wartość niematerialną.

– Doskonale. Skoro jest niematerialna, wypłacę wam rekompensatę. W tej chwili. Chcą państwo dostać tyle, ile za niego zapłaciliśmy? Bo ja mam jeszcze rachunek. Weźmiecie tę sumę i zostawicie mnie w spokoju?

W sali zapada cisza.

Henry wyciąga rękę i dotyka jej ramienia. Kostki dłoni Liv, zaciśniętych na długopisie, są białe.

– Pozwoli pani, że zabiorę głos – wtrąca prawnik gładko. – Celem tego spotkania jest zaproponowanie możliwych rozwiązań, by przekonać się, czy którekolwiek z nich okaże się do przyjęcia.

Janey Dickinson wymienia szeptem kilka słów z André Lefèvre'em. Otacza ją aura wystudiowanego spokoju, niczym nauczycielkę w podstawówce.

– Muszę zaznaczyć, że ze strony rodziny Lefèvre jedynym możliwym do zaakceptowania rozwiązaniem jest zwrot ich obrazu – mówi.

– Tylko że to nie ich obraz – rzuca Liv.

– Zgodnie z konwencją haską tak – ripostuje Janey.

– Bzdura.

– Takie jest prawo.

Liv podnosi wzrok i widzi, że Paul się w nią wpatruje. Wyraz jego twarzy się nie zmienia, ale w oczach migocze coś na kształt przeprosin. Za co? Za te krzyki nad mahoniowym stołem? Za skradzioną noc? Skradziony obraz? Liv nie jest pewna. „Nie patrz na mnie", nakazuje mu bezgłośnie.

– Być może… – odzywa się Sean Flaherty. – Może, jak mówi Henry, moglibyśmy przynajmniej zaproponować kilka hipotetycznych rozwiązań.

– O, jak najbardziej, proszę proponować – odpowiada Liv.

– Tego typu sprawy mają liczne precedensy. Jeden z nich jest taki, że pani Halston ma możliwość zaspokojenia roszczenia. Oznacza to, że zapłaciłaby pani rodzinie Lefèvre równowartość obrazu i go zatrzymała.

Janey Dickinson nie podnosi wzroku znad notatnika.

– Jak już wspomniałam, rodzina nie jest zainteresowana pieniędzmi. Zależy im na obrazie.

– Ach tak – mówi Liv. – Myśli pani, że nigdy wcześniej nic nie negocjowałam? Że nie wiem, na czym to polega?

– Liv – wtrąca znów Henry – czy moglibyśmy…

– Ja wiem, co tu się dzieje. „Ależ nie, nie chcemy pieniędzy". Aż dojdziemy do sumy wielkości wygranej na loterii. I wtedy cudownym sposobem wszystkim udaje się jakoś zapomnieć o zranionych uczuciach.

– Liv… – odzywa się cicho Henry.

Ona wypuszcza powietrze z płuc. Jej dłonie pod stołem drżą.

– Zdarzają się sytuacje, w których dochodzi się do porozumienia o współwłasności obrazu. Kiedy w grę wchodzi to, co określa się jako majątek niepodzielny, jak w tym przypadku, jest to niewątpliwie skomplikowane. Bywało jednak, że strony zgadzały się na to, by na zmianę użytkować dzieło sztuki, bądź też jako współwłaściciele zezwolić na wystawienie go w renomowanej galerii. Takiemu rozwiązaniu towarzyszyłaby oczywiście informacja dla zwiedzających o wojennej przeszłości obrazu oraz o hojności jego dotychczasowych właścicieli.

Liv w milczeniu kręci głową.

– Istnieje możliwość sprzedaży i podziału, kiedy…

– Nie – mówią chórem Liv i Lefèvre.

– Panno Halston.

– Pani Halston – poprawia go Liv.

– Pani Halston. – Głos Paula jest teraz ostrzejszy. – Mam obowiązek poinformować panią, że mamy bardzo poważne szanse na wygraną. Dysponujemy obszernym materiałem dowodowym przemawiającym za restytucją oraz licznymi precedensami, które umacniają naszą pozycję. Sugeruję, by dla własnego dobra przemyślała pani kwestię ugody.

W sali zapada cisza.

– Czy chce mnie pan w ten sposób przestraszyć? – pyta Liv.

– Nie – odpowiada Paul powoli. – Pragnę jednak przypomnieć pani, że w interesie wszystkich tu obecnych jest polubowne załatwienie sprawy. To roszczenie nie zostanie wycofane. Ja… my się nie wycofamy.

Liv widzi go nagle, z ręką przerzuconą przez jej nagą talię i brązową czupryną spoczywającą na jej lewej piersi. Widzi jego oczy, uśmiechnięte w półmroku.

Unosi lekko podbródek.

– Ona nie należy do was – odparowuje. – Do zobaczenia w sądzie.


Są w gabinecie Henry'ego. Liv właśnie wypiła dużą whisky. Nigdy dotąd nie zdarzyło jej się pić w ciągu dnia, ale Henry nalał jej alkoholu, jakby było to czymś zupełnie naturalnym. Mężczyzna czeka przez parę minut, a Liv sączy whisky łyczek po łyczku.

– Muszę cię ostrzec, że to będzie kosztowna sprawa – mówi Henry, odchylając się na krześle.

– To znaczy?

– No cóż, w wielu przypadkach dzieło sztuki po zakończeniu procesu trzeba po prostu sprzedać, żeby opłacić jego koszty. Ostatnio w Connecticut pewien człowiek odzyskał skradzione prace o wartości dwudziestu dwóch milionów dolarów. Ale samemu prawnikowi był winny ponad dziesięć milionów dolarów. A my będziemy musieli opłacić specjalistów, zwłaszcza od prawa francuskiego, biorąc pod uwagę historię obrazu. Takie sprawy potrafią się ciągnąć, Liv.

– Ale jeżeli wygramy, oni będą musieli pokryć koszty procesu, tak?

– Niekoniecznie.

Liv przetrawia tę odpowiedź.

– No dobrze, to o jakich sumach mówimy – pięciocyfrowych?

– Obstawiałbym sześciocyfrowe. To zależy od tego, czym oni dysponują. Ale precedens rzeczywiście jest po ich stronie. – Henry wzrusza ramionami. – Możemy udowodnić, że masz prawo do tego portretu. Wygląda jednak na to, że na ten moment w historii obrazu są pewne luki, a jeżeli tamci mają dowody, że został on zabrany podczas wojny, to...

– Sześciocyfrowe? – powtarza Liv, po czym wstaje i zaczyna krążyć po pokoju. – Nie do wiary. Jak to możliwe, że ktoś może po prostu wejść z butami w moje życie i zażądać czegoś, co należy do mnie? Czegoś, co mam od zawsze?

– Ich argumenty z pewnością nie są niepodważalne. Ale muszę zwrócić ci uwagę na fakt, że klimat polityczny w tej chwili sprzyja stronie powodowej. W zeszłym roku Sotheby's sprzedał trzydzieści osiem takich prac. A dziesięć lat wcześniej ani jednej.

Liv czuje się jak naelektryzowana, nerwy ma wciąż jeszcze rozdygotane po tamtym spotkaniu.

– On… oni jej nie dostaną – mówi.

– Ale co z pieniędzmi? Wspominałaś, że nie jesteś w najlepszej kondycji finansowej.

– Wezmę pożyczkę pod zastaw domu – odpowiada Liv. – Czy jest coś, co mogłabym zrobić, żeby ograniczyć koszty?

Henry pochyla się do przodu.

– Jeżeli zdecydujesz się walczyć, będziesz mogła zrobić wiele rzeczy. Przede wszystkim im więcej uda ci się dowiedzieć o losach obrazu, tym mocniejsza będzie nasza pozycja. W przeciwnym razie będę musiał zlecić to komuś z moich pracowników i obciążyć cię stawką godzinową, nie licząc kosztów powołania biegłych, kiedy już staniemy przed sądem. Sugerowałbym, żebyś – o ile możesz – najpierw zajęła się tym, a potem zobaczymy, na czym stoimy, i poinstruujemy adwokata.

– Zabieram się do poszukiwań.

W uszach Liv ciągle dźwięczy ta nieznośna pewność w ich głosach: „Mamy poważne szanse na wygraną. Dysponujemy licznymi precedensami, które umacniają naszą pozycję". Widzi twarz Paula, jego udawaną troskę: „W interesie wszystkich tu obecnych jest polubowne załatwienie sprawy".

Pociąga łyk whisky i czuje, że traci pewność siebie. Opanowuje ją nagłe poczucie, że jest całkiem sama.

– Henry, a co ty byś zrobił? To znaczy, gdybyś był na moim miejscu.

Mężczyzna styka z sobą czubki palców i opiera je o swój nos.

– Myślę, że ta sytuacja jest bardzo niesprawiedliwa. Ale, Liv, osobiście dobrze bym się zastanowił, zanim poszedłbym z tym do sądu. Takie sprawy potrafią być naprawdę nieprzyjemne. Chyba warto byłoby zastanowić się jeszcze raz, czy widzisz jakąkolwiek szansę na ugodę.

Ale ona ciągle ma przed oczami twarz Paula.

– Nie – mówi stanowczo. – On jej nie dostanie.

– Nawet jeżeli…

– Nie.

Czując na sobie wzrok Henry'ego, zabiera swoje rzeczy i wychodzi z gabinetu.


Paul wybiera numer po raz czwarty, opiera palec na przycisku „zadzwoń", a potem zmienia zdanie i wpycha telefon do tylnej kieszeni. Po drugiej stronie ulicy jakiś mężczyzna w garniturze dyskutuje z przedstawicielem straży miejskiej, gestykulując zapalczywie, podczas gdy strażnik spogląda na niego bez emocji.

– Idziesz na lunch? – W drzwiach pojawia się Janey. – Stół mamy zarezerwowany na wpół do drugiej.

Musiała dopiero co spryskać się perfumami. Zapach rozchodzi się w powietrzu, dociera nawet na jego stronę biurka.

– Naprawdę jestem wam tam potrzebny?

Paul nie ma nastroju na towarzyskie pogawędki. Nie chce być czarujący, wymieniać po kolei wszystkich zdumiewających sukcesów ich firmy w odzyskiwaniu dzieł sztuki. Nie chce znów się przekonać, że dostał miejsce obok Janey, czuć, jak ona ze śmiechem opiera się o niego, jak jej kolano ciąży ku jego nodze. Co więcej, nie podoba mu się André Lefèvre, jego podejrzliwe oczy i grymas niezadowolenia w kącikach ust. Rzadko zdarza mu się tak błyskawicznie znielubić klienta.

– Czy mogę spytać, kiedy po raz pierwszy zdali sobie państwo sprawę, że obraz zniknął? – zapytał go.

– Przeprowadziliśmy audyt.

– Czyli osobiście nie odczuwali państwo jego braku?

– Osobiście? – Mężczyzna wzruszył ramionami. – Dlaczego ktoś inny miałby odnosić finansowe korzyści z dzieła, które powinno znajdować się w naszym posiadaniu?

– Nie chcesz iść? Dlaczego? – pyta Janey. – Co innego masz do roboty?

– Pomyślałem, że posiedzę nad zaległymi papierami.

Janey pozwala swojemu spojrzeniu zatrzymać się na nim przez chwilę. Umalowała usta. I założyła wysokie obcasy. Nogi ma rzeczywiście niezłe, myśli Paul z roztargnieniem.

– Potrzebujemy tej sprawy, Paul. I musimy przekonać Lefèvre'a, że wygramy.

– W takim razie sądzę, że lepiej spożytkuję czas tutaj, niż siedząc z nim przy stole. – Nie patrzy na Janey. Szczęki ma zaciśnięte z wyrazem uporu. Przez cały tydzień był nieprzyjemny dla wszystkich wokół. – Zabierz Miriam – dorzuca. – Zasłużyła sobie na dobry lunch.

– Nie wydaje mi się, żeby nasz budżet pozwalał na fundowanie sekretarkom wystawnych posiłków, kiedy tylko przyjdzie nam ochota.

– Dlaczego by nie? Zresztą może ona wpadnie Lefèvre'owi w oko. Miriam? Miriam? – Paul, nie spuszczając wzroku z Janey, odchyla się na krześle.

Miriam wsuwa głowę przez drzwi, żując kanapkę z tuńczykiem.

– Tak?

– Czy chciałabyś pójść zamiast mnie na lunch z *monsieur* Lefèvre'em?

– Paul, przecież… – Janey zaciska zęby.

Miriam patrzy to na niego, to na nią. Przełyka swoją kanapkę.

– To bardzo miło z waszej strony, ale…

– Ale Miriam ma kanapkę. I umowy do przepisania. Dziękuję, Miriam. – Janey czeka, aż za sekretarką zamkną się drzwi, i w zamyśleniu sznuruje wargi. – Paul, czy wszystko w porządku?

– W jak najlepszym.

– Cóż… – Kobieta nie potrafi ukryć irytacji w głosie. – Widzę, że cię nie przekonam. Z niecierpliwością czekam na wyniki twoich poszukiwań w tej sprawie. Nie wątpię, że będą miały decydujące znaczenie.

Stoi tam jeszcze przez chwilę, a potem wychodzi. Paul słyszy, jak rozmawia z Lefèvre'em po francusku, kierując się na zewnątrz.

On siedzi i wpatruje się w ścianę przed sobą.

– Hej, Miriam?

Dziewczyna znów się pojawia, trzymając kanapkę w ręce.

– Przepraszam. To było…

– Nic nie szkodzi. – Miriam uśmiecha się, wsuwa do ust uciekający kawałek chleba i dodaje coś, czego Paul nie jest w stanie zrozumieć. Trudno stwierdzić, czy słyszała cokolwiek z jego rozmowy z Janey.

– Dzwonił ktoś?

Dziewczyna przełyka głośno.

– Tylko prezes Stowarzyszenia Muzeów, tak jak ci mówiłam. Chcesz, żebym teraz do niego oddzwoniła?

Uśmiech Paula jest blady i nie dosięga oczu.

– Nie, nie trzeba.

Pozwala Miriam zamknąć drzwi, po czym jego westchnienie, choć miękkie i niegłośne, wypełnia ciszę.

Liv zdejmuje obraz ze ściany. Lekko przesuwa palcami po jego olejnej powierzchni, czując pod opuszkami skręty i pociągnięcia pędzla, nie mogąc się nadziwić, że położył je tam własnoręcznie sam artysta, i patrzy na kobietę na płótnie. Pozłacana rama miejscami jest poodpryskiwana, ale Liv zawsze wydawało się to urzekające; podobał jej się kontrast między tym, co stare, ozdobne i wysłużone, a ostrymi, czystymi liniami wokół niej. Podobało jej się, że *Dziewczyna, którą kochałeś* jest jedyną kolorową rzeczą w całym pokoju, antyczną i cenną, lśniącą niczym klejnocik nad jej łóżkiem.

Tylko że teraz to już nie jest po prostu *Dziewczyna*, wspólny kawałek historii, intymny żart pomiędzy mężem a żoną. Teraz to żona słynnego artysty, zaginiona, być może zamordowana. Jest ostatnim ogniwem prowadzącym do męża w obozie koncentracyjnym. Jest zaginionym obrazem, przedmiotem pozwu, przyszłym celem dochodzenia. Liv sama nie wie, jak się czuje z tą nową wersją: wie tylko, że już utraciła jakąś jej część.

Obraz… zabrany i przekazany Niemcom.

André Lefèvre, z tępo wojowniczym wyrazem twarzy, ledwie spojrzał na wizerunek Sophie. I McCafferty. Za każdym razem, kiedy przypomina sobie Paula McCafferty'ego w tamtej sali, w uszach Liv narasta szum wściekłości. Czasem ma takie poczucie, jakby płonęła ze złości, jakby znajdowała się w stanie permanentnego przegrzania. Jak może tak po prostu oddać im Sophie?

Liv wyciąga z pudełka pod łóżkiem swoje buty do biegania, przebiera się w dres, wciska klucz i telefon do kieszeni, a potem wybiega z domu.

Mija Fran, która siedzi na odwróconej do góry dnem skrzynce, patrząc w milczeniu, jak Liv rusza w stronę rzeki, i pozdrawia ją, unosząc rękę. Nie ma ochoty rozmawiać.

Jest wczesne popołudnie, brzegi Tamizy usiane są zbłąkanymi pracownikami biurowymi wracającymi do pracy po długim lunchu, grupkami dzieci poganianymi przez udręczone nauczycielki i znudzonymi młodymi matkami niezwracającymi uwagi na swoje niemowlęta i wysyłającymi esemesy znad spacerówek. Liv biegnie, wymijając ich wszystkich, spowalniana tylko przez ściśnięte płuca i przelotne kłucie w boku, biegnie, aż wreszcie staje się jeszcze jednym ciałem w tłumie, niewidzialnym, nie do odróżnienia. Przepycha się przez ciżbę. Biegnie, aż łydki zaczynają ją palić, aż pot znaczy na jej plecach ciemną literę T, a twarz robi się błyszcząca. Biegnie, aż poczuje fizyczny ból, aż nie będzie już w stanie myśleć o niczym innym.

W końcu wraca spacerem wzdłuż Somerset House, kiedy dostaje esemesa. Zatrzymuje się i wyciąga telefon z kieszeni, ocierając z czoła pot, który piecze ją w oczy.

Liv. Zadzwoń.

Liv na wpół idzie, na wpół biegnie w stronę wody, a potem, zanim zdąży zastanowić się nad tym, co robi, płynnym ruchem bierze zamach i ciska komórkę do Tamizy. Telefon znika bezgłośnie, nie zwracając niczyjej uwagi, w ciemnoszarych, spienionych wodach, mknących w stronę centrum.

# 20

*Luty 1917*

Najdroższa siostro,

od Twojego wyjazdu minęły trzy tygodnie i cztery dni. Nie wiem, czy ten list Cię odnajdzie i czy udało się to któremukolwiek z poprzednich; mer wynalazł nową drogę komunikacji i przyrzeka, że wyśle go, jak tylko dostanię informację, że to bezpieczne. A ja czekam i się modlę.

Od czternastu dni pada deszcz, zmieniając to, co zostało z naszych dróg, w błoto, które utrudnia nam chodzenie i wyciąga koniom podkowy z kopyt. Rzadko wychodzimy poza obręb placu: jest za zimno i za trudno, a ja, prawdę mówiąc, nie chcę już zostawiać dzieci samych, nawet na kilka minut. Po Twoim wyjeździe Édith przez trzy doby siedziała przy oknie i nie chciała się stamtąd ruszyć, aż zaczęłam się bać, że się rozchoruje, i przemocą zaprowadziłam ją do stołu, a później do łóżka. Przestała mówić, oczy ma puste, na twarzy wyraz czujności, a ręce stale uczepione mojej spódnicy, jakby spodziewała się, że w każdej chwili może zjawić się ktoś, kto porwie także mnie. Obawiam się, że brakuje mi czasu, by ją pocieszać. Niemców przychodzi teraz wieczorami mniej, ale wciąż na tyle dużo, że codziennie muszę uwijać się do północy, by ich nakarmić i po nich posprzątać.

Aurélien zniknął. Wymknął się niedługo po Twoim wyjeździe. Słyszałam od *madame* Louvier, że nadal jest w St Péronne, mieszka u Jacques'a Arriège'a nad trafiką, ale szczerze mówiąc, nie mam ochoty go widzieć. Po tym, jak Cię zdradził, nie uważam go za lepszego od Kommandanta Henckena. Mimo całej Twojej wiary w ludzką życzliwość ja nie mogę uwierzyć, że gdyby *Herr Kommandant* naprawdę dobrze Ci życzył, zabrałby Cię od nas w taki sposób, pozwalając całemu miasteczku dowiedzieć się o Twoich rzekomych grzechach. Nie widzę ani śladu ludzkiego odruchu w czynach któregokolwiek z nich. Ani śladu.

Modlę się za Ciebie, Sophie. Kiedy budzę się rano, mam przed oczami Twoją twarz, a gdy przewracam się na bok, jakaś część mnie wciąż odczuwa zdziwienie, że nie leżysz na poduszce obok, z włosami zaplecionymi w gruby warkocz, nie rozśmieszasz mnie i nie przywołujesz wspomnień o jedzeniu. W barze odwracam się, żeby Cię zawołać, ale zamiast Ciebie jest tylko cisza. Mimi wspina się po schodach do Twojej sypialni i zagląda do środka, tak jakby ona także spodziewała się znaleźć tam Ciebie, siedzącą przy biureczku i piszącą coś albo zapatrzoną w dal, z głową pełną marzeń. Pamiętasz, jak stawałyśmy przy tamtym oknie i wyobrażałyśmy sobie, co znajduje się za nim? Jak marzyłyśmy o wróżkach i księżniczkach, i tych szlachcicach, którzy pewnego dnia przybędą nam na ratunek? Zastanawiam się, co te małe dziewczynki pomyślałyby teraz o tym miejscu, z jego wyboistymi drogami, mężczyznami przypominającymi zjawy w łachmanach i wygłodzonymi dziećmi.

Od kiedy wyjechałaś, w miasteczku nic się nie dzieje. Mam takie wrażenie, jakby razem z Tobą opuściła je jego dusza. Przychodzi do nas *madame* Louvier, jak zawsze przekorna, i upiera się, że musimy stale wspominać Twoje imię. Poucza każdego, kto się jej nawinie. Wśród tych Niemców, którzy przychodzą do nas na kolację, nie ma *Herr Kommandanta*. Jestem święcie przekonana, że nie potrafi spojrzeć mi w oczy. A może zdaje sobie sprawę, że chciałabym przebić go na wylot moim najlepszym nożem do mięsa, i stwierdził, że lepiej trzymać się z dala.

Wciąż trafiają do nas strzępki wiadomości: ze skrawka papieru wsuniętego pod drzwi dowiedziałam się, że nieopodal Lille wybuchła kolejna epidemia grypy, pod Douai schwytano konwój alianckich żołnierzy, a przy granicy z Belgią konie zabija się na mięso. Żadnych wieści od Jean-Michela. Żadnych wieści od Ciebie.

Niekiedy czuję się tak, jakbym była pogrzebana w jakiejś kopalni i słyszała tylko odległe echa głosów. Wszyscy ci, których kocham, poza dziećmi, zostali mi odebrani, a ja nie wiem już, czy którekolwiek z Was żyje. Czasem boję się o Ciebie tak bardzo, że strach aż mnie paraliżuje, i jeżeli jestem w trakcie mieszania zupy czy nakrywania do stołu, muszę zmusić się do oddychania, nakazać sobie być silną dla dzieci. Przede wszystkim muszę mieć wiarę. Co zrobiłaby Sophie? Kiedy zadaję sobie to pytanie, odpowiedź jest zawsze jasna.

Proszę Cię, najdroższa siostro, uważaj na siebie. Staraj się nie ściągać na siebie gniewu Niemców, choć to Twoi prześladowcy. Nie ryzykuj, choćby pokusa była przemożna. Liczy się tylko to, byś powróciła do nas bezpiecznie; Ty, Jean-Michel i Twój ukochany Édouard. Powtarzam sobie, że ten list do Ciebie dotrze. Że może, kto wie?, Wy dwoje jesteście już razem, i to nie w sposób, którego się najbardziej obawiam. Powtarzam sobie, że Bóg musi być sprawiedliwy, niezależnie od tego, jak igra sobie z naszą przyszłością w te mroczne dni.

Bądź zdrowa, Sophie.

Twoja kochająca siostra
Hélène

## 21

Paul odkłada list wydobyty z tajnej skrytki z korespondencją przechowywaną przez członków ruchu oporu podczas pierwszej wojny światowej. To jedyny materiał dowodowy, jaki znalazł na temat rodziny Sophie Lefèvre – wygląda na to, że nie dotarł do niej, podobnie jak pozostałe.

*Dziewczyna, którą kochałeś* to obecnie najważniejsze zadanie Paula. Przekopuje się przez wszystkie swoje standardowe źródła: muzea, archiwa, domy aukcyjne, rozmawia ze specjalistami od międzynarodowych spraw na rynku dzieł sztuki. Nieoficjalnie konsultuje się z mniej niewinnymi informatorami: starymi znajomymi ze Scotland Yardu, wtyczkami w świecie przestępców specjalizujących się w sztuce, pewnym Rumunem znanym z tego, że jest w stanie z niemal matematyczną dokładnością odtworzyć podziemny obrót imponującą liczbą skradzionych europejskich dzieł.

Odkrywa następujące fakty: Édouard Lefèvre do niedawna był najmniej znanym malarzem z kręgu Académie Matisse. Jest tylko dwóch naukowców, którzy specjalizują się w jego twórczości, i żaden z nich nie wie o *Dziewczynie, którą kochałeś* więcej niż Paul.

Fotografia oraz kilka pamiętników zdobytych przez rodzinę Lefèvre wskazują na to, że obraz wisiał w widocznym miejscu w hotelu o nazwie Le Coq Rouge w St Péronne, miasteczku okupowanym przez Niemców podczas pierwszej wojny światowej. Portret zniknął bez śladu jakiś czas po aresztowaniu Sophie Lefèvre.

A potem następuje luka obejmująca jakieś trzydzieści lat, po których obraz znów się pojawia u niejakiej Louanne Baker. Kobieta trzymała go w swoim domu w Stanach przez trzydzieści lat, a następnie przeprowadziła się do Hiszpanii, gdzie zmarła, portret zaś został kupiony przez Davida Halstona.

Co działo się z nim w międzyczasie? Jeżeli rzeczywiście go zagrabiono, dokąd trafił? Co stało się z Sophie Lefèvre, która nagle po prostu zniknęła z historii? Fakty istnieją niczym punkty w łamigłówce typu „połącz kropki", ale takiej, w której obrazek nigdy nie nabiera czytelnego kształtu. Więcej napisano o portrecie Sophie Lefèvre niż o niej samej.

Podczas drugiej wojny światowej zagrabione skarby trzymano w skarbcach w Niemczech, pod ziemią, starannie chronione. Miliony dzieł sztuki namierzano z chirurgiczną precyzją, korzystając z pomocy pozbawionych skrupułów handlarzy i rzeczoznawców. Nie było to bezładne plądrowanie typowe dla żołnierzy podczas bitwy: ta grabież była systematyczna, kontrolowana, regulowana i dokumentowana.

Z pierwszej wojny światowej zachowało się jednak niewiele dokumentów dotyczących zrabowanych dóbr, zwłaszcza w północnej Francji. Jak mówi Janey, oznacza to, że sprawa ta jest dla nich rodzajem sprawdzianu. Mówi to z odcieniem dumy. Bo prawda jest taka, że ta sprawa ma dla ich firmy kluczowe znaczenie. Wokół organizacje o podobnym profilu wyrastają jak grzyby po deszczu, wszystkie zajmują się ustalaniem pochodzenia dzieł sztuki i chwalą się odzyskanymi pracami, które krewni zmarłych osób przez dziesiątki lat bezskutecznie próbowali odnaleźć. W tej chwili ich ofertę przebijają firmy gwarantujące zwrot pieniędzy w przypadku odrzucenia roszczenia i obiecujące gruszki na wierzbie ludziom, którzy są gotowi uwierzyć we wszystko, byle tylko odzyskać swój ukochany przedmiot.

Sean donosi, że prawnik Liv uciekał się do najróżniejszych kruczków, by ukręcić sprawie łeb. Twierdził, że jest ona objęta przedawnieniem i że sprzedaż obrazu Davidowi przez Marianne Baker dokonana była „w dobrej wierze". Niemniej w wyniku skomplikowanej kombinacji przyczyn wszystkie te sposoby zawiodły. Idziemy do sądu, oznajmia Sean radośnie.

– Najprawdopodobniej w przyszłym tygodniu. Przydzielili nam Justice'a Bergera. Tego typu sprawy rozstrzyga zawsze na korzyść strony powodowej. Możemy być dobrej myśli!

– Świetnie – mówi Paul.

W gabinecie ma przypiętą kserokopię *Dziewczyny, którą kochałeś* w formacie A4, wśród innych obrazów – zaginionych lub będących przedmiotem roszczeń. Paul od czasu do czasu podnosi na nią wzrok i myśli, że wolałby, by Liv Halston nie odpowiadała za każdym razem na jego spojrzenie. Koncentruje uwagę na leżących przed nim dokumentach. „Ten obraz nie należy do takich, jakie człowiek spodziewałby się znaleźć w skromnym hoteliku na prowincji", pisze w pewnym momencie Kommandant do swojej żony. „Szczerze mówiąc, nie potrafię oderwać od niego wzroku".

Od niego? – zastanawia się Paul. – Czy od niej?

Kilka kilometrów dalej Liv także pracuje. Wstaje o siódmej, wkłada buty do biegania i rusza przed siebie; biegnie wzdłuż rzeki z muzyką w uszach i sercem bijącym w takt jej kroków. Wraca do domu po wyjściu Mo do pracy, bierze prysznic, robi sobie śniadanie, znosi Fran herbatę, teraz jednak wychodzi ze Szklanego Domu i spędza dni w specjalistycznych bibliotekach z książkami poświęconymi sztuce, w dusznych archiwach galerii i w internecie, szukając tropów. Codziennie jest w kontakcie z Henrym, do którego wpada, ilekroć ją o to poprosi, i słucha, podczas gdy on objaśnia jej wagę zeznań francuskich świadków i mówi o trudnościach ze znalezieniem biegłych.

– Czyli krótko mówiąc – podsumowuje Liv – chcesz, żebym znalazła konkretne dowody na temat obrazu, o którym nic nie napisano, przedstawiającego kobietę, która wydaje się nie istnieć.

Henry uśmiecha się do niej nerwowo. Często tak robi.

Liv żyje i oddycha tym obrazem. Nie zwraca uwagi na zbliżające się święta Bożego Narodzenia, na tęskne telefony od ojca. Jest ślepa na wszystko poza własną determinacją, żeby portret nie wpadł w ręce Paula. Henry przekazał jej wszelkie ujawnione akta drugiej strony – kopie listów Sophie i jej męża, wzmianki o obrazie i miasteczku, w którym mieszkali.

Liv czyta setki prac akademickich i politycznych, reportaży o zwróconych dziełach sztuki: o rodzinach uśmierconych w Dachau, których ocalałe wnuki pożyczyły pieniądze, by odzyskać obraz Tycjana; o polskiej rodzinie, której jedyna członkini, jaka przeżyła wojnę, umarła szczęśliwa dwa miesiące po zwrocie należącej do jej ojca figurki Rodina. Prawie wszystkie te artykuły są napisane z punktu widzenia zgłaszających roszczenie, rodziny, która straciła wszystko i wbrew wszelkiemu prawdopodobieństwu zdołała odnaleźć obraz babki. Czytelnik jest zaproszony do cieszenia się ich radością, gdy wreszcie go odzyskują. Słowo „niesprawiedliwość" pojawia się niemal w każdym akapicie. Artykuły rzadko prezentują zdanie osoby, która kupiła dzieło w dobrej wierze, a potem je straciła.

I dokądkolwiek by poszła, Liv odkrywa ślady Paula, jakby zadawała nie te pytania, szukała w niewłaściwych miejscach, jakby po prostu przetwarzała informacje, które on już zna.

Wstaje i się przeciąga, przechadzając się po gabinecie. Na czas pracy przenosi *Dziewczynę, którą kochałeś* na regał, żeby móc czerpać z niej inspirację. Łapie się na tym, że patrzy na nią co chwila, jakby była świadoma, że ich wspólny czas może być ograniczony. A data procesu ciągle się zbliża, nieubłagana niczym werbel odległej bitwy. „Sophie, udziel mi odpowiedzi", prosi Liv bezgłośnie. „Albo podsuń mi chociaż jakąś wskazówkę, do cholery".

– Hej.

W drzwiach staje Mo, która je jogurt z kubeczka. Minęło sześć tygodni, a ona nadal mieszka w Szklanym Domu. Liv jest wdzięczna za jej obecność. Przeciąga się i spogląda na zegarek.

– Już piętnasta? Boże. Prawie nic dziś nie zdziałałam.

– Rzuć okiem na to. – Mo wyciąga spod pachy wieczorne wydanie lokalnej gazety i podaje ją Liv. – Trzecia strona.

Liv otwiera gazetę.

„Wdowa po słynnym architekcie walczy o zagrabiony przez hitlerowców obraz wart miliony funtów", głosi nagłówek. Pod nim znajduje się zdjęcie sprzed kilku lat przedstawiające ją i Davida na jakiejś imprezie dobroczynnej. Liv ma na sobie jaskrawoniebieską sukienkę i trzyma w górze kieliszek z szampanem, jakby wznosiła toast do obiektywu. Obok wstawiono małe zdjęcie *Dziewczyny, którą kochałeś* z podpisem: „Wart miliony obraz malarza impresjonisty został »skradziony przez Niemca«".

– Ładna sukienka – odzywa się Mo.

Krew odpływa Liv z twarzy. Nie rozpoznaje tej uśmiechniętej imprezowiczki na zdjęciu, kobiety z jakiegoś innego życia.

– O Boże…

Czuje się tak, jakby ktoś otworzył na oścież drzwi do jej domu, do jej sypialni.

– Wygląda na to, że mają interes w tym, by przedstawić cię jako pazerną snobkę z wyższych sfer. To wzmacnia linię obrony tej „nieszczęsnej francuskiej ofiary".

Liv zamyka oczy. Może jeśli nie będzie ich otwierać, to wszystko zniknie.

– Oczywiście to nijak się ma do faktów historycznych. No bo przecież w pierwszej wojnie światowej nie było hitlerowców. Więc wątpię, żeby ktokolwiek potraktował to poważnie. To znaczy na twoim miejscu w ogóle bym się nie martwiła. – Długa cisza. – I nie sądzę, żeby cię ktoś rozpoznał. Teraz wyglądasz zupełnie inaczej. Znacznie… – Mo szuka słów – …biedniej. I jakby starzej.

Liv otwiera oczy. I widzi siebie, stojącą obok Davida niczym jakaś zamożna, beztroska wersja tej samej osoby.

Mo wyjmuje z ust łyżeczkę i przygląda się jej badawczo.

– Tylko nie czytaj tego artykułu w internecie, dobra? Niektóre komentarze są dosyć… mocne.

Liv podnosi wzrok.

– No wiesz. Każdy musi wyrazić swoją opinię. Stek bzdur. – Mo włącza czajnik. – Słuchaj, masz coś przeciwko temu, żeby Ranic wpadł w ten weekend? U niego na chacie mieszka jeszcze z piętnaście innych osób. Przyjemnie jest móc wyprostować nogi przed telewizorem, nie kopiąc przy tym nikogo w tyłek.

Liv pracuje przez cały wieczór, starając się opanować rosnące zdenerwowanie. Ciągle ma przed oczami ten reportaż: nagłówek, żonę z wyższych sfer wznoszącą toast szampanem. Dzwoni do

Henry'ego, który mówi jej, żeby się nie przejmowała, to było do przewidzenia. Łapie się na tym, że maniakalnie wsłuchuje się w ton jego głosu, usiłując ocenić, czy prawnik jest rzeczywiście tak pewny siebie, jak daje do zrozumienia.

– Posłuchaj, Liv. To duża sprawa. Ci ludzie nie będą grać fair. Musisz być na to przygotowana.

Henry skontaktował się z adwokatem. Wymienia jego nazwisko tak, jakby ona powinna o nim słyszeć. Liv pyta, jaka jest jego stawka, i słyszy, jak Henry przekłada papiery. Kiedy podaje jej sumę, ma takie uczucie, jakby ktoś uderzył ją w klatkę piersiową, wyciskając z płuc całe powietrze.

Telefon dzwoni trzy razy; za pierwszym razem to ojciec, który opowiada, że dostał rolę w niedużym spektaklu objazdowym *W pogoni za własną żoną*. Liv odpowiada z roztargnieniem, że bardzo się cieszy, i nakazuje mu nie uganiać się za cudzymi.

– Caroline powiedziała dokładnie to samo! – wykrzykuje ojciec i się rozłącza.

Drugi telefon jest od Kristen.

– O mój Boże – zaczyna bez powitania. – Właśnie zobaczyłam ten artykuł.

– Tak. Nie najlepsza lektura na popołudnie.

Liv słyszy, jak Kristen zasłania dłonią słuchawkę, i dolatują do niej dźwięki stłumionej rozmowy.

– Sven mówi, żebyś z nikim więcej nie rozmawiała. Ani słóweczka.

– Nie rozmawiałam.

– To skąd wzięli te wszystkie okropne rzeczy?

– Henry mówi, że to prawdopodobnie APiR. Rozpowszechnianie informacji, które stawiają mnie w złym świetle, leży w ich interesie.

– Chcesz, żebym do ciebie przyjechała? Mam akurat wolną chwilę.

– To bardzo miło z twojej strony, Kristen, ale nie trzeba. – Liv nie ma ochoty z nikim rozmawiać.

– W każdym razie jeśli chcesz, mogę pojechać z tobą do sądu. Albo gdybyś chciała, żeby ktoś przedstawił twoją wersję, to na pewno znam parę takich osób. Może artykuł w „Hello!"?

– O, co to, to nie. Dziękuję. – Liv odkłada słuchawkę.

Teraz usłyszy o tym cały Londyn. Kristen jest w rozpowszechnianiu informacji znacznie skuteczniejsza niż wieczorna gazeta. Liv już sobie wyobraża, jak będzie musiała się tłumaczyć przyjaciołom i znajomym. Obraz w jakiś sposób już nie należy do niej. Jest przedmiotem publicznej debaty, tematem do dyskusji, symbolem niesprawiedliwości.

Kiedy odkłada słuchawkę, telefon natychmiast znów dzwoni, aż wystraszona Liv podskakuje.

– Kristen, ja...

– Czy rozmawiam z Olivią Halston?

Męski głos.

Liv waha się przez chwilę.

– Tak?

– Nazywam się Robert Schiller. Jestem korespondentem „The Times" z działu sztuki. Przepraszam, jeśli dzwonię w nieodpowiednim momencie, ale piszę właśnie artykuł na temat pani obrazu i zastanawiałem się, czy nie zechciałaby pani...

– Nie. Nie, dziękuję. – Liv rzuca słuchawkę. Obrzuca ją podejrzliwym spojrzeniem, po czym zdejmuje ją z widełek, obawiając się, że ktoś znów zadzwoni. Trzy razy odkłada ją z powrotem i za każdym razem telefon dzwoni natychmiast. Dziennikarze zostawiają nazwiska i numery. Ich głosy brzmią życzliwie, przymilnie. Obiecują rzetelność, przepraszają, że zabierają jej czas. Liv siedzi w pustym domu, słuchając gwałtownego bicia własnego serca.

Mo wraca krótko po pierwszej w nocy i zastaje Liv przed komputerem, a słuchawkę telefonu zdjętą z widełek. Liv pisze do każdego możliwego specjalisty od sztuki francuskiej z początku dwudziestego wieku. „Zastanawiałam się, czy nie wie Pan czegoś o…"; „Usiłuję uzupełnić luki w historii…"; „…wszystko, co Pan ma lub wie – cokolwiek…"

– Chcesz herbaty? – pyta Mo, zrzucając płaszcz.

– Poproszę.

Liv nie podnosi wzroku. Oczy ją pieką. Wie, że dotarła do takiego punktu, w którym już tylko bezmyślnie klika w kolejne strony i raz po raz maniakalnie sprawdza pocztę, ale nie potrafi przestać. Wrażenie, że coś robi, choćby było to zupełnie bez sensu, jest lepsze niż nicnierobienie.

Mo siada w kuchni naprzeciwko niej i podsuwa jej kubek.

– Okropnie wyglądasz.

– Dzięki.

Mo przygląda się apatycznie, jak Liv pisze na komputerze, a potem upija łyk herbaty i przysuwa swoje krzesło do niej.

– No dobra. Magister historii sztuki z wyróżnieniem zada ci teraz parę pytań. Przeglądałaś archiwa muzeów? Katalogi z aukcji? Kontaktowałaś się z marszandami?

Liv zamyka komputer.

– Co do jednego.

– Mówiłaś, że David kupił ten obraz od jakiejś Amerykanki. Nie mogłabyś jej spytać, skąd jej matka go miała?

Liv przerzuca papiery.

– Ci… druga strona już się z nią kontaktowała. Amerykanka nic nie wie. Louanne Baker go miała, a potem my go kupiliśmy. Nic więcej. Nic więcej nie potrzebowała wiedzieć, do cholery.

Liv wbija wzrok w wieczorną gazetę, w insynuacje, że z nią i z Davidem coś było nie tak, że brakowało im elementarnej uczciwości, skoro w ogóle mieli ten obraz. Widzi twarz Paula, jego oczy utkwione w niej w tamtej sali konferencyjnej.

Mo odzywa się cicho, jak nie ona:

– Wszystko w porządku?

– Tak. Nie. Mo, ja kocham ten obraz. Wiem, że to brzmi głupio, ale myśl o tym, że ją stracę, jest… To tak, jakbym miała stracić część siebie.

Brwi Mo unoszą się o pół centymetra.

– Przepraszam. Po prostu… Zobaczenie się w gazecie w roli wroga publicznego numer jeden jest… Do cholery, Mo, ja nie mam pojęcia, co robię. Walczę z człowiekiem, który robi to zawodowo, a ja na oślep szukam jakichś strzępków informacji i nic z tego nie wynika. – Upokorzona Liv uświadamia sobie, że zaraz się rozpłacze.

Mo przyciąga teczki z dokumentami w swoją stronę.

– Wyjdź na zewnątrz – mówi. – Idź sobie na taras, popatrz przez dziesięć minut na niebo i przypomnij sobie, że ostatecznie nasza egzystencja jest jałowa i pozbawiona sensu i że nasza mała planeta zostanie zapewne pochłonięta przez czarną dziurę, tak że żadna z tych rzeczy nie będzie miała znaczenia. A ja zobaczę, czy mogę ci w czymś pomóc.

Liv pociąga nosem.

– Ale ty jesteś pewnie wykończona.

– Nieee. Muszę się trochę odprężyć po wieczornej zmianie. To mi pomoże zasnąć. No, idź. – Mo zaczyna przeglądać papiery.

Liv ociera oczy, wciąga sweter i wychodzi na taras. Tutaj czuje się dziwnie nieważka, w bezkresnej czerni nocy. Spogląda w dół, na ogromne miasto rozpościerające się pod nią, i wciąga w płuca zimne powietrze. Przeciąga się i czuje, jakie ma napięte ramiona i sztywny kark. I zawsze, gdzieś pod powierzchnią, to uczucie, że czegoś jej brakuje; tajemnice unoszące się z dala od ludzkich oczu.

Kiedy dziesięć minut później wchodzi do kuchni, Mo gryzmoli coś w notatniku.

– Pamiętasz pana Chambersa?

– Chambersa?

– Malarstwo średniowieczne. Na pewno na to chodziłaś. Ciągle myślę o jednej rzeczy, którą on powiedział i która jakoś zapadła mi w pamięć; nic poza tym nie zapamiętałam. Powiedział, że czasem historia obrazu to coś więcej niż sam obraz. To także historia rodziny, ze wszystkimi jej sekretami i występkami. – Mo stuka długopisem w stół. – No więc ja się na tym zupełnie nie znam, ale ciekawa jestem... wiesz, skoro ona z nimi mieszkała, kiedy ten obraz zniknął, kiedy ona sama zniknęła, no i wyglądało na to, że oni wszyscy byli z sobą dosyć blisko, to dlaczego nigdzie nie ma żadnych informacji o rodzinie Sophie?

Liv siedzi do późna, przegląda grube teczki z papierami, sprawdza wszystko po kilka razy. Z okularami na czubku nosa szuka informacji w internecie. Gdy wreszcie znajduje to, czego szukała, krótko po piątej rano, dziękuje Bogu za skrupulatność francuskich archiwistów. A potem siada wygodnie i czeka, aż Mo się obudzi.

– Czy jest jakakolwiek szansa na porwanie cię w ten weekend od Ranica? – pyta, kiedy Mo staje w drzwiach z zaspanym wzrokiem i włosami, które spoczywają na jej ramionach niczym czarna wrona. Bez mocnej czarnej konturówki jej twarz robi wrażenie zaskakująco różowej i bezbronnej.

– Dzięki, nie mam ochoty na bieganie. Nie. Ani na nic, przy czym trzeba się spocić.

– Kiedyś mówiłaś płynnie po francusku, prawda? Chcesz pojechać ze mną do Paryża?

Mo kieruje się w stronę czajnika.

– Czy próbujesz mi w ten sposób powiedzieć, że zmieniłaś orientację? Bo wiesz, wprawdzie uwielbiam Paryż, ale laski nie bardzo mnie kręcą.

– Nie. Próbuję ci powiedzieć, że potrzebuję twojej wybitnej znajomości francuskiego, żeby zagadać z pewnym osiemdziesięciolatkiem.

– I ja to nazywam weekendem.

– Mogę dorzucić do tego hotel jednogwiazdkowy. I może dzień zakupów w Galeries Lafayette. Przez szybę.

Mo odwraca się w jej stronę i mruży oczy.

– Jak mogłabym odmówić. O której wyjeżdżamy?

## 22

Spotyka się z Mo na stacji St Pancras o siedemnastej trzydzieści i na widok współlokatorki, stojącej z papierosem pod kawiarnią i machającej do niej powściągliwie, Liv zdaje sobie sprawę, że czuje niemal zawstydzającą ulgę na myśl o dwóch dniach spędzonych daleko stąd. Z dala od śmiertelnej ciszy Szklanego Domu. Z dala od telefonu, który ostatnio jawi jej się jako coś dosłownie radioaktywnego: czternastu różnych dziennikarzy nagrało na automatyczną sekretarkę wiadomości o różnym stopniu życzliwości. Z dala od Paula, którego samo istnienie przypomina jej o wszystkim, co zrobiła nie tak.

Zeszłego wieczoru podzieliła się ze Svenem swoim planem, a on natychmiast zapytał:

– Stać cię na to?

– Na nic mnie nie stać. Wzięłam pożyczkę pod zastaw domu.

Milczenie Svena było wymowne.

– Musiałam. Prawnik chciał mieć jakąś gwarancję.

Koszty procesu zjadają wszystko. Sam adwokat kosztuje pięćset funtów za godzinę, a jeszcze nie pojawił się w sądzie.

– Wszystko będzie dobrze, jak tylko obraz będzie znów mój –
dodaje szybko Liv.

Na zewnątrz Londyn spowija wieczorna mgiełka; zachód
słońca rzuca pomarańczowe płomienie na brudnofioletowe niebo.

– Mam nadzieję, że nie oderwałam cię od niczego ważnego –
odzywa się Liv, kiedy obie zajmują miejsca.

– Tylko od comiesięcznych wspólnych śpiewów w domu opieki. –
Mo kładzie przed nimi stertę kolorowych czasopism i czekoladę. –
A przygrywanie do *Szła dzieweczka do laseczka* nie stanowi już dla
mnie wielkiej atrakcji. No dobra, to co to za facet, którego mamy
poznać, i co go łączy z twoją sprawą?

Philippe Bessette jest synem Auréliena Bessette'a, młodszego brata Sophie Lefèvre. To Aurélien, wyjaśnia Liv, mieszkał
w Le Coq Rouge podczas okupacji. Był tam, kiedy zabrali Sophie,
i został w miasteczku przez następne kilka lat.

– On jeden może wiedzieć, w jaki sposób obraz zniknął. Rozmawiałam z przełożoną domu opieki, w którym przebywa, a ona
powiedziała, że powinno się dać z nim porozmawiać, bo gość jest
całkiem przytomny, ale że muszę przyjechać osobiście, bo jest przy-
głuchy i nie korzysta z telefonu.

– No to się cieszę, że mogę ci pomóc.

– Dziękuję.

– Ale wiesz, że ja tak naprawdę nie mówię po francusku.

Liv odwraca się do niej gwałtownie. Mo trzyma małą butelkę czerwonego wina i nalewa go do dwóch papierowych
kubeczków.

– Co?

– Nie mówię po francusku. Za to dobrze mi idzie rozumienie
ogólnego bełkotu starszych ludzi. Może coś tam wyłapię.

Liv osuwa się na siedzenie.

– Żartuję. Jezu, ale cię łatwo nabrać. – Mo podaje jej wino i pociąga długi łyk ze swojego kubeczka. – Czasem się o ciebie martwię. Poważnie.

Po wszystkim Liv niewiele pamięta z samej podróży pociągiem. Piją wino, a potem kolejne dwie buteleczki, i rozmawiają. Liv od tygodni nie brała udziału w niczym, co bardziej przypominałoby wieczorne wyjście. Mo opowiada o kiepskich kontaktach z rodzicami, którzy nie rozumieją jej braku ambicji ani pracy w domu opieki, którą ona kocha.

– Przecież wiem, że nie ma mniej prestiżowej pracy niż posada asystentki w domu opieki, ale te staruszki są spoko. Niektórzy są naprawdę bystrzy, a inni śmieszni. Lubię ich bardziej niż większość ludzi w naszym wieku. – Liv czeka na „z wyjątkiem tu obecnych" i stara się nie wziąć tego do siebie, kiedy nic takiego nie pada.

Wreszcie opowiada Mo o Paulu. Mo na chwile milknie.

– Przespałaś się z nim i nie obczaiłaś go wcześniej w internecie? – pyta, gdy w końcu odzyskuje mowę. – O Boże, kiedy powiedziałaś, że dawno nie chodziłaś na randki, do głowy mi nie przyszło... Liv, nie idzie się z nikim do łóżka, dopóki się nie zbierze podstawowych informacji. Jezu.

Odchyla się na siedzeniu i dolewa sobie wina. Przez jej twarz przymyka błysk dziwnej wesołości.

– Rany. Właśnie coś przyszło mi do głowy: całkiem możliwe, że ty, Liv Halston, zaliczyłaś Najdroższe Bzykanko w Historii.

Noc spędzają w tanim hotelu na przedmieściach Paryża, gdzie łazienka wykonana jest z jednego kawałka żółtego plastiku, a szampon ma dokładnie ten sam kolor i zapach co płyn do zmywania. Po śniadaniu złożonym ze sztywnego, tłustego croissanta i filiżanki kawy Mo dzwoni do domu opieki. Liv pakuje rzeczy, już czując, jak jej żołądek zaciska się w ciasny węzeł nerwowej ekscytacji.

– No to po zabawie – mówi Mo, rozłączając się.

– Co?

– Źle się czuje. Nie przyjmuje dziś gości.

Liv przerywa nakładanie makijażu i wpatruje się w Mo ze zgrozą.

– Powiedziałaś im, że przyjechałyśmy tutaj aż z Londynu?

– Powiedziałam, że z Sydney. Ale ta babka twierdzi, że on jest osłabiony i że gdybyśmy przyszły, toby po prostu spał. Dałam jej mój numer komórki, a ona obiecała, że zadzwoni, jak gość się lepiej poczuje.

– A jeśli on umrze?

– Liv, to tylko przeziębienie.

– Ale on jest stary.

– Daj spokój. Chodź, napijemy się czegoś i popatrzymy sobie na ciuchy, na które nas nie stać. A jak tamta babka zadzwoni, to wskoczymy do taksówki, zanim zdążysz powiedzieć „Gérard Depardieu".

Przedpołudnie spędzają, wędrując po niezliczonych działach Galeries Lafayette, przyozdobionych bombkami i pękających w szwach od klientów robiących przedświąteczne zakupy. Liv próbuje się odprężyć i cieszyć się odmianą, ale jest boleśnie świadoma cen wszystkiego wokół. Od kiedy to dwieście funtów stało się normalną ceną za dżinsy? Czy krem nawilżający za sto funtów naprawdę likwiduje zmarszczki? Orientuje się, że odwiesza ubrania równie szybko, jak bierze je do ręki.

– Aż tak kiepsko stoisz z kasą?

– Adwokat kosztuje pięć stów za godzinę.

Mo czeka przez chwilę na puentę żartu, która nie nadchodzi.

– Aj. Mam nadzieję, że ten obraz jest tego wart.

– Henry chyba uważa, że mamy dobrą linię obrony. I że ten człowiek zna się na tym, co robi.

– To przestań się zamartwiać, na miłość boską. Zabaw się trochę. Posłuchaj, ten weekend może być przełomowy.

Ale Liv nie jest w stanie dobrze się bawić. Przyjechała tu, żeby wydobyć informacje od osiemdziesięciolatka, który niekoniecznie musi mieć ochotę z nią rozmawiać. Proces ma się zacząć w poniedziałek, a ona potrzebuje mocniejszych argumentów niż te, którymi dysponuje w tej chwili.

– Mo.

– Mm? – Mo trzyma w ręce czarną jedwabną sukienkę. Co chwila zerka w stronę zainstalowanych w sklepie kamer, co wywołuje u Liv lekkie zdenerwowanie.

– Co ty na to, żebyśmy wybrały się gdzieś indziej?

– Jasne. Gdzie chcesz iść? Do Palais-Royale? Le Marais? Pewnie dałoby radę znaleźć ci gdzieś bar, na którym mogłabyś sobie potańczyć, jeśli postanowiłaś odkryć w sobie nową Liv.

Liv wyciąga z torebki mapę i zaczyna ją rozkładać.

– Nie. Chcę pojechać do St Péronne.

Wynajmują samochód i jadą na północ. Mo nie ma prawa jazdy, więc Liv siada za kierownicą, zmuszając się, by pamiętać, że ma jechać po prawej stronie drogi. Od lat nie prowadziła samochodu. Czuje zbliżające się St Péronne niczym werbel odległego bębna. Przedmieścia ustępują miejsca gospodarstwom, ogromnym terenom przemysłowym, a wreszcie, po blisko dwóch godzinach jazdy, równinom typowym dla północnego wschodu. Dziewczyny jadą według drogowskazów, gubią się, zawracają i w końcu na krótko przed czwartą wjeżdżają powoli na główną ulicę w miasteczku.

Panuje tu spokój, sprzedawcy zwijają już nieliczne stragany, a na szarym kamiennym placu widać tylko kilka osób.

– Umieram z pragnienia. Wiesz, gdzie jest najbliższy bar?

Zatrzymują się i patrzą na hotel przy placu. Liv opuszcza szybę i przygląda się ceglanemu frontowi budynku.

– To tu.

– Co?

– Le Coq Rouge. Ten hotel, w którym oni wszyscy mieszkali.

Powoli wysiada z samochodu, spoglądając na szyld spod zmrużonych powiek. Wygląda tak, jakby powstał jeszcze na początku ubiegłego wieku. Framugi okien są pomalowane na wesołe kolory, w doniczkach kwitną fiołki alpejskie. Szyld zwisa na pałąku z kutego żelaza. Przez bramę wiodącą na wysypany żwirem dziedziniec Liv widzi kilka drogich samochodów. Czuje, jak coś w środku ściska jej się ze zdenerwowania czy ekscytacji, sama nie potrafi powiedzieć.

– Ma gwiazdkę Michelina. Rewelacja.

Liv obrzuca ją zdumionym spojrzeniem.

– No halo. Każdy wie, że w takich restauracjach są najprzystojniejsi kelnerzy.

– A... Ranic?

– Zagraniczne zasady. Każdy wie, że w innym kraju to się nie liczy.

Mo wchodzi do środka i staje przy barze. Wita ją młody, nieprawdopodobnie przystojny mężczyzna w wykrochmalonym fartuchu. Liv czeka z boku, podczas gdy Mo gawędzi z nim po francusku.

Wdycha zapach gotującego się jedzenia, wosku pszczelego i stojących w wazonach róż, rozgląda się po ścianach. Tutaj wisiał jej obraz. Prawie sto lat temu znajdowała się tutaj *Dziewczyna*, *którą kochałeś* i jej modelka. Liv łapie się na tym, że niemal spodziewa się, iż obraz pojawi się na ścianie, jakby tu było jego miejsce.

Zwraca się do Mo.

– Spytaj go, czy Bessette'owie ciągle są właścicielami tego miejsca.

– Bessette? *Non.*

– Nie. Podobno należy do jakiegoś Łotysza. Facet ma sieć hoteli.

Liv jest zawiedziona. Wyobraża sobie tę salę, pełną Niemców, i rudowłosą dziewczynę krzątającą się za barem z błyskiem niechęci w oczach.

– Czy on coś wie o historii tego baru?

Wyciąga z torby kserokopię przedstawiającą obraz i ją rozwija. Mo błyskawicznie powtarza pytanie po francusku. Barman nachyla się ku nim i wzrusza ramionami.

– On tu pracuje dopiero od sierpnia. Mówi, że nie wie nic na ten temat.

Barman znów coś mówi, a Mo dodaje:

– Mówi, że to ładna dziewczyna. – Wznosi oczy ku niebu. – A poza tym mówi, że jesteś już drugą osobą, która go o to pyta.

– Co?

– Tak powiedział.

– Zapytaj go, jak tamten człowiek wyglądał.

Tego się spodziewała. Pod czterdziestkę, jakiś metr osiemdziesiąt wzrostu, lekko szpakowate krótkie włosy.

– *Comme un gendarme.* Zostawił to – mówi barman i podaje Liv wizytówkę.

Paul McCafferty
Dyrektor, APiR

Czuje się tak, jakby zapaliła się od wewnątrz. Znowu? Nawet tutaj dotarłeś przede mną? Ma wrażenie, że on się z nią drażni.

– Czy mogę to zatrzymać? – pyta.

– *Mais bien sûr.* – Kelner wzrusza ramionami. – Znaleźć dla pań stolik, *mesdames*?

Liv oblewa się rumieńcem. Nie stać nas.

Ale Mo kiwa głową, przeglądając menu.

– Tak. Są święta. Zjedzmy sobie jeden fantastyczny posiłek.

– Ale…

– Ja stawiam. Całe życie spędziłam, obsługując innych. Jak raz się mam szarpnąć, to zrobię to tutaj, w restauracji z gwiazdką Michelina, w otoczeniu przystojnych Jean-Pierre'ów. No chodź, i tak byłam ci to winna.

Jedzą w restauracji. Mo buzia się nie zamyka, flirtuje z kelnerami, nad każdym daniem wydaje okrzyki zachwytu, jak nie ona, i ceremonialnie spopiela wizytówkę Paula w płomieniu wysokiej białej świecy.

Liv walczy z sobą, żeby nie odpływać myślami. Jedzenie jest przepyszne, owszem. Kelnerzy usłużni i fachowi. To po prostu nirwana smakosza, jak powtarza Mo. Kiedy jednak Liv siedzi tak w wypełnionej sali, dzieje się z nią coś dziwnego: nie widzi już tylko jadalni. Ma przed oczami Sophie Lefèvre za barem, w uszach dźwięczy jej tupot niemieckich butów na starej podłodze z wiązu. Widzi ogień płonący na kominku, słyszy kroki maszerujących wojsk, odległy huk dział. Widzi chodnik na zewnątrz, kobietę wleczoną do wojskowej ciężarówki, płaczącą siostrę, z głową pochyloną nad tym samym barem, zrozpaczoną i bezsilną.

– To tylko obraz – mówi Mo z lekkim zniecierpliwieniem, gdy Liv dziękuje za ręcznie robione czekoladki i jej się zwierza.

– Wiem – odpowiada Liv.

Kiedy wreszcie docierają do swojego hotelu, zabiera teczkę z dokumentami do plastikowej łazienki i, podczas gdy Mo śpi, czyta je wciąż od nowa przy ostrym świetle jarzeniówki, usiłując zrozumieć, co przeoczyła.

W niedzielę rano, gdy Liv zdążyła już obgryźć wszystkie paznokcie z wyjątkiem jednego, dzwoni przełożona. Podaje im adres w północno-wschodniej części miasta i dziewczyny jadą tam wynajętym samochodem, zmagając się z nieznanymi ulicami i zakorkowaną Périphérique. Mo, która poprzedniego wieczoru wypiła prawie dwie butelki wina, jest przygaszona i drażliwa. Liv także milczy, wyczerpana brakiem snu, z głową pełną chaotycznych pytań.

Podświadomie spodziewała się czegoś przygnębiającego; jakiegoś ceglanego klocka z lat siedemdziesiątych, w kolorze wątrobianym, z oknami z PCV i uporządkowanym parkingiem. Ale budynek, pod który podjeżdżają, to czteropiętrowy dom z oknami wyposażonymi w stylowe okiennice, porośnięty bluszczem. Otacza go zadbany ogród z bramą z kutego żelaza i ścieżkami wiodącymi do altanek.

Liv naciska brzęczyk i czeka, podczas gdy Mo znów maluje sobie usta.

– Zamierzasz tam wystąpić jako Anna Nicole Smith? – pyta Liv, przyglądając się przyjaciółce.

Mo chichocze i napięcie znika.

Stoją przy recepcji przez kilka minut, zanim ktokolwiek zwróci na nie uwagę. Zza szklanych drzwi po lewej dobiega chór drżących głosów śpiewających piosenkę, której akompaniuje na keyboardzie krótko ostrzyżona młoda kobieta. W niewielkim gabinecie dwie panie w średnim wieku pochylają się nad jakimś wykresem.

Wreszcie jedna z nich się odwraca.

– *Bonjour*.

– *Bonjour* – mówi Mo. – Przypomnij mi, z kim my się chcemy widzieć?

– *Monsieur* Bessette.

Mo odzywa się do kobiety płynną francuszczyzną. Tamta kiwa głową.

– Angielki?

– Tak.

– Proszę tu podpisać. I umyć ręce. Tędy.

Wpisują swoje nazwiska do jakiegoś zeszytu, po czym kobieta wskazuje im pojemnik z płynem odkażającym i obie z demonstracyjną starannością szorują nim palce.

– Fajne miejsce – stwierdza półgłosem Mo z miną znawczyni.

A potem ruszają żwawo za kobietą, która prowadzi je przez labirynt korytarzy, aż dochodzą do półotwartych drzwi.

– *Monsieur? Vous avez des visiteurs.*

Czekają zmieszane przy drzwiach, podczas gdy kobieta wchodzi do środka i z prędkością karabinu maszynowego odbywa dyskusję z czymś, co wygląda jak oparcie fotela. Następnie wychodzi do nich.

– Mogą panie wejść – mówi. I dodaje: – Mam nadzieję, że coś dla niego macie.

– Przełożona powiedziała, żebym przyniosła *macarons*.

Kobieta zerka na pudełko w eleganckim opakowaniu, które Liv wyciąga z torby.

– *Ah, oui.* – Uśmiecha się lekko. – Te lubi.

– Przed piątą trafią do pokoju socjalnego – mruczy Mo po jej wyjściu.

Philippe Bessette siedzi w obszernym fotelu i wygląda na niewielkie podwórko z fontanną; butla tlenowa na stoliku z kółkami połączona jest z rurką przyklejoną do jego nozdrza. Twarz mężczyzny jest szara i pomarszczona, jakby zapadła się w głąb siebie; jego skóra, miejscami półprzezroczysta, odsłania siateczkę żył pod spodem. Czuprynę ma gęstą i białą, a ruch jego oczu nasuwa myśl, że spoza nich patrzy ktoś znacznie przytomniejszy, niż wskazywałaby cała reszta.

Obchodzą fotel, żeby stanąć z mężczyzną twarzą w twarz, i Mo się pochyla, zmniejszając różnicę wysokości. Sprawia wrażenie, jakby natychmiast poczuła się tu jak u siebie, myśli Liv. Jakby to byli jej bliscy.

– *Bonjour* – odzywa się Mo i dokonuje prezentacji. Podają sobie ręce, a Liv wręcza makaroniki. Mężczyzna przygląda im się przez chwilę badawczo, po czym stuka palcem w wieczko pudełka. Liv otwiera je i podaje starszemu panu. Ten gestem pokazuje jej, by poczęstowała się pierwsza, a kiedy dziewczyna odmawia, on powoli wybiera sobie jeden i czeka.

– Chyba będziesz musiała włożyć mu to do ust – mówi półgłosem Mo.

Liv się waha, a potem podsuwa mu makaronik. Bessette otwiera usta niczym głodne pisklę, a następnie zamyka je i przymyka powieki, rozkoszując się smakiem.

– Powiedz mu, że chciałybyśmy go zapytać o rodzinę Édouarda Lefèvre'a.

Bessette słucha i wzdycha głośno.

– Znał pan Édouarda Lefèvre'a? – Liv czeka, aż Mo przetłumaczy pytanie i odpowiedź.

– Nigdy go nie poznałem. – Starszy pan mówi powoli, jakby same słowa stanowiły dla niego wysiłek.

– Ale pański ojciec, Aurélien, znał go?

– Mój ojciec spotkał go kilka razy.

348

– Czy pański ojciec mieszkał w St Péronne?

– Cała moja rodzina mieszkała w St Péronne, dopóki nie skończyłem jedenastu lat. Ciotka Hélène mieszkała w hotelu, a ojciec nad trafiką.

– Byłyśmy wczoraj w tym hotelu – mówi Liv. Słowa jednak zdają się nie docierać do starszego pana. Liv rozwija kserokopię. – Czy pański ojciec kiedykolwiek wspominał o tym obrazie?

Mężczyzna spogląda na dziewczynę.

– Podobno znajdował się w Le Coq Rouge, ale zniknął. Chcemy dowiedzieć się więcej o jego historii.

– Sophie – odzywa się wreszcie mężczyzna.

– Tak. – Liv z zapałem kiwa głową. – Sophie.

Czuje nagłą ekscytację.

Spojrzenie starszego pana spoczywa na obrazie, oczy ma zapadnięte i wilgotne, nieprzeniknione, jakby kryły się za nimi radości i smutki niezliczonych lat. Mężczyzna mruga powiekami, zamykając je powolutku, a Liv czuje się tak, jakby patrzyła na jakieś prehistoryczne stworzenie. Wreszcie pan Bessette podnosi głowę.

– Nie mogę powiedzieć. Nie zachęcano nas do mówienia o niej.

Liv zerka na Mo.

– Co?

– Imię Sophie... u nas w domu się go nie wymawiało.

Liv mruga oczami.

– Ale... to była pańska ciotka, tak? Żona wielkiego artysty.

– Ojciec nigdy o tym nie mówił.

– Nie rozumiem.

– Nie da się wytłumaczyć wszystkiego, co dzieje się w rodzinie.

W pokoju zapada cisza. Mo wygląda na zmieszaną. Liv próbuje zmienić temat.

– A… dużo pan wie o *monsieur* Lefèvre?

– Nie. Ale dostałem dwie jego prace. Po zniknięciu Sophie pewien marszand z Paryża przysłał kilka do hotelu; to było na jakiś czas przed moim urodzeniem. Jako że Sophie nie było, Hélène zatrzymała dwa, a dwa dała mojemu ojcu. Powiedział jej, że ich nie chce, ale po jego śmierci znalazłem je u nas na strychu. Byłem bardzo zaskoczony, kiedy się dowiedziałem, ile są warte. Jeden dałem córce, która mieszka w Nantes. A drugi kilka lat temu sprzedałem. Dzięki temu mogę opłacić ten zakład. To… dobrze się tu mieszka. Więc… może moje stosunki z ciotką Sophie były mimo wszystko całkiem dobre.

Wyraz jego twarzy na chwilę łagodnieje.

Liv pochyla się ku niemu.

– Mimo wszystko?

Z twarzy mężczyzny trudno cokolwiek wyczytać. Liv zastanawia się przez chwilę, czy pan Bessette nie zasnął. Ale wtedy on zaczyna mówić:

– Mówiło się… były takie plotki… w St Péronne, że ciotka kolaborowała z Niemcami. Dlatego ojciec powiedział, że nie wolno o niej rozmawiać. Łatwiej zachowywać się tak, jakby ona nie istniała. Ani moja druga ciotka, ani ojciec nigdy o niej nie mówili, gdy byłem mały.

– Kolaborowała? Była szpiegiem?

Mężczyzna odpowiada po chwili.

– Nie. Że jej stosunki z niemieckimi okupantami nie były… odpowiednie. – Podnosi wzrok na dwie Angielki. – To było dla naszej rodziny bardzo bolesne. Jeżeli nie żyło się w tamtych czasach, nie pochodziło z małego miasteczka, nie da się zrozumieć, co to dla nas znaczyło. Żadnych listów, zdjęć, fotografii. Z chwilą gdy została wywieziona, ciotka przestała istnieć dla mojego ojca.

To był... – pan Bessette wzdycha – ...pamiętliwy człowiek. Niestety reszta rodziny także postanowiła wymazać ją z naszej historii.

– Nawet jej siostra?

– Nawet Hélène.

Liv jest oszołomiona. Tak długo myślała o Sophie jako o kimś, komu udało się przetrwać, o dziewczynie z wyrazem triumfu i uwielbienia dla męża wypisanym na twarzy. Bezskutecznie próbuje pogodzić swoją Sophie z wizją tej niekochanej, odrzuconej kobiety.

Długi, znużony oddech mężczyzny mówi o niewysłowionym bólu. Liv nagle czuje wyrzuty sumienia, że zmusiła go, by wracał myślą do tego wszystkiego.

– Tak mi przykro – mówi, nie wiedząc, co mogłaby dodać. Teraz widzi, że przyjechała tu na próżno. Nic dziwnego, że Paul McCafferty się nie fatygował.

Milczenie się przeciąga. Mo ukradkiem zjada makaronik. Kiedy Liv podnosi wzrok, Philippe Bessette na nią patrzy.

– Dziękuję, że zechciał nas pan przyjąć, *monsieur*. – Dotyka jego ręki. – Trudno mi połączyć w myślach kobietę, którą pan opisuje, z tą, którą ja widzę. Ja... mam jej portret. Zawsze go kochałam.

Mężczyzna nieco unosi głowę. Nie odrywa wzroku od Liv, podczas gdy Mo tłumaczy.

– Byłam szczerze przekonana, że ona wygląda jak ktoś, kto wie, że jest kochany. Wydawała się mieć charakter.

W drzwiach staje pielęgniarka i im się przygląda. Zza jej pleców wygląda niecierpliwie kobieta ze stolikiem na kółkach. Przez półotwarte drzwi sączy się zapach jedzenia.

Liv wstaje, żeby się pożegnać. W tej samej chwili jednak pan Bessette unosi rękę.

– Proszę zaczekać – mówi, wyciągając palec w stronę regału. – Ta w czerwonej okładce.

Liv przesuwa palcami po grzbietach książek, aż wreszcie mężczyzna kiwa głową. Zdejmuje z półki podniszczoną teczkę.

– To papiery ciotki Sophie, jej korespondencja. Trochę o jej związku z Édouardem Lefèvre'em; to są rzeczy, które znaleziono poukrywane w jej pokoju. Z tego co pamiętam, nie ma tam nic na temat pani obrazu. Ale to może dać pani pełniejsze wyobrażenie o tej kobiecie. W czasach, kiedy ją oczerniano, te zapiski ukazały mi moją ciotkę jako… człowieka. Jako wspaniałego człowieka.

Liv ostrożnie otwiera teczkę. W środku są pocztówki, wyblakłe listy i rysuneczki. Na pożółkłej kartce Liv widzi pełen zawijasów podpis: „Sophie". Czuje, że nagle brakuje jej tchu.

– Znalazłem to wśród rzeczy ojca po jego śmierci. Powiedział Hélène, że to spalił, że spalił wszystko. Umarła przeświadczona, że wszystko, co miało związek z Sophie, zostało zniszczone. Taki to był człowiek.

Liv z najwyższym trudem odrywa wzrok od zawartości teczki.

– Skopiuję wszystko i natychmiast panu odeślę – udaje jej się wyjąkać.

Mężczyzna macha lekceważąco ręką.

– Na co mi one? Nie mogę już czytać.

– *Monsieur*, muszę o to zapytać. Nie rozumiem. Rodzina Lefèvre z pewnością chciałaby to wszystko obejrzeć.

– Tak.

Liv i Mo wymieniają spojrzenia.

– To dlaczego im pan tego nie dał?

Oczy mężczyzny sprawiają wrażenie, jakby opadła na nie zasłona.

– Pierwszy raz do mnie przyjechali. Co wiem o obrazie? Czy mam coś, co może im się przydać? Pytania, pytania... – Starszy pan potrząsa głową, a jego głos nagle się podnosi. – Do tej pory Sophie nic ich nie obchodziła. Dlaczego mieliby teraz czerpać z niej korzyści? Ludzie z rodziny Édouarda dbają wyłącznie o siebie. Dla nich liczy się tylko forsa, forsa, forsa. Cieszyłbym się, gdyby przegrali sprawę.

Na jego twarzy maluje się upór. Rozmowa najwyraźniej dobiegła końca. Pielęgniarka stoi pod drzwiami, bezgłośnie pokazując na zegarek. Liv zdaje sobie sprawę, że balansuje na krawędzi nadużycia gościnności, ale musi zapytać jeszcze o jedno. Sięga po płaszcz.

– *Monsieur*, czy wie pan coś o losach pańskiej ciotki po tym, jak opuściła hotel? Czy cokolwiek się wyjaśniło?

Mężczyzna przenosi spojrzenie na kopię obrazu i kładzie na niej rękę. Wzdycha głęboko.

– Została aresztowana i wywieziona przez Niemców do obozu. I, podobnie jak w przypadku tylu innych osób, od dnia jej wyjazdu moja rodzina nigdy więcej jej nie widziała ani nie słyszała nic na jej temat.

# 23

*1917*

Ciężarówka wyła i trzęsła na dziurawych drogach, od czasu do czasu zjeżdżając na trawiaste pobocze, by ominąć szczególnie duży dół. Drobny deszcz tłumił odgłosy i rozmiękczał ziemię, w której koła auta traciły oparcie i buksowały, wzbijając fontanny błota przy akompaniamencie ryku protestującego silnika.

Po dwóch latach spędzonych we względnym azylu naszego spokojnego miasteczka byłam wstrząśnięta, widząc, co wojna uczyniła z okolicznym krajobrazem. Wsie i miasteczka oddalone od St Péronne o zaledwie kilka kilometrów leżały obrócone w perzynę, zbombardowane domy i sklepy zmieniły się w nierozpoznawalne sterty szarego kamienia i gruzu. Pośrodku dawnych ulic ziały olbrzymie leje wypełnione wodą; zieleniejące w nich glony i roślinność wskazywały na to, że są tu od dłuższego czasu. Milczący mieszkańcy odprowadzali nas wzrokiem. Gdy przejeżdżaliśmy przez miejscowości, których nie byłam już w stanie rozpoznać, zaczęła do mnie docierać skala wydarzeń rozgrywających się wokół nas.

Spod powiewającej plandeki patrzyłam na mijające nas kolumny kawalerzystów na zagłodzonych koniach, na żołnierzy o ziemistych twarzach, ubranych w ciemne, mokre mundury, dźwigających nosze, na kołyszące się ciężarówki, z których wyglądały zmęczone oblicza o pustym, bezdennym spojrzeniu. Co jakiś czas kierowca zatrzymywał samochód i zamieniał kilka słów z innym szoferem, a ja żałowałam, że nie znam choć trochę niemieckiego, co pozwoliłoby mi się zorientować, dokąd mnie wiozą. W deszczowej pogodzie cienie na drodze były ledwie widoczne, ale wyglądało na to, że jedziemy na południowy wschód. W stronę Ardenów, pomyślałam, starając się oddychać spokojnie. Zdecydowałam, że jedynym sposobem, by opanować obezwładniający, dławiący mnie lęk, jest zapewnianie siebie samej, iż jadę do Édouarda.

W gruncie rzeczy byłam otępiała. Przez kilka pierwszych godzin spędzonych na pace ciężarówki nie byłabym w stanie sformułować spójnego zdania, gdyby ktoś mnie nagle zagadnął. W uszach wciąż dzwoniły mi okrutne słowa moich sąsiadów, przed oczami miałam wykrzywioną obrzydzeniem twarz brata, a w ustach czułam suchość i gorzki posmak prawdy o tym, co się wydarzyło. Widziałam swoją siostrę i rozpacz malującą się na jej twarzy, czułam kurczowe objęcia rączek Édith, która nie chciała mnie puścić. Strach, jaki wówczas odczuwałam, był tak wielki, że z trudem panowałam nad naturalnymi odruchami ciała. Lęk nadchodził falami, nogi mi się trzęsły, zęby szczękały. I wtedy, spoglądając na zrujnowane miasteczka i widząc, że dla wielu innych najgorsze już nadeszło, nakazałam sobie spokój: był to przecież tylko nieunikniony etap mojego powrotu do Édouarda. O to się przecież modliłam. Musiałam w to wierzyć.

Po godzinie jazdy strażnik naprzeciwko mnie założył ręce na piersi, oparł głowę o burtę ciężarówki i zasnął. Najwyraźniej stwierdził, że nie stanowię zagrożenia, a może był tak wyczerpany, iż nie mógł się oprzeć usypiającemu kołysaniu samochodu. Strach znów zaczął wspinać się dreszczem na moje plecy, niczym jakiś lodowaty drapieżnik. Zamknęłam więc oczy, przycisnęłam torbę do podołka i myślałam o moim mężu...

Édouard chichotał do siebie.

– Co tam? – Objęłam go rękoma za szyję, pozwalając jego słowom opadać miękko na moją skórę.

– Myślę o tym, jak zeszłej nocy ganiałaś *monsieur* Farage'a dookoła jego własnego baru.

Nasze długi narosły ponad miarę. W związku z tym ciągałam Édouarda po szynkach wokół placu Pigalle, domagając się pieniędzy od ludzi, którzy byli mu coś winni, i odmawiając wyjścia z pustymi rękoma. Farage oświadczył, że nie zapłaci, a na dodatek znieważył mnie, więc Édouard – zazwyczaj nieskory do gniewu – zdzielił go swoją wielką pięścią i znokautował na miejscu. Opuściliśmy lokal pośród regularnej bójki, powywracanych stołów i nisko latających kufli. Ja, stwierdziwszy, że nie będę biec, wyszłam z godnością, podkasując sukienkę i przystając, by wyjąć pieniądze z kasy – ni mniej, ni więcej tylko tyle, ile właściciel był winny Édouardowi.

– Jesteś nieustraszona, żonko.

– Tak, kiedy mam cię u boku.

Musiałam się zdrzemnąć; obudziło mnie szarpnięcie ciężarówki i uderzenie głową o sufit. Strażnik stał obok pojazdu, rozmawiając z jakimś innym żołnierzem. Wyjrzałam na zewnątrz, rozcierając guza i starając się rozprostować zdrętwiałe, zziębnięte kończyny. Byliśmy w jakimś miasteczku, ale nowa, niemiecka nazwa dworca nic mi nie mówiła. Cienie zdążyły się wydłużyć, a blask dnia przygasnąć, zapowiadając nadchodzący zmierzch. Plandeka uniosła się, a w moim polu widzenia ukazała się twarz niemieckiego żołnierza. Wydawał się zaskoczony, że jestem jedyną pasażerką ciężarówki. Krzyknął coś i gestem nakazał mi wysiąść. Najwyraźniej nie dość szybko spełniłam jego polecenie, bo chwycił mnie za ramię i wyciągnął z auta, przez co potknęłam się i upuściłam torbę na mokrą ziemię.

Od dwóch lat nie widziałam naraz tylu ludzi w jednym miejscu. Na obu peronach dworca kotłowała się ludzka masa, składająca się, na ile mogłam stwierdzić, głównie z żołnierzy i więźniów. Tych ostatnich wyróżniały brudne pasiaki i opaski na ramieniu; głowy mieli nisko spuszczone. Złapałam się na tym, że lustruję ich twarze w poszukiwaniu Édouarda, lecz zaraz ktoś mnie popchnął i tłum przed moimi oczami zlał się w jedno.

– *Hier! Hier!*

Drzwi wagonu towarowego rozsunęły się i zostałam wepchnięta do środka. Wpadające przez szpary między deskami światło ujawniało stłoczone wewnątrz ludzkie ciała. Starając się ze wszystkich sił utrzymać przy sobie torbę, usłyszałam, jak drzwi zamykają się za mną z hukiem. Moje oczy z wolna przyzwyczajały się do półmroku.

Wzdłuż burt wagonu biegły dwie drewniane ławki pokryte do ostatniego centymetra kwadratowego leżącymi ciałami. Na podłodze spoczywało ich jeszcze więcej. Więźniowie w kątach opierali głowy na czymś, co mogło być zawiniątkami z ubraniami. Wszystko było tak brudne, że niepodobna było stwierdzić z całą pewnością. W powietrzu unosił się ciężki fetor niemytych ciał i jeszcze gorszych rzeczy.

– *Français?* – odezwałam się w ciszy wagonu. Kilka twarzy odwróciło się ku mnie i obrzuciło mnie obojętnym spojrzeniem. Spróbowałam jeszcze raz.

– *Ici* – dobiegł mnie głos z drugiego końca.

Ostrożnie zaczęłam przemieszczać się w tamtym kierunku, próbując nie przeszkadzać śpiącym. Ktoś coś powiedział, chyba po rosyjsku. Nastąpiłam komuś na włosy i usłyszałam przekleństwo. Wreszcie dotarłam na przeciwległy koniec wagonu. Mężczyzna z ogoloną głową mierzył mnie wzrokiem. Jago twarz była pokryta bliznami jak po ospie, a kości policzkowe niemal przebijały obciągającą je skórę.

– *Français?* – zapytał.

– Tak – odrzekłam. – Co się dzieje? Dokąd nas wiozą?

– Dokąd nas wiozą? – Spojrzał na mnie zdumiony, a gdy pojął, że pytam poważnie, roześmiał się bez cienia wesołości. – Tours, Amiens, Lille. Skąd mam wiedzieć? Wożą nas bez końca po całym kraju, tak że nikt z nas nie wie, gdzie jesteśmy.

Miałam odpowiedzieć, kiedy mój wzrok przyciągnął pewien kształt na podłodze. Czarny płaszcz wyglądał tak znajomo, że w pierwszej chwili nie miałam odwagi przyjrzeć się bliżej. Postąpiłam krok, przepchnęłam się obok mężczyzny i uklękłam.

– Liliane?

Dostrzegłam jej wciąż posiniaczoną twarz pod skołtunionymi włosami. Dziewczyna otworzyła jedno oko, jakby nie dowierzała własnym uszom.

– Liliane! To ja, Sophie.

Wbiła we mnie wzrok.

– Sophie – wyszeptała. Uniosła dłoń i dotknęła mojej. – Édith? – W jej słabym głosie pobrzmiewał lęk.

– Jest z Hélène. Bezpieczna.

Liliane zamknęła oko.

– Jesteś chora? – Dopiero wówczas zobaczyłam zaschniętą krew na jej spódnicy. Dostrzegłam trupią bladość jej skóry.

– Długo jest w takim stanie?

Francuz wzruszył ramionami, jakby widział już zbyt wiele ciał podobnych do Liliane, żeby odczuwać jakąś szczególną litość.

– Leżała tu już kilka godzin temu, kiedy nas załadowano – powiedział.

Usta dziewczyny były spękane, oczy zapadnięte.

– Czy ktoś ma wodę? – rzuciłam w półmrok. Paru więźniów obróciło ku mnie twarz.

– Wydaje ci się, że to wagon restauracyjny? – zapytał mnie z gorzkim politowaniem Francuz.

Spróbowałam ponownie, podniesionym głosem.

– Czy ktoś ma łyk wody?

Zobaczyłam, że ludzie zaczynają po sobie spoglądać.

– Ta kobieta ryzykowała życie, żeby dostarczyć informacje do naszego miasteczka. Jeśli ktoś ma trochę wody, błagam, choć kilka kropel... – Po wagonie poniósł się szmer. – Proszę! Na miłość boską!

Nie minęło kilka minut, kiedy, o dziwo, dostrzegłam zmierzającą w moją stronę emaliowaną miseczkę, podawaną sobie przez więźniów z rąk do rąk. Na jej dnie był może z centymetr wody, przypuszczalnie deszczówki. Podziękowałam głośno i delikatnie uniosłam głowę Liliane, wlewając cenne krople do jej ust.

Francuz ożywił się na moment.

– Powinniśmy wystawić miski, menażki, cokolwiek macie, żeby nałapać deszczu, póki pada. Nie wiadomo, kiedy dadzą nam jedzenie albo wodę.

Liliane przełknęła z trudem. Usadowiłam się na podłodze, tak by dziewczyna mogła się o mnie oprzeć. Z piskiem i zgrzytem kół pociąg ruszył ze stacji i zaczął zmierzać w nieznane.

Nie potrafiłabym powiedzieć, ile czasu spędziłam w tym pociągu. Jechał powoli, często się zatrzymując bez wyraźnej przyczyny. Trzymałam półprzytomną Liliane w ramionach i wyglądałam przez szparę między sfatygowanymi deskami, patrząc, jak nieskończone korowody żołnierzy, jeńców i cywili przemierzają mój biedny, krwawiący kraj. Deszcz przybrał na sile, wywołując pomruki zadowolenia wśród więźniów, którzy podawali sobie naczynia z zebraną deszczówką. Było mi zimno, ale cieszyłam się z deszczu i niskiej temperatury – nie potrafiłam sobie nawet wyobrazić, jakim piekłem mógłby stać się ten wagon w upale i zwielokrotnionym przez duchotę smrodzie.

Godziny wlokły się niespiesznie, więc zaczęłam rozmawiać z Francuzem. Zapytałam o plakietkę z numerem na jego czapce i o czerwony pasek na kurtce, a on powiedział mi, że wcześniej był w ZAB – Zivilarbeiter Battalione, kompaniach więźniów wykorzystywanych do najgorszych prac, wysyłanych na linię frontu prosto pod ostrzał sił ententy. Opowiedział mi o przejeżdżających co tydzień pociągach wypełnionych chłopcami, kobietami i dziewczynkami, które zmierzały w stronę Sommy, Skaldy i Ardenów, dostarczając Niemcom niewolniczej siły roboczej. Dziś, rzekł, będziemy nocować w jakichś zrujnowanych koszarach, fabryce czy szkole w opuszczonej wsi. Nie wiedział, czy zabierają nas do obozu, czy batalionu pracy.

– Głodzą nas, żebyśmy byli słabi i nie próbowali uciekać. Większość z nas dziękuje losowi za to, że jeszcze żyjemy.

Zapytał, czy mam w torbie jakieś jedzenie, i z rozczarowaniem przyjął moją przeczącą odpowiedź. Czułam się w obowiązku coś mu zaoferować, więc dałam mu chustkę, którą zapakowała mi Hélène. Obracał w rękach pachnący, świeżo wyprany kawałek materiału z taką czcią, jakby nie była to bawełna, lecz czysty jedwab. Wreszcie oddał mi chusteczkę.

– Zatrzymaj ją – rzekł i zacisnął usta. – Zachowaj ją dla swojej przyjaciółki. Co takiego zrobiła?

Kiedy opowiedziałam mu o jej odwadze i wieściach ze świata, jakie potajemnie przekazywała do naszego miasteczka, spojrzał na nią w nowy sposób, jakby w końcu dostrzegł w niej ludzką istotę, a nie leżące na podłodze ciało. Zwierzyłam mu się, że poszukuję informacji o swoim mężu, który został zesłany w Ardeny. Jego twarz przybrała grobowy wyraz.

– Spędziłem tam kilka tygodni. Wiesz, że w obozie wybuchła epidemia tyfusu? Będę się modlił, żeby twój mąż był wśród tych, którzy przeżyli.

Przełknęłam wielką gulę strachu.

– Gdzie reszta twojego batalionu? – spytałam, chcąc zmienić temat.

Pociąg zwolnił, a obok nas pojawiła się kolejna kolumna maszerujących więźniów. Nikt z nich nawet nie spojrzał na przejeżdżające wagony, jakby wstydzili się swojej niewoli. Przyglądałam się każdej twarzy, drżąc, że mogę wśród nich ujrzeć Édouarda.

Minęła dłuższa chwila, zanim usłyszałam odpowiedź.

– Mojego batalionu już nie ma.

Kilka godzin po zmroku pociąg zjechał na bocznicę. Drzwi otworzyły się z łoskotem i warczące niemieckie głosy ponagliły nas do wyjścia. Rozciągnięte na podłodze ciała zaczęły się z trudem zwijać i podnosić; zaciskając w dłoniach emaliowane miseczki, więźniowie wysiadali jeden po drugim na nieczynny kolejowy tor. Niemieccy żołnierze poszturchiwali nas karabinami, zmuszając do uformowania się w szereg. Czułam się, jakby z człowieka zdegradowano mnie do roli zaganianej do stada krowy. Przypomniała mi się desperacka próba ucieczki młodego jeńca w St Péronne i nagle zrozumiałam jego przemożną chęć, by biec, z pełną świadomością, że niemal na pewno na nic się to nie zda.

Stałam tuż obok Liliane, podtrzymując ją pod pachy. Szła wolno, zbyt wolno. Jeden z Niemców zaszedł nas od tyłu i kopnął ją.

– Zostaw ją! – zaprotestowałam.

W odpowiedzi żołnierz uderzył w mnie kolbą karabinu w głowę tak mocno, że na chwilę osunęłam się na ziemię. Czyjeś ręce podźwignęły mnie i po chwili znów szłam przed siebie, oszołomiona i z mroczkami przed oczami. Kiedy przyłożyłam rękę do skroni, poczułam pod palcami lepką krew.

Zagoniono nas do wielkiej, pustej fabryki. Pod stopami chrzęściło rozbite szkło, przez okna wpadał ze świstem zimny, nocny wiatr. W oddali słyszeliśmy huk dział, od czasu do czasu niebo nad czarnym horyzontem rozświetlał krótki błysk eksplozji. Wytężałam wzrok, by zorientować się, gdzie jesteśmy, ale okolica spowita była nieprzeniknioną ciemnością.

– Chodź – odezwał się jakiś głos i pomiędzy nami pojawił się Francuz, podtrzymując nas obie i prowadząc pod ścianę. – Patrz, jedzenie.

Przy długim stole kilku innych więźniów nalewało zupę z wielkich kotłów. Nie jadłam nic od świtu. Zupa była wodnista i pływały w niej strzępki czegoś dziwnego, ale w żołądku ścisnęło mnie z głodu. Francuz napełnił swoją miskę i kubek, który Hélène włożyła mi do torby. Z trzema kawałkami czarnego chleba siedliśmy w kącie i jedliśmy, dzieląc się łykami zupy z Liliane, która nie była w stanie utrzymać naczynia połamanymi palcami. Opróżnioną miskę wytarliśmy rękami do czysta, nie chcąc zmarnować ani jednej kropli.

– Nie zawsze dają jedzenie. Może to dobry znak – odezwał się Francuz bez przekonania.

Wstał i zniknął w tłumie więźniów tłoczących się przy stole z nadzieją na dokładkę. Przeklęłam się w myślach za to, że nie mogę za nim pójść, ale bałam się zostawić Liliane choć na moment. Po kilku minutach mój towarzysz powrócił z ponownie napełnioną miską. Stanął obok nas, wręczył mi naczynie i skinął w stronę Liliane.

– Trzymaj – powiedział. – Ona potrzebuje nabrać sił.

Liliane uniosła głowę. Spojrzała na niego, jakby nie pamiętała już, co to znaczy być traktowaną po ludzku, a moje oczy wypełniły się łzami. Francuz ukłonił się lekko, jakbyśmy byli w zupełnie innym świecie, a on właśnie uprzejmie życzył nam dobrej nocy, po czym odszedł do części hali, gdzie spali mężczyźni. Usiadłam i zaczęłam poić Liliane Béthune łyczek po łyczku, jakbym karmiła dziecko. Kiedy dojadła zawartość drugiej miseczki, westchnęła słabo, oparła głowę o moje ramię i zasnęła. Siedziałam tak w ciemnościach, otoczona przez wiercące się cicho ciała. Dobiegały mnie pokasływania i stłumione szlochy, wychwytywałam niezrozumiałe słowa wypowiadane przez zagubionych za linią frontu Rosjan, Anglików i Polaków. Podłoga drżała od czasu do czasu od dalekich bombardowań; wydawało się, że nikt inny nie zwraca na to szczególnej uwagi. Słuchałam odległej kanonady i szeptów innych więźniów. Temperatura stopniowo opadała, wkrótce zaczęłam dygotać. Wyobraziłam sobie mój dom, śpiącą obok mnie Hélène, małą Édith z rączkami zatopionymi w moich włosach. Zapłakałam bezgłośnie w mroku, aż wreszcie zmęczenie wzięło nade mną górę i ja także zapadłam w sen.

Obudziłam się nagle i przez kilka sekund nie wiedziałam, gdzie jestem. Ramię Édouarda obejmowało mnie, czułam na sobie jego ciężar. Przez krótką chwilę w mroku rozbłysnął promyk szczęścia – on tu jest! – zanim zdałam sobie sprawę, że to nie mój mąż. Jakaś męska ręka, jednocześnie ukradkowa i natarczywa, wślizgiwała się pod moją spódnicę; być może jej właściciel wierzył w osłonę ciemności, być może sądził, że jestem zbyt przerażona i wyczerpana, by się oprzeć. Leżałam zesztywniała, czując, jak ogarnia mnie lodowata wściekłość na myśl o tym, co ten intruz chce mi zrobić. Czy mam krzyczeć? Czy ktokolwiek by się tym przejął? Czy Niemcy potraktowaliby to jako kolejny powód do wymierzenia mi kary? Powoli wysunęłam rękę spod siebie i po chwili poczułam pod palcami zimny, ostry odłamek szkła z wybitego okna. Zacisnęłam go w dłoni i zanim zdążyłam się zastanowić, co robię, odwróciłam się gwałtownie i przycisnęłam poszarpaną krawędź do gardła nieznajomego napastnika.

– Dotknij mnie jeszcze raz, a cię tym przebiję – szepnęłam.

Czułam jego zaskoczenie i mdlącą woń jego oddechu. Nie spodziewał się oporu. Nie byłam nawet pewna, czy zrozumiał, co znaczą moje słowa. Ale z pewnością pojął znaczenie ostrego przedmiotu. Uniósł ręce w geście poddania się, może przeprosin. Przytrzymałam odłamek przy jego szyi jeszcze przez kilka sekund, chcąc, by dotarł do niego mój komunikat. Nasz wzrok spotkał się na krótką chwilę i, mimo niemal całkowitej ciemności, zobaczyłam w jego oczach strach. On też znalazł się w świecie, gdzie nie było zasad ani porządku. W świecie, w którym mógł napastować obcą kobietę, lecz był to także świat, w którym ta kobieta mogła poderżnąć mu gardło. Kiedy tylko zwolniłam ucisk, niezgrabnie poderwał się na nogi. Przez chwilę przed oczami majaczyła mi jego chwiejna sylwetka oddalająca się pośród uśpionych ciał w stronę drugiego końca fabryki.

Schowałam odłamek szkła do kieszeni spódnicy, usiadłam, przytuliłam obronnym gestem śpiącą Liliane i czekałam.

Wydawało mi się, że spałam ledwie kilka minut, gdy obudziły nas pokrzykiwania. Niemieccy strażnicy przemierzali halę fabryczną, kopiąc i uderzając kolbami śpiących. Wyprostowałam plecy i stłumiłam jęknięcie, czując eksplozję bólu w zranionej skroni. Przez łzy ujrzałam zbliżających się żołnierzy i szarpnęłam Liliane, starając się ją zmusić do wstania, zanim nas uderzą.

W nieprzyjaznym świetle poranka mogłam się wreszcie przyjrzeć okolicy. Fabryka była ogromna i na wpół zburzona. W suficie widniała poszarpana dziura, a podłoga była zasłana resztkami stropowych belek i okiennych ram. W odległym końcu hali, przy opartych na krzyżakach stołach nalewano coś, co mogło być kawą, i wydzielano porcje czarnego chleba. Podniosłam Liliane – musiałam pomóc jej przekuśtykać do stołów, nim skończy się jedzenie.

– Gdzie jesteśmy? – zapytała, zerkając przez strzaskane okno. Odległy huk uświadomił nam, że gdzieś niedaleko linii frontu.

– Nie mam pojęcia – odrzekłam, przepełniona ulgą, że dziewczyna czuje się na tyle dobrze, by ze mną rozmawiać.

Udało nam się napełnić kawą nasz kubek i miseczkę Francuza. Rozejrzałam się za nim w poczuciu winy, ale niemiecki oficer dzielił mężczyzn na grupy, a część z nich wyprowadzano już gęsiego z fabrycznej hali. Liliane i mnie nakazano dołączyć do grupy składającej się głównie z kobiet, a następnie skierowano nas do wspólnej toalety. W świetle dnia widziałam brud wżarty w fałdy skóry innych kobiet i szare wszy łażące po ich głowach. Coś mnie zaswędziało; zerknęłam w dół i zobaczyłam wesz na mojej spódnicy. Strzepnęłam ją z poczuciem daremności wysiłku. Wiedziałam, że się przed nimi nie uchronię. Niemożliwe było spędzić tyle czasu w stałym kontakcie z innymi więźniami i nie zarazić się wszawicą.

W łazience przeznaczonej dla tuzina osób tłoczyło się i próbowało umyć może ze trzysta kobiet. Kiedy wreszcie udało mi się dopchać wraz z Liliane do kabin, byłyśmy wstrząśnięte tym, co tam zastałyśmy. Obmyłyśmy się pod pompą z zimną wodą najstaranniej, jak się dało, biorąc przykład z innych kobiet i nie zdejmując ubrań. Co chwila któraś rozglądała się z niepokojem, jakby spodziewając się jakiegoś podstępu ze strony niemieckich żołnierzy.

– Czasem tu wpadają – powiedziała Liliane. – Łatwiej… i bezpieczniej… jest zostać w ubraniu.

Podczas gdy Niemcy zajmowali się mężczyznami, rozejrzałam się pośród gruzów i śmieci w poszukiwaniu gałązek i jakiegoś sznurka. Usiadłam przy Liliane i poprzywiązywałam połamane palce jej lewej ręki do drewienek. Była bardzo dzielna, niemal nie okazywała, jak cierpi, chociaż wiedziałam, że sprawiam jej ból. Nie krwawiła już, ale wciąż chodziła niepewnie, jakby coś ją bolało. Nie śmiałam zapytać, co jej się stało.

– Dobrze cię widzieć, Sophie – powiedziała, oglądając opatrzoną dłoń.

Pomyślałam, że być może gdzieś tam głęboko wciąż jest coś z tej kobiety, którą znałam w St Péronne.

– Sama nigdy się tak nie ucieszyłam na czyjś widok – odparłam, wycierając jej twarz czystą chusteczką. Mówiłam szczerze.

Mężczyźni zostali wysłani na roboty. Obserwowałyśmy ich z oddali, stojących w kolejce po łopaty i kilofy, a następnie formowanych w szeregi i prowadzonych gdzieś w stronę piekielnych grzmotów dobiegających zza horyzontu. Zmówiłam cichą modlitwę za bezpieczeństwo szlachetnego Francuza i kolejną, jak zawsze, za mojego Édouarda. Tymczasem kobiety skierowano z powrotem do wagonu kolejowego. Na myśl o czekającej mnie znów długiej, cuchnącej podróży opuściła mnie odwaga, lecz zaraz zganiłam się w duchu. Jestem być może kilka godzin drogi od Édouarda, pomyślałam. Może ten właśnie pociąg mnie do niego zabierze.

Wspięłam się do wagonu bez słowa skargi. Ten był mniejszy od poprzedniego, a jednak jakoś udało się tu pomieścić trzy setki kobiet. Przy wtórze kilku przekleństw i okazjonalnych, stłumionych kłótni każda znalazła sobie miejsce. Liliane zajęła skrawek ławki, ja siadłam u jej stóp i wepchnęłam pod spód torbę, upewniając się, że jest ciasno zaklinowana. Nauczyłam się traktować tę torbę z zaborczą troską, jakby była moim dzieckiem. Ktoś pisnął ze strachu, kiedy zbłąkany pocisk artyleryjski wybuchnął tak blisko nas, że aż zatrzęsło wagonem.

– Opowiedz mi o Édith – poprosiła mnie Liliane, gdy pociąg ruszył.

– Ma się dobrze. – Starałam się, by mój głos brzmiał pewnie. – Je, śpi spokojnie, a z Mimi stały się wprost nierozłączne. Uwielbia malucha, on ją też.

Opowiadałam tak jeszcze trochę, odmalowując przed Liliane obraz życia jej córki w St Péronne. Zamknęła oczy, zasłuchana; nie byłam w stanie stwierdzić, czy to z ulgi, czy ze smutku.

– Czy jest szczęśliwa?

– Jest dzieckiem – odrzekłam ostrożnie. – Chce do swojej *maman*. Ale wie, że w Le Coq Rouge nic jej nie grozi.

Nie mogłam jej powiedzieć nic więcej, ale to chyba wystarczyło. Nie wspominałam o koszmarach sennych Édith, o nocach, które przepłakała za mamą. Liliane nie była głupia, musiała w głębi serca domyślać się tego wszystkiego. Kiedy skończyłam mówić, przeniosła wzrok na okno, zatopiona w myślach.

– A ty, Sophie? Skąd się tu wzięłaś? – zwróciła się do mnie wreszcie po dłuższym czasie.

Nie było chyba na świecie nikogo, kto by mnie w tym momencie zrozumiał lepiej od Liliane. Mimo to przez chwilę wpatrywałam się badawczo w jej twarz, z gardłem ściśniętym obawą. Ostatecznie perspektywa podzielenia się z kimś moim brzemieniem przeważyła nad strachem i wstydem.

Opowiedziałam jej wszystko. O Kommandancie, o nocy, kiedy odwiedziłam go w koszarach, o układzie, jaki mu zaproponowałam. Patrzyła na mnie przez dłuższą chwilę. Nie powiedziała, że jestem głupia ani że nie powinnam była mu wierzyć, ani że niespełnienie oczekiwań Kommandanta mogło sprowadzić śmierć nie tylko na mnie, ale i na tych, których kochałam.

Nie powiedziała ani słowa.

– Wierzę, że dotrzyma umowy. Wierzę, że wyśle mnie do Édouarda – rzekłam z całym przekonaniem, na jakie mogłam się zdobyć.

Liliane wyciągnęła zdrową rękę i uścisnęła moją dłoń.

Pod wieczór pociąg zaczął szarpać, zahamował i zatrzymał się w niewielkim lasku. Czekałyśmy, aż znów ruszy, ale zamiast tego odsunięto tylne drzwi wagonu i więźniarki, z których wiele dopiero co zdążyło przysnąć, zaczęły mamrotać z niezadowoleniem. Sama drzemałam, do świadomości przywrócił mnie dopiero głos Liliane.

– Sophie. Zbudź się. Zbudź się.

W drzwiach stał niemiecki strażnik. Dopiero po chwili zorientowałam się, że wywołuje moje imię. Poderwałam się, nie zapominając zabrać torby spod ławki, i gestem nakazałam Liliane iść za mną.

– *Karten* – zażądał Niemiec.

Wyciągnęłyśmy dokumenty. Żołnierz odhaczył nasze nazwiska na liście i wskazał na zaparkowaną obok ciężarówkę. Zanim zatrzasnęły się za nami drzwi wagonu, dobiegł nas ze środka pełen zawodu pomruk pozostałych kobiet.

Popchnięto nas w stronę auta. Czułam, że Liliane się ociąga.

– O co chodzi? – spytałam.

Na jej twarzy malowała się nieufność.

– Nie podoba mi się to – odrzekła, zerkając za siebie na odjeżdżający pociąg.

– Wszystko w porządku – zapewniłam ją. – To chyba znaczy, że mają wobec nas jakieś plany. Myślę, że to Kommandant maczał w tym palce.

– To mi się właśnie nie podoba – odparła.

– Poza tym nie słyszę armat. Musimy się oddalać od frontu. To chyba dobrze, prawda?

Podeszłyśmy z wysiłkiem do ciężarówki i pomogłam Liliane wejść na pakę, co chwila drapiąc się po karku. Skóra zaczynała mnie swędzieć, pod ubraniem znajdowałam kolejne wszy. Starałam się o nich nie myśleć. To musi być dobry znak, że wysadzono nas z tego pociągu.

– Bądź dobrej myśli – powiedziałam i ścisnęłam ją za ramię. – Przynajmniej tu będzie dużo wygodniej.

Na pakę wszedł młody żołnierz i obrzucił nas nieprzyjaznym wzrokiem. Spróbowałam się uśmiechnąć, by go przekonać, że nie zamierzamy uciekać, ale on tylko spojrzał na mnie z obrzydzeniem i wsunął swój karabin pomiędzy nas niczym ostrzeżenie. Zdałam sobie sprawę z tego, że po dwóch dniach ścisku i niemycia ja pewnie też już śmierdzę, a moje włosy wkrótce zaroją się od wszy. Odwróciłam wzrok i zajęłam się przeszukiwaniem ubrania i usuwaniem znalezionych insektów.

Ciężarówka ruszyła, Liliane krzywiła się przy każdym wyboju. Po kilku kilometrach znów zapadła w sen, wyczerpana bólem.

Mnie głowa pękała z bólu i byłam wdzięczna losowi, że kanonada dział ucichła. „Bądź dobrej myśli", powtórzyłam w duchu, kierując te słowa do nas obu.

Byłyśmy w drodze już od godziny, a zimowe słońce powoli chyliło się ku zachodowi nad lśniącymi od śniegu wierzchołkami odległych gór, kiedy powiew wiatru uniósł na moment plandekę, a przed oczami mignął mi drogowskaz. Pomyślałam, że chyba coś mi się przywidziało. Pochyliłam się do przodu i uniosłam skrawek plandeki, mrużąc oczy od światła i czekając na następny znak z nazwą miejscowości. Wreszcie się pojawił.

Mannheim.

Miałam wrażenie, jakby świat wokół mnie nagle zastygł.

– Liliane? – szepnęłam i potrząsnęłam swoją towarzyszką. – Liliane, wyjrzyj. Co widzisz?

Ciężarówka zwolniła, objeżdżając leje po pociskach, więc miałam pewność, że Liliane też dostrzeże drogowskaz.

– Powinniśmy jechać na południe – powiedziałam. – Na południe, w Ardeny.

Dopiero teraz zwróciłam uwagę, że cienie są za nami. Jechałyśmy na wschód, i to zapewne już od dłuższego czasu.

– Ale Édouard jest w Ardenach. – Nie mogłam powstrzymać paniki w głosie. – Dostałam wiadomość, że tam jest. Miałyśmy jechać na południe, w Ardeny. Na południe.

Liliane opuściła plandekę. Z jej twarzy zniknęła resztka koloru. Odezwała się, nie patrząc mi w oczy.

– Sophie, nie słyszymy już dział, bo przejechałyśmy linię frontu. – Jej głos brzmiał głucho. – Wiozą nas do Niemiec.

# 24

Pociąg wypełnia wesoły gwar. Grupka kobiet na drugim końcu wagonu numer czternaście raz po raz wybucha hałaśliwym śmiechem. Siedząca naprzeciwko nich para ludzi w średnim wieku, którzy wracają pewnie z jakiejś świątecznej podróży, przystroiła się choinkowymi łańcuchami. Półki w pociągu uginają się od zakupów, powietrze jest ciężkie od zapachu francuskich smakołyków – dojrzałych serów, wina, drogiej czekolady. Ale Mo i Liv podróż powrotna do Anglii upływa w minorowym nastroju. Siedzą w wagonie w niemal zupełnym milczeniu; kac Mo utrzymał się do tej pory i najwyraźniej wymaga środków zaradczych w postaci kolejnych małych, kosztownych butelek czerwonego wina. Liv wciąż od nowa czyta otrzymane zapiski, tłumacząc je słowo po słowie za pomocą małego słowniczka francusko-angielskiego, balansującego na składanym stoliku.

Niedola Sophie Lefèvre rzuciła cień na całą ich wyprawę. Liv nie potrafi się otrząsnąć z myśli o losie dziewczyny, którą zawsze wyobrażała sobie jako radosną i triumfującą. Czy naprawdę kolaborowała z Niemcami? Co się z nią potem stało?

W przejściu między siedzeniami pojawia się wózek z gorącymi napojami i słodkimi przekąskami. Liv jest tak pogrążona w życiu Sophie, że ledwie podnosi wzrok. Świat nieobecnych mężów, tęsknoty, głodu i lęku przed Niemcami wydaje jej się nagle bardziej rzeczywisty niż ten wokół niej. Czuje zapach dymu z kominka w Le Coq Rouge, słyszy tupot stóp na podłodze. Za każdym razem, gdy zamyka oczy, jej obraz przeistacza się w przerażoną twarz Sophie Lefèvre, wleczonej przez żołnierzy do ciężarówki, Sophie, której wyrzekła się ukochana rodzina.

Kartki są pożółkłe, kruche i wchłaniają wilgoć z opuszków jej palców. Są wśród nich wczesne listy Édouarda do Sophie, kiedy mężczyzna wstępuje do Régiment d'Infanterie, a ona przeprowadza się do siostry, do St Péronne. Édouard tęskni za nią tak bardzo, że – jak pisze – czasami nocą ledwie może oddychać. Opowiada jej, że przywołuje w pamięci jej obraz, że maluje w zimnym powietrzu jej portrety. W swoich listach Sophie piszę, że zazdrości tej wyimaginowanej sobie, modli się za męża i go strofuje. Nazywa go *poilu*. Obraz tych dwojga, stworzony przez jej słowa, jest tak wyrazisty, tak intymny, że pomimo trudności z tłumaczeniem z francuskiego Liv niemal brakuje tchu. Przesuwa palcem po wyblakłym piśmie, nie mogąc wyjść z podziwu, że dziewczyna z portretu jest odpowiedzialna za te słowa. Sophie Lefèvre nie jest już tylko uwodzicielskim wizerunkiem w złoconej ramie: stała się osobą, żywym, oddychającym, trójwymiarowym bytem. Kobietą, która pisze o praniu, o brakach w zaopatrzeniu, o tym, jak na jej mężu leży mundur, o swoich lękach i frustracjach. Liv raz jeszcze uświadamia sobie, że nie może rozstać się z obrazem Sophie.

Przerzuca dwie kartki. Tutaj tekst jest bardziej zwarty i zawiera formalną sepiową fotografię Édouarda Lefèvre'a, patrzącego gdzieś w przestrzeń.

Gare du Nord falował jak morska kipiel, złożona z żołnierzy i płaczących kobiet, powietrze było gęste od dymu, pary i bolesnych odgłosów pożegnań. Wiedziałam, że Édouard nie chciałby, bym płakała. Poza tym rozstajemy się tylko na trochę; wszystkie gazety są co do tego zgodne.

– Chcę wiedzieć o wszystkim, co robisz – powiedziałam. – Szkicuj dla mnie jak najwięcej. I pamiętaj, żeby jeść porządnie. I nie rób nic głupiego, nie upijaj się, nie wdawaj w bójki i nie daj się aresztować! Masz wrócić do domu najszybciej, jak to możliwe.

Édouard kazał mi przyrzec, że Hélène i ja będziemy uważać na siebie.

– Obiecaj mi, że jak tylko usłyszycie, że wróg zbliża się w waszą stronę, natychmiast wrócicie do Paryża.

Kiedy skinęłam głową, dodał:

– Sophie, nie rób tej swojej minki sfinksa. Obiecaj mi, że będziesz myśleć najpierw o sobie. Nie będę w stanie walczyć, jeśli będę podejrzewał, że grozi ci niebezpieczeństwo.

– Wiesz, że potrafię sobie dać radę.

Édouard obejrzał się przez ramię, spoglądając na zegar. Gdzieś niedaleko pociąg wydał z siebie przenikliwy gwizd. Otoczył nas swąd spalonego oleju i kłęby pary, zasłaniając na chwilę zatłoczony peron. I wtedy zrobiłam krok w tył, żeby go sobie obejrzeć. Ależ mężczyzna z tego mojego męża! Prawdziwy olbrzym. Jego ramiona w mundurze są takie szerokie, a wzrostem przewyższa wszystkich o pół głowy. Jego fizyczna obecność jest taka intensywna; patrzyłam na niego i czułam, jak w piersi wzbiera mi zachwyt. Chyba nawet wtedy nie wierzyłam, że on naprawdę wyjeżdża.

Tydzień wcześniej skończył malować mój mały gwaszowy portrecik. Teraz poklepał się po kieszeni na piersi.

– Będę cię z sobą nosił.

Położyłam dłoń na sercu.

– A ja ciebie.

Po cichu zazdrościłam Édouardowi, że ja nie mam jego portretu.

Rozejrzałam się wokół. Drzwi do wagonów otwierały się i zamykały, obok nas wyciągały się ręce, palce splatały się w uścisku po raz ostatni.

– Édouardzie, nie będę patrzeć, jak odjeżdżasz – powiedziałam. – Zamknę oczy i zachowam ten obraz ciebie, gdy teraz stoisz przede mną.

Skinął głową. Rozumiał.

– Zanim odejdziesz – rzekł nagle. I wtedy porwał mnie w objęcia i pocałował, przyciskając usta do moich, potężnymi ramionami przyciągając ciasno, ciasno do siebie. Tuliłam go, nie otwierając powiek, i wdychałam jego zapach, wchłaniałam go, jakbym mogła sprawić, by ten ślad pozostał ze mną przez cały czas jego nieobecności. I dopiero wtedy poczułam, że on naprawdę jedzie. Mój mąż wyjeżdża. A potem, kiedy stało się to już nie do zniesienia, odsunęłam się od niego z wyrazem sztywnego opanowania na twarzy.

Z zamkniętymi oczami chwyciłam go za rękę, nie chcąc widzieć wyrazu jego twarzy, a potem odwróciłam się szybko, wyprostowana, i zaczęłam przeciskać się przez tłum, oddalać się od niego.

Nie wiem, dlaczego nie chciałam patrzeć, jak wsiada do pociągu. Od tamtej chwili żałuję tego codziennie.

Dopiero po powrocie do domu sięgnęłam do kieszeni. Znalazłam karteczkę, którą Édouard musiał tam wsunąć, gdy mnie obejmował: karykaturę przedstawiającą nas dwoje – on jako potężny niedźwiedź w mundurze, uśmiechnięty od ucha do ucha i obejmujący mnie ramieniem, ja drobna i z wąską talią, z twarzą poważną i uroczystą, i włosami zaczesanymi schludnie do tyłu. Pod spodem napisał swoim pochyłym pismem pełnym zawijasów: „Nie wiedziałem, co to prawdziwe szczęście, dopóki nie poznałem ciebie".

Liv mruga powiekami. Starannie wkłada papiery do teczki. Siedzi pogrążona w myślach. A potem rozwija portret Sophie Lefèvre, z tą uśmiechniętą, subtelną twarzą. Jak to możliwe, żeby *monsieur* Bessette miał rację? Jak to możliwe, żeby kobieta tak zakochana w swoim mężu zdradziła go, i to nie po prostu z innym mężczyzną, ale z wrogiem? Wydaje się to nie do pojęcia. Liv z powrotem zwija kserokopię i wkłada swoje papiery do torebki.

Mo wyciąga z uszu słuchawki.

– No dobra. Pół godziny do St Pancras. Myślisz, że zdobyłaś to, po co przyjechałaś?

Liv wzrusza ramionami. Gula w gardle nie pozwala jej mówić. Ściągnięte do tyłu włosy Mo są kruczoczarne, policzki białe jak mleko.

– Denerwujesz się jutrzejszym dniem?

Liv przełyka ślinę i posyła jej blady uśmiech. Od półtora miesiąca nie myśli prawie o niczym innym.

– Nie wiem, czy to wiele wniesie – odzywa się Mo tak, jakby myślała nad tym od jakiegoś czasu – ale nie sądzę, żeby McCafferty cię wrobił.

– Co?

– Znam masę fatalnych, kłamliwych typów. On do nich nie należy. – Zaczyna skubać skórkę przy kciuku, a potem dorzuca: –

Zdaje mi się, że los postanowił zrobić wam paskudny kawał i rzucić was po przeciwnych stronach barykady.

– Ale on nie musiał zajmować się akurat moim obrazem.

Mo unosi brew.

– Naprawdę?

Liv wygląda przez okno, podczas gdy pociąg toczy się w stronę Londynu. Walczy z nową gulą rosnącą w gardle.

Po drugiej stronie stolika dwójka ludzi przystrojonych w choinkowe łańcuchy opiera się jedno o drugie. Usnęli ze splecionymi dłońmi.

Później Liv nie jest pewna, co kazało jej to zrobić. Na stacji St Pancras Mo oznajmia, że jedzie do Ranica, i przykazuje Liv, by nie siedziała do rana w internecie, wyszukując procesy restytucyjne, o których nikt nie słyszał, i żeby była tak dobra i wsadziła ten camembert do lodówki, zanim ucieknie i zatruje cały dom. Liv stoi na rojnym placu, ściskając w dłoni plastikową torebkę ze śmierdzącym serem i odprowadzając wzrokiem ciemną figurkę maszerującą w stronę metra z torbą przerzuconą nonszalancko przez ramię. W sposobie, w jaki Mo mówi o Ranicu, jest coś jednocześnie beztroskiego i pewnego; Liv ma wrażenie, że coś między tymi dwojgiem zmieniło się na dobre.

Czeka, póki Mo nie zniknie w tłumie. Przechodnie co chwila ją wymijają; Liv czuje się jak nieruchomy kamień w strumieniu ludzi. Wokół niej same pary, trzymają się pod rękę, gawędzą, rzucają na siebie czułe, podekscytowane spojrzenia, a jeżeli ktoś jest sam, to idzie z pochyloną głową, śpiesząc do domu, do kogoś, kogo kocha. Liv widzi obrączki, pierścionki zaręczynowe, słyszy strzępki rozmów o godzinach odjazdu pociągu, o wstąpieniu do sklepu po mleko i „Wyjdziesz po mnie na stację?". Później pomyśli rozsądnie o wielu osobach, które wzdrygają się na myśl o powrocie i spotkaniu z partnerem, które szukają wymówek, żeby nie wsiąść do pociągu, chowają się po barach. Ale w tej chwili ludzie znudzeni, nieszczęśliwi i samotni, tak jak ona, są niewidoczni. Liv odbiera ten tłum jako jedną wielką zniewagę pod adresem jej samotności. „Kiedyś byłam jedną z was", myśli i nie bardzo potrafi sobie wyobrazić, jak by to było być znów jedną z nich.

„Nie wiedziałem, co to prawdziwe szczęście, dopóki nie poznałem ciebie".

Na tablicy odjazdów rozbłyskują nowe nazwy miejscowości, przeszklone sklepy pełne są klientów kupujących ostatnie gwiazdkowe prezenty. „Czy to możliwe stać się na powrót tą osobą, którą kiedyś byłam?", zastanawia się Liv. I zanim odpowiedź zdąży ją całkowicie sparaliżować, dziewczyna chwyta swoją walizkę i na wpół idzie, na wpół biegnie na stację metra.

W ciszy, która zapada w mieszkaniu po tym, jak Jake wraca do matki, jest coś specyficznego. Ta cisza jest czymś masywnym i ciężkim, całkowicie różnym od spokoju, który towarzyszy jego wyjściu do kolegi na parę godzin. Paul myśli czasem, że dojmująca cisza panująca wówczas w jego domu jest naznaczona poczuciem winy; poczuciem klęski. Przytłacza go świadomość, że przynajmniej przez najbliższe cztery dni nie ma szans, żeby synek tu wrócił. Paul kończy sprzątanie w kuchni (Jake robił czekoladowe szyszki – dmuchany ryż znajduje się pod każdym urządzeniem w kuchni), a potem siada, gapiąc się w niedzielną gazetę, którą z przyzwyczajenia kupuje co tydzień, ale nigdy nie udaje mu się jej przeczytać.

W pierwszych miesiącach po odejściu Leonie najbardziej obawiał się poranków. Wcześniej nie zdawał sobie sprawy, jak bardzo kochał nieregularny tupot bosych nóżek i widok zaspanego Jake'a z rozczochraną czupryną i półprzymkniętymi oczami, stającego w drzwiach ich sypialni, żeby wgramolić się im do łóżka. Ten lodowaty chłód jego stópek; ciepły, drożdżowy zapach skóry. To głębokie przeświadczenie, że kiedy tylko synek wtuli się pomiędzy nich, wszystko na świecie jest tak, jak należy. A potem, po ich odejściu, te miesiące budzenia się w pojedynkę, z poczuciem, że każdy poranek zwiastuje tylko nadejście kolejnego dnia w życiu jego syna, który go ominie. Kolejnej serii drobnych przygód albo wypadków, mozaiki zwyczajnych zdarzeń, która pomoże małemu stać się tym, kim będzie w przyszłości – a Paul nie będzie miał w tym udziału.

Teraz lepiej znosił poranki (między innymi dlatego, że dziewięcioletni Jake rzadko budził się przed nim), ale te pierwsze kilka godzin po powrocie synka do Leonie nadal potrafiło wytrącić go z równowagi.

Wyprasuje parę koszul. Może przejdzie się na siłownię, a później weźmie prysznic i coś zje. Tych kilka rzeczy nada jego wieczorowi jakiś kształt. Parę godzin telewizji, może rzut oka na akta, by mieć pewność, że przed procesem wszystko jest dopięte na ostatni guzik, a potem się położy.

Kończy właśnie prasować koszule, kiedy dzwoni telefon.

– Hej – odzywa się Janey.

– Kto mówi? – pyta Paul, chociaż dobrze wie.

– To ja – odpowiada kobieta, usiłując nie dać po sobie poznać, że sprawiło jej to przykrość. – Janey. Pomyślałam sobie, że zadzwonię i sprawdzę, jak tam przed jutrzejszym dniem.

– W porządku – mówi Paul. – Sean ma wszystko przejrzane. Adwokat jest przygotowany. Lepiej być nie może.

– Udało się dowiedzieć czegoś więcej o tym początkowym zniknięciu?

– Niewiele. Ale mamy wystarczająco dużo korespondencji osób trzecich, żeby poważnie to zakwestionować.

Po drugiej stronie na chwilę zapada cisza.

– Brigg and Sawston's zakładają własną agencję poszukiwania dzieł sztuki – oświadcza Janey.

– Kto?

– Ten dom aukcyjny. Wygląda na to, że znaleźli sobie dodatkowy sposób na zarabianie pieniędzy. I mają potężnych sponsorów.

– Cholera. – Paul spogląda na stertę papierów na biurku.

– Już zaczęli rozmawiać z innymi agencjami na temat personelu. Wygląda na to, że próbują podkupić byłych policjantów z Wydziału do spraw Sztuki i Antyków. – Paul słyszy ukryte w jej głosie pytanie. – Ludzi z doświadczeniem w pracy detektywistycznej.

– Cóż, do mnie się nie odzywali.

Na chwilę zapada cisza. Mężczyzna zastanawia się, czy Janey mu wierzy.

– Paul, musimy wygrać tę sprawę. Musimy zadbać o to, żeby było o nas głośno. Żeby ludzie wiedzieli, że jeśli chcą coś odzyskać, to powinni w pierwszej kolejności zgłosić się do nas.

– Rozumiem – odpowiada Paul.

– Po prostu… chcę, żebyś wiedział, jaki jesteś ważny. To znaczy, dla naszej firmy.

– Tak jak mówiłem, Janey, nikt się do mnie nie odzywał.

Kolejna chwila ciszy.

– No dobrze. – Kobieta znów zaczyna mówić, opowiada mu o swoim weekendzie, o odwiedzinach u rodziców, o weselu w hrabstwie Devon, na które została zaproszona. Ostatni temat omawia tak obszernie, że Paul zaczyna się zastanawiać, czy ona czasem nie zbiera się na odwagę, by go na nie zaprosić, i szybko zmienia temat. W końcu Janey się żegna.

Paul włącza muzykę i pogłaśnia ją tak, żeby nie było słychać hałasów z ulicy. Zawsze kochał ten gwar, tę energię West Endu, z czasem jednak przekonał się, że kiedy nie jest w odpowiednim nastroju, ta hałaśliwa wesołość na zewnątrz pogłębia tylko nieodłączną melancholię niedzielnego wieczoru. Pogłaśnia jeszcze trochę muzykę. Wie, dlaczego tak jest, ale nie chce przyjąć tego do wiadomości. Nie ma sensu myśleć o tym, czego nie da się zmienić.

Kończąc myć włosy, Paul orientuje się, że ktoś chyba dzwoni do drzwi. Klnie pod nosem, po omacku szuka ręcznika i wyciera twarz. Zszedłby na dół owinięty w ręcznik, ale ma przeczucie, że to może być Janey. Nie chce, żeby uznała to za zaproszenie.

Schodząc po schodach, ćwiczy już w myślach wymówki. Koszulka lepi się mu do wilgotnej skóry.

„Wybacz, Janey, ale właśnie wychodziłem".

„Tak. Musimy o tym pogadać w pracy. Trzeba zwołać zebranie, włączyć w to wszystkich".

„Janey. Uważam, że jesteś wspaniała. Ale to naprawdę nie jest najlepszy pomysł. Przykro mi".

Otwiera drzwi z tym ostatnim zdaniem niemal na ustach. Ale to nie Janey.

Na środku chodnika stoi Liv Halston i ściska w dłoni torbę podróżną. Ponad nią nocne niebo przystrajają sznury świątecznych lampek. Dziewczyna wypuszcza z rąk torbę, a jej blada, poważna twarz spogląda na niego tak, jakby Liv na chwilę zapomniała, co chce powiedzieć.

– Proces zaczyna się jutro – Paul przerywa przedłużającą się ciszę. Nie może oderwać wzroku od Liv.

– Wiem.

– Nie powinniśmy z sobą rozmawiać.

– Nie.

– Oboje moglibyśmy narobić sobie kłopotów.

On stoi i czeka. Na twarzy Liv maluje się napięcie, otula ją gruby czarny płaszcz, jej oczy migoczą tak, jakby za nimi toczyło się milion wewnętrznych rozmów, o których on nic nie wie. Paul zaczyna przepraszać. Ale Liv odzywa się pierwsza.

– Posłuchaj. Wiem, że to pewnie zabrzmi zupełnie bez sensu, ale czy moglibyśmy zapomnieć o procesie? Na ten jeden wieczór? – Jej głos jest nieopisanie bezbronny. – Czy moglibyśmy znów być po prostu dwojgiem ludzi?

To leciutkie załamanie głosu nagle go rozbraja. Paul McCafferty usiłuje coś powiedzieć, a potem pochyla się i bierze jej torbę, wnosząc ją do przedsionka. Zanim którekolwiek z nich zdąży się rozmyślić, mężczyzna przyciąga Liv do siebie, obejmuje ją ciasno ramionami i stoi tak z nią, aż zewnętrzny świat rozmywa się i znika.


– Hej, śpiochu.

Liv siada na łóżku i powoli dociera do niej, gdzie jest. Paul siedzi obok i nalewa kawę do kubka. Podaje jej naczynie. Sprawia wrażenie zdumiewająco obudzonego. Zegar wskazuje szóstą trzydzieści dwie.

– Przyniosłem ci też grzanki. Pomyślałam, że może będziesz chciała jeszcze wrócić do domu, zanim…

Zanim…

Proces. Przyjęcie tej myśli do wiadomości zajmuje Liv chwilę. Paul czeka, podczas gdy ona przeciera oczy, po czym nachyla się ku niej i lekko całuje. Liv zauważa, że on ma umyte zęby, i czuje przelotne zakłopotanie faktem, że ona nie.

– Nie wiedziałem, z czym chcesz grzanki. Mam nadzieję, że dżem będzie okej. – Zdejmuje talerz z tacy. – Ulubiony Jake'a. Dziewięćdziesiąt osiem procent cukru, czy coś koło tego.

– Dziękuję. – Liv mruga powiekami, patrząc na talerz na swoich kolanach. Nie pamięta ostatniego razu, kiedy ktoś przyniósł jej śniadanie do łóżka.

Spoglądają na siebie. O rety, myśli Liv, przypominając sobie ubiegłą noc. Wszystkie inne myśli nagle znikają. W kącikach oczu Paula pojawiają się zmarszczki, jakby czytał w jej umyśle.

– Planujesz… tu wrócić? – odzywa się Liv.

Paul kładzie się na łóżku tak, że jego nogi, ciepłe i silne, splatają się z jej nogami. Liv przesuwa się, by on mógł objąć ją ramieniem, a potem wtula się w niego i zamyka oczy, rozkoszując się tym uczuciem. Jego zapach jest ciepły i senny. Liv chce po prostu położyć twarz na jego skórze i zostać tak, wdychając jego woń, aż jej płuca będą pełne malutkich cząsteczek Paula. Nagle przypomina jej się pewien chłopiec, z którym spotykała się jako nastolatka; uwielbiała go. Kiedy wreszcie się pocałowali, Liv była wstrząśnięta odkryciem, że jego skóra, włosy, cały on pachnie nie tak. Zupełnie jakby jakaś podstawowa część jego organizmu była skonstruowana w taki sposób, by ją odpychać. Skóra Paula – mogłaby tu leżeć i tylko to wdychać, jak dobre perfumy.

– Wszystko dobrze?

– Nawet lepiej – odpowiada Liv. Upija łyk kawy.

– Nagle pokochałem niedzielne wieczory. Pojęcia nie mam dlaczego.

– Niedzielne wieczory są stanowczo niedoceniane.

– Podobnie jak niezapowiedziani goście. Trochę się obawiałem, że możesz być świadkiem Jehowy. – Paul się zamyśla. – Chociaż gdyby świadkowie Jehowy robili to, co ty wczoraj w nocy, to chyba spotykaliby się ze znacznie cieplejszym przyjęciem.

– Powinieneś im o tym powiedzieć.

– Niezły pomysł.

Zapada długa cisza. Słuchają dźwięku wycofującej śmieciarki, stłumionego hałasu kontenerów i jedzą grzanki w przyjaznym milczeniu.

– Tęskniłem za tobą, Liv – mówi Paul.

Ona przechyla głowę i opiera ją o niego. Na zewnątrz dwoje ludzi rozmawia głośno po włosku. Liv czuje przyjemny ból mięśni, jakby ustąpiło jakieś długotrwałe napięcie, z którego niemal nie zdawała sobie sprawy. Czuje się jak ktoś, o kim zdążyła już zapomnieć. Zastanawia się, co powiedziałaby na to Mo, a potem uśmiecha się, zdając sobie sprawę, że zna odpowiedź.

I wtedy ciszę przerywa głos Paula:

– Liv, boję się, że ten proces cię zrujnuje.

Ona wpatruje się w swoją kawę.

– Liv?

– Nie chcę rozmawiać o procesie.

– Nie będę mówił o żadnych... szczegółach. Muszę ci tylko powiedzieć, że się martwię.

Liv usiłuje się uśmiechnąć.

– No to się nie martw. Jeszcze nie wygrałeś.

– Nawet gdybyś wygrała. Prawnicy są bardzo kosztowni. Przerabiałem to kilka razy, więc mam pewne wyobrażenie na temat tego, ile cię to kosztuje. – Paul odstawia kubek i bierze ją za rękę. – Posłuchaj. W zeszłym tygodniu rozmawiałem prywatnie z Lefèvre'ami. Druga dyrektorka firmy, Janey, nawet o tym nie wie. Wyjaśniłem im trochę twoją sytuację, opowiedziałem, jak bardzo kochasz ten portret, że nie chcesz się z nim rozstać. I udało mi się namówić ich, żeby zaproponowali ci prawdziwą ugodę. Taką poważną, sześciocyfrową. Pokryłoby to dotychczasowe koszty sprawy i pewnie jeszcze coś by ci zostało.

Liv wpatruje się w ich ręce, w jej dłoń ukrytą w jego dłoni. Czuje, jak nastrój się ulatnia.

– Czy ty… próbujesz mnie przekonać, żebym się wycofała?

– Nie z tych powodów, o których myślisz.

– Co to ma znaczyć?

Paul patrzy przed siebie.

– Znalazłem coś.

Liv czuje, jak coś w jej wnętrzu nagle nieruchomieje.

– We Francji?

Mężczyzna zaciska wargi, jakby się zastanawiał, ile może jej powiedzieć.

– Znalazłem stary artykuł w gazecie, napisany przez tę amerykańską dziennikarkę, do której obraz wcześniej należał. Pisze o tym, jak go dostała z magazynu ze skradzionymi dziełami sztuki niedaleko Dachau.

– I co?

– Te wszystkie prace były kradzione. A to przemawiałoby za tym, że obraz został zdobyty nielegalnie i wzięty w posiadanie przez Niemców.

– To bardzo daleko idący wniosek.

– Ale rzuca cień na wszystkie kolejne transakcje dotyczące obrazu.

– Ty tak twierdzisz.

– Liv, jestem dobry w tym, co robię. Prawie wygraliśmy tę sprawę. A jeżeli są jeszcze jakieś dowody, to wiesz, że je znajdę.

Dziewczyna sztywnieje.

– Myślę, że kluczowe słowo w tym zdaniu brzmi „jeżeli". – Wysuwa rękę z jego dłoni.

Paul zmienia pozycję, żeby siedzieć twarzą do niej.

– No dobra. To jest moment, którego ja nie rozumiem. Abstrahując od tego, co jest tu dobre, a co złe, nie pojmuję, dlaczego naprawdę bystra kobieta posiadająca obraz, który prawie nic nie kosztował, i świadoma, że ma on wątpliwą przeszłość, nie chce się zgodzić go zwrócić w zamian za kupę kasy. Znacznie więcej kasy, niż za niego zapłaciła.

– Tu nie chodzi o pieniądze.

– Liv, proszę cię. Przecież nawet dziecko by to zrozumiało. Jeżeli wdasz się w ten proces i przegrasz, to stracisz setki tysięcy funtów. Może nawet dom. Wszystkie ubezpieczenia. Za cenę obrazu? Poważnie?

– Sophie się im nie należy. Oni... oni o nią nie dbają.

– Sophie Lefèvre nie żyje od osiemdziesięciu kilku lat. Podejrzewam, że nie zrobi jej to wielkiej różnicy.

Liv wyślizguje się z łóżka i rozgląda w poszukiwaniu spodni.

– Czy ty naprawdę nic nie rozumiesz? – Naciąga je i z furią zapina zamek. – Boże. Nie masz nic wspólnego z człowiekiem, za którego cię uważałam.

– Nie. Wyobraź sobie, że jestem człowiekiem, który nie chce patrzeć, jak tracisz dach nad głową.

– Ach, nie. Zapomniałam. Ty jesteś człowiekiem, który ściągnął mi to wszystko na głowę.

– Myślisz, że ktoś inny na moim miejscu nie podjąłby się tego? To prosta sprawa, Liv. Wokół jest pełno takich organizacji jak nasza, które by się na nią rzuciły.

– Skończyliśmy? – Liv zapina stanik i wciąga sweter przez głowę.

– Cholera. Posłuchaj. Ja chcę tylko, żebyś to przemyślała. Po prostu… nie chcę, żebyś straciła wszystko dla zasady.

– Ach tak. Czyli ty się tylko o mnie troszczysz. Jasne.

Paul pociera czoło, jakby usiłował opanować gniew. A potem kręci głową.

– Wiesz co? Myślę, że tobie wcale nie chodzi o obraz. Myślę, że chodzi raczej o to, że nie umiesz ruszyć się z miejsca. Zrezygnowanie z obrazu oznaczałoby pozostawienie Davida w przeszłości. A ty tego nie potrafisz zrobić.

– Ruszyłam z miejsca! Dobrze wiesz, że ruszyłam! Według ciebie niby o co, do cholery, chodziło zeszłej nocy?

Paul wbija w nią wzrok.

– Wiesz co? Nie mam pojęcia. Naprawdę nie mam pojęcia.

Kiedy Liv wymija go, kierując się ku drzwiom, Paul jej nie powstrzymuje.

## 25

Dwie godziny później Liv siedzi w taksówce, patrząc, jak Henry pałaszuje ciastko i zapija kawą, podczas gdy jej własny żołądek zwinięty jest w ciasny supeł.

– Musiałem odwieźć dzieciaki do szkoły – mówi Henry, plując okruszkami na siedzenie. – Nigdy nie mam czasu na śniadanie.

Liv ma na sobie szary, dopasowany żakiet, a pod spodem jasnobłękitną bluzkę. Nosi to ubranie jak pancerz. Chce coś powiedzieć, ale jej wargi po prostu odmawiają współpracy. Nie czuje już nerwów, sama jest jednym wielkim nerwem. Gdyby ktoś jej dotknął znienacka, mogłaby zabrzęczeć jak napięta struna.

– Możesz być pewna, że jak tylko siądziesz z kubkiem kawy, jedno z nich przyleci, domagając się grzanki, musli czy czego tam jeszcze.

Kiwa głową w milczeniu. W głowie słyszy głos Paula. „Te wszystkie prace były kradzione".

– Chyba już od roku jem tylko to, co zdążę wyjąć z chlebaka po drodze do wyjścia. Przyznam, że nawet polubiłem bułki bez niczego.

Przed sądem są jacyś ludzie. Niewielki tłumek drepce przed schodami. Liv początkowo myśli, że to turyści, ale Henry łapie ją pod rękę, kiedy wychodzą z taksówki.

– O Jezu. Schyl głowę – mówi.

– Czemu?

Ledwie stawia stopę na chodniku, a powietrze wokół niej rozbłyska fleszami. Na moment jest całkowicie sparaliżowana. Henry ciągnie ją za ramię, przepychają się pośród twardych łokci, w uszach dzwoni jej własne imię wykrzykiwane przez dziennikarzy. Ktoś wpycha jej zwitek papieru do ręki, słyszy nikłą nutkę paniki w głosie Henry'ego, tłum zdaje się wokół niej zacieśniać. Otaczają ją marynarki i wielkie, połyskujące beznamiętnie obiektywy aparatów.

– Proszę się cofnąć. Proszę się cofnąć.

Przed oczami miga jej mundur i mosiężna odznaka policjanta. Liv zaciska powieki i daje się prowadzić gdzieś w bok, czując rękę Henry'ego kurczowo zaciśniętą na swoim ramieniu.

Są już w cichym holu sądu, przechodzą przez bramki bezpieczeństwa. Po drugiej stronie wstrząśnięta Liv mruga powiekami i patrzy na Henry'ego.

– Co to było, do cholery? – Oddycha ciężko.

Henry wygładza włosy i odwraca się w stronę drzwi.

– Prasa. Obawiam się, że nasz proces budzi ogromne zainteresowanie.

Liv obciąga na sobie żakiet, rozgląda się wokół i widzi, że przez bramkę przechodzi Paul. Ma na sobie bladoniebieską koszulę i ciemne spodnie, wydaje się całkowicie nieporuszony. Jego nikt nie zaczepiał. Ich oczy spotykają się, Liv posyła mu wściekłe spojrzenie. Na ułamek sekundy Paul zwalnia kroku, ale wyraz jego twarzy się nie zmienia. Liv patrzy za nim, jak odchodzi z dokumentami pod pachą, kierując się w stronę sali drugiej.

Dopiero wtedy przypomina sobie o skrawku papieru, który trzyma w dłoni. Rozwija go ostrożnie.

Posiadanie rzeczy, które zabrali Niemcy, to ZBRODNIA. Zakończ cierpienia narodu żydowskiego. Zwróć im to, co do nich należy. Przywróć sprawiedliwość, zanim będzie ZA PÓŹNO.

– Co to? – Henry zagląda jej przez ramię.

– Czemu oni mi to dali? Przecież Lefèvre'owie wcale nie są Żydami! – krzyczy Liv.

– Ostrzegałem cię, że wojenny zabór mienia to drażliwa kwestia. Obawiam się, że do tej sprawy przykleją się wszystkie możliwe grupy interesu, bez względu na to, czy ich ona dotyczy, czy nie.

– Ale to idiotyczne. Nie ukradliśmy tego przeklętego obrazu. Jest nasz od ponad dekady!

– Chodź. Idziemy do sali drugiej. Poproszę kogoś, żeby przyniósł ci wody.

Część sali przeznaczona dla prasy jest zapchana do ostatniego miejsca. Liv widzi reporterów siedzących jeden obok drugiego, mruczących coś do siebie i żartujących, przeglądających dzisiejsze gazety w oczekiwaniu na przybycie wysokiego sądu. Jak stado drapieżników, zrelaksowanych, ale nieustępliwych, pewnych, że zwierzyna im się nie wymknie. Lustruje wzrokiem stłoczonych na ławkach ludzi w poszukiwaniu znajomych twarzy. Ma ochotę wstać i krzyknąć na nich: „Dla was to tylko gra, prawda? To tylko jutrzejsza podkładka do ryby z frytkami!". Serce bije jej jak oszalałe.

Sędzia – mówi Henry, sadowiąc się za stołem – ma doświadczenie w takich sprawach i jest do bólu sprawiedliwy. Prawnik unika jednak jasnej odpowiedzi na pytanie, w ilu sprawach sędzia ten rozstrzygnął na korzyść obecnych posiadaczy dzieł sztuki.

Na stołach piętrzą się pękate teczki z dokumentami, listy biegłych sądowych, opinie na temat co mniej przejrzystych przepisów francuskiego prawa. Henry stwierdza półżartem, że Liv wie już teraz tyle o tego typu procesach, że po tym wszystkim mógłby zaproponować jej pracę.

– Mogę jej potrzebować – stwierdza Liv ponurym głosem.

– Proszę wstać, sąd idzie.

– No to zaczynamy. – Henry dotyka jej łokcia i uśmiecha się krzepiąco.

Bracia Lefèvre, dwaj starsi mężczyźni, siedzą już przy drugim stole wraz z Seanem Flahertym i śledzą proces w milczeniu, podczas gdy ich prawnik, Christopher Jenks, prezentuje stronę powodową. Liv nie spuszcza z nich wzroku; surowe twarze, skrzyżowane na piersiach ramiona – cała ich postawa wydaje się sugerować wieczne niezadowolenie. Jak tłumaczy ich adwokat, Maurice i André Lefèvre są kustoszami pamięci i opiekunami ocalałych dzieł Édouarda Lefèvre'a. Troszczą się o to, by zabezpieczyć dorobek życia malarza i zachować go dla potomności.

– I napchać sobie kieszenie – mruczy Liv.

Henry kręci głową.

Jenks spaceruje tam i z powrotem po sali, perorując i jedynie od czasu do czasu posiłkując się notatkami. Ponieważ w ostatnich latach wzrosła popularność malarstwa Édouarda Lefèvre'a, jego potomkowie zlecili audyt ocalałych prac artysty. Podczas poszukiwań natknięto się na informacje o portrecie zatytułowanym

*Dziewczyna, którą kochałeś*, będącym niegdyś własnością żony malarza, Sophie Lefèvre.

Zachowana fotografia i kilka zapisków w pamiętnikach dowodzą, że obraz wisiał w widocznym miejscu w hotelu znanym pod nazwą Le Coq Rouge, znajdującym się w okupowanym przez Niemców podczas pierwszej wojny światowej miasteczku St Péronne.

Istnieją dowody, iż zarządzający miasteczkiem Kommandant, niejaki Friedrich Hencken, kilkukrotnie wyrażał swój podziw dla tego portretu. Hotel Le Coq Rouge został zajęty przez Niemców na ich potrzeby. Sophie Lefèvre głośno dawała wyraz swojemu niezadowoleniu i sprzeciwowi wobec zaistniałej sytuacji.

Sophie Lefèvre została aresztowana i wywieziona z St Péronne na początku 1917 roku. Mniej więcej w tym samym czasie obraz zaginął.

Niedwuznacznie wskazuje to, ciągnie Jenks, na wymuszenie bądź rekwizycję, „brudne" przejęcie ukochanego przez właścicielkę dzieła. Jednakże nie jest to, mówi adwokat z naciskiem, jedyny dowód, że obraz został nabyty w sposób bezprawny.

Niedawno pozyskany materiał dowodowy wskazuje na to, iż obraz pojawił się po drugiej wojnie światowej w Niemczech, w Berchtesgaden, w magazynie znanym jako Punkt Zbiórki, w którym przechowywano skradzione lub zrabowane przez hitlerowców dzieła sztuki. Prawnik powtarza frazę „skradzione lub zrabowane przez hitlerowców dzieła sztuki" dwukrotnie, jakby chcąc się upewnić, czy wszyscy rozumieją. Tam właśnie, kontynuuje Jenks, w posiadanie tegoż obrazu weszła w tajemniczych okolicznościach amerykańska reporterka, Louanne Baker, która spędziła w Punkcie Zbiórki cały dzień i napisała o tym artykuł do amerykańskiej gazety. Wspomina w nim, że otrzymała wówczas

„podarunek" czy też „pamiątkę" od nadzorców magazynu. Trzymała obraz u siebie w domu, co potwierdza jej rodzina; dopiero dziesięć lat temu został on sprzedany Davidowi Halstonowi, który z kolei podarował go swej żonie w prezencie ślubnym.

Nic z tego nie jest dla Liv nowiną, miała już okazję zapoznać się ze zgromadzonym przez powództwo materiałem dowodowym. Ale gdy słucha, jak obca osoba opowiada wszem i wobec historię jej obrazu, trudno jej połączyć w myślach ten mały portrecik, który wisiał sobie spokojnie na ścianie jej sypialni, z wielką tragedią i wydarzeniami historycznymi, które zmieniły świat.

Zerka na ławki zajmowane przez prasę. Reporterzy wydają się całkowicie zaabsorbowani, podobnie sędzia. Liv myśli z roztargnieniem, że gdyby cała jej przyszłość nie wisiała teraz na włosku, to sama pewnie też by była zaabsorbowana. Przy drugim stole siedzi Paul, odchylony do tyłu, z wojowniczo skrzyżowanymi ramionami.

Zawiesza na nim wzrok, a on niespodziewanie odwzajemnia jej spojrzenie. Liv rumieni się lekko i odwraca głowę. Zastanawia się, czy Paul będzie tu na każdej rozprawie i czy da się zabić człowieka w wypełnionej po brzegi sali sądowej.

Christopher Jenks stoi na wprost nich.

– Wysoki sądzie, to wielce niefortunne, że pani Halston została wbrew swojej woli wplątana w serię historycznych niesprawiedliwości, lecz nie umniejsza to faktu, iż do niesprawiedliwości tych doszło. Twierdzimy, że obraz został skradziony dwa razy: raz z domu Sophie Lefèvre, a następnie podczas drugiej wojny światowej, odebrany jej potomkom i bezprawnie podarowany osobie trzeciej w Punkcie Zbiórki. Był to wtedy w Europie czas zamętu, co tłumaczy, dlaczego taki czyn mógł pozostać niezauważony i nieodkryty aż do dziś. Niemniej jednak prawo, zarówno przepisy konwencji genewskiej, jak i współczesne prawodawstwo dotyczące zwrotu mienia, mówi jasno, że krzywdy trzeba naprawiać. W tym przypadku oznacza to, że obraz powinien być zwrócony prawowitym właścicielom, czyli rodzinie Lefèvre. Dziękuję.

Twarz siedzącego obok Henry'ego nie wyraża żadnych uczuć.

Liv zerka w kąt sali, gdzie na małej sztaludze stoi powiększona do naturalnych rozmiarów drukowana reprodukcja *Dziewczyny, którą kochałeś*. Flaherty postulował, aby oryginalny obraz został na czas postępowania sądowego umieszczony w bezpiecznym miejscu, ale Henry powiedział jej, że nie ma obowiązku wyrażać na to zgody.

A jednak jest coś denerwującego w obecności na sali sądowej *Dziewczyny*, która tu nie pasuje. Jej spojrzenie zdaje się w jakiś sposób drwić z toczącego się przed nią procesu. W swoim domu Liv często wchodzi do sypialni tylko po to, by na nią popatrzeć, tym dłużej i intensywniej, im bardziej narasta w niej lęk, że wkrótce jej ją odbiorą.

Popołudnie dłuży się niemiłosiernie. Powietrze w sali jest nieruchome i duszne od centralnego ogrzewania. Christopher Jenks obala ich wniosek o umorzenie sprawy ze względu na przedawnienie roszczeń z prawniczą rutyną i znudzoną precyzją chirurga przeprowadzającego sekcję na żabie. Od czasu do czasu Liv podnosi głowę, słysząc terminy takie jak „przeniesienie praw" i „niepewna proweniencja". Sędzia pokasłuje i sprawdza swoje notatki. Paul mówi coś ściszonym głosem do wspólniczki ze swojej firmy, a ta za każdym razem uśmiecha się, odsłaniając dwa rzędy równych, białych zębów.

Christopher Jenks zaczyna czytać:

Dziś zabrali Sophie Lefèvre. Nigdy nie widziałam czegoś podobnego. Zajmowała się własnymi sprawami w piwnicach Le Coq Rouge, kiedy przyszli dwaj Niemcy i wyciągnęli ją po schodach i na zewnątrz, jak jakąś zbrodniarkę. Jej siostra płakała i błagała, tak jak i osierocona córeczka Liliane Béthune, zebrał się cały tłum protestujących, ale oni tylko zmietli ich na bok jak muchy. Dwoje starszych ludzi wręcz znalazło się na ziemi w wyniku całego tego zamieszania. Klnę się na Boga, że jeśli po śmierci czekają nas sprawiedliwe nagrody i kary, to Niemcy słono zapłacą za swoje uczynki.

Wywieźli biedną dziewczynę w bydlęcej ciężarówce. Burmistrz próbował ich powstrzymać, lecz po śmierci córki niemal całkiem stracił charakter i zrobił się zanadto skory do ustępstw wobec szwabów. Ci nie traktują go już poważnie. Gdy samochód zniknął, burmistrz wszedł do Le Coq Rouge, podszedł do baru i z wielkim przekonaniem oświadczył, że poruszy tę sprawę na najwyższych możliwych szczeblach. Nikt z nas nie słuchał. Jej nieszczęsna siostra Hélène łkała z głową na ladzie, jej brat Aurélien uciekł jak zbity pies, a dziecko, które Sophie postanowiła wziąć pod swój dach – córka Liliane Béthune – stało w rogu sali niczym mała, blada zjawa.

„Hélène się tobą zajmie", powiedziałam jej. Schyliłam się i wcisnęłam jej w piąstkę monetę, ale ona tylko spojrzała na nią, jakby nie wiedziała, co to jest. Gdy przeniosła na mnie wzrok, jej oczy były wielkie jak spodki. „Nie bój się, dziecko", rzekłam. „Hélène to dobra kobieta. Ona się tobą zajmie".

Zanim wywieźli Sophie Lefèvre, wybuchło jakieś poruszenie związane z jej bratem, ale mój słuch już nie ten, więc w hałasie i zamieszaniu umknęło mi sedno sprawy. Tak czy inaczej, obawiam się,

że Niemcy ją wykorzystali. W dniu, w którym zdecydowali się przejąć Le Coq Rouge, wiedziałam, że już po dziewczynie, ale ona mnie
nigdy nie słuchała. Musiała ich jakoś obrazić; zawsze była w gorącej
wodzie kąpana. Nie winię jej za to; sądzę, że gdyby Niemcy przyszli
do mojego domu, też bym ich obraziła.

Tak, sprzeczałam się nieraz z Sophie Lefèvre, ale moje serce
jest dziś ciężkie ze zgryzoty. Widzieć ją rzuconą na pakę bydlęcej ciężarówki, jakby była już tylko bezwładnym ciałem, wyobrażać sobie, co ją czeka… Mroczne to dni. I pomyśleć, że dożyłam
takich czasów. Są noce, kiedy trudno mi uwierzyć, że nasze małe
miasteczko przemieniło się w siedlisko szaleństwa.

Christopher Jenks kończy czytać swoim niskim, dźwięcznym głosem. W sali sądowej panuje cisza, słychać tylko odgłosy pracy ste-
notypistki. Wentylator pod sufitem mruczy leniwie, bezskutecznie
mieląc łopatami gęste powietrze.

– „W dniu, w którym zdecydowali się przejąć Le Coq Rouge,
wiedziałam, że już po dziewczynie". Panie i panowie, sądzę, iż
ten fragment pamiętnika jasno udowadnia, że stosunki Sophie
Lefèvre z niemieckimi okupantami St Péronne były dalekie od
przyjaznych.

Spaceruje po sali sądowej, jakby zażywał przechadzki na molo,
od niechcenia przeglądając skserowane kartki.

– Ale to nie jedyne źródło. Ta sama mieszkanka St Péronne, Vi-
vienne Louvier, okazała się niezastąpioną kronikarką życia swojej
miejscowości. Kilka miesięcy wcześniej zanotowała co następuje:

Niemcy stołują się w Le Coq Rouge. Siostry Bessette gotują im
tak sute posiłki, że kuchenne zapachy unoszą się nad rynkiem
i doprowadzają nas niemal do szaleństwa z głodu. Powiedziałam

Sophie Bessette – czy teraz raczej Lefèvre – w *boulangerie*, że jej ojciec nigdy by na to nie pozwolił. A ona na to, że nic nie może zrobić.

Unosi głowę.

– „Nic nie może zrobić". Niemcy zajęli hotel żony malarza, zmusili ją do gotowania sobie posiłków. Wróg siedzi dosłownie w jej domu, a ona jest całkowicie bezsilna. Poruszająca lektura. Ale to nie koniec dowodów. Badanie archiwów rodziny Lefèvre ujawniło list, który Sophie Lefèvre napisała do męża. Najwyraźniej nigdy do niego nie dotarł, lecz nie sądzę, by ten fakt miał tu jakieś znaczenie.

Podnosi kartkę papieru do oczu, jakby z trudem widział litery.

*Herr Kommandant* nie jest tak głupi jak Beckenbauer, ale bardziej mnie denerwuje. Nie odrywa wzroku od namalowanego przez Ciebie mojego portretu, a ja chciałabym mu powiedzieć, że nie ma prawa. Ten obraz, bardziej niż cokolwiek innego, należy do Ciebie i do mnie. Wiesz, co jest najdziwniejsze, Édouardzie? On autentycznie podziwia Twój kunszt. Zna twoje prace, zna Szkołę Matisse'a, dzieła Webera i Purrmanna. Jakież to dziwne zrządzenie losu dyskutować o Twojej technice malarskiej z niemieckim Kommandantem!

Ale nie zdejmę go, bez względu na to, co mówi Hélène. Przypomina mi o Tobie i o czasach, gdy byliśmy szczęśliwi. Przypomina mi, że ludzkość jest zdolna również do miłości i tworzenia piękna, nie zaś jedynie do destrukcji.

Modlę się za Twe bezpieczeństwo i szybki powrót do domu, Najdroższy.

Twoja na zawsze
Sophie

– "Ten obraz, bardziej niż cokolwiek innego, należy do Ciebie i do mnie". – Jenks pozwala, by te słowa zawisły na chwilę w powietrzu. – Zatem ten list, odnaleziony długo po jej śmierci, mówi nam, że obraz przedstawiał dla żony artysty ogromną wartość. Jasno też z niego wynika, że niemiecki Kommandant miał go na oku. Co więcej, człowiek ten miał zapewne rozeznanie na rynku sztuki. Był, można powiedzieć, prawdziwym koneserem. – Przeciąga to słowo, akcentując każdą sylabę, jakby wymawiał je po raz pierwszy w życiu. – Rabunki z czasów pierwszej wojny światowej można uznać za preludium do masowych grabieży z czasów drugiej wojny. Mamy tu wykształconych niemieckich oficerów, którzy wiedzą, czego chcą, znają tego wartość i skrzętnie to sobie notują…

– Sprzeciw. – Angela Silver, adwokatka Liv, wstaje z miejsca. – Istnieje olbrzymia różnica między znajomością malarza i podziwianiem jego prac a kradzieżą tychże. Mój szacowny kolega nie przedstawił absolutnie żadnych dowodów na to, że ów Kommandant przywłaszczył sobie obraz, a jedynie na to, że mu się podobał i że jadał posiłki w hotelu, gdzie mieszkała *madame* Lefèvre. To wszystko tylko poszlaki.

– Podtrzymuję – odmrukuje sędzia.

Christopher Jenks ociera czoło.

– Próbuję tylko nakreślić tu pewien obraz, pokazać, jak wyglądało życie w miasteczku St Péronne w 1916 roku. Nie można pojąć, w jaki sposób portret ten mógł zmienić właściciela, nie rozumiejąc atmosfery tamtych czasów i faktu, że Niemcy mieli *carte blanche* na rekwizycję, na zabieranie z każdego domostwa wszystkiego, co tylko im się spodobało.

– Sprzeciw. – Angela Silver przegląda notatki. – To bez znaczenia dla sprawy. Nie ma żadnych dowodów, że portret był przedmiotem rekwizycji.

– Podtrzymuję. Proszę trzymać się faktów, panie mecenasie.

– Jak już mówiłem, próbuję tylko... nakreślić pewien obraz, wysoki sądzie.

– Proszę pozostawić tworzenie obrazów Lefèvre'owi, panie mecenasie.

Na sali rozlegają się ciche śmiechy.

– Moim celem jest ukazanie, że w owym czasie Niemcy zarekwirowali wiele cennych przedmiotów, nie prowadząc żadnej dokumentacji ani nie wypłacając ich właścicielom odszkodowań, mimo zapewnień niemieckich władz. Wspominam o atmosferze tamtego okresu, gdyż jesteśmy przekonani, że *Dziewczyna, którą kochałeś* to jeden z tych właśnie przedmiotów. „Nie odrywa wzroku od namalowanego przez Ciebie mojego portretu, a ja chciałabym mu powiedzieć, że nie ma prawa". Cóż, wysoki sądzie, twierdzimy, iż Kommandant Friedrich Hencken czuł, że ma takie prawo. I że ten obraz był w niemieckich rękach przez kolejne trzydzieści lat.

Paul spogląda na Liv. Ta odwraca wzrok.

Skupia się na portrecie Sophie Lefèvre. „Głupcy", wydaje się mówić namalowana postać, obrzucając nieprzeniknionym spojrzeniem całą salę i wszystkich obecnych.

Tak, myśli Liv. Jesteśmy głupcami.


Rozprawa kończy się o wpół do czwartej. Angela Silver je kanapkę w swoim gabinecie. Jej peruka leży na stole obok, na biurku stoi kubek herbaty. Henry siedzi naprzeciw niej.

Mówią Liv, że pierwsza rozprawa przebiegła mniej więcej tak, jak się spodziewali. Ale w gabinecie wisi cień napięcia, niczym ledwo wyczuwalny posmak soli w powietrzu kilka kilometrów od brzegu morza. Liv przegląda plik skserowanych tłumaczeń z francuskiego, Henry odwraca się do Angeli.

– Liv, chyba wspominałaś, że kiedy rozmawiałaś z bratankiem Sophie, powiedział coś o hańbie?

– Nie rozumiem – odpowiada. Dwójka prawników patrzy na nią wyczekująco.

Silver żuje i przełyka kęs kanapki.

– Cóż, jeśli się zhańbiła, czy nie wskazuje to, iż jej związek z Kommandantem mógł istnieć za obopólną zgodą? Chodzi mi o to, że gdyby udało nam się tego dowieść, jeśli zasugerowalibyśmy, że Sophie miała pozamałżeński romans z niemieckim żołnierzem, to moglibyśmy też stwierdzić, że obraz był prezentem. To się mieści w granicach prawdopodobieństwa – zadurzona kobieta mogłaby przecież podarować kochankowi swój portret.

– Ale nie Sophie – mówi Liv.

– Tego nie wiemy – odpowiada Henry. – Powiedziałaś mi, że po tym, jak zaginęła, jej rodzina nigdy o niej nie rozmawiała. Gdyby nie była niczemu winna, to chyba chcieliby zachować pamięć o niej. A wygląda na to, że się jej wstydzili.

– Nie uważam, żeby Sophie mogła mieć dobrowolny romans z Kommandantem. Posłuchajcie tego. – Liv otwiera teczkę i czyta na głos pocztówkę. – „Jesteś moją gwiazdą przewodnią w tym świecie pełnym szaleństwa". Nadano zaledwie trzy miesiące przed tą domniemaną „kolaboracją". Czy to brzmi jak korespondencja między niekochającymi się małżonkami?

– To z pewnością brzmi jak korespondencja od kochającego męża, zgoda – oświadcza Henry. – Ale nie mamy pojęcia, czy ona odwzajemniała to uczucie. Mogła być wtedy już po uszy zadurzona w tym niemieckim oficerze. Mogła być samotna albo zagubiona. Fakt, że kochała swojego męża, nie oznacza, że nie mogła zakochać się w kimś innym, kiedy tamten był daleko.

Liv odgarnia włosy z twarzy.

– To okropne tak mówić – stwierdza. – Jakbyśmy szargali jej dobre imię.

– Jej imię zostało zszargane już dawno temu. Jej własna rodzina nie ma o niej nic dobrego do powiedzenia.

– Nie chcę wykorzystywać słów jej bratanka przeciwko niej. Wyglądało na to, że to jedyna osoba, której na niej zależy. Po prostu... po prostu sądzę, że nie znamy całej historii.

– Cała historia jest bez znaczenia. – Angela Silver zamyka pudełko po kanapce i wyrzuca je do kosza na śmieci. – Proszę pani, jeśli jest pani w stanie udowodnić, że Sophie i Kommandant mieli romans, to znacznie zwiększy nasze szanse na zatrzymanie obrazu. Dopóki druga strona będzie przekonująco twierdzić, że portret został skradziony lub odebrany siłą, dopóty nasze szanse na wygraną będą słabe. – Wyciera ręce i wkłada perukę. – To ostra gra i proszę mi wierzyć, że tamci nie mają skrupułów. Koniec końców rzecz sprowadza się do następującej kwestii: jak bardzo zależy pani na tym obrazie?

Liv siedzi przy stole, obok leży jej nietknięta kanapka, prawnicy zbierają się do wyjścia. Wpatruje się w rozłożone przed sobą notatki. Nie może oczerniać pamięci Sophie. Ale nie może też zrezygnować z obrazu. Co ważniejsze, nie może pozwolić, by Paul wygrał.

– Przyjrzę się temu jeszcze raz – mówi.

## 26

Nie boję się, choć dziwnie jest gościć ich tutaj, patrzeć, jak jedzą i gawędzą pod naszym dachem. Są na ogół uprzejmi, niemal
uczynni. I wierzę, że *Herr Kommandant* nie będzie tolerował żadnych wyskoków ze strony swoich żołnierzy. Tak więc rozpoczął
się nasz niełatwy rozejm...

Najdziwniejsze jest to, że *Herr Kommandant* to w istocie kul-
turalny człowiek. Zna Matisse'a! Webera i Purrmanna! Czy możesz sobie wyobrazić, jak dziwnie jest rozmawiać o Twojej sztuce
z Niemcem?

Najedliśmy się tego wieczoru. *Herr Kommandant* przyszedł
do kuchni i kazał nam zjeść resztę ryby z kolacji. Mały Jean rozpłakał się wręcz, kiedy jedzenie się skończyło. Modlę się, żebyś
Ty też miał co jeść, gdziekolwiek jesteś...

Liv czyta te fragmenty po kilka razy, starając się domyślić tego,
co ukryte między wierszami. Trudno odkryć chronologię – Sophie spisywała swoje myśli na przypadkowych skrawkach papieru,
w niektórych miejscach atrament wyblakł – ale jest oczywiste, że

jej stosunek do Friedricha Henckena się ocieplał. Sugeruje, że dochodziło między nimi do długich rozmów i drobnych aktów życzliwości, wspomina, że dawał im jedzenie. Z pewnością Sophie nie dyskutowałaby o sztuce ani nie przyjmowała prezentów od człowieka, którego uważałaby za potwora.

Im dłużej Liv czyta, tym bliższa staje się jej autorka zapisków. Czyta historię o prosiaczku, tłumacząc każde słowo dwa razy, żeby się upewnić, czy dobrze zrozumiała, i niemal bije brawo na zakończenie opowieści. Bierze do ręki dokumenty z sądu, studiuje zdecydowane opinie na temat dziewczyny pióra *madame* Louvier, na temat jej krnąbrności, odwagi, dobrego serca. Czuje, że każda strona to kolejny fragment klucza do duszy Sophie. Przez chwilę żałuje, że nie może o tym porozmawiać z Paulem.

Starannie składa papiery do teczki. A potem zerka z poczuciem winy na biurko, gdzie leży stosik kartek, których nigdy nie pokazała Henry'emu.

Oczy Kommandanta patrzyły intensywnie, przenikliwie, a jednak było w nich coś zawoalowanego, jakby chciał ukryć swoje prawdziwe uczucia. Obawiałam się, że może dostrzec moje własne słabnące opanowanie.

Reszty kartki brakuje, jakby ktoś ją urwał lub jakby skruszyła się pod wpływem czasu.

„Zatańczę z panem, *Herr Kommandant*", powiedziałam. „Ale tylko w kuchni".

I jeszcze karteluszek zapisany innym charakterem pisma niż Sophie. „Kiedy to się stanie, nie będzie już odwrotu", stwierdza lakonicznie. Gdy Liv czyta to po raz pierwszy, serce zamiera jej w piersi.

Wraca do tych słów raz i drugi, wyobrażając sobie kobietę w ukradkowych objęciach mężczyzny, który powinien być jej wrogiem. Wreszcie chowa dokumenty do osobnej teczki i wtyka ją głęboko pod spód sterty papierzysk.

– Ile dziś?

– Cztery – odpowiada, oddając dzisiejszą porcję anonimów z pogróżkami.

Henry zabronił jej otwierać jakichkolwiek kopert zaadresowanych charakterem pisma, którego nie rozpoznaje. Zajmą się tym jego pracownicy; gdyby w środku były jakieś groźby, powiadomią policję. Liv stara się przejść nad tym wszystkim do porządku dziennego, ale w głębi duszy wzdraga się na widok każdego niespodziewanego listu. Przeraża ją myśl, że na świecie jest tyle nieukierunkowanej nienawiści, czekającej tylko na odpowiedni obiekt. Nie wpisuje już w wyszukiwarkę słów „Dziewczyna, którą kochałeś". Kiedyś w sieci były tylko dwie historyczne notki o obrazie, teraz tytuł ten pojawia się w internetowych wydaniach gazet z całego świata, na portalach rozmaitych grup interesu oraz anonimowych forach, gdzie szeroko dyskutuje się nad jej i Davida domniemanym egoizmem i brakiem poszanowania dla podstawowych wartości. W oczy rzucają się napastliwe, ostre niczym pazury słowa: „Zrabowane". „Skradzione". „Zagrabione". „Suka".

Dwa razy ktoś wrzucił psie odchody do jej skrzynki pocztowej.

Dziś rano spotkała tylko jedną aktywistkę, zaniedbaną kobietę w średnim wieku i granatowym płaszczu przeciwdeszczowym, która uparła się, by wcisnąć jej własnoręcznie zrobioną ulotkę na temat Holokaustu.

– To nie ma nic wspólnego ze mną ani z tą sprawą – powiedziała Liz, odpychając rękę nieznajomej.

– Ten, kto nic nie robi, jest współwinny – odparowała kobieta z wściekłością.

Henry odciągnął ją na bok.

– Nie ma sensu wdawać się w dyskusje – powiedział. O dziwo, Liv prześladuje jakieś nieokreślone poczucie winy.

To tylko najbardziej widoczne oznaki społecznego potępienia. Ciągnący się proces sądowy zaowocował też subtelniejszymi zmianami w jej życiu. Sąsiedzi nie witają się już z nią przyjaźnie, lecz kłaniają się jedynie w milczeniu, unikając jej wzroku. Odkąd sprawa trafiła do gazet, przestały przychodzić do niej zaproszenia. Na bankiety, na wernisaże, wydarzenia architektoniczne – na wszystkie te okazje, gdzie była dotąd zapraszana częściej, niż chciało jej się chadzać. Na początku myślała, że to zbieg okoliczności, teraz nie jest już taka pewna.

Gazety codziennie donoszą o tym, jak była ubrana, opisując ją słowami „posępna", czasem „stonowana" i zawsze „blondwłosa". Apetyt mediów na wszystkie szczegóły sprawy zdaje się nie mieć granic. Nie wie, czy jacyś dziennikarze próbowali się z nią ostatnio kontaktować – telefon odłączyła już kilka dni temu.

Patrzy na ławkę, gdzie siedzą bracia Lefèvre. Ich usta są zaciśnięte, a twarze zastygłe w wyrazie chłodnej zawziętości, niezmiennym od pierwszego dnia procesu. Zastanawia się, co czują, słuchając, jak Sophie została odepchnięta przez własną rodzinę, samotna, niekochana. Czy myślą teraz o niej inaczej? Czy może ona w ogóle nie ma dla nich znaczenia, a im chodzi wyłącznie o pieniądze?

Paul codziennie siedzi na skraju ławki. Liv nie patrzy w jego stronę, ale czuje jego obecność niczym elektryczność w powietrzu.

Christopher Jenks zabiera głos. Jak wyjaśnia wysokiemu sądowi, zamierza przedstawić ostatni dowód na to, że *Dziewczyna, którą kochałeś* to naprawdę zrabowane dzieło sztuki. Jest to niepospolita sprawa, kontynuuje, jako że śledztwo wykazało, iż obraz został pozyskany za pomocą nieczystych metod nie raz, lecz dwa razy. Liv krzywi się, ilekroć słyszy słowa „nieczyste" czy „brudne".

– Obecni właściciele obrazu, państwo Halston, nabyli go z domu Louanne Baker. „Nieustraszona Panna Baker", jak ją nazywano, była jedną z nielicznych kobiet pracujących w 1945 roku jako korespondentki wojenne w Europie. Dysponujemy wycinkami z „New York Register", w których opisuje ona swój pobyt w Dachau pod koniec drugiej wojny światowej. To szczegółowy i poruszający zapis wyzwolenia obozu koncentracyjnego przez aliantów.

Liv zerka na dziennikarzy zapamiętale skrobiących w notatnikach.

– Druga wojna – mruknął do niej Henry, kiedy siadali. – Prasa uwielbia nazistów.

Liv mogłaby przysiąc, że przedwczoraj dwóch z nich grało w wisielca.

– W jednym z zachowanych artykułów pani Baker opowiada o dniu spędzonym w olbrzymim magazynie znanym jako Punkt Zbiórki. Znajdował się on w dawnych kwaterach hitlerowskich pod Monachium; w okresie zbiegającym się z wyzwoleniem Dachau amerykańska armia zaczęła gromadzić tam zrabowane przez Niemców dzieła sztuki.

Jenks opowiada o innym reporterze, któremu sprezentowano obraz w podziękowaniu za pomoc alianckim wojskom. W wyniku postępowania sądowego obraz ów został już zwrócony prawowitym właścicielom.

Henry niemal niedostrzegalnie kręci głową.

– Wysoki sądzie, rozdam teraz kserokopie tego wycinka prasowego, artykułu z dnia szóstego listopada 1945 roku, noszącego tytuł *Jak zostałam gubernatorką Berchtesgaden*. Artykuł ten, jak uważamy, jest dowodem na to, że skromna reporterka wojenna Louanne Baker weszła w bardzo nietypowy sposób w posiadanie arcydzieła sztuki współczesnej.

W sali sądowej rozlegają się uciszające posykiwania, a dziennikarze pochylają się nad notatnikami z długopisami w dłoniach. Christopher Jenks zaczyna czytać:

> Wojna przygotowuje człowieka na wiele rzeczy. Ale nic mnie nie przygotowało na dzień, w którym niespodziewanie zostałam gubernatorką Berchtesgaden i administratorką wartych setki milionów dolarów zbiorów dzieł sztuki należących do samego Göringa.

Głos młodej, dzielnej reporterki sprzed kilku dekad rozbrzmiewa w uszach słuchających. Louanne Baker ląduje na plaży Omaha wraz ze 101. Dywizją Powietrznodesantową Armii Stanów Zjednoczonych. Stacjonuje z nimi w pobliżu Monachium. Rozmawia z młodymi żołnierzami, którzy nigdy wcześniej nie opuszczali rodzinnych miasteczek, opisuje ich codzienne życie, pozorną brawurę i skrywaną tęsknotę. Pewnego ranka obserwuje wymarsz wojska kierującego się w stronę oddalonego o kilka kilometrów obozu jenieckiego, a niedługo potem okazuje się, że została tymczasowym dowódcą oddziału składającego się z dwóch marines i wozu strażackiego. „Armia amerykańska nie mogła wystawić na najmniejsze ryzyko takich skarbów, nad którymi przyszło jej sprawować pieczę". Baker pisze o chciwej namiętności Göringa do dzieł sztuki, o świadectwach systematycznej grabieży wypełniających mury magazynu i o swej uldze, gdy wojsko wreszcie powróciło i zluzowało ją z posterunku i odpowiedzialności za zbiory.

Christopher Jenks robi pauzę.

Gdy zbierałam się do wyjazdu, sierżant powiedział mi, że mogę wziąć z sobą pamiątkę, jako wyraz wdzięczności za, jak to określił, spełnienie mojego patriotycznego obowiązku. Tak też zrobiłam i przedmiot ten mam z sobą do dziś – memento najdziwniejszego dnia w moim życiu.

Wstaje, unosząc brwi.

– „Pamiątkę".

Angela Silver również podnosi się z ławki.

– Sprzeciw. W tym artykule nie ma nic, co by sugerowało, że tą pamiątką była *Dziewczyna, którą kochałeś.*

– Czy to tylko przypadek, że Louanne Baker wspomina o zabraniu z magazynu dzieła sztuki na pamiątkę?

– Artykuł w żadnym miejscu nie stwierdza, że chodzi tu o obraz, ani tym bardziej, że o ten konkretny portret.

– Podtrzymuję.

Angela Silver siada.

– Wysoki sądzie, przestudiowaliśmy ewidencję przedmiotów z Berchtesgaden; w żadnym rejestrze nie ma wzmianki o obecności tego obrazu w magazynie Punktu Zbiórki. Nie pojawia się on na żadnej liście inwentaryzacyjnej z tamtego okresu. Sugestie przedstawiane tu przez powództwo są zatem w najlepszym razie wątpliwe.

– Udowadnialiśmy już, że podczas wojny zawsze dochodzi do czynów i wydarzeń, których nikt nie udokumentował. Wysłuchaliśmy ekspertyzy biegłych świadczącej o tym, iż są na świecie dzieła sztuki, które nigdy nie znalazły się na żadnych listach rabunków wojennych, a jednak z czasem okazywało się, że były skradzione.

– Wysoki sądzie, nawet jeśli mój szacowny kolega twierdzi, że *Dziewczyna, którą kochałeś* była wśród skradzionych dzieł sztuki w Berchtesgaden, to ciężar udowodnienia tego i tak spoczywa na powództwie. Należy ustalić ponad wszelką wątpliwość, że obraz ten stanowił część kolekcji. W tym momencie nie ma na to niepodważalnych dowodów.

Jenks kręci głową.

– Wedle słów samego Davida Halstona, gdy kupował obraz, córka Louanne Baker powiedziała mu, że jej matka weszła w posiadanie tego dzieła w 1945 roku w Niemczech. Nie podała dokładnego źródła pochodzenia i nie znała zasad panujących na rynku dzieł sztuki na tyle, by mieć świadomość, iż powinna to zrobić. To niesłychany zbieg okoliczności, że obraz, który zniknął z Francji podczas niemieckiej okupacji i którym interesował się niemiecki Kommandant, pojawił się następnie w domu kobiety, która właśnie powróciła z Niemiec i wyraźnie stwierdziła, że przywiozła stamtąd cenną pamiątkę i nie zamierza tam nigdy wracać.

Na sali zapada cisza. Na ławce dla świadków siedzi ciemnowłosa kobieta w jaskrawozielonym żakiecie; pochyla się do przodu, jej wielkie, sękate dłonie zaciskają się na oparciu przed nią. Liv zastanawia się, skąd ją zna. Kobieta gwałtownie kręci głową. Na widowni jest sporo starszych ludzi – ilu z nich może osobiście pamiętać wojnę? Ilu z nich samych padło ofiarą grabieży?

Angela Silver zwraca się do sędziego.

– To wciąż tylko poszlaki, wysoki sądzie. W tym artykule nie ma żadnych konkretnych odniesień do tego obrazu. Ową „pamiątką" mogła być równie dobrze żołnierska naszywka albo kamyk. Sąd musi podjąć decyzję wyłącznie na podstawie twardych dowodów. Ani jedna rzecz ze zgromadzonego materiału dowodowego nie wskazuje na to, że portret był przedmiotem rabunku.

Angela Silver siada.

– Wzywam na świadka panią Marianne Andrews.

Kobieta w jaskrawej zieleni wstaje ociężale, podchodzi do miejsca dla świadka, składa przysięgę i rozgląda się dookoła, mrugając co jakiś czas. Zaciska dłonie na torebce, aż jej sterczące kłykcie robią się białe. Liv przypomina sobie nagle, gdzie widziała tę kobietę – na zalanej słońcem ulicy w Barcelonie, niemal dekadę temu, kiedy jej włosy były jeszcze jasne, nie kruczoczarne jak teraz. Marianne Johnson.

– Pani Andrews, jest pani jedyną córką Louanne Baker.

– Panno Andrews. Jestem wdową. I tak, jestem jej córką. – Liv pamięta ten silny amerykański akcent.

Angela Silver wskazuje na reprodukcję obrazu.

– Czy rozpoznaje pani ten obraz, a raczej jego kopię, która znajduje się dziś w sali sądowej?

– Oczywiście, że tak. Ten obraz wisiał w naszym salonie przez całe moje dzieciństwo. Nazywa się *Dziewczyna, którą kochałeś* i namalował go Édouard Lefèvre. – Wymawia to nazwisko „lefiwer".

– Panno Andrews, czy pani matka kiedykolwiek opowiadała pani o pamiątce, o której wspominała w odczytanym przed chwilą artykule?

– Nie, pani mecenas.

– Nigdy nie mówiła, że był nią obraz?

– Nie, pani mecenas.

– Czy kiedykolwiek wspominała, skąd wziął się ten obraz?

– Nie, a w każdym razie nie mnie. Ale chciałam tylko zaznaczyć, że mama nigdy by nie wzięła tego obrazu, gdyby sądziła, że należał do którejś z ofiar tych obozów. Nie była taka.

Sędzia pochyla się w jej stronę.

– Panno Andrews, musimy trzymać się znanych faktów. Nie możemy dowolnie przypisywać motywów pani matce.

– Zdawało mi się, że od godziny nic innego nie robicie – prycha kobieta. – Nie znaliście jej. Zawsze starała się postępować fair. Jeśli trzymała jakieś pamiątki, to były to rzeczy w rodzaju indiańskich główek albo starych pistoletów, albo tablic rejestracyjnych. Rzeczy, na których nikomu nie zależało. – Zastanawia się przez chwilę. – No dobrze, te główki pewnie kiedyś do kogoś należały, ale wiadomo, że ci ludzie nie chcieli ich odzyskać, prawda?

W sali rozlegają się śmiechy.

– Była naprawdę poruszona tym, co widziała w Dachau. Jeszcze wiele lat później z trudem mogła o tym mówić. Jestem pewna, że nic by stamtąd nie wzięła, gdyby przeszło jej przez myśl, że może skrzywdzić tych nieszczęśników jeszcze bardziej.

– Więc nie wierzy pani, że pani matka zabrała obraz z Berchtesgaden?

– Moja matka nigdy nikomu niczego nie zabrała. Za wszystko płaciła. Taka właśnie była.

Jenks się podnosi.

– Wszystko rozumiemy, panno Andrews, ale jak pani sama powiedziała, nie ma pani pojęcia, w jaki sposób pani matka weszła w posiadanie tego obrazu, zgadza się?

– Tak jak mówię, moja matka nie była złodziejką.

Liv obserwuje, jak sędzia robi notatki. Spogląda na Marianne Andrews, krzywiącą się na myśl, że kwestionuje się tu dobre imię jej matki. Patrzy na Janey Dickinson, która uśmiecha się triumfująco do braci Lefèvre. Wreszcie przenosi wzrok na Paula, pochylającego się do przodu z dłońmi złożonymi między kolanami jak do modlitwy.

Odwraca się od reprodukcji swojego obrazu i czuje, jak na jej ramionach osiada nowy ciężar i spowija ją niczym gruby koc, blokując dostęp światłu.

– Hej – woła w przestrzeń, otwierając sobie drzwi.

Jest wpół do piątej, ale Mo nie ma w domu. Liv idzie do kuchni i podnosi wiadomość ze stołu: „Wyszłam do Ranica. Wracam jutro. Mo".

Wypuszcza liścik z dłoni i wzdycha lekko. Przywykła już do krzątaniny Mo – odgłosu jej kroków, cichego nucenia, napełniania wanny, zapachu jedzenia w piekarniku. Dom wydaje się jej teraz pusty. Nie miała wrażenia, że jest pusty, zanim Mo się tu wprowadziła.

Od kilku dni Mo odnosi się do niej z rezerwą. Liv zastanawia się, czy przyjaciółka podejrzewa, co wydarzyło się po powrocie z Paryża. To oczywiście kieruje jej myśli w stronę Paula.

Ale nie ma sensu myśleć o Paulu.

Nie czeka na nią żadna poczta oprócz katalogu mebli kuchennych i dwóch nowych rachunków. Zdejmuje płaszcz i robi sobie herbatę. Dzwoni do ojca, ale nie ma go w domu, uruchamia się automatyczna sekretarka. Nagrane grzmiącym głosem powitanie każe jej zostawić imię i numer telefonu. „KONIECZ-NIE! Cieszymy się, że dzwonisz!" Liv włącza radio, ale muzyka ją irytuje, a wiadomości przygnębiają. Nie chce zaglądać do internetu; mało prawdopodobne, żeby ktoś przysłał jej e-maila z ofertą pracy, a boi się, że zamiast tego przeczyta coś związanego z procesem. Nie ma ochoty nurzać się w elektronicznym szambie nienawiści milionów osób, które jej w ogóle nie znają – jeszcze coś się do niej przyklei.

Nie chce jej się wychodzić z domu.

„Daj spokój", karci się w myślach. „Powinnaś być silniejsza. Pomyśl, przez co musiała przejść Sophie".

Nastawia jakąś muzykę, żeby tylko rozproszyć ciszę. Wrzuca brudne ubrania do pralki, by nadać wieczorowi pozór domowej normalności. Wreszcie bierze stos kopert, którymi nie miała się wcześniej czasu zająć, siada na krześle i zaczyna przekopywać się przez papierzyska.

Rachunki kładzie pośrodku, ostateczne wezwania do zapłaty po prawej. Na lewą stronę idzie wszystko, co nie jest pilne. Wyciągi z banku ignoruje. Korespondencja z prawnikami ląduje na osobnej kupce.

W dużym notatniku wypisuje kolumny cyfr. Pracuje metodycznie, dodając i odejmując kwoty, podsumowując i zapisując wyniki na marginesie strony. Odchyla się na krześle, otoczona przez czerń nieba, i długo patrzy na swoje obliczenia.

W końcu unosi głowę i wbija wzrok w świetlik na suficie. Jest ciemno jak o północy, ale kiedy zerka na zegarek, okazuje się, że nie ma jeszcze szóstej. Jej wzrok przesuwa się po nieskazitelnych, doskonałych liniach zaprojektowanego przez Davida sufitu, będącego ledwie ramą dla bezmiaru migoczącego nieba. Patrzy na ściany, na termiczne szkło przekładane płytami niewiarygodnie cienkiego materiału izolującego zamówionego w Kalifornii i w Chinach, dzięki któremu mieszkanie jest zawsze ciche i ciepłe. Spogląda na alabastrowobiałe betonowe przepierzenie, na którym dawno temu nabazgrała markerem „ODCZEP SIĘ Z ŁASKI SWOJEJ!", w rezultacie jednej z licznych na początku ich małżeństwa kłótni o utrzymywanie porządku. Pomimo starań specjalistów od usuwania graffiti, przy odpowiednim świetle wciąż można dostrzec widmowe kontury liter. Znów przenosi wzrok na niebo, które widać z każdego pomieszczenia, tak że Szklany Dom zawsze sprawia wrażenie zawieszonego w przestrzeni, wysoko ponad gwarnymi ulicami.

Idzie do sypialni i spogląda na portret Sophie Lefèvre. Oczy Sophie jak zawsze odpowiadają jej nieodgadnionym spojrzeniem. Dziś jednak wzrok ten nie wydaje się beznamiętny i rozkazujący. Dziś Liv ma wrażenie, że w twarzy namalowanej postaci kryje się jakaś wcześniej niedostrzegalna wiedza.

Co się z tobą stało, Sophie?

Od kilku dni wie, że będzie musiała podjąć tę decyzję. Chyba od początku wiedziała. A jednak wciąż czuje się, jakby popełniała zdradę.

Kartkuje książkę telefoniczną, podnosi słuchawkę i wybiera numer.

– Halo? Biuro pośrednictwa nieruchomości?

## 27

– Czyli kiedy zaginął pani obraz?

– W 1941, może 1942 roku. Trudno stwierdzić, bo wie pan, wszyscy zainteresowani już nie żyją. – Blondynka śmieje się bez śladu wesołości.

– No tak, wspominała pani. Czy mogę prosić o dokładny opis? Kobieta przesuwa leżącą na stole teczkę.

– To wszystko, co mamy. Większość faktów znalazła się w liście, który panu wysłałam w listopadzie.

Paul przegląda papiery, próbując przypomnieć sobie szczegóły sprawy.

– Więc odnalazła go pani w galerii w Amsterdamie. I poczyniła pani wstępne kroki…

Rozlega się pukanie do drzwi i wchodzi Miriam z kawą. Paul czeka, podczas gdy Miriam rozstawia filiżanki, przepraszająco kiwa głową i wycofuje się chyłkiem, jakby popełniła jakąś gafę. Kiedy Paul mówi jej bezgłośnie „dziękuję", krzywi się lekko.

– Tak, napisałam do nich. Sądzi pan, że ile to jest warte?

– Przepraszam?

– Ile to może być warte?

Paul patrzy na nią znad notatek. Kobieta odchyla się na krześle. Jej piękna, gładka twarz o nieskazitelnej cerze nie zdradza jeszcze pierwszych oznak starzenia. Ale nie wyraża też żadnych uczuć, jakby jej właścicielka przywykła do ukrywania emocji. A może to przez botoks. Paul ukradkiem zerka na gęste włosy kobiety, mimowolnie myśląc, że Liv potrafiłaby stwierdzić, czy są w stu procentach naturalne.

– Kandinsky sprzedałby się za duże pieniądze, prawda? Tak twierdzi mój mąż.

Paul ostrożnie dobiera słowa.

– No cóż, zgadza się, pod warunkiem, że uda się udowodnić, iż obraz należy do pani. Może nie rozmawiajmy jeszcze o cenie. Skupmy się na razie na kwestii własności, dobrze? Czy posiada pani jakiś dowód pochodzenia tego obrazu?

– Hm, mój dziadek był przyjacielem Kandinskiego.

– Rozumiem. – Paul upija łyk kawy. – Czy ma pani jakieś dowody na piśmie?

Klientka spogląda na niego nierozumiejącym wzrokiem.

– Zdjęcia? Listy? Jakieś świadectwa ich przyjaźni?

– Niestety nie. Ale babcia często o nich mówiła.

– Czy pani babka jeszcze żyje?

– Nie. Pisałam, że nie.

– Proszę mi wybaczyć. Jak się nazywał pani dziadek?

– Anton Perovsky. – Kobieta literuje imię i nazwisko, wskazując palcem na notatki Paula.

– Czy żyją jeszcze jacyś członkowie rodziny, którzy mogliby posiadać jakąś wiedzę na ten temat?

– Nie.

– Czy obraz kiedykolwiek znalazł się na wystawie?

– Nie mam pojęcia.

Od początku wiedział, że reklamowanie się to błąd, że doprowadzi to tylko do wysypu takich niedorzecznych spraw. Ale Janey nalegała.

– Musimy być proaktywni – stwierdziła. W każde zdanie wtrącała obecnie jakiś termin z poradników skutecznego zarządzania. – Musimy ustabilizować nasz udział w rynku i skonsolidować naszą reputację. Trzeba zawalczyć o uwagę potencjalnych klientów.

Sporządziła listę wszystkich konkurencyjnych firm zajmujących się odnajdywaniem i zwracaniem dzieł sztuki i zaproponowała, żeby wysłać do nich Miriam w charakterze niby-klientki. Żeby poznać ich metody. Sprawiała wrażenie kompletnie nieporuszonej, kiedy powiedział jej, że to absurd.

– Czy zaczęła już pani zbierać podstawowe informacje o obrazie? Google, książki o sztuce?

– Nie. Założyłam, że za to właśnie państwu zapłacę. Jesteście podobno najlepsi w tym, co robicie. Prawda? Odnaleźliście w końcu obraz tego Lefèvre'a. – Blondynka zakłada nogę na nogę, zerka na zegarek. – Ile czasu zajmują takie sprawy?

– No cóż, to naprawdę zależy. Niektóre toczą się w miarę szybko, jeśli dysponujemy udokumentowaną historią i proweniencją. Inne potrafią ciągnąć się latami. Z pewnością zdaje sobie pani sprawę z tego, że koszty procesu mogę być dość duże. Nie jest to decyzja, którą należy podejmować bez namysłu.

– A państwo działają w zamian za prowizję?

– Różnie bywa, ale tak, pobieramy niewielki procent od wypłaconej w ramach ugody sumy. I mamy własny dział prawny.

Paul kontynuuje przeglądanie dokumentów z teczki. Nie ma w niej tak naprawdę nic konkretnego – kilka reprodukcji dzieła, podpisany przez Antona Perovskiego weksel, stwierdzający, iż Kandinsky podarował mu obraz w 1938 roku; w 1941 roku cała rodzina musiała opuścić dom i nigdy więcej go nie zobaczyła. Ponadto list od niemieckiego rządu uznający zasadność ich roszczeń. Pismo od amsterdamskiego Rijksmuseum, w którym uprzejmie zaprzeczają, jakoby taki obraz znajdował się w ich zbiorach. Trudno będzie oprzeć na tym sprawę.

Paul zastanawia się, czy istnieją sensowne podstawy do przyjęcia tego zlecenia, kiedy kobieta odzywa się ponownie.

– Byłam też w tej nowej firmie, Brigg and Sawston's. Powiedzieli, że wezmą o jeden procent mniej od państwa.

Ręka Paula nieruchomieje.

– Przepraszam?

– Prowizji. Powiedzieli, że wezmą o jeden procent mniej od państwa za pomoc w odzyskaniu obrazu.

Paul milczy przez chwilę.

– Panno Harcourt – mówi wreszcie. – Jesteśmy renomowaną firmą. Jeśli chciałaby pani skorzystać z naszego długoletniego doświadczenia, szerokich kontaktów i umiejętności, by spróbować odzyskać ukochane rodzinne dzieło sztuki, to przestudiuję sprawę i postaram się udzielić pani jak najpełniejszej odpowiedzi w kwestii szans na zwrot obrazu. Ale nie będę tu siedział i się z panią targował.

– No ale to dużo pieniędzy. Jeśli ten Kandinsky jest wart miliony, to w naszym interesie jest uzyskanie jak najkorzystniejszej ceny za usługę.

Paul czuje, że szczęki mu się zaciskają.

– Biorąc pod uwagę, że półtora roku temu nawet nie wiedziała pani o tym obrazie, zapewniam panią, że jeśli uda się nam go odzyskać, to niewątpliwie będzie pani miała powody do zadowolenia.

– Czy w ten sposób chce mi pan dać do zrozumienia, że nie rozważą państwo bardziej... konkurencyjnej ceny?

Mierzy go spojrzeniem bez wyrazu. Jej twarz jest nieruchoma, jedną nogę elegancko założyła na drugą, na stopie leciutko huśta się pantofel. To kobieta, która przywykła dostawać to, czego chce, bez cienia uczuć czy emocjonalnego zaangażowania.

Paul odkłada długopis. Zamyka teczkę i przesuwa ją w stronę klientki.

– Miło było panią poznać, panno Harcourt. Ale obawiam się, że ta rozmowa dobiegła końca.

Na moment zapada cisza. Kobieta mruga powiekami.

– Słucham?

– Nie sądzę, byśmy mieli sobie cokolwiek więcej do powiedzenia.


Janey przechodzi przez biuro z pudełkiem świątecznych czekoladek, kiedy jej uwagę przyciąga zamieszanie.

– Jest pan największym chamem, jakiego w życiu spotkałam – syczy panna Harcourt do Paula.

Przyciska do siebie kosztowną torebkę, podczas gdy Paul odprowadza ją do wyjścia i wręcza z powrotem teczkę z dokumentami.

– Szczerze wątpię.

– Jeśli sądzi pan, że w taki sposób należy traktować klienta, to jest pan większym idiotą, niż myślałam.

– Tym lepiej więc, że nie powierza mi pani epickiej misji odszukania ukochanego obrazu – odpowiada beznamiętnie.

Otwiera przed nią drzwi i panna Harcourt znika, zostawiając za sobą obłok kosztownych perfum i wykrzykując coś niezrozumiałego.

– Co to, do cholery, miało znaczyć? – pyta Janey, gdy Paul mija ją w drodze do swojego gabinetu.

– Nie zaczynaj. Po prostu nie zaczynaj, dobrze?

Trzaska drzwiami, siada przy biurku i chowa twarz w dłoniach. Kiedy w końcu podnosi wzrok, pierwszą rzeczą, jaką widzi, jest reprodukcja *Dziewczyny, którą kochałeś*.

Wybiera jej numer, stojąc na rogu Goodge Street obok stacji metra. Przez cały spacer wzdłuż Marylebone Road myślał, co jej powiedzieć, ale gdy dziewczyna odbiera telefon, on nagle ma w głowie pustkę.

– Liv?

Krótka cisza w słuchawce oznacza, że Liv wie, kto dzwoni.

– Czego chcesz, Paul? – Ton jej głosu jest oschły i nieufny. – Jeśli dzwonisz w sprawie Sophie, to...

– Nie, to nie ma nic wspólnego z... ja tylko... – Dotyka ręką czoła, rozgląda się po zatłoczonej ulicy. – Chciałem tylko zapytać... czy u ciebie wszystko dobrze.

Kolejna długa pauza.

– No cóż. Jeszcze żyję.

– Myślałem... może kiedy będzie już po wszystkim, moglibyśmy... spotkać się... – Własny głos brzmi w jego uszach słabo i niepewnie, ma wrażenie, że słyszy go po raz pierwszy w życiu. Paul zdaje sobie nagle sprawę, że jego słowa nijak nie przystają do sytuacji, do chaosu, jaki rozpętał w jej życiu. W końcu czym ona sobie na to wszystko zasłużyła?

Więc odpowiedź Liv nie jest dla niego zaskoczeniem.

– Nie... nie bardzo jestem w stanie myśleć o czymkolwiek innym niż o najbliższej rozprawie. To wszystko jest... skomplikowane.

Znowu zapada cisza. Obok przejeżdża autobus, pisk opon i ryk dławiącego się w bezsilnej furii silnika zagłuszają wszystko. Paul przyciska telefon mocniej do ucha. Zamyka oczy. Liv nie próbuje przerywać milczenia.

– A… wyjeżdżasz gdzieś na święta?

– Nie.

„Bo ten proces pochłania wszystkie moje pieniądze", niemal słyszy jej niemą odpowiedź. „I to twoja wina".

– Ja też nie. To znaczy, pewnie pójdę do Grega. Ale…

– Tak jak wcześniej mówiłeś, chyba nie powinniśmy w ogóle z sobą rozmawiać.

– Tak. No cóż… cieszę się, że u ciebie wszystko w porządku. To tyle chciałem powiedzieć.

– U mnie wszystko w porządku.

Znów świdrująca uszy cisza.

– To do zobaczenia.

– Do widzenia, Paul. – Rozłącza się.

Paul stoi na skrzyżowaniu z Tottenham Court Road, trzymając telefon w bezwładnej dłoni. W uszach dźwięczą mu blaszane dźwięki jakiejś kolędy. Po chwili wciska telefon do kieszeni i wolnym krokiem rusza z powrotem do biura.

## 28

– Tutaj mamy kuchnię. Jak państwo widzą, rozciąga się z niej spektakularny widok na trzy strony, na rzekę oraz samo miasto. Po prawej widać Tower Bridge, tam dalej jest London Eye, a w słoneczne dni można nacisnąć ten guzik – pani Halston, to tutaj, mam rację? – i po prostu otworzyć dach.

Liv przygląda się dwojgu ludziom patrzącym w górę. Mężczyzna, biznesmen około pięćdziesiątki, ma na sobie okulary, które ogłaszają całemu światu jego indywidualność prosto od najdroższego projektanta. Odkąd się tu zjawił, prezentuje kamienną twarz – być może uznał, że najlżejszy wyraz entuzjazmu mógłby zadziałać na jego niekorzyść, gdyby zdecydował się na kupno.

Jednak nawet on nie jest w stanie ukryć zaskoczenia otwieranym szklanym sufitem. Dach rozsuwa się z ledwo słyszalnym szmerem i wszyscy patrzą prosto w bezkresny błękit. Zimowe powietrze łagodnie wpływa do kuchni, unosząc kartki z wierzchołka sterty dokumentów na stole.

– Ale chyba już nam wystarczy, prawda?

Mechanizm jeszcze się nie znudził młodemu pośrednikowi nieruchomości, choć ten od rana pokazywał mieszkanie już trzem potencjalnym nabywcom. Agentem wstrząsa teatralny dreszcz, po czym chłopak z ledwie skrywaną satysfakcją patrzy, jak dach zamyka się bezszelestnie. Kobieta, drobna Japonka z szyją otuloną misternie zawiązaną apaszką, dyskretnie trąca męża łokciem i szepcze mu coś do ucha. Mężczyzna kiwa głową i znów podnosi wzrok.

– A dach, podobnie jak większość domu, wykonany jest ze specjalnego szkła, które zatrzymuje ciepło w takim samym stopniu jak przeciętna ściana z termoizolacją. Tak naprawdę jest bardziej ekologiczny niż zwykły szeregowiec.

Tych dwoje nie wygląda na ludzi, którzy kiedykolwiek przestąpili próg zwykłego szeregowca. Japonka chodzi po kuchni, otwiera i zamyka szuflady i szafki, lustrując ich wnętrza z takim skupieniem, jakby była chirurgiem, który za chwilę ma się zagłębić w otwartą ranę.

Stojąca bez słowa przy lodówce Liv łapie się na tym, że przygryza sobie wnętrze policzka. Wiedziała, że to nie będzie łatwe, ale nie przyszło jej do głowy, że będzie miała tak silne poczucie zakłopotania i winy z powodu tych ludzi, którzy kręcą się po jej mieszkaniu i oglądają jej rzeczy nieczułymi, zachłannymi oczami. Patrzy, jak dotykają szklanych powierzchni, przesuwają palcami po krawędziach półek, przyciszonymi głosami rozmawiają o powieszeniu tu obrazów i „złagodzeniu troszkę tego wszystkiego", i ma ochotę wypchnąć ich za drzwi.

– Wszystkie urządzenia są najwyższej klasy i wliczone w cenę domu – mówi pośrednik, otwierając drzwi do jej lodówki.

– Zwłaszcza piekarnik jest prawie nieużywany – dodaje głos spod drzwi. Mo ma na powiekach fioletowy cień z brokatem, a na kitel z domu opieki narzuciła kurtkę z kapturem.

Pośrednik wydaje się zdezorientowany.

– Jestem osobistą asystentką pani Halston – wyjaśnia Mo. – Muszą nam państwo wybaczyć. Za chwilę pora na leki.

Pośrednik uśmiecha się z zakłopotaniem i pośpiesznie prowadzi klientów w stronę przedpokoju. Mo odciąga Liv na bok.

– Chodźmy na kawę – mówi.

– Ja muszę tu być.

– Nie, nie musisz. To masochizm. No dalej, bierz swój płaszcz.

Mo pojawia się po raz pierwszy od kilku dni. Jej obecność przynosi Liv nieoczekiwaną ulgę. Zdaje sobie sprawę, że tęskniła za mglistym poczuciem normalności, jakie wniosła tu z sobą niziutka gotka w ceratowym kitlu i z fioletowym cieniem na powiekach. Życie Liv jest teraz dziwne i skrzywione, koncentruje się na sali sądowej i dwóch walczących prawnikach, z ich sugestiami i odpieranymi zarzutami, wojnami i zachłannymi Kommandantami. Jej dotychczasowe życie i zwyczaje zastąpiło coś w rodzaju aresztu domowego; jej nowy świat kręci się wokół fontanny na drugim piętrze gmachu Sądu Najwyższego, twardych ławek i specyficznych nawyków sędziego, który gładzi się po nosie, zanim zabierze głos. Wokół spoczywającej na stojaku reprodukcji jej portretu.

Paul. Tysiąc kilometrów od niej, na ławce strony powodowej.

– Naprawdę nie masz z tym problemu? – Mo wskazuje głową dom.

Liv otwiera usta, ale zaraz stwierdza, że jeśli teraz zacznie mówić o tym, jak się naprawdę czuje, to nigdy nie przestanie. Zostanie tutaj i będzie wyrzekać i pomstować aż do następnej Gwiazdki. Chce opowiedzieć Mo, że w gazetach codziennie ukazują się teksty na temat procesu, a jej nazwiskiem wyciera sobie usta tyle osób, że niemal nie robi to już na niej wrażenia. We wszystkich artykułach powtarzają się słowa „kradzież", „sprawiedliwość" i „zbrodnia". Chce powiedzieć przyjaciółce, że już nie biega: pewnego ranka jakiś człowiek czekał pod jej domem tylko po to, żeby na nią splunąć. Chce opowiedzieć o przepisanych przez lekarza tabletkach na sen, których boi się zażywać. Kiedy w gabinecie opisała mu swoją sytuację, miała wrażenie, że w jego oczach także zobaczyła dezaprobatę.

– Jest okej – mówi.

Mo przygląda jej się spod zmrużonych powiek.

– Naprawdę. W końcu to tylko trochę cegieł i zaprawy. To znaczy, szkła i betonu.

– Miałam kiedyś mieszkanie – odzywa się Mo, nie przestając mieszać kawy. – W dniu, kiedy je sprzedałam, usiadłam na podłodze i płakałam jak dziecko.

Kubek Liv zastyga w pół drogi do jej ust.

– Byłam mężatką. Nie wyszło. – Mo wzrusza ramionami. I zaczyna mówić o pogodzie.

Coś się zmieniło w jej zachowaniu. Nie chodzi do końca o to, że udziela wymijających odpowiedzi, ale pomiędzy nimi dwiema pojawiła się jakaś niewidzialna bariera, niczym ściana ze szkła. Może to moja wina, myśli Liv. Byłam tak przejęta finansami i procesem, że prawie w ogóle nie interesowałam się jej życiem.

– Wiesz, myślałam ostatnio o świętach – zaczyna po chwili. – Zastanawiałam się, czy ty i Ranic nie mielibyście ochoty zanocować u mnie w Wigilię. Z czysto egoistycznych pobudek. – Uśmiecha się. – Pomyślałam, że może wy dwoje moglibyście pomóc mi z gotowaniem. Nigdy dotąd nie przygotowywałam jedzenia na święta, a że tata i Caroline oboje nieźle gotują, to nie chciałabym się skompromitować. – Liv słyszy, że zagaduje własne zdenerwowanie. „Po prostu potrzebuję czegoś, na co mogłabym oczekiwać", chce powiedzieć. „Pragnę tylko się uśmiechać i nie musieć myśleć, których mięśni mam w tym celu użyć".

Mo spuszcza wzrok na swoją dłoń. Na jej lewym kciuku widać numer telefonu zapisany niebieskim długopisem.

– Aha. No więc rzecz w tym…

– Mówiłaś, że w jego mieszkaniu jest zawsze tłum ludzi. No więc gdyby Ranic chciał zostać na noc, to nie ma żadnego problemu. Wątpię, żeby w taki wieczór udało mu się znaleźć gdzieś wolną taksówkę. – Liv zmusza się do wesołego uśmiechu. – Może być fajnie. Myślę… myślę, że nam wszystkim przydałoby się trochę rozrywki.

– Liv, on nie przyjdzie.

– Co?

– On nie przyjdzie. – Mo sznuruje usta.

– Nie rozumiem.

Kiedy przyjaciółka w końcu się odzywa, wypowiada słowa ostrożnie, jakby zastanawiała się nad konsekwencjami każdego z nich.

– Ranic jest Bośniakiem. Jego rodzice stracili na Bałkanach wszystko. Twój proces… to dla niego cholernie osobista sprawa. On… on nie chce spędzać świąt w twoim domu. Przykro mi.

Liv wlepia w nią wzrok, a potem prycha i przesuwa cukierniczkę przez stolik.

– Aha. Jasne. Nie zapominaj, Mo, że mieszkam już z tobą trochę czasu.

– Co?

– Tak łatwo mnie nie nabierzesz. Nie tym razem.

Ale Mo się nie śmieje. Nawet nie patrzy Liv w oczy. Po chwili milczenia dodaje:

– No dobrze, skoro tak… – Nabiera powietrza. – Nie mówię, że zgadzam się z Ranikiem, ale też trochę sobie myślę, że mogłabyś im oddać ten obraz.

– Co?

– Posłuchaj, guzik mnie obchodzi, do kogo on należy, ale ty przegrasz, Liv. Widzi to każdy oprócz ciebie.

Liv wpatruje się w nią z niedowierzaniem.

– Czytam gazety. Wszystkie dowody przemawiają za nimi. Jeśli będziesz dalej walczyć, to stracisz wszystko. I po co? Dla paru kleksów na płótnie?

– Ja po prostu nie mogę jej oddać.

– A to dlaczego?

– Ci ludzie nie dbają o Sophie. Widzą w niej tylko kupę forsy.

– Jezus Maria, Liv, to jest obraz.

– To nie jest tylko obraz! Wszyscy wokół ją zdradzili. Pod koniec nie miała już nikogo! A ona… to jest wszystko, co mi zostało.

Mo nie odrywa wzroku od jej twarzy.

– Poważnie? No to przydałoby mi się trochę twojego niczego.

Ich spojrzenia spotykają się, a potem uciekają w bok. Liv czuje, jak jej szyję oblewa rumieniec.

Mo bierze głęboki wdech i pochyla się ku niej.

– Rozumiem, że jesteś teraz nieufna przez tę całą akcję z Paulem, ale musisz trochę się od tego wszystkiego zdystansować. Szczerze? Nie sądzę, żeby ktokolwiek inny był w stanie ci to powiedzieć.

– Dzięki, Mo. Będę o tym pamiętać następnym razem podczas otwierania porannej porcji listów z pogróżkami. Albo oprowadzania po własnym domu obcych ludzi.

W spojrzeniu dwóch kobiet pojawia się zaskakujący chłód. Zalega pomiędzy nimi cisza. Wargi Mo się zaciskają, niczym tama powstrzymująca napór słów.

– No tak – odzywa się w końcu. – Wobec tego mogę ci powiedzieć, bo i tak wygląda na to, że sytuacja nie może być już bardziej niezręczna. Wyprowadzam się. – Nachyla się i majstruje przy bucie, tak że jej stłumiony głos dobiega gdzieś z okolic blatu stolika. – Będę mieszkać u Ranica. Nie chodzi o ten proces. I tak miałam zostać u ciebie tylko na trochę, jak sama mówiłaś.

– Tego właśnie chcesz?

– Myślę, że tak będzie najlepiej.

Liv nie jest w stanie ruszyć się z krzesła. Dwaj mężczyźni przy sąsiednim stoliku nie przerywają rozmowy. Jeden z nich wyczuwa napięcie pomiędzy siedzącymi obok kobietami: jego spojrzenie spoczywa na nich i zaraz ucieka.

– Jestem ci, no wiesz, wdzięczna za… za to, że pozwoliłaś mi tak długo u siebie zostać.

Liv mocno mruga powiekami i odwraca wzrok. Boli ją brzuch. Rozmowa przy sąsiednim stoliku ustępuje miejsca niezręcznej ciszy.

Mo pociąga ostatni łyk kawy i odsuwa od siebie filiżankę.

– No dobrze. To chyba byłoby tyle.

– Dobrze.

– Wyniosę się jutro, jeżeli nie masz nic przeciwko. Dziś muszę być do późna w pracy.

– W porządku. – Liv usiłuje mówić opanowanym głosem. – To było… pouczające. – Nie chciała, żeby zabrzmiało to aż tak sarkastycznie.

Mo czeka jeszcze przez chwilę, po czym wstaje, naciąga kurtkę i poprawia na ramieniu pasek od plecaka.

– Liv, tak mi przyszło do głowy. Wiem, że ja go nawet nie znam i w ogóle. Ale tyle o nim mówiłaś. No więc słuchaj. Ciągle się zastanawiam: co zrobiłby David?

Jego imię rozbija ciszę niczym mały wybuch.

– Serio. Gdyby twój David jeszcze żył i wyniknęłaby cała ta sprawa... z historią obrazu, tym, skąd on się wziął, i co ta kobieta i jej rodzina pewnie wycierpieli... jak myślisz, co on by zrobił?

I pozostawiając tę myśl zawieszoną w nieruchomym powietrzu, Mo odwraca się i wychodzi z kawiarni.

Sven dzwoni w momencie, kiedy Liv wychodzi z kawiarni. W jego głosie słychać napięcie.

– Mogłabyś wstąpić do nas do biura?

– To nie najlepszy moment, Sven. – Liv przeciera oczy i podnosi wzrok na Szklany Dom. Ręce wciąż jej się trzęsą.

– To ważne. – Mężczyzna rozłącza się, zanim Liv zdąży cokolwiek odpowiedzieć.

Zawraca i rusza w stronę biura architektonicznego. Ostatnio wszędzie chodzi pieszo, ze spuszczoną głową i czapką naciągniętą na czoło, unikając wzroku przechodniów. Po drodze dwa razy musi wytrzeć ukradkiem łzy w kącikach oczu.

Gdy dociera na miejsce, w biurze Solberg Halston jest już tylko parę osób: Nisha, młoda kobieta z włosami ostrzyżonymi na pazia, i mężczyzna, którego imienia Liv nie potrafi sobie przypomnieć. Oboje wyglądają na zaaferowanych, więc mija ich bez powitania i przez lśniące lobby przechodzi do gabinetu Svena. Drzwi są otwarte, a po wejściu Liv Sven wstaje, by je za nią zamknąć. Całuje ją w policzek, ale nie proponuje kawy.

– Jak tam proces?

– Nie najlepiej – odpowiada Liv. Jest rozdrażniona nonszalanckim sposobem, w jaki Sven ją tu wezwał. W głowie rozbrzmiewa jej wciąż ostatnie zdanie Mo: „Co zrobiłby David?".

I wtedy zauważa bladość Svena, jego zapadnięte policzki i nieobecny wzrok, jakim mężczyzna wpatruje się w leżący przed nim notes.

– Czy wszystko w porządku? – pyta Liv. Czuje nagły przypływa paniki. Proszę, powiedz, że Kristen nic nie jest, że z dziećmi wszystko dobrze.

– Liv, mam problem.

Ona siada z torebką na kolanach.

– Bracia Goldsteinowie się wycofali.

– Co?

– Rozwiązali umowę. Z powodu twojego procesu. Simon Goldstein zadzwonił do mnie dziś rano. Czytali o nim w gazetach. Simon mówi… mówi, że hitlerowcy zabrali ich rodzinie wszystko, i że on i jego brat nie mogą mieć powiązań z kimś, kto uważa, że to nic złego.

Wokół nich świat zastyga w bezruchu. Liv podnosi wzrok na Svena.

– Ale… ale on nie może tego zrobić. Ja przecież… przecież nie należę do firmy, prawda?

– Liv, nadal jesteś jej honorową dyrektorką, a nazwisko Davida ma duże znaczenie w twojej linii obrony. Simon zdecydował się uruchomić jedną z klauzul zapisanych drobnym drukiem. Walcząc o obraz wbrew wszelkim logicznym przesłankom, kompromitujesz jakoby dobre imię firmy. Powiedziałem mu, że zachowuje się bardzo nierozsądnie, a on na to, że możemy to zakwestionować, ale on ma bardzo głębokie kieszenie. Cytuję: „Możesz ze mną walczyć, Sven, ale ja wygram". Zamierzają zatrudnić inną firmę do dokończenia prac.

Liv jest oszołomiona. Budynek Goldsteinów to było dzieło życia Davida: coś, co miało upamiętnić jego imię.

Wpatruje się w profil Svena, niewzruszenie nieruchomy. Mężczyzna wygląda jak rzeźba wykuta z kamienia.

– On i jego brat... wydają się bardzo zdecydowani w kwestii restytucji dzieł sztuki.

– Ale... ale to nie fair. Jeszcze nawet nie znamy całej prawdy o obrazie.

– Nie w tym rzecz.

– Ale...

– Liv, przez cały dzień nie zajmowałem się niczym innym. Oni są skłonni kontynuować współpracę z naszą firmą jedynie pod warunkiem, że... – Sven nabiera powietrza – ...że nazwisko Halston nie będzie dłużej z nią łączone. To oznaczałoby zrzeczenie się przez ciebie stanowiska honorowej dyrektorki. Oraz zmianę nazwy firmy.

Liv powtarza sobie po cichu te słowa w głowie, usiłując cokolwiek z nich zrozumieć.

– Chcesz, żeby nazwisko Davida zniknęło z nazwy firmy.

– Tak.

Kobieta wpatruje się w swoje kolana.

– Przykro mi. Zdaję sobie sprawę, że to dla ciebie szok. Ale dla nas także.

Liv nagle sobie o czymś przypomina.

– A co by się stało z moją pracą z dzieciakami?

Sven kręci głową.

– Przykro mi.

Liv ma takie wrażenie, jakby coś zamarzło w samym jej środku. Następuje długa cisza, a kiedy ona wreszcie ją przerywa, mówi wolno, a jej głos rozlega się w gabinecie nienaturalnie głośno.

– Czyli wszyscy uznaliście, że ponieważ nie chcę tak po prostu oddać naszego obrazu, obrazu, który David kupił legalnie całe lata temu, to musimy być w jakiś sposób nieuczciwi. A ty chcesz następnie usunąć nas z jego fundacji i z jego firmy. Wymazujesz nazwisko Davida z budynku, który on stworzył.

– Niepotrzebnie dramatyzujesz. – Sven po raz pierwszy wygląda na zakłopotanego. – Liv, ta sytuacja jest niewiarygodnie trudna. Ale jeżeli opowiem się po twojej stronie w tym procesie, to wszystkim w firmie będzie groziła utrata pracy. Wiesz, ile zainwestowaliśmy w budynek Goldsteinów. Solberg Halston nie przetrwa, jeśli oni się teraz wycofają. – Nachyla się ku niej ponad biurkiem. – Klienci miliarderzy nie rosną na drzewach. A ja muszę myśleć o naszych ludziach.

Na zewnątrz gabinetu ktoś się żegna. Słychać przelotny wybuch śmiechu. Cisza wewnątrz pomieszczenia jest przytłaczająca.

– Czyli gdybym ją oddała, nazwisko Davida zostałoby na budynku?

– Tego z nimi nie omawiałem. Być może.

– Być może. – Liv przetrawia odpowiedź. – A jeśli odmówię? Sven stuka długopisem w blat biurka.

– Rozwiążemy firmę i założymy nową.

– A Goldsteinowie na to pójdą.

– Owszem, to możliwe.

– Czyli to, co powiem, tak naprawdę nie ma znaczenia. Moja wizyta tutaj jest w zasadzie czysto kurtuazyjna.

– Liv, przykro mi. Ta sytuacja jest bardzo trudna. Ja jestem w bardzo trudnej sytuacji.

Liv siedzi jeszcze przez chwilę. A potem bez słowa wstaje i wychodzi z gabinetu Svena.

Jest pierwsza rano. Liv wpatruje się w sufit i nasłuchuje odgłosów krzątaniny Mo w pokoju gościnnym, zasuwanego zamka torby podróżnej, łupnięcia, z jakim ta ląduje pod drzwiami. Słyszy dźwięk spuszczanej wody, miękkie kroki, a potem ciszę, która oznacza sen. Liv przez cały czas leżała tak, zastanawiając się, czy nie przejść przez korytarz i nie spróbować przekonać Mo, żeby się nie wyprowadzała, ale słowa, które kłębią się jej w głowie, nie chcą ułożyć się w nic uporządkowanego ani sensownego. Myśli o na wpół ukończonym szklanym budynku kilka kilometrów dalej; nazwisko jego architekta zostanie pogrzebane tak samo głęboko jak jego fundamenty.

Wyciąga rękę i bierze telefon leżący przy łóżku. W półmroku wpatruje się w jego ekranik.

Nie ma żadnych nowych wiadomości.

Poczucie samotności spada na nią z niemal fizyczną siłą. Ściany wokół sprawiają wrażenie niematerialnych, w żaden sposób nie chronią jej przed nieprzyjaznym światem na zewnątrz. Ten dom nie jest czysty i klarowny, jak chciał David: jego puste przestrzenie są zimne i nieczułe, proste linie gmatwa historia, a szklane powierzchnie mącą poplątane losy.

Liv usiłuje powściągnąć napływające fale paniki. Myśli o zapiskach Sophie, o więźniach ładowanych do pociągu. Wie, że jeśli pokaże je w sądzie, będzie miała szansę na zachowanie obrazu dla siebie.

A jeżeli to zrobię, dodaje w myślach, Sophie zapisze się w historii jako kobieta, która spała z Niemcem, która zdradziła zarówno swój kraj, jak i męża. A ja nie będę lepsza od tych ludzi z miasteczka, którzy obrzucili ją błotem.

Kiedy to się stanie, nie będzie już odwrotu.

## 29

*1917*

Nie płakałam już za domem. Nie wiedziałam, ile trwa nasza podróż, bo dnie i noce zlewały się w jedno, sen zaś był rzadkim i ulotnym gościem. Kilkanaście kilometrów za Mannheim rozbolała mnie głowa, a zaraz potem zaczęła ogarniać mnie gorączka, pod której wpływem na przemian drżałam z zimna i walczyłam z chęcią zdarcia z siebie resztek ubrania. Liliane siedziała obok mnie, ocierała mi czoło rąbkiem spódnicy, pomagała na postojach. Twarz miała ściągniętą troską.

– Wkrótce mi się poprawi – powtarzałam, zmuszając samą siebie do uwierzenia, że to tylko przelotne przeziębienie, nieunikniona konsekwencja wydarzeń paru ostatnich dni, chłodnego powietrza i szoku.

Ciężarówka podskakiwała na wybojach i omijała dziury w drodze, płócienna plandeka wydymała się, wpuszczając do środka krople lodowato zimnego deszczu, a młody żołnierz podrzemywał, otwierając oczy przy silniejszych szarpnięciach i obrzucając nas groźnym spojrzeniem, jakby chciał nas ostrzec, żebyśmy nie próbowały żadnych sztuczek.

Przysypiałam oparta o Liliane, budząc się co jakiś czas i patrząc tępo na trójkątny prześwit w plandece, ukazujący krajobraz, który zostawiłyśmy za sobą. Widziałam, jak podziurawione bombardowaniami tereny przygraniczne ustępowały miejsca lepiej utrzymanym miejscowościom, gdzie stały całe rzędy nieuszkodzonych domów. Ich ciemne belki odcinały się ostro od śnieżnobiałej zaprawy murarskiej, a w ogrodach zieleniły się przystrzyżone krzewy i wypielęgnowane grządki warzywne. Mijaliśmy rozległe jeziora i tętniące życiem miasteczka, przejeżdżaliśmy krętymi gruntowymi drogami przez gęste jodłowe lasy, gdzie nasz pojazd niemal zakopywał się w błocie. Dawano nam niewiele jedzenia – kubek wody i kawałki czarnego chleba rzucane na pakę ciężarówki niczym odpadki świniom.

A potem moja gorączka tak się nasiliła, że brak jedzenia przestał mnie obchodzić. Ból żołądka przyćmiły inne bóle – w głowie, stawach, karku. Straciłam apetyt i Liliane musiała niemal przemocą nakłaniać mnie do przełknięcia kilku łyków wody, przypominając, że muszę jeść, póki jest co, że muszę zachować siły. Wszystko, co mówiła, zdawało się mieć drugie dno, jakby wiedziała znacznie więcej o naszym losie, niż decydowała się wyjawić. Na każdym postoju jej oczy rozszerzały się z lęku, aż w końcu udało jej się swoim strachem zarazić i mój zamroczony gorączką umysł.

Gdy Liliane spała, twarz drgała jej nerwowo, jakby śniły jej się koszmary. Czasem budziła się przerażona, z bełkotem na ustach i rękoma wyciągniętymi przed siebie w obronnym geście. Jeśli byłam w stanie, sięgałam w jej kierunku i dotykałam jej ramienia, próbując delikatnie przywrócić ją do przytomności. Spoglądając na otaczającą nas niemiecką ziemię, sama się jednak zastanawiałam, po co właściwie to robię.

Od kiedy odkryłam, że nie jedziemy w Ardeny, moja wiara zaczęła mnie opuszczać. Kommandant i nasza umowa wydawały się odległe o tysiące kilometrów; moje życie w hotelu, lśniący mahoniowy kontuar, moja siostra i miasteczko, w którym dorastałam – wszystko to stało się zamglone i nierzeczywiste, jak gdybym wyobraziła to sobie dawno temu. Naszą rzeczywistość stanowiły niewygoda, chłód, ból i wszechobecny, nigdy nieodstępujący nas strach. Próbowałam się skupić, przypomnieć sobie twarz Édouarda, jego głos, ale nawet on mnie opuścił. Potrafiłam przywołać tylko pojedyncze fragmenty – miękkie brązowe kędziory na kołnierzyku, silne dłonie – lecz nie byłam w stanie zlepić ich w jedną całość. O wiele bardziej znajoma była mi połamana ręka Liliane, spoczywająca na mojej. Wpatrywałam się w nią, w posiniaczone palce, które przywiązałam do zaimprowizowanych łupków, i usiłowałam sobie przypomnieć, że w tym wszystkim jest jakiś cel: że każda wiara musi być poddawana próbom. Z każdym przejechanym kilometrem trudniej mi było o tym pamiętać.

Przestało padać. Zatrzymaliśmy się w jakiejś małej wsi, młody żołnierz rozprostował zesztywniałe nogi i ramiona, po czym wysiadł z samochodu. Silnik zgasł i usłyszałam jakichś Niemców rozmawiających na zewnątrz. Przez chwilę zastanawiałam się, czy nie poprosić ich o trochę wody. Wargi miałam spierzchnięte, było mi słabo.

Liliane siedziała naprzeciw mnie nieruchomo, jak przerażony królik wietrzący niebezpieczeństwo. Starałam się przezwyciężyć pulsujący ból głowy i stopniowo zaczęły do mnie docierać odgłosy wiejskiego ryneczku – wesołe nawoływania kramarzy, swobodne głosy klientek i straganiarek targujących się o cenę. Zamknęłam oczy i choć przez moment usiłowałam sobie wyobrazić, że niemieckie głosy mówią po francusku, a ja jestem na targu w St Péronne, jak za dziecięcych lat. Widziałam oczami duszy moją siostrę z koszykiem na ramieniu, podnoszącą pomidory i bakłażany, ważącą je w ręce i delikatnie odkładającą warzywa z powrotem. Prawie czułam na twarzy ciepło słońca, a w nozdrzach woń *saucisson* i *fromagerie*, widziałam samą siebie chodzącą niespiesznym krokiem między straganami. I nagle ktoś podniósł plandekę i ujrzałam kobiecą twarz.

Wydałam mimowolny okrzyk zaskoczenia. Kobieta wpatrywała się we mnie i przez chwilę myślałam, że zaproponuje nam coś do jedzenia, ale ona odwróciła się, nie wypuszczając plandeki z bladej dłoni, i krzyknęła coś po niemiecku. Liliane z wysiłkiem przesunęła się w głąb ciężarówki i pociągnęła mnie w swoją stronę.

– Zakryj głowę – szepnęła.

– Co?

Zanim zdążyła cokolwiek dodać, z tyłu nadleciał kamień i boleśnie trafił mnie w ramię. Spojrzałam na niego oszołomiona i wtedy kolejny uderzył mnie w skroń. Zamrugałam oczami, a zaraz potem pojawiły się trzy, cztery kobiety z twarzami skurczonymi nienawiścią i garściami pełnymi kamieni, zgniłych ziemniaków, odłamków drewna i wszystkiego, co tylko wpadło im pod rękę.

– *Huren!*

Skuliłyśmy się obie w rogu ciężarówki, próbując chronić głowy przed gradem pocisków, które spadały na nasze plecy i ramiona. Chciałam krzyknąć: „Czemu to robicie? Cośmy wam uczyniły?". Jednak nienawiść na ich twarzach i w ich głosach po prostu mnie zmroziła. Te kobiety miały dla nas tylko pogardę i wstręt. Gdyby im na to pozwolono, rozszarpałyby nas na kawałki. Przerażenie sprawiło, że do gardła podeszła mi żółć. Aż do tamtej chwili nigdy nie odczuwałam lęku w sposób tak fizyczny, niczym jakiegoś

stworzenia odbierającego mi poczucie tego, kim jestem, miesza-
jącego mnie z błotem, każącego ze strachu narobić pod siebie.
Zaczęłam się modlić – modliłam się, żeby sobie poszły, żeby już
przestały. Kiedy odważyłam się zerknąć spod ramienia, ujrzałam
młodego żołnierza, który jechał z nami. Stał obok ciężarówki
i zapalał papierosa, spokojnie popatrując na ryneczek. I wtedy
ogarnął mnie gniew.

Atak rozwścieczonych Niemek trwał może kilka minut, ale
miałam wrażenie, że upływają godziny. Kawałek cegły trafił
mnie w usta i poczułam metaliczny smak krwi z rozbitej wargi.
Liliane nie wydawała z siebie żadnego dźwięku, wzdrygała się
tylko w moich objęciach za każdym razem, gdy uderzał ją pocisk.
Obejmowałam ją tak mocno, jakby w moim świecie nie istniało
nic materialnego poza nią.

I nagle ostrzał dobiegł końca. W uszach przestało mi dzwonić,
do kącika oka spłynęła strużka krwi. Usłyszałam odgłos rozmowy
prowadzonej obok auta. Następnie silnik zawarczał, młody żołnierz wspiął się nonszalancko na pakę i ciężarówka gwałtownie
ruszyła naprzód.

Zachłysnęłam się na wpół westchnieniem ulgi, na wpół szlochem. „Skurwysyny", szepnęłam po francusku. Liliane uścisnęła
moją dłoń zdrową ręką. Serca waliły nam jak młoty, a nogi drżały,
kiedy podnosiłyśmy się z podłogi i siadałyśmy na swoich ławkach. Dopiero gdy w końcu wyjechałyśmy poza obręb wsi, tętno
powoli mi się wyrównało i poczułam obezwładniające zmęczenie. Bałam się zasnąć, bałam się tego, co może nas spotkać w następnej kolejności, ale Liliane szeroko otwartymi, nieruchomymi
oczami wpatrywała się w znikający za ciężarówką krajobraz. Jakaś
egoistyczna część mnie wiedziała, że ma się kto mną zaopieko-
wać, że moja towarzyszka na pewno nie zaśnie. Złożyłam głowę

na ławce, czując, jak bicie mojego serca się uspokaja, zamknęłam oczy i pozwoliłam sobie odpłynąć w nicość.

Na następnym postoju ziemię pokrywała warstwa śniegu. Jak okiem sięgnąć rozciągała się wokół nas ponura równina, której monotonię mąciły jedynie maleńki zagajnik i rozpadająca się szopa. Zapadał już zmierzch, kiedy wywleczono nas bezceremonialnie z ciężarówki i popchnięto w stronę drzew, machnięciem karabinu pokazując nam, co mamy tam załatwić. Tyle że we mnie już nic nie było. Rozgorączkowana i drżąca ledwie trzymałam się na nogach. Liliane pokuśtykała w stronę szopy, która zapewniała względną prywatność, a ja, patrząc za nią, poczułam, że świat wokół mnie wiruje. Osunęłam się w śnieg, odgłosy przytupujących dla rozgrzewki żołnierzy docierały do mnie jak z oddali. W jakimś stopniu lodowaty śnieg przyniósł ulgę moim rozpalonym nogom. Pozwalałam zimnemu powietrzu chłodzić swoją skórę, uspokajać krążącą w żyłach krew, ciesząc się tym krótkim momentem bezruchu i kontaktu z ziemią. Spojrzałam w górę, na bezmiar nieba, na którym rozbłyskiwały pierwsze gwiazdy; patrzyłam na nie, aż zakręciło mi się w głowie. Przypomniały mi się te noce sprzed miesięcy, kiedy wmawiałam sobie, że on też gdzieś tam patrzy na te same gwiazdy. Wyprostowałam palec i schylając się ku błyszczącej jak diamenty powierzchni śniegu, napisałam na nim: ÉDOUARD.

Po chwili napisałam to samo po swojej drugiej stronie, jakby chcąc samą siebie przekonać, że on jest prawdziwy, gdziekolwiek by teraz był, że ja i on w ogóle istnieliśmy. Kreśliłam litery posiniałym z zimna palcem, aż to imię otoczyło mnie ze wszystkich stron. *Édouard. Édouard. Édouard.* Napisałam jego imię dziesięć, dwadzieścia razy. Nie widziałam nic poza nim. Siedziałam pośrodku wielkiego kręgu Édouardów, tańczących wokół mnie. Tak łatwo byłoby się teraz poddać i położyć w moim Pałacu Édouarda, pozwolić, by wszystko odeszło. Odchyliłam głowę do tyłu i roześmiałam się.

Liliane wyszła zza szopy i stanęła jak wryta. Spojrzała na mnie, a ja nagle dostrzegłam na jej twarzy ten sam wyraz, jaki widywałam niekiedy u Hélène – to zrezygnowane wyczerpanie, mające swe źródło nie w duszy, lecz w zmęczeniu światem, rodzaj wahania, czy na pewno ma się jeszcze siłę, by stanąć do kolejnej bitwy. I jakaś siła pociągnęła mnie z powrotem.

– Mo... moja spódnica jest mokra – wymamrotałam. To była najsensowniejsza myśl, jaka przyszła mi do głowy.

– To tylko śnieg.

Liliane postawiła mnie do pionu, strzepnęła biały puch z mojego ubrania i podtrzymując mnie, poprowadziła z powrotem. Minęłyśmy znudzonych żołnierzy z karabinami i wspięłyśmy się ostatkiem sił na pakę ciężarówki.

Światło. Liliane patrzyła mi w oczy, zakrywając dłonią moje usta. Zamrugałam i odruchowo spróbowałam uwolnić się z jej uchwytu, ale dziewczyna przyłożyła palec do warg. Poczekała, aż kiwnę głową na znak, że rozumiem, po czym zabrała rękę, a ja zdałam sobie sprawę, że auto stoi. Byliśmy w lesie. Ściółkę pokrywały pstrokate plamy śniegu spowalniające ruch i tłumiące dźwięki.

Liliane wskazała ręką na strażnika. Żołnierz był pogrążony w głębokim śnie, leżał na ławce, opierając głowę na swojej wojskowej torbie. Chrapał, całkowicie bezbronny, jego kabura była odsłonięta, kilka centymetrów nagiej skóry bielało nad kołnierzem. Moja ręka sięgnęła do kieszeni spódnicy i namacała ostry odłamek szkła.

– Skacz – szepnęła Liliane.

– Co takiego?

– Skacz. Jeśli będziemy iść wzdłuż tamtego rowu, gdzie nie ma śniegu, to nie zostawimy żadnych śladów. Zanim się obudzą i zorientują, że nas nie ma, może minąć nawet kilka godzin.

– Ale jesteśmy w Niemczech.

– Mówię trochę po niemiecku. Wydostaniemy się jakoś.

Była ożywiona, w jej oczach błyszczała determinacja. Chyba nie widziałam jej takiej od czasów St Péronne. Zerknęłam na uśpionego żołnierza, a potem znów na Liliane, która teraz ostrożnie unosiła plandekę i wyglądała na skąpany w chłodnym, błękitnym świetle las.

– Ale jeśli nas złapią, to zastrzelą.

– Zastrzelą nas, jeśli zostaniemy. A jeśli nas nie zastrzelą, to czeka nas jeszcze gorszy los. Chodź. To nasza szansa. – Mówiła niemal bezgłośnie i gestem wskazała mi, bym podniosła torbę.

Wstałam. Wyjrzałam na zewnątrz. I zatrzymałam się.

– Nie mogę.

Odwróciła się do mnie. Połamaną rękę cały czas przyciskała do piersi, jakby się bała, że o coś nią zahaczy. W świetle dnia widziałam wyraźnie zadrapania i sińce na jej twarzy – pozostałość wczorajszej napaści.

Przełknęłam ślinę.

– A jeżeli wiozą mnie do Édouarda?

Liliane wbiła we mnie wzrok.

– Oszalałaś? – szepnęła. – Chodź, Sophie. Chodź. To nasza szansa.

– Nie mogę.

Skuliła się znów, zerkając niespokojnie na śpiącego żołnierza, po czym chwyciła mnie zdrową ręką za nadgarstek. Na jej twarzy odmalował się wyraz gniewu, a głos brzmiał, jakby mówiła do szczególnie tępego dziecka.

– Sophie. Nie wiozą cię do Édouarda.

– Kommandant powiedział…

– To Niemiec! Upokorzyłaś go. Zakwestionowałaś jego męskość. Sądzisz, że odpłaci ci się za coś takiego dobrocią?

– To tylko promyk nadziei, wiem. Ale… tylko to mi zostało. – Przyciągnęłam do siebie torbę. – Słuchaj, ty idź. Weź to. Weź wszystko. Może ci się udać.

Liliane złapała torbę i spojrzała z namysłem na drogę. Szykowała się do ucieczki, zastanawiając się, którędy będzie najlepiej umykać. Obserwowałam nerwowo strażnika, bojąc się, że w każdej chwili może się zbudzić.

– Idź.

Nie rozumiałam, czemu jeszcze tu jest. Odwróciła się do mnie powoli, jej twarz była wykrzywiona udręką.

– Jeśli ucieknę, oni cię zabiją.

– Co?

– Za pomoc w mojej ucieczce. Zabiją cię.

– Ale ty nie możesz zostać. Złapano cię na rozpowszechnianiu podziemnych pism. Ja jestem w innej sytuacji.

– Sophie. Jesteś jedyną osobą, która traktowała mnie jak człowieka. Nie mogę mieć na sumieniu twojej śmierci.

– Poradzę sobie. Zawsze sobie radzę.

Liliane Béthune popatrzyła na moje brudne ubranie, wychudzone, wstrząsane gorączką ciało, dygoczące w mroźnym powietrzu poranka. Stała tak przez chwilę, która zdawała się wiecznością, aż wreszcie usiadła ciężko, rzucając torbę na podłogę, jakby nie troszczyła się już, czy ktoś usłyszy. Spojrzałam na nią, ale odwróciła wzrok. Wzdrygnęłyśmy się obie, kiedy silnik ciężarówki zawarczał niespodziewanie. Usłyszałam czyjś podniesiony głos. Auto ruszyło powoli, podskakując na dziurze w drodze, tak że zarzuciło nas na bok. Śpiący żołnierz wydał z siebie gardłowe chrapnięcie, lecz poza tym ani nie drgnął.

Dotknęłam ramienia towarzyszki.

– Liliane, idź – syknęłam. – Póki możesz. Masz jeszcze czas. Nie usłyszą cię.

Zignorowała mnie. Przesunęła stopą torbę w moim kierunku i usiadła na ławce obok żołnierza. Oparła się o burtę ciężarówki i patrzyła przed siebie niewidzącym wzrokiem.

Samochód wyjechał z lasu na otwartą przestrzeń i kilka następnych kilometrów przejechałyśmy w milczeniu. Słyszałyśmy odległe wystrzały, widziałyśmy kolumny pojazdów wojskowych. Ciężarówka zwolniła, mijając maszerujących mężczyzn w szarych, poszarpanych ubraniach. Wlekli się noga za nogą ze spuszczonymi głowami. Przywodzili na myśl raczej widma niż żywych ludzi. Obserwowałam, jak Liliane na nich patrzy, i nie mogłam się oprzeć wrażeniu, że jej obecność w ciężarówce jest bez sensu. Gdyby nie ja, może by jej się udało. Może udałoby nam się razem. Moje myśli stopniowo odzyskiwały jasność, dotarło do mnie, że prawdopodobnie odebrałam jej ostatnią szansę na powrót do córki.

– Liliane…

Pokręciła głową, jakby nie chciała mnie słuchać.

Jechałyśmy dalej. Niebo pociemniało i znów zaczęło padać. Lodowaty śnieg z deszczem wpadał przez szpary w dachu, boleśnie piekąc moją skórę. Dreszcze przybrały na sile, a z każdym wybojem czułam przeszywający ból w całym ciele. Chciałam przeprosić Liliane. Powiedzieć jej, że wiem, iż zrobiłam coś strasznego i samolubnego. Powinnam była dać jej tę szansę. Miała rację:

oszukiwałam się, myśląc, że Kommandant wynagrodzi mnie za to, co zrobiłam.

Wreszcie Liliane się odezwała.

– Sophie?

– Tak? – Z całej duszy pragnęłam, żeby ze mną porozmawiała. Musiało to zabrzmieć rozpaczliwie.

Liliane przełknęła ślinę i wbiła wzrok w swoje buty.

– Jeśli... jeśli coś mi się stanie, sądzisz, że Hélène zaopiekuje się Édith? To znaczy, czy naprawdę się nią zaopiekuje? Pokocha ją?

– Oczywiście. Hélène chyba prędzej... nie wiem, przystałaby do szwabów, niż odmówiła miłości dziecku.

Starałam się uśmiechnąć. Byłam zdecydowana udawać mniej chorą, niż się czułam, aby wzbudzić w Liliane nadzieję i wiarę, że nasz los się odmieni. Poruszyłam się na ławce, zmuszając się, by usiąść prosto. Czułam ból w każdej kosteczce ciała.

– Ale nie wolno ci tak myśleć. Przetrwamy to, Liliane, a ty wrócisz do swojej córki. Może nawet za parę miesięcy.

Liliane podniosła zdrową rękę do twarzy i przesunęła palcami po świeżej, czerwonej bliźnie, która biegła od jednej z brwi wzdłuż całego policzka. Wydawała się zatopiona w myślach, daleko stąd. Modliłam się, żeby moja pewność siebie dodała jej otuchy.

– Do tej pory udało nam się przetrwać, prawda? – kontynuowałam. – Nie jesteśmy już w tym piekielnym bydlęcym wagonie. Zrządzeniem losu trafiłyśmy na siebie. Fortuna musi być dla nas łaskawa.

Znów nagle wydała mi się podobna do Hélène, tej Hélène z mroczniejszych dni. Chciałam wyciągnąć do niej rękę i dotknąć jej, ale byłam za słaba. Z trudem udawało mi się siedzieć prosto na drewnianej ławce.

– Musisz być dobrej myśli. Wierzyć, że wszystko się jeszcze ułoży. Jestem tego pewna.

– I naprawdę sądzisz, że będziemy mogły powrócić do domu? Do St Péronne? Po tym, co zrobiłyśmy?

Żołnierz zaczął się podnosić, przecierając oczy. Zdawał się poirytowany, jakby to nasza rozmowa go obudziła.

– Cóż... może nie od razu – zająknęłam się. – Ale wrócimy do Francji. Pewnego dnia. Wszystko będzie...

– Jesteśmy teraz na ziemi niczyjej, ty i ja, Sophie. Nie ma już dla nas domu.

Liliane uniosła głowę. Jej oczy były ogromne i pociemniałe. Zmieniła się nie do poznania, w niczym nie przypominała tej wytwornej damy, która paradowała niegdyś przed moim hotelem. Ale jej wygląd zmieniły nie tylko blizny i sińce... To było coś w głębi jej duszy, właśnie tam coś zwiędło i obumarło.

– Naprawdę sądzisz, że więźniowie, których wywożą w głąb Niemiec, kiedykolwiek wracają?

– Liliane, proszę, nie mów tak. Proszę. Potrzebujesz po prostu... – Głos uwiązł mi w gardle.

– Moja droga Sophie, z tym swoim optymizmem i swoją ślepą wiarą w dobroć ludzkiej natury. – Jej twarz wykrzywiło coś na kształt uśmiechu, ponury, okropny grymas. – Nie masz pojęcia, co oni z nami zrobią.

I z tymi słowami na ustach, zanim zdążyłam zareagować, Liliane wyszarpnęła pistolet z kabury żołnierza, wymierzyła go w swoją skroń i pociągnęła za spust.

## 30

– No więc pomyśleliśmy sobie, że po południu możemy wypożyczyć film. A rano Jake pomoże mi wyprowadzić psy. – Greg prowadzi okropnie, raz po raz przyciskając i puszczając pedał gazu, najwyraźniej w takt muzyki, wskutek czego podczas jazdy przez całą Fleet Street górna połowa ciała Paula w najmniej oczekiwanych momentach leci gwałtownie do przodu.

– Mogę wziąć z sobą Nintendo?

– Nie, nie możesz wziąć Nintendo, maniaku jeden. Znów wpadniesz na drzewo, tak jak zeszłym razem.

– Uczę się po nich chodzić, tak jak Super Mario.

– Nieźle ci idzie, koleżko.

– Tato, o której godzinie wrócisz?

– Hmm?

Paul siedzi na miejscu pasażera i przegląda gazety. W czterech są reportaże z wczorajszych wydarzeń w sądzie. Nagłówki sugerują nieuniknione zwycięstwo APiR i Lefevre'ów. Mężczyzna nie przypomina sobie, żeby kiedykolwiek był mniej uradowany wygranym procesem.

– Tato?

– Cholera. Wiadomości. – Paul patrzy na zegarek, nachyla się i kręci gałką przy radiu.

– Ocaleni z niemieckich obozów koncentracyjnych apelują do rządu o ustanowienie nowych, skutecznych rozwiązań legislacyjnych, umożliwiających zwrot dzieł sztuki zrabowanych podczas wojny... Jak podają źródła związane z kręgami prawniczymi, tylko w tym roku siedem osób zmarło, czekając na procesy o zwrot przedmiotów należących do ich rodzin. Sytuacja ta została określona jako „tragiczna". Apel jest następstwem toczącej się w Sądzie Najwyższym sprawy dotyczącej obrazu zagrabionego rzekomo podczas pierwszej wojny światowej...

Paul pochyla się do przodu.

– Jak to pogłośnić?

„Skąd oni mają te wszystkie informacje?", zastanawia się.

– Powinieneś zagrać sobie w *Pac-Mana*. To dopiero była gra.

– Co?

– Tato? O której?

– Poczekaj, Jake. Muszę tego posłuchać.

– ...Halston, która utrzymuje, że jej nieżyjący mąż kupił obraz w dobrej wierze. Kontrowersyjny proces stanowi przykład trudności piętrzących się przed systemem prawnym wobec wzrastającej w ciągu ostatnich dziesięciu lat liczby skomplikowanych spraw restytucyjnych. Sprawa Lefèvre'ów przyciągnęła uwagę międzynarodowej opinii publicznej, a grupy ofiar...

– Jezu. Biedna pani Liv. – Greg kręci głową.

– Co?

– Nie chciałbym być na jej miejscu.

– Co to ma niby znaczyć?

– No, te wszystkie komentarze w gazetach, w radiu… z tego się robi niezły hardkor.

– Tak to już jest.

Greg obrzuca go spojrzeniem normalnie zarezerwowanym dla klientów, którzy pytają, czy mogą się napić na kredyt.

– To skomplikowane.

– Tak? Bo chyba wspominałeś, że takie sprawy są zawsze czarno-białe.

– Możesz ze mnie zejść, Greg? Albo może ja wpadnę później do ciebie i powiem ci, jak masz prowadzić bar. Zobaczymy, jak ci się to spodoba.

Greg i Jake spoglądają na siebie, unosząc brwi. Jest to dziwnie irytujące.

Paul odwraca się na siedzeniu.

– Jake, zadzwonię do ciebie, jak wyjdziemy z sądu, zgoda? I pójdziemy wieczorem do kina albo gdzieś indziej.

– Ale po południu mamy oglądać film. Przecież Greg ci mówił.

– Sąd Najwyższy po prawej. Chcesz, żebym tu zawrócił? – Greg włącza lewy kierunkowskaz i hamuje tak ostro, że cała trójka leci do przodu. Taksówka wymija ich gwałtownie, wyrażając dezaprobatę jazgotem klaksonu. – Nie jestem pewien, czy mogę się tu zatrzymać. Jak dostanę karę, to ty płacisz, dobra? Hej, czy to nie ona?

– Kto? – Jake nachyla się do przodu.

Paul spogląda na drugą stronę ulicy, na ciżbę zgromadzoną pod Sądem Najwyższym. Placyk przed schodami roi się od ludzi. Od kilku dni przybywa ich codziennie, jednak pomimo przesłaniającej ich mgły Paul wyczuwa, że dzisiejszy tłum jest jakiś inny: panuje w nim gniewna atmosfera, na twarzach ludzi maluje się ledwie skrywana antypatia.

– Ojej – mówi Greg, a Paul wędruje wzrokiem za jego spojrzeniem.

Po przeciwnej stronie ulicy Liv zbliża się do wejścia do sądu, dłonie ma zaciśnięte na torebce, głowę spuszczoną, jakby była pogrążona w myślach. Na chwilę podnosi wzrok i kiedy dociera do niej charakter demonstracji, którą ma przed sobą, na jej twarzy pojawia się lęk. Ktoś wykrzykuje jej nazwisko: „Halston". Mija kilka sekund, ludzie ją zauważają, Liv przyspiesza kroku i usiłuje przemknąć obok nich, ale jej nazwisko zostaje podchwycone i powtórzone. Początkowo słychać pomruk, który jednak zaraz przybiera na sile i zmienia się w oskarżenie.

Henry, ledwie widoczny po drugiej stronie wejścia, energicznym krokiem rusza w jej stronę, jakby już wiedział, co za chwilę nastąpi. Liv potyka się i daje susa naprzód, ale tłum wzbiera i przemieszcza się, rozdzielając na moment, po czym połyka ją niczym jakiś gigantyczny organizm.

– Chryste.

– Co jest, do…

Paul upuszcza akta i wyskakuje z samochodu, ruszając sprintem przez ulicę. Rzuca się w to ludzkie rojowisko i siłą toruje sobie drogę do jego środka. Otacza go plątanina rąk i transparentów. Wrzawa jest ogłuszająca. Przed oczami miga mu słowo „KRADZIEŻ" na upadającej na ziemię tablicy. Oślepia go błysk flesza, po czym Paul dostrzega włosy Liv, chwyta ją za rękę i słyszy okrzyk przerażenia. Tłum ciśnie się ku nim, omal go nie przewracając. Paul spostrzega Henry'ego przy drugim boku Liv i przepycha się w jego stronę, przeklinając człowieka, który łapie go za płaszcz. Pojawiają się policjanci w odblaskowych kamizelkach i odciągają protestujących.

– Proszę się rozejść. ODSUNĄĆ SIĘ. PROSZĘ SIĘ OD-
SUNĄĆ.

Paulowi oddech więźnie w gardle, ktoś silnie uderza go w nerki,
a potem nagle są wolni, wchodzą prędko po schodach, na wpół
niosąc Liv niczym lalkę. Słychać trzaski i piski policyjnej krótkofalówki, potężnie zbudowani funkcjonariusze wprowadzają ich do
środka, przez bramki ochronne, a potem prosto w ciszę, spokój
i bezpieczeństwo po drugiej stronie. Tłum na zewnątrz protestuje
rykiem, który odbija się echem od ścian holu.

Twarz Liv jest biała jak chusta. Dziewczyna stoi oniemiała,
jedną ręką zasłania twarz, policzek ma zadrapany, a włosy po-
targane.

– Jezu. Gdzie wyście byli? – Henry ze złością obciąga marynarkę, krzycząc na policjantów. – Gdzie była ochrona? Mogliście
to przewidzieć!

Jeden z policjantów z roztargnieniem kiwa głową, jedną rękę
ma uniesioną, w drugiej trzyma przy ustach krótkofalówkę i wydaje polecenia.

– To jest absolutnie nie do przyjęcia!

– Wszystko w porządku? – Paul puszcza ramię Liv. Dziewczyna potakuje i nie patrząc, odsuwa się od niego, jakby dopiero
teraz zdała sobie sprawę, że on tu jest. Dłonie jej drżą.

– Dziękuję, panie McCafferty – odzywa się Henry, poprawiając sobie kołnierzyk. – Dziękuję, że się pan włączył. To było... –
Urywa.

– Czy możemy dostać dla Liv coś do picia? I gdzieś ją po-
sadzić?

– O Boże – mówi Liv cicho, spoglądając na swój rękaw. – Ktoś
na mnie napluł.

– Zdejmij to. Po prostu zdejmij. – Paul bierze jej płaszcz. Ona nagle wydaje się mniejsza, ramiona ma zgarbione pod ciężarem panującej na zewnątrz nienawiści.

Henry odbiera od niego płaszcz.

– Nie martw się, Liv. Powiem asystentce, by oddała go do czyszczenia. I dopilnujemy, żebyś mogła wyjść tylnym wyjściem.

– Tak, proszę pani. Wyprowadzimy panią od strony zaplecza – potwierdza policjant.

– Jak przestępczynię – mówi tępo Liv.

– Nie pozwolę, żeby coś takiego jeszcze raz cię spotkało – zapewnia Paul, robiąc krok w jej stronę. – Naprawdę. Tak... tak mi przykro.

Ona podnosi na niego wzrok, mruży oczy i cofa się o krok.

– Co?

– Czemu miałabym ci ufać?

Zanim Paul zdąży coś odpowiedzieć, Henry bierze ją pod ramię i Liv znika, prowadzona przez korytarz i do sali rozpraw w asyście prawników, jakoś zbyt mała w swoim ciemnym żakiecie, nieświadoma faktu, że włosy ma nadal w nieładzie.

Paul powoli przechodzi przez jezdnię, prostując ramiona. Greg stoi przy samochodzie i wyciąga ku niemu rozsypane akta i skórzaną teczkę. Zaczęło padać.

– Nic ci nie jest?

Paul kiwa głową.

– A jej?

– Yy... – Zerka w stronę gmachu sądu i przeczesuje ręką włosy. – Tak jakby. Słuchaj. Muszę tam iść. Zobaczymy się później.

Greg spogląda na niego, a potem na tłum, który jest w tej chwili potulny i rozproszony, ludzie kręcą się i gawędzą, jakby ostatnie dziesięć minut w ogóle nie zaistniało. Wyraz twarzy brata jest nietypowo zimny.

– No i… – odzywa się, wsiadając z powrotem do samochodu – …jak się teraz czujesz w roli rzecznika prawa i sprawiedliwości?

Odjeżdżając, nie patrzy w stronę Paula. Twarz Jake'a, blada na tle tylnej szyby, spogląda na niego niewzruszenie, aż wreszcie auto znika mu z oczu.

Kiedy idzie po schodach w stronę sali rozpraw, Janey znajduje się u jego boku. Włosy ma starannie upięte, usta pomalowane jasnoczerwoną szminką.

– Wzruszające – mówi.

Paul udaje, że nie słyszy.

Sean Flaherty rzuca teczkę na ławkę i przygotowuje się do przejścia przez bramki.

– To się zaczyna wymykać spod kontroli. W życiu czegoś takiego nie widziałem.

– No – odzywa się Paul, pocierając sobie szczękę. – Zupełnie jakby… Sam nie wiem. Jakby cały ten prowokacyjny kit wciskany mediom rzeczywiście działał. – Odwraca się ku Janey.

– Co masz na myśli? – pyta Janey chłodno.

– To, że osoba, która informuje dziennikarzy i szczuje lobbystów, najwyraźniej ma w dupie to, jakich szkód w ten sposób narobi.

– Ty natomiast jesteś wzorem szlachetności. – Janey spogląda na niego niewzruszonym wzrokiem.

– Janey? Czy miałaś coś wspólnego z tymi protestami?

Cisza trwa o nanosekundę za długo.

– Nie bądź śmieszny.

– Jezu Chryste.

Sean szybko przenosi wzrok z jednego na drugie, jakby dopiero do niego dotarło, że na jego oczach toczy się zupełnie osobna rozmowa. Przeprasza ich i odchodzi, mamrocząc coś o wskazówkach dla adwokata. W długim kamiennym korytarzu zostają tylko Paul i Janey.

On przeczesuje ręką włosy i spogląda w stronę sali rozpraw.

– Nie podoba mi się to. Wcale mi się to nie podoba.

– Taką mamy pracę. I jakoś nigdy wcześniej ci to nie przeszkadzało. – Kobieta zerka na zegarek, a potem za okno. Nie widać stąd Strandu, ale i tak słychać skandowanie demonstrantów, ledwie stłumione przez mury budynku. Janey ma ręce założone na piersiach.

– A zresztą nie wydaje mi się, żebyś akurat ty pasował do roli niewiniątka.

– Co masz na myśli?

– Zechcesz mi powiedzieć, co się tutaj dzieje? Między tobą a panią Halston?

– Nic się nie dzieje.

– Nie jestem aż taka głupia.

– W porządku. Nic, co powinno cię interesować.

– Jeżeli coś cię łączy z pozwaną w naszej sprawie, to uważam, że jak najbardziej powinno mnie to interesować.

– Nic mnie z nią nie łączy.

Janey podchodzi bliżej.

– Nie próbuj ze mną pogrywać, Paul. Za moimi plecami zwróciłeś się do Lefèvre'ów i próbowałeś wynegocjować nową ugodę.

– Tak. Miałem z tobą o tym…

– Widziałam ten rycerski popis na zewnątrz. I ty próbujesz coś dla niej ugrać, na kilka dni przed orzeczeniem?

– No dobrze. – Paul zdejmuje marynarkę i ciężko siada na ławce. – Dobrze.

Janey czeka.

– Spotykaliśmy się przez pewien czas, zanim się zorientowałem, kim ona jest. Skończyło się to w momencie, kiedy dotarło do nas, że jesteśmy po przeciwnych stronach. I tyle.

Janey z uwagą przygląda się czemuś na wysoko sklepionym suficie. Gdy znów się odzywa, jej słowa brzmią lekko, rzucone jakby od niechcenia.

– Planujesz do niej wrócić? Kiedy ta sprawa się skończy?

– Nikogo to nie powinno obchodzić.

– Powinno, i to jeszcze jak. Muszę wiedzieć, że sumiennie dla mnie pracowałeś. Że to nie wpłynęło na przebieg procesu.

Głos Paula wybucha w pustej przestrzeni.

– Wygrywamy, prawda? Czego jeszcze chcesz?

Ostatni prawnicy wchodzą do sali. Zza ciężkich dębowych drzwi wychyla się twarz Seana, który bezgłośnie przywołuje ich do środka.

Paul bierze głęboki wdech. Nadaje swojemu głosowi pojednawcze brzmienie.

– Posłuchaj. Abstrahując od spraw osobistych, naprawdę myślę, że powinniśmy zawrzeć ugodę. I tak byśmy...

Janey sięga po swoje dokumenty.

– Nie zawrzemy żadnej ugody.

– Ale...

– Dlaczego niby mielibyśmy to zrobić? Za chwilę wygramy najgłośniejszy proces w historii naszej firmy.

– Niszczymy komuś życie.

– Ona sama zniszczyła sobie życie w dniu, kiedy postanowiła z nami walczyć.

– Chcieliśmy zabrać jej coś, co uważała za swoje. Nic dziwnego, że postanowiła walczyć. Daj spokój, Janey, tu chodzi o sprawiedliwość.

– Nie chodzi o sprawiedliwość. Nigdy o to nie chodzi. Nie bądź śmieszny. – Janey wyciera nos. Gdy się do niego zwraca, oczy jej błyszczą. – Proces ma potrwać jeszcze dwa dni. O ile nie wydarzy się nic nieprzewidzianego, Sophie Lefèvre wróci tam, gdzie jej miejsce.

– A ty dokładnie wiesz, gdzie to jest.

– Tak, wiem. I ty też powinieneś. A teraz proponuję, żebyśmy weszli do środka, zanim Lefèvre'owie zaczną się zastanawiać, co tu jeszcze robimy.

Paul, nie zważając na krzywe spojrzenie woźnego, wchodzi do sali. W głowie ma mętlik. Siada i robi kilka głębokich wdechów, usiłując uporządkować myśli. Janey nie zwraca na niego uwagi, pogrążona w rozmowie z Seanem. Puls powoli mu się uspokaja, a Paul przypomina sobie emerytowanego oficera śledczego, z którym dużo rozmawiał zaraz po przeprowadzce do Londynu; mężczyznę, którego liczne zmarszczki układały się w wyraz drwiącego rozbawienia nad tym, wokół czego kręci się świat.

– Liczy się tylko prawda, McCafferty – mawiał często stary policjant po wypiciu paru kufli piwa. – Bez niej żonglujesz jedynie durnymi wyobrażeniami innych ludzi.

Paul wyciąga z kieszeni marynarki notes i gryzmoli w nim kilka słów, po czym starannie składa kartkę na pół. Rozgląda się na boki i klepie w ramię siedzącego przed nim mężczyznę.

– Czy mógłby pan podać to tamtemu adwokatowi?

Patrzy, jak biała karteczka wędruje aż na przód sali, wzdłuż ławki do młodego stażysty, a potem do Henry'ego, który zerka na nią i przekazuje ją Liv.

Dziewczyna spogląda na nią nieufnie, jakby wahała się, czy ją przeczytać. A potem Paul patrzy, jak w końcu to robi, i widzi, że Liv nagle nieruchomieje, zastanawiając się nad jej treścią.

NAPRAWIĘ TO.

Odwraca się i szuka go wzrokiem. Kiedy wreszcie go znajduje, unosi leciutko podbródek. „Czemu miałabym ci ufać?"

Paul ma wrażenie, jakby czas się zatrzymał. Liv odwraca wzrok.

– Powiedz Janey, że musiałem wyjść. Pilne spotkanie – zwraca się do Seana. A potem wstaje i zaczyna przeciskać się ku wyjściu.

Później sam nie wie, co go tam zaprowadziło. Mieszkanie, w bloku na tyłach Marylebone Road, jest oklejone łososiową tapetą ozdobioną błyszczącymi zawijasami o perłowym połysku. Firanki są różowe. Kanapy mają odcień głębokiej fuksji. Ściany pokrywają półki, na których porcelanowe figurki zwierzątek walczą o miejsce z najróżniejszymi bibelotami i kartkami świątecznymi. Spora część przedmiotów jest różowa. A wśród nich, w spodniach i rozpinanym swetrze stoi przed Paulem Marianne Andrews. Odziana od stóp do głów w jaskrawą zieleń.

– Pan jest jednym z tych ludzi od Flaherty'ego. – Kobieta garbi się lekko, jakby drzwi były dla niej za niskie. Ma coś, co matka Paula określiłaby jako „grube kości": stawy sterczą jej jak u wielbłąda.

– Przepraszam, że zjawiam się tu tak bez uprzedzenia. Chciałem z panią porozmawiać. O tym procesie.

Kobieta wygląda, jakby zamierzała go odprawić, ale po chwili unosi dużą dłoń.

– Ech, właściwie to może pan wejść. Tylko ostrzegam, że krew mnie zalewa, gdy słyszę, co wy wszyscy gadacie o mamie, jakby była jakąś kryminalistką. A te gazety też nie lepsze. Od kilku dni dzwonią do mnie znajomi ze Stanów, którzy czytali te artykuły i teraz dają mi do zrozumienia, że ona zrobiła coś okropnego. Dopiero co skończyłam rozmawiać z Myrą, starą przyjaciółką z liceum, i musiałam jej powiedzieć, że mama przez pół roku robiła więcej pożytecznych rzeczy niż ten jej nieszczęsny mąż, co od trzydziestu lat siedzi na swoim tłustym tyłku w Bank of America.

– Nie wątpię.

– Ja myślę, kotuś. – Kobieta gestem zaprasza go do środka. Porusza się sztywno, powłócząc nogami. – Mama była rzeczniczką postępu. Pisała o niedoli robotników, o wysiedlonych dzieciach. Wojna napawała ją zgrozą. Prędzej umówiłaby się na randkę z Göringiem, niż cokolwiek ukradła. No dobrze, a teraz pewnie chce się pan czegoś napić?

Paul przyjmuje colę light i sadowi się na jednej z niskich kanap. Przez okno napływają do przegrzanego pokoju odległe dźwięki miasta w godzinach szczytu. Duży kot, którego początkowo wziął za poduszkę, podnosi się i wskakuje mu na kolana, gdzie następnie rozkłada się z milczącym ukontentowaniem.

Marianne Andrews siada wygodnie i zapala papierosa. Robi teatralny wdech.

– Czy to brooklyński akcent?

– Z New Jersey.

– Hmm. – Kobieta pyta go o dawny adres i kiwa głową, jakby chciała zaznaczyć, że nie jest jej obcy. – Długo tu pan jest?

– Od siedmiu lat.

– Ja od sześciu. Sprowadziłam się tutaj z moim najlepszym mężem, Donaldem. Zmarł w lipcu zeszłego roku. – A potem jej głos nieco łagodnieje i Marianne pyta: – No dobrze, to w czym mogę panu pomóc? Nie wiem, czy wiem coś poza tym, co powiedziałam w sądzie.

– Ja też nie wiem. Ale chyba po prostu się zastanawiam, czy jest coś takiego, cokolwiek, co mogliśmy przeoczyć.

– Nie. Tak jak powiedziałam panu Flaherty'emu, nie mam pojęcia, skąd się wziął ten obraz. Szczerze mówiąc, kiedy mama wspominała swoje reporterskie czasy, wolała opowiadać o tym, jak kiedyś na pokładzie samolotu zamknęli ją w toalecie z JFK. No i, wie pan, tata i ja nie byliśmy specjalnie zainteresowani. Proszę mi wierzyć, jak człowiek słyszał jedną opowieść starej reporterki, to słyszał je wszystkie.

Paul rozgląda się po mieszkaniu. Kiedy znów przenosi wzrok na gospodynię, jej oczy nadal spoczywają na nim. Kobieta przygląda mu się uważnie i wydmuchuje kółko z dymu w nieruchome powietrze.

– Panie McCafferty. Czy pańscy klienci zamierzają domagać się ode mnie odszkodowania, jeśli sąd uzna, że obraz został skradziony?

– Nie. Zależy im tylko na obrazie.

Marianne Andrews kręci głową.

– No pewnie. – Zakłada nogę na nogę i krzywi się, jakby sprawiało jej to ból. – Myślę, że cała ta sprawa śmierdzi. Nie podoba mi się to, jak wieszają psy na mojej mamie. I na panu Halstonie. On kochał ten obraz.

Paul spogląda w dół, na kota.

– Niewykluczone, że pan Halston miał pewne pojęcie o tym, ile obraz jest naprawdę wart.

– Bez urazy, panie McCafferty, ale nie było pana przy tym. Jeżeli próbuje pan dać mi do zrozumienia, że powinnam się czuć oszukana, to pomylił pan adresy.

– Naprawdę nie obchodzi pani jego wartość?

– Podejrzewam, że pan i ja różnie definiujemy słowo „wartość".

Kot podnosi spojrzenie na Paula; w oczach ma jednocześnie zachłanność i lekką wrogość.

Marianne Andrews gasi niedopałek.

– A poza tym serce mi się kraje na myśl o tej biednej Olivii Halston.

Paul waha się przez chwilę, po czym odpowiada cicho:

– Tak. Mnie też.

Kobieta unosi brew.

Paul wzdycha.

– Ta sprawa jest… trudna.

– Ale nie nazbyt trudna, żeby doprowadzić tę nieszczęsną dziewczynę do bankructwa?

– Proszę pani, ja po prostu wykonuję swoją pracę.

– Jasne. Zdaje mi się, że mama też parę razy to słyszała.

Marianne mówi to łagodnie, ale policzki Paula oblewają się rumieńcem.

Kobieta spogląda na niego przez chwilę, potem nagle wydaje z siebie głośne „ha!", płosząc kota, a ten zeskakuje Paulowi z kolan.

– Och, na litość boską. Chce pan coś mocniejszego? Bo mnie przydałby się prawdziwy drink. Słońce na pewno jest już gdzieś za połową nieba. – Gospodyni wstaje i podchodzi do barku. – Burbon?

– Chętnie.

I wtedy jej się zwierza, z kieliszkiem w dłoni i dźwięczącym w uszach akcentem z rodzinnych stron. Słowa wychodzą mu z gardła opornie, jakby nie były przygotowane na przerwanie milczenia. Opowieść Paula zaczyna się od skradzionej torebki, a kończy nagłym pożegnaniem pod salą rozpraw. Pojawiają się w niej nieoczekiwane dla niego samego, nowe fragmenty. Jego niespodziewane szczęście w jej towarzystwie, poczucie winy, nieustanne rozdrażnienie, którym od jakiegoś czasu obrósł niczym korą. Paul nie wie, dlaczego wyrzuca to wszystko z siebie przed tą kobietą. Nie wie, dlaczego przypuszcza, że spośród wszystkich ludzi właśnie ona będzie w stanie go zrozumieć.

Lecz Marianne Andrews słucha, a na jej wyrazistej twarzy pojawia się wyraz współczucia.

– No, panie McCafferty, ależ pan sobie nawarzył piwa.

– Wiem.

Kobieta zapala jeszcze jednego papierosa i karci kota, który siedzi w otwartej kuchni i domaga się jedzenia.

– Kotuś, nie mam dla ciebie żadnych gotowych odpowiedzi. Albo ty jej złamiesz serce, zabierając ten obraz, albo ona tobie, pozbawiając cię pracy.

– Albo zapomnimy o wszystkim.

– I to złamie serce wam obojgu.

Trudno cokolwiek dodać. Siedzą oboje w milczeniu. Powietrze na zewnątrz jest gęste od odgłosów pełznących powoli samochodów.

Paul sączy drinka i się zastanawia.

– Proszę powiedzieć, czy pani matka trzymała swoje notesy? Te reporterskie?

Marianne Andrews podnosi wzrok.

– Owszem, przywiozłam je z Barcelony, ale obawiam się, że sporo musiałam wyrzucić. Prawie doszczętnie zjadły je termity. Tak samo jak jedną z tych indiańskich główek. Skutki krótkotrwałego małżeństwa na Florydzie. Chociaż... – Kobieta wstaje, podpierając się długimi rękami. – Przypomniałeś mi o czymś. Możliwe, że mam jeszcze kilka jej starych dzienników w szafie na dole.

– Dzienników?

– Pamiętników. Jak zwał, tak zwał. Ech, miałam taki niedorzeczny pomysł, że może ktoś będzie kiedyś chciał napisać jej biografię. Ona robiła masę ciekawych rzeczy. Może któreś z moich wnuków. Jestem prawie pewna, że gdzieś jest karton z jej wycinkami i dziennikami. Pójdę tylko po klucz i sobie ich poszukamy.

Paul idzie za Marianne Andrews do wspólnego holu. Oddychając ciężko, kobieta prowadzi go dwa piętra w dół, aż do miejsca, gdzie na schodach nie ma już wykładziny, a pod ścianami stoją rowery.

– Mieszkania tutaj są dosyć małe – mówi Marianne Andrews, czekając, aż Paul otworzy ciężkie drzwi przeciwpożarowe – więc niektórzy wynajmują od gospodarza domu zapasowe komórki. Są na wagę złota. Pan Chua z mieszkania obok zaproponował mi cztery tysiące funtów za odstąpienie mu jednej do końca roku. Cztery tysiące! Powiedziałam mu, że musiałby mi dać co najmniej trzy razy tyle, lekko licząc.

Docierają do wysokich niebieskich drzwi. Kobieta ogląda pęk kluczy, mrucząc coś do siebie, aż wreszcie znajduje właściwy.

– Proszę – mówi, włączając światło.

Słaba żarówka oświetla podłużną ciemną komórkę. Po jednej stronie widać metalowe półki, a podłoga jest zastawiona kartonami, stertami książek i pojedynczą lampą. W powietrzu unosi się zapach starych gazet i pszczelego wosku.

– Naprawdę powinnam tu posprzątać – wzdycha Marianne, marszcząc nos. – Ale jakoś zawsze znajduję sobie coś ciekawszego do roboty.

– Chce pani, żebym zdjął coś z półek?

Marianne obejmuje się ramionami.

– Wiesz co, kotuś? Miałbyś coś przeciwko temu, żebym cię tu zostawiła? Poszperałbyś sobie. Cały ten kurz źle mi robi na astmę. Nie ma tu nic wartościowego. Po prostu bym cię tu zamknęła, a jakbyś coś znalazł, to krzyknij. Aha, i gdybyś przypadkiem trafił na turkusową torebkę ze złotym zapięciem, to weź ją na górę. Bardzo bym chciała wiedzieć, gdzie ona się podziała.

Paul spędza godzinę w zagraconym schowku, przesuwając kartony na skąpo oświetlony korytarz, kiedy wydaje mu się, że mogą się okazać przydatne, i ustawiając jedne na drugich pod ścianą. Są tam gazety jeszcze z 1941 roku, z pożółkłymi stronami i oberwanym rogami. Malutkie pomieszczenie bez okien przywodzi na myśl TARDIS, wehikuł czasu Doktora Who. W miarę jak schowek pustoszeje, jego zawartość zaczyna piętrzyć się na korytarzu – walizki pełne starych map, globus, pudła na kapelusze, futra na wpół zjedzone przez mole, kolejna skórzasta główka, która szczerzy do niego swoje cztery wielkie zęby. Paul ustawia to wszystko w stos pod ścianą i przykrywa główkę haftowaną poszwą na poduszkę. Jego ręce i twarz pokrywa kurz, który osiada w każdym załomku skóry. Znajduje czasopisma z wykrojami spódnic bananowych, zdjęcia z koronacji, taśmy szpulowe. Wynosi je i składa na podłodze obok siebie. Jego ubranie robi się szare od kurzu, oczy zaczynają piec. Paul trafia na kilka notesów, szczęśliwie zaopatrzonych w daty na okładkach: 1968, Lis. 1969, 1971. Czyta o ciężkim losie strajkujących strażaków z New Jersey, o procesie prezydenta. Od czasu do czasu na marginesie nagryzmolone są notatki: „Dean! Tańce piątek 19.00" albo „Powiedz Mike'owi, że dzwonił Frankie". Nie ma nic o wojnie ani o obrazie.

Paul metodycznie przegląda zawartość każdego kartonu, zagląda między kartki każdej książki, sprawdza wnętrze każdej teczki. Otwiera każde pudło i skrzynkę, układa ich zawartość w stosik, a potem starannie odkłada z powrotem. Stary magnetofon, dwa kartony starych książek, pudło na kapelusze pełne pamiątek. Jest jedenasta, dwunasta, wpół do pierwszej. Paul spogląda na zegarek i zdaje sobie sprawę, że to wszystko na nic.

Prostuje się i wyciera ręce o spodnie, nie mogąc się doczekać, aż wydostanie się z tego dusznego, ciasnego pomieszczenia. Czuje nagłą tęsknotę za nagą bielą domu Liv, za jego czystymi liniami i przewiewnością.

Opróżnił cały schowek. Gdziekolwiek kryje się prawda, nie znajdzie jej w tej zagraconej komórce kawałek na północ od drogi A40. I w tym momencie Paul dostrzega w głębi pasek od starego skórzanego tornistra, wysuszony i pęknięty, jak cienki kawałek suszonej wołowiny.

Sięga za półki i ciągnie za pasek.

Kicha dwa razy, ociera oczy, a potem podnosi klapę tornistra. Wewnątrz znajduje się sześć zeszytów formatu A4 w twardych okładkach. Paul otwiera jeden z nich i widzi kaligraficzny, staroświecki charakter pisma na pierwszej stronie. Jego wzrok biegnie ku dacie. 1941 rok. Otwiera drugi zeszyt: 1944. Pospiesznie zagląda do wszystkich, z niecierpliwością rzucając je na podłogę, nie mogąc się doczekać, aż znajdzie ten właściwy – i wreszcie jest, przedostatni: 1945.

Potykając się, wybiega na korytarz, gdzie jest nieco jaśniej, i w świetle jarzeniówki przerzuca strony.

30 kwietnia 1945

No, tego się nie spodziewałam. Cztery dni temu podpułkownik Danes powiedział mi, że mogę pojechać do Konzentrationslager Dachau…

Paul czyta jeszcze kilka linijek i przeklina dwa razy ze wzrastającą pasją. Stoi nieruchomo, z każdą sekundą coraz bardziej świadomy wagi tego, co trzyma w ręce. Kartkuje zeszyt i znów przeklina.

W głowie ma zamęt. Mógłby wcisnąć to z powrotem w najdalszy kąt schowka, wrócić do Marianne Andrews i powiedzieć jej, że nic nie znalazł. Mógłby wygrać sprawę i zgarnąć prowizję. Mógłby zwrócić Sophie Lefèvre prawowitym właścicielom.

Albo...

Widzi Liv z opuszczoną głową, sponiewieraną przez falę opinii publicznej, ostre słowa nieznajomych, nieuchronną ruinę finansową. Widzi ją, jak kuli ramiona i z przekrzywionym kucykiem idzie przed siebie, przygotowując się na kolejny dzień w sali rozpraw.

Widzi uśmiech zadowolenia powoli rozlewający się na jej twarzy, kiedy pocałowali się po raz pierwszy.

Jeżeli to zrobisz, nie będziesz mógł się wycofać.

Paul McCafferty kładzie zeszyt i tornister obok swojej kurtki i zaczyna ustawiać pudła z powrotem w komórce.


Kobieta staje w drzwiach, gdy Paul odstawia ostatnie pudła, zakurzony i spocony z wysiłku. Marianne pali papierosa w długiej fifce, niczym wamp z lat dwudziestych.

– Dobry Boże, już się zastanawiałam, co się z tobą stało.

Paul prostuje się i ociera czoło.

– Znalazłem to. – Wręcza jej turkusową torebkę.

– Naprawdę? Kochany jesteś! – Marianne klaszcze w dłonie, odbiera torebkę od Paula i gładzi ją czule. – Tak się bałam, że gdzieś ją zostawiłam. Okropna ze mnie gapa. Dziękuję. Bardzo ci dziękuję. Pojęcia nie mam, jak ją znalazłeś w całym tym bajzlu.

– Znalazłem coś jeszcze.

Kobieta podnosi wzrok.

– Czy mógłbym to pożyczyć? – Paul wskazuje na tornister z dziennikami.

– Czy to jest to, co ja myślę? I co tam jest napisane?

– Jest napisane, że... – Paul bierze głęboki wdech – ...że pani mama rzeczywiście dostała ten obraz w prezencie.

– A nie mówiłam! – wykrzykuje Marianne Andrews. – Mówiłam, że moja matka nie była złodziejką! Mówiłam to od samego początku.

Następuje długa cisza.

– A ty dasz je pani Halston – stwierdza powoli Marianne.

– Nie jestem pewien, czy byłoby to mądre posunięcie. Ten dziennik w praktyce doprowadzi do tego, że przegramy proces.

Twarz kobiety się zachmurza.

– Co chcesz przez to powiedzieć? Że nie dasz jej tych papierów?

– Dokładnie tak.

Paul sięga do kieszeni po długopis.

– Ale jeśli je tu zostawię, nic nie stoi na przeszkodzie, żeby pani przekazała je Liv, mam rację? – Zapisuje na karteczce numer i wręcza go Marianne. – To jej telefon.

Przez chwilę mierzą się wzrokiem. Kobieta rozpromienia się, jakby udało jej się coś udowodnić.

– Tak zrobię, panie McCafferty.

– Pani Andrews?

– Marianne. Na litość boską.

– Marianne. Niech to zostanie między nami. Przypuszczam, że pewne kręgi nie przyjęłyby tego najlepiej.

Kobieta z przekonaniem kiwa głową.

– Nigdy cię tu nie było, młody człowieku. – Nagle widać, że coś przyszło jej na myśl. – Nie chcesz nawet, żebym powiedziała o tym pani Halston? Że to ty...

Paul kręci głową i wkłada długopis z powrotem do kieszeni.

– Obawiam się, że nie mam już na co liczyć. Wystarczy mi, że zobaczę, jak wygrywa proces. – Nachyla się i całuje Marianne w policzek. – Najważniejszy jest ten z kwietnia 1945 roku. Ten z zagiętym rogiem.

– Kwiecień 1945.

Paulowi niemal kręci się w głowie na myśl o konsekwencjach jego działania. APiR, Lefèvre'owie przegrają teraz proces. Nie ma innego wyjścia, widział to czarno na białym. Czy to nadal zdrada, jeśli robi się to ze słusznych powodów? Paul czuje, że musi się napić. Potrzebuje świeżego powietrza. Czegoś. Czy ja zwariowałem? Przed oczami ma tylko twarz Liv, malującą się na niej ulgę. Chce jeszcze raz zobaczyć rozlewający się na niej uśmiech, szeroki i powolny, jakby zaskoczony własnym pojawieniem się.

Bierze swoją kurtkę i wyciąga do Marianne rękę z kluczami. Kobieta dotyka jego ramienia, zatrzymując go.

– Wiesz, powiem ci coś jako osoba, która pięć razy brała ślub. Albo inaczej: pięć razy brała ślub i nadal przyjaźni się z żyjącymi eksmężami. – Liczy ich na sękatych palcach. – Czyli z trzema.

Paul czeka.

– Po czymś takim człowiek wie o miłości wszystko i jeszcze trochę.

Mężczyzna zaczyna się uśmiechać, ale Marianne nie skończyła. Uścisk jej palców na jego ramieniu jest zaskakująco silny.

– A przede wszystkim dowiaduje się, panie McCafferty, że w życiu chodzi o znacznie więcej niż o to, kto wygra.

## 31

Spotykają się z Henrym przy tylnym wejściu do sądu. Mężczyzna odzywa się, rozsiewając wokół okruszki *pain au chocolat*. Twarz ma różową i z trudem da się zrozumieć, co mówi.

– Ona nie chce tego dać nikomu innemu.

– Co? Kto nie chce?

– Czeka przy głównym wejściu. Chodź. No chodź.

Zanim Liv zdąży o cokolwiek zapytać, Henry prowadzi ją pospiesznie przez zaplecze sądu, sieć korytarzy i pnące się w górę i w dół kamienne schody, aż wreszcie lądują przy bramkach przed głównym wejściem. Czeka tam Marianne Andrews, ubrana w fioletowy płaszcz i z szeroką opaską w szkocką kratę na włosach. Kobieta dostrzega Liv i wydaje z siebie teatralne westchnienie ulgi.

– Dobry Boże, niełatwo się z tobą skontaktować – mówi z wyrzutem, podając jej tornister, który czuć stęchlizną. – Dzwoniłam z pięćdziesiąt razy.

– Przykro mi. – Liv mruga powiekami. – Przestałam odbierać telefony.

– Znajdziesz to tutaj. – Marianne pokazuje na dziennik. – Wszystko, czego potrzebujesz. Kwiecień 1945.

Liv wlepia wzrok w stare zeszyty trzymane przez Amerykankę. A potem spogląda na nią z niedowierzaniem.

– Wszystko, czego potrzebuję?

– Na temat obrazu – odpowiada starsza kobieta z rozdrażnieniem. – Na litość boską, dziecko. Przecież chyba nie przepis na koktajl z krewetek.

Wydarzenia następują błyskawicznie jedno po drugim. Henry biegnie do gabinetu sędziowskiego i prosi o krótkie odroczenie obrad. Dzienniki zostają skserowane, kluczowe fragmenty zaznaczone, a treść wysłana do prawników Lefèvre'ów zgodnie z zasadami ujawniania informacji. Liv i Henry siadają w kącie gabinetu i przeglądają zaznaczone strony, podczas gdy Marianne usta się nie zamykają – kobieta z dumą opowiada, jak to zawsze wiedziała, że jej mama nie jest żadną złodziejką, i że ten zakichany pan Jenks może się teraz wypchać.

Stażysta przynosi im kawę i kanapki. Liv ma ściśnięty żołądek i nie może nic jeść. Kanapki leżą nietknięte w plastikowym pudełku. Ona nie może oderwać wzroku od dziennika, nie potrafi uwierzyć, że w tym sfatygowanym zeszycie może kryć się odpowiedź na jej kłopoty.

– Co o tym sądzicie? – pyta, kiedy Henry kończy rozmowę z Angelą Silver.

– Myślę, że może się to okazać przydatne – odpowiada prawnik. Uśmiech mężczyzny przeczy jego ostrożnym słowom.

– Wygląda na to, że sprawa jest prosta – mówi Angela. – Jeżeli uda nam się udowodnić, że w dwóch ostatnich przypadkach, kiedy obraz zmieniał właściciela, odbyło się to bez naruszenia prawa – a co do pierwszego razu mamy poszlaki, które na to wskazują – to, jak to mówią, wracamy do gry.

– Ogromnie dziękuję – odzywa się Liv, prawie nie śmiąc uwierzyć w ten nieoczekiwany rozwój wydarzeń. – Bardzo dziękuję, pani Andrews.

– Cieszę się tak samo jak ty – stwierdza Marianne, machając papierosem. Nikt nie zawracał sobie głowy informowaniem jej o zakazie palenia. Amerykanka nachyla się w stronę Liv i kładzie kościstą ręką na jej kolanie. – A w dodatku znalazł moją ulubioną torebkę.

– Słucham?

Uśmiech spełza z twarzy starszej kobiety, która pospiesznie zajmuje się poprawianiem krzywo przypiętej broszki.

– Ach, nic takiego. Nie zwracaj na mnie uwagi.

Liv nie odrywa od niej wzroku, gdy jej zarumieniona twarz powoli odzyskuje normalny kolor.

– Będziesz jadła te kanapki? – pyta rzeczowo Marianne.

Dzwoni telefon.

– No dobrze – mówi Henry, odkładając słuchawkę. – Możemy zaczynać? Panno Andrews, czy jest pani gotowa przeczytać wyjątki z dzienników przed sądem?

– W torebce mam okulary do czytania.

– Dobrze. – Henry bierze głęboki wdech. – W takim razie wchodzimy.

30 kwietnia 1945

No, tego się nie spodziewałam. Cztery dni temu podpułkownik Danes powiedział mi, że mogę pojechać z nimi do Konzentrationslager Dachau. Niezły człowiek z tego Danesa. Z początku trochę podejrzliwy wobec pismaków, jak zresztą oni wszyscy, ale kiedy wylądowałam ze 101. Dywizją na plaży Omaha, facet zorientował się, że nie jestem jakąś tam głupkowatą paniusią, która będzie się od niego domagać przepisów na ciasteczka, i przestał robić mi problemy. Chłopcy ze 102. Dywizji Powietrznodesantowej nazywają mnie teraz swoim członkiem honorowym i mówią, że kiedy mam na ramieniu opaskę, jestem po prostu jedną z nich. No więc miałam pojechać z nimi do tego obozu, napisać teksty o ludziach stamtąd, może zrobić parę wywiadów z więźniami na temat panujących w obozie warunków, a potem się odmeldować. Radio WRGS też chciało krótkie nagranie, więc naszykowałam sobie taśmę.

I tak o szóstej rano czekam z opaską na ramieniu i prawie gotowa, aż tu nagle on puka do mojego pokoju.

– Ojej, panie pułkowniku – zażartowałam sobie. Upinałam jeszcze włosy. – Nigdy mi pan nie mówił, że z pana strony to coś więcej niż przyjaźń.

Stale tak się przekomarzamy. On twierdzi, że ma kilka par butów, które są starsze niż ja.

– Zmiana planów, maleńka – mówi teraz Danes. Palił papierosa, co było zupełnie do niego niepodobne. – Nie mogę cię zabrać.

Znieruchomiałam z uniesionymi rękami.

– Żartuje pan sobie, tak?

Naczelny „New York Register" przebierał nogami w oczekiwaniu na artykuł. Załatwili dla mnie dwie pełne strony bez żadnych reklam.

– Louanne, to… to przekracza wszystko, co sobie wyobrażaliśmy. Dostałem rozkazy, żeby nie wpuszczać tam nikogo aż do jutra.

– Och, dałby pan spokój.

– Poważnie. – Danes ściszył głos. – Wiesz, że chętnie bym cię tam zabrał. Ale naprawdę nie uwierzyłabyś, co my tam wczoraj widzieliśmy… Przez całą noc nie mogłem zasnąć, ani ja, ani chłopcy.

Tam są starsze panie, i dzieciaki, które chodzą po tym obozie jak... To znaczy, małe dzieci... – Pokręcił głową i odwrócił wzrok. To jest kawał chłopa, ten Danes, ale przysięgam, że wyglądał, jakby zaraz miał się rozpłakać. – Na zewnątrz stał pociąg, a ciała po prostu... tysiące ciał... To nieludzkie. Nieludzkie.

Jeżeli chciał mnie w ten sposób zniechęcić do wyprawy, to skutek był wręcz przeciwny.

– Pułkowniku, musi mnie pan tam zabrać.

– Przykro mi. Ścisłe rozkazy. Posłuchaj, Louanne, jeszcze tylko jeden dzień. A potem dostaniesz ode mnie wszystkie możliwe pozwolenia. Będziesz tam jedyną dziennikarką, obiecuję.

– Jasne. A później się pan ze mną ożeni. Panie pułkowniku...

– Louanne, dzisiaj wstęp na teren obozu mają wyłącznie wojskowi i Czerwony Krzyż. Potrzebuję wszystkich moich ludzi do pomocy.

– Do pomocy przy czym?

– Przy aresztowaniu hitlerowców. Przy opiece nad więźniami. Powstrzymywaniu naszych przed zabiciem tych pieprzonych esesmanów za to, co tam widzieliśmy. Kiedy młody Maslowicz zobaczył, co oni robili Polakom, zaczął wrzeszczeć, płakać, jakby dostał szału. Musiałem zabrać mu broń i oddać jednemu z podoficerów. Więc nie mogę tam wpuszczać nikogo niepowołanego. Poza tym – przełknął ślinę – trzeba wymyślić, co zrobić z ciałami.

– Z ciałami?

Danes pokręcił głową.

– Tak, z ciałami. Są ich tysiące. Oni sobie tam urządzali ogniska. Ogniska! Nie uwierzyłabyś... – Wydął policzki. – No dobrze, maleńka. Muszę cię o coś poprosić.

– Poprosić o coś mnie?

– Muszę zostawić pod twoją opieką tę przechowalnię.

Wlepiłam w niego wzrok.

– Na obrzeżach Berchtesgaden stoi magazyn. Otworzyliśmy go wczoraj i okazało się, że jest wypchany praktycznie do sufitu dziełami sztuki. Hitlerowcy, Göring, nagrabili takich rzeczy, że to się w głowie nie mieści. Wierchuszka szacuje, że wszystko to razem jest warte jakieś sto milionów dolarów, przy czym większość pochodzi z kradzieży.

– A co to ma wspólnego ze mną?

– Potrzebuję kogoś, komu mógłbym powierzyć opiekę nad tym magazynem, tylko do końca dnia. Będziesz miała do dyspozycji brygadę strażaków i dwóch marines. W miasteczku panuje chaos, a ja muszę mieć pewność, że nikt tam nie wejdzie i nikt stamtąd nie wyjdzie. W nim są naprawdę niesamowite rzeczy, maleńka. Nie znam się na sztuce, ale takie w rodzaju… no nie wiem… *Mony Lisy*, czy czegoś podobnego.

Wiecie, jak smakuje rozczarowanie? Jak żelazne opiłki w zimnej kawie. I właśnie ten smak czułam, kiedy stary Danes wiózł mnie do tej przechowalni. I to jeszcze zanim się dowiedziałam, że Marguerite Higgins dostała się do obozu dzień wcześniej, z generałem Lindenem.

Nie był to typowy magazyn, raczej ogromny szary gmach przypominający szkołę czy urząd. Danes skierował mnie w stronę dwóch marines, którzy zasalutowali, a potem zaprowadził mnie do gabinetu niedaleko głównego wejścia, gdzie miałam siedzieć. Muszę powiedzieć, że nie mogłam mu odmówić, ale byłam bardzo niezadowolona. Widać było jak na dłoni, że tak naprawdę ważne rzeczy dzieją się gdzie indziej. Chłopcy, zazwyczaj weseli i pełni życia, teraz stali zbici w grupki, trupio bladzi, i wszyscy palili jak kominy. Przełożeni rozmawiali przyciszonymi głosami, a na ich twarzach malowała się śmiertelna powaga. Chciałam się dowiedzieć, co tam znaleźli, choćby to było nie wiem jak straszne. Musiałam tam być, opisać to wszystko. A poza tym bałam się: każdy upływający dzień ułatwiał wierchuszce odrzucenie mojej prośby. Każdy upływający dzień był szansą dla mojej konkurencji.

– No więc Krabowski zadba o to, żebyś miała wszystko, czego ci trzeba, a Rogerson skontaktuje się ze mną, gdybyście mieli jakiekolwiek problemy. W porządku?

– Jasne. – Położyłam stopy na biurku i westchnęłam teatralnie.

– No to mamy umowę. Ty zrobisz to dla mnie, a ja zabiorę cię tam jutro, maleńka. Obiecuję.

– Na pewno mówi pan tak każdej dziewczynie – odparłam. Ale Danes wyjątkowo nawet się nie uśmiechnął.

Siedziałam tam przez dwie godziny, wyglądając przez okno w gabinecie. Dzień był ciepły, słońce odbijało się w kamiennych chodnikach, ale panowała jakaś dziwna atmosfera, która sprawiała, że wydawało się, iż jest chłodniej. Wojskowe samochody jeździły tam i z powrotem po głównej ulicy, wyładowane żołnierzami. Niemieccy żołnierze z rękami na głowach maszerowali pod eskortą w przeciwnym kierunku. Na rogach ulic stały w bezruchu grupki niemieckich kobiet i dzieci, zastanawiając się najwyraźniej, co z nimi będzie. (Słyszałam później, że wezwano je do pomocy przy grzebaniu zmarłych). I przez cały czas przenikliwy dźwięk syren odległych karetek kazał się domyślać jakichś niewyobrażalnych koszmarów. Koszmarów, które mnie omijały.

Nie wiem, czym Danes się tak przejmował: wyglądało na to, że nikt się nie interesuje naszym budynkiem. Zaczęłam pisać tekst, zmięłam kartkę, wypiłam dwie kawy i wypaliłam pół paczki papierosów, a nastrój miałam coraz podlejszy. Zaczęłam się zastanawiać, czy to wszystko nie był podstęp, żeby utrzymać mnie z dala od poważnych spraw.

– Ruszmy się, Krabowski – powiedziałam wreszcie. – Pokażecie mi, co tu mamy.

– Proszę pani, nie wiem, czy... – zaczął chłopak.

– Słyszeliście, co mówił podpułkownik. Dziś ja tutaj rządzę. A teraz mówię wam, żebyście mnie oprowadzili.

Spojrzał na mnie tak, jak kiedyś mój pies, który się spodziewał, że kopnę go wiecie gdzie. Ale zamienił parę słów z Rogersonem i wyruszyliśmy.

Z początku nie robiło to specjalnego wrażenia. Po prostu niezliczone rzędy drewnianych półek magazynowych, których zawartość zasłonięta była szarymi wojskowymi kocami. Ale potem podeszłam bliżej i zdjęłam obraz z jednego z regałów: współczesny wizerunek konia na tle abstrakcyjnego krajobrazu, w masywnej złoconej ramie. Jego kolory, nawet w tym skąpo oświetlonym wielkim pomieszczeniu, lśniły niczym jakiś skarb. Odwróciłam go na drugą stronę. Braque. Przez chwilę wpatrywałam się w podpis, a potem ostrożnie odłożyłam go na półkę i ruszyłam dalej. Zaczęłam wyciągać obrazy na chybił trafił: średniowieczne ikony, prace impresjonistów, ogromne renesansowe płótna w delikatnych ramach, podtrzymywane niekiedy specjalnymi konstrukcjami. Przesunęłam palcami po obrazie Picassa, oszołomiona możnością dotknięcia dzieła sztuki, które wcześniej widywałam tylko w czasopismach albo na ścianach galerii.

– Mój Boże, Krabowski. Widzieliście to?

Chłopak spojrzał na obraz.

– Yy... tak, proszę pani.

– Wiecie, kto to namalował? Picasso.

Jego wzrok nie wyrażał kompletnie nic.

– Picasso? Ten słynny malarz?

– Ja nie za bardzo znam się na sztuce, proszę pani.

– I myślisz sobie, że twoja siostrzyczka potrafiłaby namalować coś lepszego, tak?

Uśmiechnął się do mnie z wyraźną ulgą.

– Tak, proszę pani.

Odłożyłam obraz i wyciągnęłam kolejny. Był to portret dziewczynki z rączkami złożonymi na spódniczce. Z tyłu widniał napis: „Kira, 1922".

– Czy we wszystkich pomieszczeniach tutaj są takie rzeczy?

– Na górze są dwie sale z posągami, rzeźbami i takimi innymi, zamiast obrazów. Ale ogólnie to tak. Trzynaście sal z obrazami, proszę pani. To jest jedna z najmniejszych.

– Dobry Boże.

Rozejrzałam się wokół, po zakurzonych półkach ciągnących się wzdłuż wszystkich ścian, a potem znów spojrzałam na portrecik. Dziewczynka odpowiedziała mi poważnym wzrokiem. I wiecie, dopiero wtedy dotarło do mnie, że każdy z tych obrazów do kogoś należał. Każdy z nich wisiał na czyjejś ścianie, każdym ktoś się zachwycał. Prawdziwa, żywa osoba do niego pozowała, oszczędzała na niego pieniądze, malowała go albo miała nadzieję przekazać go w spadku wnukom. A potem pomyślałam o tym, co Danes powiedział o tych ciałach kilkanaście kilometrów stąd. Przypomniałam sobie jego znękaną, surową twarz i przeszedł mnie dreszcz.

Ostrożnie odłożyłam portret dziewczynki na półkę i przykryłam go kocem.

– Chodźmy, Krabowski. Pora wracać. Możecie mi przynieść filiżankę porządnej kawy.

Przedpołudnie dłużyło się, nadeszła pora lunchu, a potem popołudnie. Robiło się coraz cieplej, powietrze wokół magazynu zastygło w bezruchu. Napisałam do „New York Register" artykuł o magazynie i przeprowadziłam z Krabowskim i Rogersonem wywiad dla „Woman's Home Companion", do tekstu o młodych żołnierzach wyczekujących powrotu do domu. Potem wyszłam na zewnątrz rozprostować nogi i zapalić sobie. Usiadłam na masce wojskowego jeepa, czując pod bawełnianymi spodniami rozgrzany metal. Na drogach panowała niemal zupełna cisza. Żadnych ptaków, żadnych głosów. Nawet syreny umilkły. Podniosłam wzrok i spod zmrużonych powiek zobaczyłam rysującą się na tle słońca sylwetkę kobiety, która szła w moją stronę.

Poruszała się z wysiłkiem, utykając wyraźnie, chociaż nie mogła mieć więcej niż sześćdziesiąt lat. Pomimo ciepła miała na głowie chustkę, a pod pachą niosła jakieś zawiniątko. Kiedy mnie zobaczyła, przystanęła i rozejrzała się wokół. Dostrzegła na moim ramieniu opaskę, którą zapomniałam zdjąć, kiedy się okazało, że nie jadę z Danesem do obozu.

– *Englische?*

– Amerykanka.

Skinęła głową, jakby to też było do przyjęcia.

– *Hier* trzymają malunki, *ja*?

Nic nie odpowiedziałam. Nie wyglądała na szpiega, ale ja nie byłam pewna, jakich informacji mogę udzielać. Doprawdy, co za dziwne czasy.

Wyciągnęła ku mnie zawiniątko.

– Proszę. Weź.

Cofnęłam się.

Wpatrywała się we mnie przez chwilę, a potem zdjęła z niego zewnętrzną warstwę. Pod spodem znajdował się obraz, portret kobiety, z tego, co zdołałam zauważyć.

– Proszę. Weź. Daj tam.

– Dlaczego chce pani umieścić tam swój obraz?

Kobieta rozejrzała się dokoła, jakby się wstydziła, że tutaj jest.

– Proszę. Tylko weź. Nie chcę tego w domu.

Wzięłam od niej obraz. Przedstawiał dziewczynę, mniej więcej w moim wieku, z długimi rudawymi włosami. Nie była pięknością, ale miała w sobie coś, co sprawiało, że dosłownie nie dało się oderwać od niej oczu.

– Czy to pani obraz?

– Był męża. – I wtedy zauważyłam, że choć kobieta ma właściwie taką dobrotliwą babciną twarz, to kiedy spoglądała na portret, jej usta zaciskały się w wąską, pełną goryczy linię.

– Ale to jest piękne. Dlaczego chce pani oddać taką ładną rzecz?

– Nigdy nie chciałam tego w domu – powiedziała kobieta. – Mąż kazał. Przez trzydzieści lat musiałam mieć tę twarz w moim domu. Kiedy gotowałam, sprzątałam, siedziałam z mężem, musiałam na nią patrzeć.

– To tylko obraz – odrzekłam. – Nie można być zazdrosnym o obraz.

Ledwie mnie słuchała.

– Prawie trzydzieści lat się ze mnie śmiała. Kiedyś byłam z mężem szczęśliwa, ale ona go zniszczyła. A ja musiałam potem codziennie znosić tę twarz. Teraz on nie żyje, a ona nie będzie się dłużej na mnie gapić. Może wreszcie wrócić tam, gdzie jej miejsce.

Otarła oczy wierzchem dłoni.

– Jeśli nie chcesz wziąć – splunęła – to spal to.

Wzięłam. Co miałam robić?

No dobrze, a teraz jestem znów przy własnym biurku. Danes przyszedł do mnie, blady jak upiór, i obiecał, że jutro z nim pojadę.

– Jesteś pewna, że chcesz na to patrzeć, maleńka? – zapytał. – To naprawdę nic miłego. Nie sądzę, żeby to był odpowiedni widok dla damy.

– Od kiedy to nazywa mnie pan damą? – zażartowałam.

On jednak zupełnie nie miał ochoty do żartów. Usiadł ciężko na brzegu mojej pryczy i ukrył twarz w dłoniach. I kiedy tak na niego patrzyłam, jego potężne bary zaczęły się trząść. Stałam bezradna, nie wiedząc, co robić. Wreszcie wyciągnęłam z torby papierosa, zapaliłam go i podałam Danesowi. Wziął go, podziękował mi gestem i otarł oczy, nie podnosząc głowy.

Poczułam lekkie zdenerwowanie, a możecie mi wierzyć, że niełatwo wyprowadzić mnie z równowagi.

– Po prostu… dzięki za dzisiejsze, i tyle. Chłopcy mówili, że świetnie sobie poradziłaś.

Nie wiem, dlaczego nie powiedziałam mu o tym obrazie. Pewnie powinnam była, ale w końcu on wcale nie był z tamtego przeklętego magazynu. Ten portret nie miał z nim nic wspólnego. Tamta stara Niemka miała gdzieś, co się z nim stanie, byle tylko nie musiała dłużej na niego patrzeć.

Bo wiecie co? Po cichu myślę sobie, że obraz tak potężny, iż potrafi zachwiać całym małżeństwem, to jest naprawdę coś. A ta dziewczyna jest całkiem ładna. Nie mogę przestać się na nią gapić. Biorąc pod uwagę wszystko inne, co się wokół dzieje, przyjemnie jest móc popatrzeć sobie na coś pięknego.

Kiedy Marianne Andrews zamyka dziennik, w sali panuje całkowita cisza. Liv była przez cały czas tak mocno skoncentrowana, że teraz czuje się, jakby miała zemdleć. Ukradkiem zerka w bok i widzi Paula, z łokciami opartymi na kolanach i pochyloną głową. Obok niego Janey Dickinson gryzmoli coś z furią w notesie.

Torebka.

Angela Silver wstaje.

– Żeby nie było wątpliwości, panno Andrews. Obraz znany jako *Dziewczyna, którą kochałeś* nigdy nie był w magazynie i nie znajdował się tam również w chwili, kiedy pani matka go otrzymała.

– Nie, pani mecenas.

– Powtórzmy raz jeszcze: chociaż wspomniany magazyn był pełen zagrabionych, skradzionych dzieł sztuki, to ten konkretny obraz został podarowany pani matce poza jego terenem.

– Tak, pani mecenas. Przez pewną Niemkę. Tak jak mama pisze w dzienniku.

– Wysoki sądzie, niniejszy dziennik, spisany własnoręcznie przez Louanne Baker, dowodzi niezbicie, że ten obraz nigdy nie znajdował się w Punkcie Zbiórki. Został po prostu oddany przez kobietę, która nigdy go nie chciała. Oddany. Z jakiego powodu – osobliwej zazdrości na tle seksualnym, historycznej urazy – nigdy się nie dowiemy. Jednakże najistotniejszy jest tu fakt, że ten obraz, który, jak usłyszeliśmy, omal nie został zniszczony, był podarunkiem. Wysoki sądzie, minione dwa tygodnie wykazały, że proweniencja tego obrazu nie jest do końca jasna, że w jego historii są pewne luki, podobnie jak w przypadku wielu dzieł z tego burzliwego stulecia. Niemniej jednak teraz możemy udowodnić ponad wszelką wątpliwość, że dwie ostatnie zmiany właściciela przebiegły zgodnie z prawem. David Halston kupił go legalnie w 1997 roku dla swojej żony, która ma rachunek na potwierdzenie tego. Louanne Baker, poprzednia właścicielka, otrzymała go w 1945 roku, czego dowodem są jej własne słowa, spisane przez osobę znaną ze swej uczciwości i dokładności. Z tego powodu twierdzimy, że *Dziewczyna, którą kochałeś* powinna pozostać u swojej obecnej właścicielki. Odebranie jej obrazu byłoby kpiną z prawa.

Angela Silver siada. Paul podnosi wzrok. Przez tę króciutką chwilę, kiedy ich oczy się spotykają, Liv jest pewna, że widzi na twarzy mężczyzny ledwo dostrzegalny uśmiech.

Nadchodzi pora obiadowa, sąd zarządza przerwę. Marianne pali papierosa na schodach za budynkiem, turkusową torebkę ma przewieszoną przez ramię, stoi i spogląda na szarą ulicę.

– Czyż to nie było wspaniałe? – zagaduje konspiracyjnym szeptem do zbliżającej się Liv.

– Tak, świetnie pani poszło.

– A niech to, muszę ci się przyznać, że naprawdę mi się podobało. Teraz będą musieli odszczekać to wszystko, co mówili o mamie. Wiedziałam, że nigdy nie wzięłaby czegoś, co nie należało do niej. – Kobieta kiwa głową i strząsa popiół z papierosa. – Wiesz, mówili na nią „Nieustraszona Panna Baker".

Liv w milczeniu opiera się o balustradę. Jest chłodno, więc podnosi kołnierz. Marianne dopala papierosa, zaciągając się zachłannie.

– To był on, prawda? – pyta wreszcie Liv, patrząc prosto przed siebie.

– Skarbie, obiecałam mu, że nie powiem ani słowa. – Marianne zwraca się ku niej ze skruszoną miną. – Ależ byłam na siebie wściekła dziś rano. Ale tak, oczywiście. Ten biedak za tobą szaleje.

Christopher Jenks wstaje.

– Panno Andrews. Proste pytanie. Czy pani matka zapytała tę zdumiewająco hojną starszą panią o nazwisko?

Marianne Andrews mruga powiekami.

– Nie mam pojęcia.

Liv nie może oderwać wzroku od Paula. „Zrobiłeś to dla mnie?",
pyta go bezgłośnie. Ale on o dziwo przestał spoglądać w jej stronę.
Siedzi obok Janey Dickinson i wygląda na zmieszanego, zerka na
zegarek, a potem w stronę drzwi. Liv nie ma pojęcia, co powinna
mu powiedzieć.

– To niezwykły prezent. Dziwnie byłoby przyjąć coś takiego,
nie wiedząc nawet, kim jest darczyńca.

– Cóż, zwariowany prezent, zwariowane czasy. Pewnie trzeba
by się tam pofatygować, żeby to wszystko zrozumieć.

W sali rozlega się tłumiony śmiech. Marianne Andrews toczy
wokół triumfalnym wzrokiem. Liv dochodzi do wniosku, że chyba
odzywają się u niej niespełnione ambicje aktorskie.

– Istotnie. Przeczytała pani wszystkie dzienniki matki?

– Boże uchowaj – odpowiada Marianne. – Ona je pisała przez
trzydzieści lat. Trafiliśmy… trafiłam na nie dopiero wczoraj. – Jej
spojrzenie biegnie na chwilę w stronę ławki powództwa. – Ale
znaleźliśmy tę najważniejszą część. Tę, gdzie mama dostaje obraz.
I dlatego przyniosłam tu ten dziennik. – Kobieta wymawia słowo
„dostaje" z wielkim naciskiem, zerkając spod oka na Liv i kiwa-
jąc głową.

– Zatem nie czytała pani dziennika Louanne Baker z 1948 roku?

Na chwilę zapada cisza. Liv zauważa, że Henry sięga po
własne akta.

Jenks wyciąga rękę, a drugi prawnik podaje mu jakąś kartkę.

– Wysoki sądzie, czy mogę poprosić o zapoznanie się z wpisem
z jedenastego maja 1948 roku, zatytułowanym „Przeprowadzka"?

– Co oni robią? – Uwaga Liv wreszcie skupia się z powrotem
na procesie. Dziewczyna pochyla się w stronę Henry'ego, który
przerzuca papiery.

– Właśnie patrzę – odpowiada prawnik szeptem.

– Louanne Baker omawia w nim swoją przeprowadzkę z Newark w hrabstwie Essex do Saddle River.

– Zgadza się – wtrąca Marianne. – Saddle River. Tam się wychowałam.

– Tak... Widzą państwo, że pani Baker szczegółowo opisuje przeprowadzkę. Opowiada o swoich próbach zlokalizowania spodeczków i o tym, jak okropnie jest żyć w otoczeniu nierozpakowanych kartonów. Myślę, że każdy z nas potrafi wczuć się w jej sytuację. Jednakże, co szczególnie interesujące, pani Baker chodzi po nowym domu, usiłując... – Jenks robi pauzę, jakby chciał się upewnić, że cytuje dokładnie – ...„usiłując znaleźć idealne miejsce do powieszenia obrazu Liesl".

Liesl.

Liv patrzy, jak dziennikarze wertują swoje notatki. Czuje, że robi jej się słabo – ona już zna to imię.

– Bzdury – mówi Henry.

Jenks także je zna. Ludzie Seana Flaherty'ego wyprzedzają ich o kilka długości. Pewnie w czasie przerwy obiadowej cała ich ekipa zajmowała się wertowaniem dzienników.

– Chciałbym teraz zwrócić uwagę wysokiego sądu na akta armii niemieckiej z czasów pierwszej wojny światowej. Kommandant stacjonujący w St Péronne od 1916 roku, człowiek, który sprowadził swoich podkomendnych do Le Coq Rouge, nazywał się Friedrich Hencken. – Jenks robi znaczącą pauzę. – Z akt wynika, że Kommandant, który wówczas tam stacjonował, Kommandant, który podziwiał portret żony Édouarda Lefèvre'a, był to niejaki Friedrich Hencken. Teraz chciałbym przedstawić spis ludności zamieszkującej okolice Berchtesgaden z 1945 roku. Były Kommandant Friedrich Hencken i jego żona Liesl osiedlili się tam po przejściu Henckena na emeryturę. Zaledwie kilka ulic od magazynu ze zrabowanymi dziełami sztuki. Odnotowano również, że pani Hencken wyraźnie utykała wskutek polio, które przebyła w dzieciństwie.

Ich adwokatka zrywa się na równe nogi.

– To znów jedynie poszlaki.

– Pan Friedrich Hencken z żoną. Wysoki sądzie, twierdzimy, że Kommandant Friedrich Hencken zabrał obraz z Le Coq Rouge w roku 1917. Sprowadził go do swojego domu, najwyraźniej wbrew woli żony, która mogła słusznie sprzeciwiać się temu... temu sugestywnemu wizerunkowi innej kobiety. Dzieło pozostało tam aż do śmierci eks-Kommandanta. Wówczas panią Hencken opanowało tak przemożne pragnienie pozbycia się portretu rywalki, że zaniosła go kilka ulic dalej, do miejsca, w którym – jak wiedziała – znajdowały się miliony innych dzieł sztuki, miejsca, które miało pochłonąć obraz tak, by nikt go więcej nie ujrzał.

Angela Silver siada.

Jenks mówi dalej, teraz z nową energią:

– Panno Andrews. Wróćmy do wspomnień pani matki z tamtego okresu. Czy zechciałaby pani odczytać ten akapit? Należy zaznaczyć, że pochodzi on z tego samego wpisu w dzienniku. Louanne Baker najwyraźniej znajduje miejsce, które uważa za idealne dla *Dziewczyny*, jak określa obraz.

Jak tylko powiesiłam ją we frontowym saloniku, zauważyłam, że wygląda na zadowoloną. Promienie nie padają tu na nią bezpośrednio, ale południowe okno ze swoim ciepłym światłem sprawia, że jej kolory lśnią. W każdym razie wydaje się całkiem wesoła!

Marianne czyta teraz powoli. Te słowa matki widzi po raz pierwszy. Zerka w stronę Liv z przepraszającą miną, jakby już się domyślała, dokąd to wszystko zmierza.

Sama wbiłam gwoździe – gdy robi to Howard, ze ściany odpada zawsze kawał gipsu wielkości pięści – ale kiedy już miałam ją zawiesić, coś kazało mi odwrócić obraz i jeszcze raz przyjrzeć się tylnej stronie. A to sprawiło, że pomyślałam o tej biednej kobiecie, z tą jej smutną, zgorzkniałą starą twarzą. I przypomniałam sobie coś, o czym nie pamiętałam od czasów wojny.

Zawsze sądziłam, że to nie było nic ważnego. Ale kiedy Liesl podawała mi obraz, nagle zabrała go z powrotem, jakby się rozmyśliła. A potem zaczęła trzeć coś na jego odwrocie, jakby próbowała coś wymazać. Tarła i tarła, jak obłąkana. Robiła to tak mocno, że pomyślałam, iż w końcu obetrze sobie wszystkie palce.

W sali rozpraw panuje cisza, wszyscy słuchają w napięciu.

No więc teraz tam zajrzałam, tak samo jak wtedy. I właśnie to sprawiło, że zaczęłam się poważnie zastanawiać, czy ta biedna kobieta była przy zdrowych zmysłach, kiedy mi go oddawała. Bo choćby człowiek wpatrywał się w tylną stronę obrazu nie wiem jak długo, to poza tytułem nie ma tam naprawdę nic, tylko trochę kredy.

Czy wolno przyjąć coś od osoby, która nie jest przy zdrowych zmysłach? Nadal nie udało mi się znaleźć odpowiedzi na to pytanie. Szczerze mówiąc, świat wydawał się wówczas tak obłąkany – to, co działo się w obozach, dorośli mężczyźni płaczący jak dzieci, ja w roli nadzorcy cudzych dzieł sztuki wartych miliardy dolarów – że stara Liesl i jej zakrwawione kłykcie, szorujące puste miejsce, zdawały się właściwie całkiem normalne.

– Wysoki sądzie, jesteśmy zdania, że powyższa relacja – wraz z faktem, że Liesl nie podała swojego nazwiska – wyraźnie wskazuje na to, iż ktoś usiłował ukryć albo wręcz zniszczyć wszelkie ślady wskazujące na pochodzenie obrazu. Z niewątpliwym sukcesem.

Jenks milknie, a jeden z jego stażystów przechodzi przez salę i podaje mu jakąś kartkę. Mężczyzna czyta ją i nabiera powietrza. Omiata wzrokiem salę.

– Z niemieckiego spisu ludności, do którego właśnie udało nam się dotrzeć, wynika, że Sophie Lefèvre zaraziła się hiszpanką niedługo po przybyciu do obozu w Ströhen, gdzie wkrótce zmarła.

Liv słyszy te słowa poprzez szum w uszach. Wibrują w niej niczym wstrząs po otrzymaniu fizycznego ciosu.

– Wysoki sądzie, jak mieliśmy tu okazję się przekonać, Sophie padła ofiarą wielkiej niesprawiedliwości. Podobnie stało się z jej potomkami. Odebrano jej męża, godność, wolność, a wreszcie życie. Skradziono jej to wszystko. To, co pozostało – jej wizerunek – zostało następnie, jak wskazują dowody, odebrane jej rodzinie przez tego samego człowieka, który wyrządził jej największą krzywdę. Istnieje tylko jeden sposób, by naprawić to zło, choćby dopiero teraz, po latach: obraz musi powrócić do rodziny Lefèvre.

Reszta jego słów ledwie dociera do Liv. Paul siedzi z twarzą ukrytą w dłoniach. Ona spogląda na Janey Dickinson, a gdy ich spojrzenia się spotykają, zdumiona Liv zdaje sobie sprawę, że również innym uczestnikom procesu nie chodzi już tylko o obraz.

Kiedy wychodzą z sądu, nawet Henry jest przybity. Liv czuje się tak, jakby przejechała ich wszystkich wielka ciężarówka.

Sophie zmarła w obozie. Chora i samotna. Nigdy więcej nie zobaczyła męża.

Liv spogląda na uśmiechniętych Lefèvre'ów po drugiej stronie holu z nadzieją, że obudzi się w niej wielkoduszność. Szczerze pragnie poczuć, że jakieś wielkie zło za chwilę zostanie naprawione.

Ale przypomina sobie słowa Philippe'a Bessette'a, fakt, że w rodzinie nie wolno było nawet wymawiać jej imienia. Ma wrażenie, jakby Sophie po raz drugi miała trafić w ręce wroga. Czuje się dziwnie osierocona.

– Posłuchaj, nie wiadomo, co zdecyduje sędzia – mówi Henry, odprowadzając ją do tylnego wyjścia. – Postaraj się nie zadręczać tym przez cały weekend. Na razie nic więcej nie możemy zrobić.

Liv próbuje się uśmiechnąć.

– Dzięki, Henry – odpowiada. – Ja… zadzwonię do ciebie.

Dziwnie się tutaj czuje, w świetle zimowego słońca, jakby spędziła w sądzie znacznie więcej niż jedno popołudnie. Ma wrażenie, jakby wyszła tutaj prosto z roku 1945. Henry sprowadza jej taksówkę i kiwa Liv głową na pożegnanie. I właśnie wtedy dziewczyna zauważa jego, jak stoi przy bramkach. Wygląda, jak gdyby czekał tam na nią, i kieruje się prosto do niej.

– Przykro mi – mówi z posępną miną.

– Paul, nie…

– Naprawdę myślałem… przepraszam cię za wszystko.

Ich oczy spotykają się po raz ostatni i on odchodzi, nie zważając na klientów opuszczających pub Seven Stars i asystentki ciągnące wózki z aktami. Liv widzi jego nagle przygarbione ramiona, zwieszoną głowę, a to, w połączeniu ze wszystkimi innymi rzeczami, które się dziś wydarzyły, wreszcie rozwiewa jej wszelkie wątpliwości.

– Paul! – Musi zawołać go dwa razy, żeby przekrzyczeć hałas samochodów. – Paul!

Odwraca się. Liv nawet stąd widzi kolor jego tęczówek.

– Ja wiem. – Paul stoi przez chwilę zupełnie nieruchomo: wysoki mężczyzna, trochę przybity, w dobrym garniturze. – Ja wiem. Dziękuję… że próbowałeś.

Czasem życie to seria przeszkód, kwestia mozolnego podążania przed siebie krok za krokiem. A czasem, uświadamia sobie nagle Liv, to po prostu kwestia zaufania komuś w ciemno.

– Czy chciałbyś… chciałbyś wybrać się kiedyś na tego drinka? – Przełyka ślinę. – Choćby teraz?

Paul spogląda w zamyśleniu na swoje buty, a potem znów podnosi wzrok na nią.

– Dasz mi chwilę?

Wchodzi z powrotem na górę, do budynku. Ona zauważa Janey Dickinson pogrążoną w rozmowie z prawnikiem. Paul dotyka jej łokcia i wymieniają z sobą kilka słów. Liv czuje niepokój – głosik pytający natarczywie: „Co on jej teraz mówi?" – odwraca się i wsiada do taksówki, usiłując go uciszyć. Kiedy znów spogląda przez okno, Paul schodzi szybkim krokiem po schodach, owijając sobie szalik wokół szyi. Janey Dickinson wpatruje się w taksówkę, a teczka zwisa bezwładnie w jej dłoni.

Paul otwiera drzwi i wsiada, zatrzaskując je za sobą.

– Rzuciłem pracę – oznajmia. Wypuszcza z płuc powietrze i bierze Liv za rękę. – Dobrze. To dokąd jedziemy?

## 32

Kiedy Greg otwiera drzwi, jego mina nic nie zdradza.

– Miło panią widzieć, panno Liv – mówi, jak gdyby jej pojawienie się tutaj było czymś zupełnie naturalnym. Cofa się na korytarz, gdy tymczasem Paul zdejmuje jej płaszcz i ucisza psy, które biegną im na powitanie. – Przypaliłem risotto, ale Jake mówi, że to nic nie szkodzi, bo on i tak nie lubi grzybów. Więc pomyśleliśmy o pizzy.

– Pizza brzmi świetnie. I ja stawiam – stwierdza Paul. – Możliwe, że nieprędko zrobię to znowu.

Przez połowę czasu spędzonego w taksówce trzymali się za ręce, milcząc w oszołomieniu.

– Przeze mnie straciłeś pracę – odezwała się wreszcie Liv. – I wielką prowizję. I szansę na kupienie większego mieszkania dla synka.

Paul spojrzał prosto przed siebie.

– Żadnej z tych rzeczy nie straciłem przez ciebie. Sam odszedłem.

Greg unosi brew.

– Tak się składa, że w kuchni mniej więcej od wpół do piątej stoi otwarta butelka czerwonego. Nie ma to absolutnie nic wspólnego z tym, że od rana zajmuję się bratankiem. Prawda, Jake?

– Greg mówi, że wino z rana jak śmietana – woła chłopięcy głos z drugiego pokoju.

– Skarżypyta – odkrzykuje Greg. A potem zwraca się do Liv: – O nie. Nie mogę pozwolić ci na picie alkoholu. Pamiętasz, co się stało ostatnim razem, kiedy się upiłaś w naszym towarzystwie? Zmieniłaś mojego rozsądnego starszego brata w cierpiącego młodego Wertera.

– Pozwolę sobie przypomnieć, że z romantyzmu miałeś w liceum pałę – zauważa Paul, kierując się w stronę kuchni. – Liv, lepiej daj sobie chwilę na aklimatyzację. Pomysł Grega na dekorację wnętrz streszcza się w słowach: Im Więcej, Tym Lepiej. Mój brat nie uznaje minimalizmu.

– Mój domek nosi piętno mojej indywidualności, więc istotnie nie jest to *tabula rasa*.

– Jest pięknie – mówi Liv o kolorowych ścianach, odważnych grafikach i malutkich zdjęciach, które ją otaczają.

Czuje się zaskakująco swobodnie w tym małym kolejarskim domku z muzyką rozkręconą na pełny regulator, niezliczonymi ilościami ukochanych przedmiotów, tłoczących się na każdej półce i zajmujących każdy centymetr przestrzeni na ścianach, i z dzieckiem, które leży na dywaniku przed telewizorem.

– Hej – odzywa się Paul, wchodząc do salonu, gdzie chłopiec przekręca się na grzbiet niczym szczeniak.

– Tato. – Chłopak spogląda na Liv, a ona walczy z odruchem puszczenia ręki Paula, kiedy widzi, że mały to zauważył. – Czy ty jesteś tą samą dziewczyną co dziś rano? – pyta Jake po chwili.

– Mam nadzieję. Chyba że była jakaś inna.

– Raczej nie – mówi Jake. – Myślałem, że cię rozgniotą.

– Tak, ja też tak trochę myślałam.

Chłopiec przygląda jej się przez dłuższą chwilę.

– Tata popsikał się perfumami ostatnim razem, jak się z tobą widział.

– Wodą kolońską – uściśla Paul i nachyla się, żeby pocałować syna. – Skarżypyto.

„Czyli to jest Mini-Paul", myśli Liv, i jest to przyjemna myśl.

– To Liv. Liv, to jest Jake.

Kobieta unosi dłoń.

– Nie znam zbyt wielu ludzi w twoim wieku, więc pewnie będę mówiła sporo okropnie lamerskich rzeczy, ale bardzo miło mi cię poznać.

– Nic nie szkodzi. Przyzwyczaiłem się.

Zjawia się Greg i podaje jej kieliszek czerwonego wina. Spogląda to na Paula, to na Liv.

– No to jak mam to rozumieć? Czy to *entente cordiale* pomiędzy walczącymi frakcjami? Czy wy dwoje jesteście teraz… tajnymi współpracownikami?

Liv krzywi się niedostrzegalnie, słysząc to określenie. Odwraca się i patrzy na Paula.

– Nic mnie nie obchodzi ta praca – stwierdza cicho, zamykając dłoń Liv w swoim uścisku. – Wiem tyle, że kiedy nie jestem z tobą, jestem stale wredny i wszystko mnie wkurza.

– Nie – odpowiada Liv, a na jej twarzy pojawia się szeroki uśmiech. – On się po prostu zorientował, że przez cały czas był po niewłaściwej stronie.


Kiedy Andy, chłopak Grega, zjawia się na Elwin Street, w małym domku tłoczy się ich pięcioro, ale nikt nie ma wrażenia, że jest za ciasno. Liv siedzi przy stercie kawałków pizzy i myśli o zimnym Szklanym Domu na dachu magazynu. I nagle ten dom wydaje jej się tak silnie związany z procesem sądowym, z jej własnym nieszczęściem, że nie chce do niego wracać.

Nie chce patrzeć w twarz Sophie, wiedząc, co wkrótce nastąpi. Siedzi wśród tych prawie nieznajomych ludzi, gra w planszówki i śmieje się z ich rodzinnych żartów, i orientuje się, że jej poczucie nieustannego zaskoczenia bierze się z odkrycia, że pomimo wszystko jest szczęśliwa; szczęśliwa w taki sposób, w jaki nie była od lat.

I jest tu Paul. Paul, który wygląda na fizycznie zmaltretowanego dzisiejszymi wydarzeniami, jakby to on, a nie ona, stracił wszystko. Ilekroć odwraca się, by na nią spojrzeć, coś wewnątrz Liv zmienia ustawienie, jakby jej ciało musiało się dostroić do możliwości bycia znowu szczęśliwą.

„Wszystko w porządku?", pyta spojrzenie Paula.

„Tak", odpowiada wzrok Liv, a ona naprawdę tak czuje.

– No to co się stanie w poniedziałek? – pyta Greg, gdy siadają wokół stołu. Pokazywał im próbki materiałów, które zamierza wykorzystać podczas realizowania swojej nowej wizji kolorystycznej w barze. Stół zasłany jest okruchami i na wpół opróżnionymi kieliszkami z winem. – Będziesz musiała oddać im ten obraz? Wiadomo już, że przegrasz proces?

Liv spogląda na Paula.

– Chyba tak – mówi. – Muszę tylko oswoić się z myślą, że trzeba będzie… pozwolić jej odejść. – Czuje, że w gardle znienacka rośnie jej gula, i uśmiecha się, usiłując zmusić ją do ustąpienia.

Greg wyciąga do niej rękę.

– Ojej, kochanie, przepraszam. Nie chciałem zrobić ci przykrości.

Liv wzrusza ramionami.

– Nic mi nie jest. Naprawdę. Ona już nie należy do mnie. Powinnam była dawno to zrozumieć. Chyba po prostu… nie chciałam zauważyć tego, co miałam przed samym nosem.

– W każdym razie masz jeszcze dom – odzywa się Greg. – Paul mówił, że jest niesamowity. – Widzi ostrzegawcze spojrzenie brata. – Co? Ona ma nie wiedzieć, że coś o niej mówiłeś? Człowieku, czy my jesteśmy w podstawówce?

Paul przez chwilę ma zakłopotaną minę.

– Ech – wzdycha Liv. – Niezupełnie. Właściwie nie mam.

– Co?

– Wystawiłam go na sprzedaż.

Paul nieruchomieje.

– Muszę go sprzedać, żeby opłacić koszty procesu.

– Ale zostanie ci dość pieniędzy, by kupić sobie coś mniejszego, tak?

– Jeszcze nie wiem.

– Ale przecież ten dom…

– …był już zadłużony po uszy. I podobno wymaga remontu. Nie robiłam w nim nic od śmierci Davida. Wygląda na to, że niesamowite importowane szkło o właściwościach termicznych nie jest niezniszczalne, nawet jeśli David tak uważał.

Paul zaciska szczęki. Gwałtownie odsuwa krzesło i odchodzi od stołu.

Liv spogląda na Grega i Andy'ego, a potem na drzwi.

– Pewnie wyszedł do ogrodu – mówi Greg, unosząc brew. – Który jest wielkości chustki do nosa. Nie zgubi ci się. – A potem, kiedy Liv wstaje, Greg mruczy: – To naprawdę przesłodkie, jak co chwila rozwalasz mojego brata. Szkoda, że jako czternastolatek nie miałem twoich supermocy.

Paul stoi na małym patio, zatłoczonym donicami z terakoty, w których rosną sterczące na wszystkie strony rośliny, pozbawione liści przez mróz. Mężczyzna jest odwrócony do niej plecami, ręce ma wciśnięte w kieszenie. Wygląda na zdruzgotanego.

– Czyli naprawdę wszystko straciłaś. Przeze mnie.

– Jak sam mówiłeś, gdybyś to nie był ty, znalazłby się ktoś inny.

– Co ja sobie myślałem? Co ja sobie, kurwa, myślałem?

– Po prostu wykonywałeś swoją pracę.

Paul dotyka dłonią podbródka.

– Wiesz co? Naprawdę nie musisz mnie pocieszać.

– Nic mi nie jest. Serio.

– Jak to możliwe? Mnie by było. Byłbym wściekły jak… Och, Jezu. – W jego głosie dźwięczy bezsilna frustracja.

Liv czeka, a potem bierze go za rękę i prowadzi do ogrodowego stoliczka. Żelazo jest zimne, ona czuje to nawet przez ubranie, więc przesuwa swoje krzesło do przodu, wsuwa kolana między kolana Paula i czeka, aż wreszcie jest pewna, że on jej słucha.

– Paul.

Jego twarz jest nieruchoma.

– Paul. Spójrz na mnie. Musisz to zrozumieć. Najgorsze, co mogło mnie spotkać, już się wydarzyło.

Mężczyzna podnosi wzrok.

Liv przełyka ślinę, wiedząc, że takie słowa nie przychodzą łatwo, że mogą po prostu uwięznąć jej w gardle.

– Cztery lata temu David i ja położyliśmy się spać jak każdej innej nocy, umyliśmy zęby, poczytaliśmy trochę w łóżku, zamieniliśmy parę słów o restauracji, do której wybieraliśmy się nazajutrz… a kiedy obudziłam się następnego ranka, on leżał koło mnie zimny jak lód. Siny. Ja nie… nie poczułam, że on odchodzi. Nie udało mi się nawet powiedzieć…

Na chwilę zapada cisza.

– Możesz sobie wyobrazić, jakie to uczucie wiedzieć, że spałeś, podczas gdy najdroższa ci osoba umierała tuż obok? Wiedzieć, że prawdopodobnie mogłeś coś zrobić, żeby jej pomóc? Uratować ją? Nie wiedzieć, czy ona czasem na ciebie nie patrzyła, nie błagała cię bezgłośnie…

Słowa ją zawodzą, oddech więźnie w gardle, znajoma fala grozy, że znów ją zaleje. Paul powoli wyciąga ręce i ujmuje nimi dłoń Liv, aż w końcu wraca jej głos.

– Myślałam, że świat się dosłownie skończył. Że już nigdy nie spotka mnie nic dobrego. Wydawało mi się, że jeśli stracę czujność, na pewno wydarzy się jakaś katastrofa. Nie jadłam. Nie wychodziłam z domu. Nie chciałam nikogo widzieć. Ale przeżyłam, Paul. Ku mojemu własnemu zaskoczeniu przetrwałam to. I życie… cóż, życie stopniowo zaczęło robić się na powrót znośne.

Liv nachyla się ku niemu.

– Więc ta sprawa… obraz, dom… Uderzyło mnie to, kiedy usłyszałam, co spotkało Sophie. To przecież są tylko rzeczy. Szczerze mówiąc, mogliby zabrać mi je wszystkie. Jedyne, co się liczy naprawdę, to ludzie. – Liv spuszcza wzrok na ręce Paula i głos jej się łamie. – Liczą się tylko ci, których się kocha.

Paul nic nie mówi, tylko pochyla głowę tak, że opiera się ona o głowę Liv. Siedzą we dwoje w zimowym ogrodzie, wdychają nocne powietrze i słuchają dobiegającego z domu stłumionego śmiechu jego synka. Z ulicy słychać odgłosy wczesnego wieczoru w mieście, brzęk garnków w dalekiej kuchni, włączanych telewizorów, trzaskających drzwi od samochodu, psa, który z oburzeniem szczeka na coś niewidocznego. Życie jest chaotyczną, pulsującą jednością.

– Wynagrodzę ci to – mówi cicho Paul.

– Już to zrobiłeś.

– Nie. Wynagrodzę.

Na policzkach Liv błyszczą łzy. Ona nie ma pojęcia, skąd się tam wzięły. Błękitne oczy Paula nagle wypełnia spokój. Bierze jej twarz w dłonie i całuje ją, scałowuje jej łzy. Jego wargi miękko dotykają jej skóry, obiecują przyszłość. Całuje ją, aż wreszcie oboje się uśmiechają, a Liv orientuje się, że nie czuje stóp.

– Powinnam już iść. Jutro przychodzą jacyś ludzie oglądać dom – mówi, niechętnie wyswobadzając się z jego objęć.

Po drugiej stronie miasta stoi pusty Szklany Dom. Myśl o powrocie nadal nie jest pociągająca. Liv spodziewa się trochę, że Paul zaprotestuje.

– Może… może chciałbyś pojechać ze mną? Jake mógłby spać w pokoju gościnnym. Pozwoliłabym mu otworzyć i zamknąć dach. Kto wie, może zarobiłabym kilka punktów do fajności?

Paul odwraca wzrok.

– Nie mogę – stwierdza po prostu. I zaraz dodaje: – To znaczy bardzo bym chciał, ale…

– Zobaczymy się w weekend?

– Jest u mnie Jake, ale… jasne. Coś wymyślimy.

Sprawia wrażenie dziwnie rozkojarzonego. Liv widzi na jego twarzy cień zwątpienia. „Czy naprawdę będziemy potrafili wybaczyć sobie wszystko, co przez siebie straciliśmy?", zastanawia się ona i czuje nagły chłód, który nie ma nic wspólnego z temperaturą na zewnątrz.

– Odwiozę cię – proponuje Paul. I to uczucie mija.

Kiedy Liv wchodzi do domu, panuje w nim cisza. Zamyka drzwi, odkłada klucze i idzie do kuchni, a odgłos jej kroków odbija się echem od wapiennej podłogi. Aż trudno uwierzyć, że wyszła stąd jeszcze tego samego ranka: Liv ma wrażenie, jakby od tamtego czasu upłynęło całe życie.

Wciska guzik na automatycznej sekretarce. Wiadomość od przejętego poczuciem własnej ważności pośrednika, który oznajmia, że kupcy mają nazajutrz przysłać do niej swojego architekta. Pozdrawia.

Dziennikarz z mało znanego magazynu o sztuce, który chce przeprowadzić z nią wywiad na temat sprawy Lefèvre'ów.

Pracownik banku. Krzepiąco obojętny na całe zamieszanie w mediach. Czy pani Halston mogłaby zadzwonić jak najszybciej w celu przedyskutowania kwestii jej zadłużenia? Usiłują się z nią skontaktować po raz trzeci, dodaje mężczyzna dobitnie.

Wiadomość od ojca, który przesyła buziaki. „Caroline mówi, że kij im wszystkim w oko".

Do uszu Liv dobiega stłumione dudnienie muzyki z mieszkania poniżej, trzaśnięcie drzwi do budynku i śmiech; zwykłe odgłosy piątkowej nocy. Przypomnienie, że gdzie indziej świat kręci się niezależnie od wszystkiego; że poza tym dziwnym zawieszeniem istnieje życie.

Wieczór dłuży jej się niemiłosiernie. Liv włącza telewizję, ale nie ma w niej nic, co miałaby ochotę obejrzeć, więc zamiast tego idzie wziąć prysznic i umyć włosy. Przygotowuje sobie ubranie na następny dzień i zjada parę krakersów z serem.

Jednak jej emocje nie chcą się uspokoić: brzęczą niczym szafa pełna pustych metalowych wieszaków. Jest wyczerpana, ale krąży niespokojnie po domu, nie będąc w stanie usiedzieć. Na wargach wciąż czuje smak Paula, w uszach dźwięczą jej jego słowa. Przez chwilę zastanawia się, czy do niego nie zadzwonić, ale kiedy sięga po telefon, palce nieruchomieją jej na klawiszach. Co właściwie miałaby mu powiedzieć? „Chciałam tylko usłyszeć twój głos?"

Idzie do pokoju gościnnego, który jest nieskazitelnie czysty i pusty, jakby nikt w nim nigdy nie mieszkał. Liv krąży po nim, muskając palcami krzesła i komodę. Cisza i pustka nie niosą już ukojenia. Wyobraża sobie Mo, wtuloną w Ranica w pełnym ludzi domu, podobnym do tego, z którego ona niedawno wyszła.

Wreszcie robi sobie herbatę i idzie do swojej sypialni. Siada na środku łóżka, opiera się o poduszki i uważnie przygląda się Sophie w jej pozłacanej ramie.

„Po cichu myślę sobie, że obraz tak potężny, iż potrafi zachwiać całym małżeństwem, to jest naprawdę coś".

Cóż, Sophie, mówi w duchu Liv, zachwiałaś czymś znacznie więcej. Patrzy na obraz, który kocha od blisko dziesięciu lat, i wreszcie pozwala sobie na wspomnienie tego dnia, kiedy kupili go razem z Davidem, o tym, jak podnieśli go w hiszpańskim słońcu, o grze kolorów w białym świetle, o tym, jak ich wspólna przyszłość zdawała się malować w takich właśnie barwach. Przypomina sobie, jak po powrocie do domu zawiesili go w tym pokoju; jak ona patrzyła na *Dziewczynę*, zastanawiając się, co takiego David widzi w niej samej, co ma odbicie w tym obrazie, i jak czuła się w jakiś sposób piękniejsza dlatego, że to zobaczył.

„Wyglądasz dokładnie tak samo, kiedy..."

Przypomina sobie dzień, w kilka tygodni po śmierci Davida, kiedy z wysiłkiem dźwignęła głowę znad mokrej poduszki i odniosła wrażenie, że Sophie patrzy wprost na nią. To także jest do zniesienia, mówiło jej spojrzenie. Być może teraz o tym nie wiesz. Ale przetrwasz.

Tylko że Sophie nie przetrwała.

Liv czuje, że coś ściska ją w gardle.

– Tak mi przykro, że spotkało cię to wszystko – mówi w ciszę pokoju. – Chciałabym, żeby mogło być inaczej.

Nagle zalewa ją fala smutku i Liv wstaje, podchodzi do portretu i odwraca go, żeby więcej go nie widzieć. Może to dobrze, że wyprowadza się z tego domu: puste miejsce na ścianie nieustannie przypominałoby jej o poniesionej porażce. Już teraz zdaje się to mieć symboliczny związek z tym, jak sama Sophie została praktycznie wymazana.

I kiedy już ma się poddać wszechogarniającej melancholii, Liv nagle się zatrzymuje.

W ciągu ostatnich tygodni w mieszkaniu zapanował chaos i bałagan, każdy skrawek wolnej powierzchni zarzucony jest dokumentami. Liv zaczyna się krzątać z nowym poczuciem celu, układa papiery w schludne stosiki, chowa je do teczek, związuje gumką. Nie wie, co z nimi zrobi, kiedy proces się skończy. Wreszcie wyszukuje czerwoną teczkę, którą dostała od Philippe'a Bessette'a. Przerzuca delikatne kartki, aż w końcu znajduje te dwie, których szuka.

Przygląda im się, a potem zanosi je do kuchni. Zapala świecę i zbliża kartki, jedną po drugiej, do migoczącego płomienia, aż zostaje z nich tylko popiół.

– Proszę, Sophie – mówi Liv. – Przynajmniej tyle mogę dla ciebie zrobić.

A teraz, myśli, pora na Davida.

# 33

– Myślałem, że o tej porze będziecie już jechać do siebie. Jake zasnął w trakcie oglądania *Śmiechu warte*. – Greg wchodzi boso do kuchni i ziewa. – Chcesz, żebym rozłożył polówkę? Trochę późno, żeby ciągnąć dzieciaka do domu.

– Byłoby super. – Paul prawie nie podnosi głowy znad dokumentów. Przed nim stoi otwarty laptop.

– Co ci przyjdzie z czytania tego jeszcze raz? Wyrok ma zapaść w poniedziałek, prawda? A poza tym… zaraz… przecież ty właśnie rzuciłeś pracę, nie?

– Coś przeoczyłem. Jestem tego pewny. – Paul przesuwa palcem po stronie w dół, a potem przewraca ją niecierpliwie. – Muszę przejrzeć materiał dowodowy.

– Paul. – Greg przysuwa sobie krzesło. – Paul – powtarza głośniej.

– Co?

– Już po wszystkim, bracie. I jest dobrze. Ona ci wybaczyła. Ty pokazałeś, na co cię stać. I chyba teraz powinieneś po prostu dać sobie spokój.

Paul odchyla się na krześle i przeciąga ręką po oczach.

– Tak myślisz?

– Szczerze? Zachowujesz się trochę jak maniak.

Paul pociąga łyk kawy. Jest zimna.

– To nas zniszczy.

– Co?

– Greg, Liv kochała ten obraz. I nie będzie jej to dawać spokoju, to, że ja... że to przeze mnie go straciła. Może nie tak od razu, może nawet nie za rok czy dwa. Ale to się na pewno zemści.

Greg opiera się o kuchenny blat.

– Ona mogłaby to samo powiedzieć o twojej pracy.

– Ja się nie przejmuję pracą. I tak miałem już dosyć tej firmy.

– A Liv powiedziała, że nie przejmuje się obrazem.

– Tak. Ale ona nie ma teraz wyjścia. – Kiedy Greg bezsilnie kręci głową, Paul nachyla się ku niemu nad papierami. – Wiem, ile może się zmienić po drodze, Greg, jak rzeczy, które na początku nie są najmniejszym problemem, potrafią potem przesłonić ci wszystko, co dobre.

– Ale...

– I wiem, że strata czegoś, co się kochało, może przez całe lata nie dawać człowiekowi spokoju. Nie chcę, żeby Liv pewnego dnia, patrząc na mnie, musiała walczyć z myślą: „Ty jesteś facetem, który zrujnował mi życie".

Greg przechodzi cicho przez kuchnię i włącza czajnik. Robi trzy kawy i podaje Paulowi jedną z filiżanek. Szykując się do zabrania pozostałych dwóch do salonu, kładzie bratu rękę na ramieniu.

– Ja wiem, że lubisz różne rzeczy naprawiać, mój dzielny starszy bracie. Ale szczerze? W tym przypadku będziesz musiał po prostu liczyć na to, że wszystko się jakoś uda.

Paul go nie słyszy.

– Lista właścicieli – mamrocze do siebie. – Lista obecnych właścicieli obrazów Lefèvre'a.

Osiem godzin później Greg budzi się i widzi pochyloną nad sobą buzię dziesięciolatka.

– Jestem głodny – mówi chłopiec, pocierając sobie energicznie nos. – Mówiłeś, że masz coco popsy, ale nie mogę ich znaleźć.

– Dolna szafka – odpowiada Greg zaspanym głosem. W szparze między zasłonami nie widać światła, konstatuje mimochodem.

– I nie masz mleka.

– Która godzina?

– Za piętnaście siódma.

– Uch. – Greg naciąga sobie kołdrę na głowę. – Nawet psy jeszcze śpią o tej porze. Poproś tatę.

– Nie ma go.

Oczy Grega otwierają się powoli i kierują w stronę zasłon.

– Jak to go nie ma?

– Zniknął. Śpiwór jest ciągle zwinięty, więc chyba nie spał na kanapie. Możemy kupić rogaliki w tej piekarni na końcu ulicy? Te z czekoladą?

– Już wstaję. Już wstaję. Wstałem. – Greg powoli winduje się do pionu i drapie się po głowie.

– A Pirat nasikał na podłogę.

– Aha. Świetnie. No to zapowiada się fantastyczna sobota.

Paula rzeczywiście nie ma, ale zostawił liścik na stole w kuchni: nabazgrał go na odwrocie sądowej listy materiałów dowodowych i położył na wierzchu rozsypanej kupki papierów.

Musiałem wyjść. Zajmiesz się Jakiem? Zadzwonię.

– Wszystko dobrze? – pyta Jake, wpatrując się uważnie w twarz wujka.

W kubku na stole widać ślady czarnej kawy. Zasypany papierami stół wygląda, jakby przeszło po nim tornado.

– W porządku, koleżko – odpowiada Greg, wichrząc chłopcu włosy. Składa liścik, umieszcza go w kieszeni i zaczyna zaprowadzać jako taki ład wśród teczek i papierów. – Wiesz co, jestem za tym, żeby zrobić na śniadanie naleśniki. Co ty na to, żebyśmy włożyli kurtki na piżamy i poszli na róg po jajka?

Kiedy Jake wychodzi z kuchni, Greg chwyta telefon i z furią wystukuje esemesa.

Jeżeli w tej chwili jesteś tam i się bzykasz,
to masz u mnie MEGADŁUG.

Czeka przez kilka minut, po czym wciska komórkę do kieszeni, ale odpowiedź nie przychodzi.

W sobotę na szczęście dużo się dzieje. Liv czeka w domu, aż przyjdą kupcy i go wymierzą, a potem na ekipę remontową i architekta, którzy mają oszacować rozmiary prac, jakich dom jakoby wymaga. Porusza się wśród tych nieznajomych w swoim mieszkaniu, usiłując połączyć w odpowiednich proporcjach usłużność z życzliwością, jak przystało na zbywcę nieruchomości, i nie okazywać swoich prawdziwych uczuć, co oznaczałoby krzyczenie „WYNOCHA!" i wykonywanie obraźliwych gestów. Żeby zająć czymś myśli, Liv zabiera się do pakowania i sprzątania, wykorzystując pociechę, jaką przynoszą drobne domowe prace. Wyrzuca dwa worki na śmieci wypchane starymi ubraniami. Dzwoni do kilku agencji w sprawie najmu mieszkania, a kiedy wymienia wysokość czynszu, na jaki może sobie pozwolić, w słuchawce zapada długa pogardliwa cisza.

– Czy my się czasem skądś nie znamy? – pyta architekt, gdy Liv odkłada słuchawkę.

– Nie – odpowiada pospiesznie. – Nie wydaje mi się.

Paul nie dzwoni.

Po południu Liv jedzie do ojca.

– Caroline załatwiła ci nieziemskie zioło pod choinkę – oznajmia Michael. – Będziesz zachwycona.

– Świetnie – odpowiada Liv.

Jedzą obiad złożony z sałatki i jakiegoś meksykańskiego dania. Caroline nuci sobie podczas posiłku. Ojciec szykuje się do udziału w reklamie ubezpieczeń samochodowych.

– Podobno będę musiał się wcielić w kurczaka. Kurczaka ze zniżką za bezszkodową jazdę.

Liv próbuje skupić się na tym, co on mówi, ale ciągle myśli o Paulu, odtwarza sobie w głowie poprzedni dzień. Sama przed sobą nie chce się przyznać do zdziwienia faktem, że jeszcze nie zadzwonił. O Boże. Już się zmieniam w namolną narzeczoną. A oficjalnie jesteśmy z sobą od niecałej doby. Rozbawia ją określenie „oficjalnie".

Nie chcąc wracać do Szklanego Domu, Liv zostaje u ojca znacznie dłużej niż zazwyczaj. On sprawia wrażenie zachwyconego, pije więcej, niż powinien, i wyciąga czarno-białe zdjęcia córki, które znalazł, sortując zawartość szuflad. Ich widok ma w sobie coś dziwnie krzepiącego: te fotografie są przypomnieniem, że przed procesem było przecież inne życie, niezwiązane z Sophie Lefèvre, domem, na który jej nie stać, i tym strasznym ostatnim dniem w sądzie nadciągającym nieuchronnie.

– Takie piękne dziecko.

Ufna, uśmiechnięta twarz na zdjęciu sprawia, że Liv zbiera się na płacz. Ojciec obejmuje ją ramieniem.

– Nie przejmuj się za bardzo poniedziałkiem. Wiem, że było ci ciężko. Ale byliśmy z ciebie strasznie dumni, wiesz?

– Z czego? – pyta Liv, wydmuchując nos. – Przegrałam, tato. Większość ludzi uważa, że w ogóle nie powinnam była zaczynać.

Ojciec przyciąga ja do siebie. Pachnie czerwonym winem i tą częścią jej życia, która wydaje się należeć do zamierzchłej przeszłości.

– Właściwie po prostu z tego, że się nie poddawałaś. Niekiedy, kochana córeczko, już samo to jest czymś heroicznym.

Gdy do niego dzwoni, dochodzi wpół do piątej. Minęła prawie doba, tłumaczy sobie. A poza tym zwyczajne randkowe zasady na pewno nie obowiązują w przypadku, kiedy ktoś właśnie zrezygnował dla ciebie z połowy swojego życia. Serce zaczyna jej bić nieco szybciej, gdy wybiera numer: Liv już cieszy się na to, że zaraz usłyszy jego głos. Wyobraża ich sobie wieczorem, za kilka godzin, jak siedzą przytuleni na kanapie w jego ciasnym mieszkanku, albo może grają z Jakiem w karty na dywanie. Jednak po trzech sygnałach włącza się poczta głosowa. Szybko się rozłącza, dziwnie rozstrojona, i zaraz przeklina się za swoje dziecinne zachowanie.

Idzie się przebiec, bierze prysznic, robi Fran herbatę („W ostatniej były tylko dwie łyżeczki cukru"), siada obok telefonu, aż wreszcie o wpół do siódmej wybiera jego numer po raz drugi. I znów natyka się na pocztę głosową. Nie zna numeru jego telefonu stacjonarnego. Może powinna tam po prostu pojechać? A może Paul jest u Grega? Uświadamia sobie jednak, że do niego też nie ma numeru. Piątkowe wydarzenia tak ją oszołomiły, że kiedy tam przyjechali, nie była nawet pewna, jaki to adres.

Nie bądź śmieszna, mówi sobie. On zadzwoni.

Nie dzwoni.

O wpół do dziewiątej, wiedząc, że nie będzie w stanie spędzić reszty wieczoru w domu, Liv wstaje, wkłada płaszcz i bierze klucze.

Droga do baru Grega nie jest daleka, zwłaszcza jeśli przebywa się ją w adidasach i na wpół biegiem. Liv otwiera drzwi i zderza się ze ścianą hałasu. Na niedużej scenie po lewej mężczyzna przebrany za kobietę śpiewa chrapliwie jakąś piosenkę w rytmie disco, a wtórują mu pełne uznania gwizdy zachwyconej publiczności. Stoliki w drugiej części sali są zatłoczone, w przejściach pomiędzy nimi roi się od umięśnionych ciał w obcisłych strojach.

Mija kilka minut, zanim go zauważa, jak przemieszcza się szybko wzdłuż baru, z przerzuconą przez ramię ściereczką. Liv przeciska się w jego stronę, na wpół wciśnięta pod czyjąś pachę, i wykrzykuje jego imię.

Musi to zrobić parę razy, żeby wreszcie ją usłyszał. Greg odwraca się w jej stronę. Uśmiech zamiera Liv na wargach: wyraz jego twarzy jest dziwnie mało przyjazny.

– No proszę, najwyższa pora.

Liv mruga powiekami.

– Słucham?

– Prawie dziewiąta. Czy wy sobie ze mnie jaja robicie?

– Nie wiem, o czym mówisz.

– Przez cały dzień się nim zajmuję. Andy miał wieczorem wyjść gdzieś ze znajomymi. No i musiał to odwołać, żeby zostać u mnie i bawić się w niańkę. Powiem ci, że nie był tym zachwycony.

Przez panujący w barze hałas Liv z trudem słyszy, co on do niej mówi. Greg podnosi dłoń i pochyla się do przodu, by przyjąć zamówienie.

– To znaczy, wiesz, że obaj go kochamy, tak? – odzywa się, wracając do niej. – Z całego serca. Ale traktowanie nas jak darmowej opiekunki to naprawdę...

– Szukam Paula – mówi Liv.

– On nie jest z tobą?

– Nie. I nie odbiera telefonu.

– Wiem, że nie odbiera. Myślałem, że to dlatego, że jest z... Rany, co za obłęd. Wejdź tutaj. – Greg unosi ruchomą część baru, tak żeby Liv mogła się wcisnąć, i rozkłada ręce w odpowiedzi na ryk protestu ze strony czekających w kolejce. – Dwie minuty, chłopcy. Dwie minuty.

Przez ściany prowadzącego do kuchni korytarzyka niesie się dudnienie muzyki, a Liv czuje, że jej stopy wibrują.

– Ale gdzie on pojechał? – pyta.

– Nie wiem. – Gniew Grega wyparował. – Rano zastaliśmy w kuchni liścik, że musiał gdzieś iść. I nic więcej. Wczoraj po twoim wyjściu zachowywał się trochę dziwnie.

– Jak to dziwnie?

Greg unika jej wzroku, jakby już powiedział za dużo.

– Co to znaczy?

– Nie był sobą. On się tym wszystkim mocno przejmuje. – Greg przygryza wargi.

– Co?

Wygląda na zmieszanego.

– No, on... powiedział, że ten obraz zniszczy jakiekolwiek szanse na związek między wami.

Liv wlepia w niego wzrok.

– Myślisz, że on...

– Na pewno nie miał na myśli...

Ale Liv już przepycha się do wyjścia.

Zupełnie pusta niedziela wydaje się trwać całą wieczność. Liv siedzi w swoim cichym domu z milczącym głucho telefonem, w głowie ma mętlik i czeka na koniec świata.

Jeszcze raz dzwoni do niego na komórkę i rozłącza się gwałtownie, kiedy zgłasza się poczta głosowa.

Przestało mu na mnie zależeć.

Oczywiście, że nie.

Zdążył przemyśleć sobie to wszystko, z czego zrezygnował, stając po mojej stronie.

Musisz mu zaufać.

Liv chciałaby, żeby była tu Mo.

Nadciąga noc, niebo zwisa nisko i spowija miasto gęstą mgłą. Liv nie jest w stanie się skupić na oglądaniu telewizji, śpi niespokojnym, przerywanym snem i budzi się o czwartej rano. Jej myśli zastygły w jakąś trującą gmatwaninę. O wpół do szóstej daje za wygraną, napuszcza sobie wody do kąpieli i przez jakiś czas leży w wannie, wpatrując się przez świetlik w obojętną ciemność. Starannie suszy włosy i wkłada szarą bluzkę i spódnicę w prążki – David powiedział kiedyś, że cudownie w nich wygląda. Jak sekretarka, dodał, jakby to było coś dobrego. Liv zakłada sztuczne perły i obrączkę. Robi staranny makijaż. Cieszy się, że może zamaskować cienie pod oczami, swoją ziemistą, zmęczoną cerę.

„On przyjdzie", powtarza sobie. „Musisz w coś wierzyć".

Wokół niej świat powoli budzi się do życia. Szklany Dom otula mgła, pogłębiając jej poczucie izolacji od reszty miasta. Poniżej sznury samochodów, widoczne tylko pod postacią świecących czerwonych punkcików, przesuwają się wolno, niczym krew w zatkanych żyłach. Liv pije kawę i zjada pół grzanki. W radiu mówią o korkach na Hammersmith i próbie otrucia ukraińskiego polityka. Po skończonym śniadaniu Liv sprząta i pucuje kuchnię, aż lśni.

Potem wyciąga z szafy stary koc i ostrożnie owija nim *Dziewczynę, którą kochałeś*. Składa go, jakby pakowała prezent. Obraz przez cały czas leży licem na dół, żeby Liv nie musiała widzieć twarzy Sophie.

Fran nie ma w jej kartonie. Siedzi na odwróconym dnem do góry wiadrze, spoglądając ponad brukiem w stronę rzeki i rozplątując sznurek owinięty kilkaset razy wokół wielkiej góry reklamówek.

Podnosi wzrok na Liv, zbliżającą się z dwoma kubkami, a potem na nisko wiszące niebo. Dwie kobiety otaczają gęste drobniutkie kropelki, które tłumią dźwięki i sprawiają, że świat kończy się na brzegu rzeki.

– Dziś nie biegasz?

– Nie.

– To nie w twoim stylu.

– Wygląda na to, że nic nie jest w moim stylu.

Liv wręcza jej kawę. Fran upija łyk, wydaje pomruk ukontentowania, a potem spogląda na dziewczynę.

– Co tak sterczysz? Usiądź sobie.

Liv rozgląda się wokół, po czym orientuje się, że Fran wskazuje jej skrzynkę po mleku. Przyciąga ją i siada. Po bruku idzie w jej stronę gołąb. Fran sięga do zmiętej papierowej torebki i rzuca mu okruchy. Jest tu dziwnie spokojnie, Tamiza cicho liże brzeg, w oddali słychać szum samochodów. Liv z drwiącym uśmiechem zastanawia się, co by napisali w gazetach, gdyby zobaczyli, z kim je śniadania wdowa z wyższych sfer. Z mgły wyłania się barka i cicho przepływa obok, a jej światła znikają w szarym brzasku.

– Czyli twoja przyjaciółka sobie poszła.

– Skąd wiesz?

– Wystarczy tu dłużej posiedzieć, a człowiek wie wszystko. Trzeba słuchać, wiesz? – Fran stuka się w skroń. – Nikt już nikogo nie słucha. Wszyscy wiedzą, co chcą usłyszeć, ale nikt nie słucha. – Milknie na chwilę, jakby coś jej się przypomniało. – Widziałam cię w gazecie.

Liv dmucha na swoją kawę.

– Chyba cały Londyn widział mnie w gazecie.

– Mam ją. Tam w kartonie. – Fran wyciąga rękę w stronę wejścia do budynku. – To to? – Wskazuje głową zawiniątko, które Liv trzyma pod pachą.

– Tak. – Upija łyk kawy. – To to.

Czeka, aż Fran zabierze głos w sprawie przestępstwa Liv, aż wymieni jej powody, dla których w ogóle nie powinna była próbować go zatrzymać, ale kobieta milczy. Pociąga nosem i spogląda na rzekę.

– No i dlatego nie lubię mieć za dużo gratów. Jak byłam w noclegowni, ludzie non stop coś komuś zwijali. Nieważne, gdzie to zostawiłaś – pod łóżkiem, w szafce – oni tylko czekali, aż sobie pójdziesz, a potem to zabierali. Do tego stopnia, że nie chciałaś już nigdzie wychodzić, żeby ci czegoś nie zajumali. Masz pojęcie?

– O czym?

– Ile człowiek traci. Tylko dlatego, że się boi o jakieś graty.

Liv patrzy na pomarszczoną, ogorzałą twarz Fran, którą przepełnia nagła radość na myśl o tym, że teraz może już bez przeszkód cieszyć się życiem.

– Co za obłęd – mówi Fran.

Liv spogląda na szarą rzekę i w jej oczach nieoczekiwanie wzbierają łzy.

## 34

Henry czeka na nią przy tylnym wejściu. Przed Sądem Najwyższym stoją kamery i liczni demonstranci, którzy zgromadzili się tu
w oczekiwaniu na wyrok. Henry ją ostrzegał. Liv wysiada z taksówki, a kiedy mężczyzna widzi, co niesie, uśmiech zamiera mu
na wargach.

– Czy to jest... Nie musiałaś tego robić! Jeżeli wyrok zapadnie na naszą niekorzyść, kazalibyśmy im wysłać po nią furgonetkę
z ochroną. Jezu Chryste, Liv! Nie możesz tak po prostu chodzić
po ulicy z dziełem sztuki wartym miliony funtów, jakby to był
bochenek chleba.

Dłonie Liv są zaciśnięte na obrazie.

– Jest tu Paul?

– Paul? – Henry pospiesznie prowadzi ją w stronę wejścia, niczym lekarz wiozący chore dziecko do szpitala.

– McCafferty.

– McCafferty? Nie mam pojęcia. – Znów zerka na zawiniątko. –
Do cholery, Liv. Mogłaś mnie uprzedzić.

Przechodzi za nim przez bramki i wchodzi na korytarz. Henry przywołuje strażnika i wskazuje na obraz. Strażnik wygląda na zdumionego, kiwa głową i mówi coś do krótkofalówki. Wygląda na to, że zaraz zjawią się dodatkowi pracownicy ochrony. Dopiero kiedy docierają wreszcie na salę rozpraw, Henry powoli się odpręża. Siada, wzdycha głęboko i przeciąga rękami po twarzy. A potem zwraca się do Liv.

– Przecież wyrok jeszcze nie zapadł – stwierdza, patrząc na obraz i uśmiechając się smutno. – Chyba nie bardzo wierzysz w zwycięstwo, co?

Liv nic nie odpowiada. Rozgląda się po sali, która szybko zapełnia się ludźmi. Twarze osób siedzących na galerii spoglądają na nią beznamiętnie z góry, jakby to ona była przedmiotem procesu. Stara się nie patrzeć nikomu w oczy. Dostrzega Marianne ubraną na pomarańczowo, z dobranymi kolorystycznie plastikowymi kolczykami. Starsza kobieta macha do niej i unosi kciuki w górę; przyjazna twarz w morzu obojętnych spojrzeń. Widzi Janey Dickinson, która siada na krześle nieco dalej i zamienia kilka słów z Flahertym. Salę wypełniają szuranie stóp, szmer uprzejmych rozmów, zgrzyt przesuwanych krzeseł i odgłos odkładanych torebek. Dziennikarze gawędzą z sobą przyjaźnie, popijają kawę ze styropianowych kubeczków i dzielą się notatkami. Ktoś podaje komuś zapasowy długopis. Liv usiłuje opanować narastającą panikę. Jest za dwadzieścia dziesiąta. Jej spojrzenie raz po raz biegnie ku drzwiom, szukając Paula. „Zaufaj mu", mówi sobie Liv. „On przyjdzie".

Powtarza to sobie jeszcze raz za dziesięć dziesiąta, a potem za osiem. I za dwie. Tuż przed wybiciem dziesiątej wchodzi sędzia. Wszyscy wstają. Liv czuje przypływ paniki. On nie przyjdzie. Po tym wszystkim, co się wydarzyło, nie przyjdzie. O Boże, nie dam rady, jeśli go nie będzie. Zmusza się do wzięcia głębokiego oddechu i zamyka oczy, usiłując się uspokoić.

Henry przegląda dokumenty.

– Wszystko w porządku?

Liv ma wrażenie, że jej usta wypełnia pył.

– Henry – szepcze – czy mogę coś powiedzieć?

– Co?

– Mogę coś powiedzieć? Do wszystkich obecnych? To coś ważnego.

– Teraz? Sędzia za chwilę ogłosi werdykt.

– To ważne.

– Co chcesz powiedzieć?

– Po prostu go spytaj. Proszę.

Henry spogląda na nią z niedowierzaniem, ale coś w wyrazie twarzy Liv go przekonuje. Nachyla się i mamrocze jakieś słowa do Angeli Silver. Kobieta ogląda się przez ramię, marszczy brwi, a po krótkiej wymianie zdań wstaje i prosi o pozwolenie, by podejść do ławki. Zaprasza Christophera Jenksa, by do nich dołączył.

Gdy adwokaci i sędzia naradzają się z sobą po cichu, Liv czuje, że dłonie zaczynają jej się pocić. Skóra ją piecze. Rozgląda się po zatłoczonej sali. W powietrzu czuć niemal namacalną atmosferę milczącej niechęci. Dłonie Liv zaciskają się na obrazie. „Wyobraź sobie, że jesteś Sophie", mówi sobie. „Ona by to zrobiła".

Wreszcie odzywa się sędzia.

– Pani Olivia Halston pragnie zabrać głos. – Spogląda na nią znad okularów. – Bardzo proszę, pani Halston.

Liv wstaje i kieruje się w stronę przedniej części sali, wciąż ściskając obraz. Słyszy każdy swój krok na drewnianej podłodze i jest dojmująco świadoma tego, że wszystkie oczy są w niej utkwione. Henry, być może nadal niespokojny o los obrazu, staje parę metrów od niej.

Liv bierze głęboki wdech.

– Chciałabym powiedzieć kilka słów o *Dziewczynie, którą kochałeś*.

Urywa na chwilę, widząc zaskoczenie na twarzach ludzi wokół, po czym ciągnie dalej. Głos ma cienki i lekko drżący w panującej ciszy. Wydaje się należeć do kogoś innego.

– Sophie Lefèvre była dzielną, szlachetną kobietą. Sądzę... mam nadzieję, że to, co usłyszeliśmy w sądzie, nie pozostawia co do tego wątpliwości.

Jak przez mgłę widzi Janey Dickinson, która pisze coś w notatniku, i słyszy znudzony szmer rozmów prawników. Zaciska palce na ramie obrazu i zmusza się, by mówić dalej.

– Mój nieżyjący mąż, David Halston, również był dobrym człowiekiem. Bardzo dobrym. Teraz jestem przekonana, że gdyby wiedział, iż portret Sophie, obraz, który kochał, ma taką... taką historię, zwróciłby go już dawno. Mój udział w tym procesie sprawił, że jego nazwisko zostało usunięte z budynku, który był jego marzeniem i dziełem życia, co jest dla mnie źródłem głębokiego żalu, gdyż ten budynek – budynek Goldsteinów – powinien być jego pomnikiem.

Liv widzi, jak dziennikarze podnoszą wzrok, jak rozchodzi się wśród nich fala ożywienia. Kilku naradza się z sobą i zaczyna notować.

– Ten proces... ten obraz... praktycznie zniszczył to, co powinno być jego spuścizną, tak samo jak zniszczył Sophie. W tym sensie jedno i drugie spotkała krzywda. – Głos zaczyna jej się łamać. Rozgląda się wokół. – Dlatego też proszę o zaprotokołowanie, że decyzja, by walczyć o obraz w sądzie, była wyłącznie moja. Jeżeli popełniłam błąd, to bardzo żałuję. To wszystko. Dziękuję.

Liv niezgrabnie usuwa się na bok. Widzi, że dziennikarze notują jak szaleni, a jeden z nich sprawdza pisownię nazwiska Goldstein. Dwaj prawnicy na ławce rozmawiają z przejęciem.

– Niezłe posunięcie – mówi Henry cicho, nachylając się ku niej. – Byłaby z ciebie dobra prawniczka.

„Zrobiłam to", mówi sobie Liv po cichu. Teraz opinia publiczna będzie łączyć nazwisko Davida z tym budynkiem, niezależnie od tego, co zrobią Goldsteinowie.

Sędzia prosi o ciszę.

– Pani Halston. Czy skończyła pani uprzedzanie mojego werdyktu? – pyta ze znużeniem.

Liv kiwa głową. Zaschło jej w gardle. Janey szepcze coś do swojego prawnika.

– A to jest omawiany obraz, czy tak?

– Tak. – Liv nadal zasłania się nim jak tarczą.

Sędzia zwraca się do woźnego.

– Czy ktoś może zająć się umieszczeniem go w strzeżonym miejscu? Nie jestem pewien, czy powinien się tu znajdować. Pani Halston?

Liv podaje obraz woźnemu. Przez moment jej palce wydają się dziwnie oporne, nie chcą go puścić, jakby coś wewnątrz niej postanowiło zignorować polecenie. Kiedy wreszcie wypuszcza obraz z rąk, woźny stoi przez chwilę nieruchomo, jak gdyby podała mu coś niebezpiecznego.

„Przepraszam, Sophie", mówi po cichu Liv, a obnażony nagle wizerunek dziewczyny odwzajemnia jej spojrzenie.

Liv niepewnym krokiem wraca na swoje miejsce, ze zwiniętym kocem pod pachą, ledwie rejestrując narastające wokół poruszenie. Sędzia rozmawia z obojgiem adwokatów. Kilka osób kieruje się w stronę drzwi, pewnie to dziennikarze z wieczornych gazet, a powyżej, na galerii toczy się ożywiona dyskusja. Henry dotyka ramienia Liv i mamrocze coś o tym, że postąpiła słusznie.

Liv siada i spuszcza wzrok na swoje kolana, na obrączkę, którą kręci na palcu, i zastanawia się, jak to możliwe, że czuje taką pustkę.

A potem nagle to słyszy.

– Przepraszam?

Dopiero po dwukrotnym powtórzeniu słowa docierają do niej poprzez zgiełk. Liv podnosi wzrok i kieruje go w tę samą stronę co wszyscy zgromadzeni – a tam w drzwiach stoi Paul McCafferty.

Ma na sobie niebieską koszulę, jego podbródek jest szary od zarostu, a wyraz twarzy nieprzenikniony. Otwiera szerzej drzwi i powoli wciąga do sali wózek inwalidzki. Rozgląda się wokół, szukając jej wzrokiem, i nagle znajdują się tylko we dwoje. „Wszystko dobrze?", pyta bezgłośnie Paul, a Liv kiwa głową, wzdychając z nieopisaną ulgą.

Mężczyzna znów się odzywa. Jego głos ledwie słychać poprzez panujący w sali szum.

– Przepraszam? Wysoki sądzie?

Uderzenie spadającego młotka brzmi niczym wystrzał. W sali zapada cisza. Janey Dickinson wstaje i odwraca się, żeby widzieć, co się dzieje. Paul popycha przed sobą wózek, na którym siedzi starsza kobieta. Jest bardzo sędziwa, silnie zgarbiona, a jej dłonie spoczywają na niewielkiej torebce.

Druga kobieta, w eleganckiej granatowej garsonce, idzie pospiesznie za Paulem i naradza się z nim szeptem. Mężczyzna gestem wskazuje sędziego.

– Moja babka dysponuje ważnymi informacjami dotyczącymi sprawy – odzywa się młodsza kobieta. Mówi z silnym francuskim akcentem, a przechodząc przez środek sali, zerka z zakłopotaniem na ludzi po obu stronach.

Sędzia rozkłada ręce.

– Czemu nie? – mamrocze głośno. – Każdy chce dodać coś od siebie. Przekonajmy się, może sprzątaczka także chciałaby wyrazić swoją opinię?

Kobieta czeka, a sędzia mówi z rozdrażnieniem:

– Na litość boską, *madame*. Proszę się tu zbliżyć.

Zamieniają kilka słów. Sędzia przywołuje dwójkę adwokatów i rozmowa toczy się dalej.

– Co to znaczy? – powtarza siedzący obok Liv Henry. – Co tu się, u licha, dzieje?

W sali zapada cisza.

– Powinniśmy wysłuchać tego, co ta kobieta ma do powiedzenia – odzywa się sędzia. Bierze do ręki pióro i kartkuje swoje notatki. – Zastanawiam się, czy ktokolwiek z tu obecnych będzie zainteresowany czymś tak prozaicznym jak zwykły wyrok.

Wózek z siedzącą na nim staruszką zostaje przepchnięty na przód sali. Pierwsze słowa padają po francusku, a wnuczka kobiety zaczyna tłumaczyć je na angielski.

– Jest coś, o czym muszą państwo usłyszeć, zanim zapadnie decyzja o przyszłych losach obrazu. Proces ten opiera się na fałszywej podstawie. – Młodsza kobieta urywa, pochyla się, by usłyszeć, co mówi babka, po czym znów się prostuje. – *Dziewczyna, którą kochałeś* nie została skradziona.

Sędzia nachyla się do przodu.

– A skąd pani o tym wie, *madame*?

Liv podnosi głowę i patrzy na Paula. Jego wzrok jest pewny, spokojny i dziwnie triumfalny.

Starsza kobieta unosi rękę, jakby chciała odprawić wnuczkę. Odchrząkuje i zaczyna mówić powoli i wyraźnie, tym razem po angielsku.

– Ponieważ to ja dałam go Kommandantowi Henckenowi. Nazywam się Édith Béthune.

## 35

*1917*

Wyładowali mnie tuż po świcie. Nie mam pojęcia, jak długo jechaliśmy; moje ciało opanowała gorączka, rzeczywistość mieszała mi się z sennymi majakami i nie byłam już w stanie stwierdzić, czy istnieję naprawdę, czy – niczym widmo – pojawiam się tylko na moment z innego świata. Gdy zamykałam oczy, widziałam moją siostrę, jak podciąga żaluzje w oknie baru i odwraca się do mnie uśmiechnięta, z rozświetlonymi słońcem włosami. Widziałam roześmianą Mimi. Widziałam Édouarda, jego twarz, dłonie; słyszałam, jak miękko szepcze mi do ucha. Wyciągałam ręce, żeby go dotknąć, ale znikał – a ja budziłam się na podłodze ciężarówki ze wzrokiem wbitym w buty jakiegoś żołnierza, odczuwając bolesne łupanie w głowie z każdą koleiną, jaką pokonywaliśmy.

Widziałam Liliane.

Jej ciało wciąż tam było, gdzieś przy drodze do Hanoweru; tam, gdzie rzucili je wśród przekleństw, jak gdyby było workiem piasku. Kolejne godziny spędziłam zbryzgana jej krwią i czymś jeszcze gorszym. Moje ubranie było nią przesiąknięte. Czułam na wargach jej smak. Zakrzepłą, lepką warstwą powlekała podłogę, z której nie miałam już siły się podnieść. Nie czułam już gryzących mnie wszy. Popadłam w otępienie. Było we mnie tyle życia, co w martwym ciele Liliane.

Żołnierz naprzeciwko mnie starał się siedzieć możliwie jak najdalej, wściekły za poplamiony mundur i reprymendę otrzymaną od zwierzchnika za to, że Liliane zdołała ukraść mu broń; jego twarz była zwrócona w stronę plandeki, przez którą wpadało powietrze z zewnątrz. Widziałam jego wzrok: było w nim obrzydzenie. Przestałam być dla niego człowiekiem. Starałam się przypomnieć sobie ten czas, gdy byłam czymś więcej niż rzeczą, gdy nawet w miasteczku pełnym Niemców miałam swoją godność i wzbudzałam pewien szacunek, ale było to trudne. Cały mój świat skurczył się do tej ciężarówki. Do tej twardej, metalowej podłogi. Do wełnianego rękawa z ciemnoczerwoną plamą.

Kołysząc się na boki, jechaliśmy z łoskotem przez noc, zatrzymując się jedynie na krótkie postoje. Na przemian odzyskiwałam i traciłam świadomość, budząc się tylko z bólu lub ataków gorączki. Wdychałam zimne powietrze i dym z papierosów, słyszałam męskie głosy z przodu samochodu i zastanawiałam się, czy kiedykolwiek usłyszę jeszcze jakiegoś Francuza.

Wreszcie, o świcie, zatrzymaliśmy się. Otworzyłam zaropiałe oczy, nie będąc w stanie się poruszyć, i nasłuchiwałam, jak młody żołnierz gramolił się z ciężarówki. Słyszałam jego stęknięcie, gdy się przeciągał, pstryknięcie zapalniczki, głosy Niemców pogrążonych w cichej rozmowie. Słyszałam energiczne, grubiańskie odgłosy załatwiających się mężczyzn, śpiew ptaków i szum liści.

Wiedziałam, że tam umrę i – jeśli mam być szczera – było mi to już obojętne.

Całe moje ciało płonęło z bólu; skóra piekła mnie od gorączki, miałam obolałe stawy i ciężką głowę. Ktoś podniósł tylną część plandeki i klapa się otworzyła. Jakiś wartownik kazał mi wyjść. Ledwo mogłam się poruszać, ale szarpnął mnie za rękę, jakbym była krnąbrnym dzieckiem. Moje ciało było tak lekkie, że prawie przeleciałam przez tył ciężarówki.

Poranek był zasnuty mgłą, przez którą widziałam ogrodzenie z drutu kolczastego i ogromną bramę. Nad nią widniał napis „STRÖHEN". Wiedziałam, gdzie jestem.

Inny wartownik kazał mi się nie ruszać i podszedł do budki strażniczej. Wywiązała się dyskusja, jeden ze strażników wyjrzał i spojrzał na mnie. Za bramą rozciągały się rzędy długich fabrycznych baraków. Było to ponure, nieokreślone miejsce, nad którym unosiła się niemal namacalna aura przygnębienia i bezsilności. Na każdym z narożników stała wieża obserwacyjna z bocianim gniazdem, mająca uniemożliwić ucieczkę. Niepotrzebnie się martwili.

Wiesz, jakie to uczucie, kiedy pogodzisz się z własnym losem? To niemalże przyjemność. Nie będzie już więcej bólu, strachu ani tęsknoty. To śmierć nadziei przynosi największą ulgę. Niedługo będę mogła przytulić Édouarda. Będziemy znów razem w następnym życiu, bo jeśli istnieje dobry Bóg, z całą pewnością nie byłby na tyle okrutny, aby pozbawić nas tej pociechy.

Dotarły do mnie mgliste echa zażartej dyskusji w budce strażniczej. Wyszedł z niej jakiś mężczyzna, który zażądał ode mnie dokumentów. Byłam tak słaba, że dopiero za trzecim razem udało mi się je wyciągnąć z kieszeni. Gestem kazał mi podnieść dowód. Nie chciał mnie dotykać – cała byłam we wszach.

Odhaczył coś na swojej liście i warknął po niemiecku do wartownika, który mnie pilnował. Przez chwilę rozmawiali. Dochodziły do mnie strzępy zdań i nie byłam już pewna, czy to oni zniżali głos, czy umysł odmawiał mi posłuszeństwa. Byłam teraz łagodna i potulna jak baranek; jak rzecz, gotowa iść tam, dokąd mi każą. Nie chciałam już myśleć. Nie chciałam już sobie wyobrażać koszmarów, jakie miały jeszcze mnie spotkać. Gorączka szalała w mojej głowie i piekły mnie oczy. Byłam całkowicie wyczerpana. Słyszałam głos Liliane i gdzieś głęboko miałam świadomość tego, że dopóki żyję, powinnam wciąż się bać. „Nie masz pojęcia, co oni z nami zrobią". A mimo to nie potrafiłam wzbudzić w sobie strachu. Gdyby nie stojący obok mnie strażnik, który trzymał mnie za rękę, równie dobrze mogłabym upaść na ziemię.

Brama otworzyła się, żeby wypuścić jakieś auto, i na powrót zamknęła. Traciłam kontakt z rzeczywistością. Zamknęłam oczy i przez moment zobaczyłam siebie w paryskiej kawiarni: siedziałam z odchyloną głową, czując na twarzy promienie słońca. Mój mąż siedział koło mnie; jego donośny śmiech rozbrzmiewał mi w uszach, jego wielka dłoń szukała na stole mojej.

„Och, Édouard", zaszlochałam bezgłośnie, trzęsąc się w zimnym, porannym powietrzu. „Mam nadzieję, że uniknąłeś tego bólu. Mam nadzieję, że to było dla ciebie łatwe".

Znów szarpnięto mnie do przodu. Ktoś na mnie krzyczał. Potknęłam się o swoją spódnicę, jakimś cudem wciąż ściskając torbę. Brama ponownie otworzyła się i zostałam brutalnie wepchnięta do obozu. Kiedy dotarłam do drugiej budki strażniczej, wartownik na powrót mnie zatrzymał.

Wsadźcie mnie po prostu do baraku. Pozwólcie mi się tylko położyć.

Byłam taka zmęczona. Widziałam dłoń Liliane i precyzyjny, zaplanowany ruch, którym przystawiła sobie pistolet do głowy. Jej oczy, utkwione w moich przez ostatnie sekundy jej życia. Bezkresne czarne dziury, okna wychodzące na otchłań. „Ona teraz nic nie czuje", mówiłam sobie, a jakaś wciąż działająca część mojego umysłu zrozumiała, że odczuwam zazdrość.

Wkładając dowód z powrotem do kieszeni, zahaczyłam ręką o poszarpany odłamek szkła i doznałam przebłysku świadomości. Mogłabym przyłożyć tę krawędź do gardła. Wiedziałam, do której żyły i jak mocno należy przycisnąć. Przypomniałam sobie, jak prosiak z St Péronne przestał się bronić: jedno szybkie cięcie i jego oczy zamknęły się jakby w cichej ekstazie. Stałam i pozwalałam sobie, aby ta myśl nabrała konkretnych kształtów. Mogłam to zrobić, zanim ktokolwiek zorientowałby się, co się stało. Mogłam się uwolnić.

„Nie masz pojęcia, co oni z nami zrobią".

Zacisnęłam palce. A potem to usłyszałam.

„Sophie".

I wtedy zrozumiałam, że nadchodzi wybawienie. Wypuściłam z ręki odłamek szkła. A więc to było to: słodki głos mojego męża, który prowadzi mnie do domu. Prawie się uśmiechnęłam, tak wielka była moja ulga. Zachwiałam się nieco, pozwalając mu rozbrzmiewać w moich uszach.

„Sophie".

Niemiecka ręka obróciła mnie i popchnęła z powrotem w kierunku bramy. Potknęłam się zdezorientowana i spojrzałam za siebie. Wtedy zobaczyłam wartownika wyłaniającego się z mgły. Przed nim, przyciskając do brzucha jakieś zawiniątko, szedł wysoki, zgarbiony mężczyzna. Zmrużyłam oczy ze świadomością, że jest w nim coś znajomego. Ale nie mogłam dojrzeć go wyraźnie pod słońce.

„Sophie".

Starałam się skupić i nagle świat zastygł w bezruchu, a wokół mnie zapanowała cisza. Niemcy zamilkli, silniki się zatrzymały, nawet drzewa przestały szumieć. Widziałam, że więzień kuśtyka w moim kierunku; jego sylwetka jest mi obca, barki to sama skóra i kości, ale jego krok jest zdecydowany, jakby jakiś magnes przyciągał go ku mnie. Zaczęłam się konwulsyjnie trząść, jak gdyby moje ciało wiedziało wcześniej ode mnie.

– Édouard? – Z mojej krtani zamiast głosu wydobył się skrzek. Nie mogłam w to uwierzyć. Nie śmiałam w to uwierzyć.

– Édouard?

Powłóczył nogami, niemal biegnąc w moją stronę; idący za nim wartownik przyspieszył kroku. Stałam jak wmurowana, wciąż bojąc się, że to jakaś okrutna sztuczka, że obudzę się z tyłu ciężarówki z butem obok głowy. Proszę Cię, Boże, nie możesz być tak okrutny.

Zatrzymał się kilkadziesiąt centymetrów ode mnie. Był przeraźliwie chudy, miał zmizerniałą twarz, jego piękne włosy zostały zgolone, na twarzy widać było blizny. Ale, mój Boże, jego twarz. Jego twarz. Mój Édouard. To było zbyt wiele. Moja twarz przechyliła się w stronę nieba, torba wypadła mi z rąk i osunęłam się na ziemię. Upadając, poczułam wokół siebie jego ramiona.

– Sophie. Moja Sophie. Co oni ci zrobili?

Édith Béthune opiera się na wózku w cichej sali sądowej. Woźny przynosi jej trochę wody, kobieta dziękuje mu skinieniem głowy. Nawet dziennikarze przestają pisać; siedzą tylko z półotwartymi ustami i długopisami zastygłymi w dłoniach.

– Nie wiedzieliśmy, co się z nią stało. Byłam pewna, że nie żyje. Kilka miesięcy po tym, jak zabrano moją matkę, powstała nowa siatka informacyjna i dostaliśmy wiadomość, że była wśród osób, które zginęły w obozach. Hélène płakała potem przez tydzień. Aż pewnego ranka zeszłam na dół o świcie, gotowa rozpocząć codzienne przygotowania – pomagałam Hélène w kuchni – i zobaczyłam list wsunięty pod drzwi Le Coq Rouge. Już miałam go podnieść, ale Hélène była za mną i chwyciła go pierwsza. „Nic nie widziałaś", warknęła, a ja byłam zszokowana, bo nigdy tak ostro się ze mną nie obchodziła. Z jej twarzy odpłynął wszelki kolor. „Zrozumiałaś? Nie widziałaś tego, Édith. Nie wolno ci nikomu nic mówić. Nawet Aurélienowi. Zwłaszcza Aurélienowi". Skinęłam głową, ale nie ruszyłam się z miejsca. Chciałam wiedzieć, co jest w środku. Hélène trzęsły się ręce, kiedy otwierała list. Stała, opierając się o bar, poranne słońce oświetlało jej twarz, a ręce trzęsły się jej tak bardzo, że nie byłam pewna, jak w ogóle może cokolwiek odczytać. A potem opadła na blat, przyciskając rękę do ust, i zaczęła cicho szlochać. „Dzięki Bogu, och, dzięki Bogu". Byli w Szwajcarii. W zamian za „zasługi dla państwa niemieckiego" wystawiono im fałszywe dowody tożsamości i zabrano do lasu niedaleko granicy ze Szwajcarią. Sophie była już wówczas na tyle chora, że Édouard musiał ją nieść przez ostatnie dwadzieścia kilometrów do posterunku. Strażnik, który ich tam zawiózł, zabronił im kontaktować się z kimkolwiek we Francji i narażać tych, którzy im pomogli. List był podpisany „Marie Leville".

Kobieta rozgląda się po sali.

– Zostali w Szwajcarii. Wiedzieliśmy, że Sophie nie mogła wrócić do St Péronne ze względu na nastroje związane z niemiecką okupacją. Gdyby się pojawiła, zaczęto by zadawać pytania. A oczywiście zdążyłam już zrozumieć, kto pomógł im we wspólnej ucieczce.

– Kto to był, *madame*?

Zaciska usta, jak gdyby nawet teraz wiele ją kosztowało wypowiedzenie tego nazwiska.

– Kommandant Friedrich Hencken.

– Proszę mi wybaczyć – mówi sędzia. – To istotnie niezwykła historia. Nie rozumiem jednak, jaki ma ona związek ze stratą obrazu.

Édith Béthune odzyskuje panowanie nad sobą.

– Hélène nie pokazała mi tego listu, ale wiem, że o nim myślała. Robiła się nerwowa w obecności Auréliena, chociaż po wyjeździe Sophie prawie nie bywał w Le Coq Rouge. Jak gdyby nie mógł znieść przebywania w tym miejscu. Dwa dni później, kiedy wyszedł, a dzieci spały w pokoju obok, zawołała mnie do swojego pokoju. „Musisz coś dla mnie zrobić, Édith", powiedziała. Siedziała na podłodze, w jednej ręce trzymając portret Sophie. W drugiej miała list: patrzyła na niego, jak gdyby coś sprawdzając, lekko potrząsnęła głową, a potem napisała kilka słów kredą na odwrocie obrazu. Usiadła na piętach, jakby chciała się upewnić, że nic nie pomyliła. Zawinęła ostrożnie obraz w koc i podała mi. *„Herr Kommandant* będzie dziś po południu w lesie na polowaniu. Musisz mu to zanieść".

„Nigdy". Nienawidziłam tego człowieka. To przez niego straciłam matkę.

„Rób, co mówię. Musisz to zanieść Kommandantowi".

„Nie". Nie bałam się go w tamtym czasie – zdążył już mi wyrządzić największą możliwą krzywdę – ale nie chciałam spędzić ani chwili w jego towarzystwie.

Hélène nie spuszczała ze mnie wzroku i chyba widziała, że mówię zupełnie serio. Przyciągnęła mnie do siebie, nigdy nie widziałam w jej twarzy takiej determinacji. „Édith, Kommandant ma dostać ten obraz. Między sobą możemy życzyć mu śmierci, ale musimy..." – zawahała się – „...musimy spełnić życzenia Sophie".

„To ty go zanieś".

„Nie mogę. Jeśli to zrobię, wszyscy w mieście zaczną plotkować, a nie możemy ryzykować, że moje dobre imię zostanie zszargane, tak jak stało się z moją siostrą. Poza tym Aurélien się domyśli, że coś jest na rzeczy. A on nie może dowiedzieć się prawdy. Nikt nie może, to kwestia jej i naszego bezpieczeństwa. Zrobisz to?"

Nie miałam wyjścia. Tego popołudnia, kiedy Hélène dała mi znak, wzięłam obraz pod pachę i poszłam w dół aleją, przez nieużytki do lasu. Był ciężki, a rama wpijała mi się w rękę. Kommandant był tam z innym oficerem. Na ich widok z bronią w ręku kolana zaczęły mi się trząść ze strachu. Kiedy mnie zobaczył, kazał drugiemu żołnierzowi odejść. Szłam wolno między drzewami, stopy zmarzły mi na lodowatym poszyciu lasu. Wyglądał na lekko zaniepokojonego, gdy się zbliżałam, i pamiętam, jak pomyślałam: „I dobrze. Mam nadzieję, że już zawsze będziesz czuł ten niepokój".

„Chciałaś ze mną rozmawiać?", zapytał.

Nie chciałam mu dawać tego obrazu. Chciałam, żeby nie miał nic. Pozbawił mnie już dwóch najcenniejszych rzeczy w moim życiu. Nienawidziłam tego człowieka. I chyba wtedy wpadłam na ten pomysł.

„Ciocia Hélène kazała panu go dać".

Wziął ode mnie obraz i go odpakował. Spojrzał na niego niepewnie, a potem obrócił go w rękach. Kiedy zobaczył, co było napisane na odwrocie, coś dziwnego stało się z jego twarzą. Jego rysy na moment złagodniały, a jasne, błękitne oczy zwilgotniały, jak gdyby miał się rozpłakać z radości.

„*Danke*", powiedział miękko. „*Danke schön*".

Obrócił go, żeby spojrzeć na twarz Sophie, a potem znowu odwrócił, czytając po cichu napisane tam słowa.

„*Danke*", powiedział cicho, nie wiedziałam czy do niej, czy do mnie.

– Nie mogłam znieść widoku jego szczęścia, jego bezbrzeżnej ulgi, skoro to przez niego sama straciłam jakąkolwiek możliwość bycia szczęśliwą. Nienawidziłam tego człowieka najbardziej na świecie. Wszystko zniszczył. Wtedy usłyszałam własny głos, rozbrzmiewający wyraźnie niczym dzwon w nieruchomym powietrzu.

„Sophie nie żyje", powiedziałam. „Zmarła po tym, jak otrzymaliśmy polecenie, żeby przekazać panu ten obraz. Zaraziła się hiszpanką w obozie".

Aż wzdrygnął się z zaskoczenia. „Co?"

Nie wiem, jak to się stało. Mówiłam płynnie, nie bojąc się tego, co może się zdarzyć.

„Umarła. Przez to, że ją wywieźli. Tuż po tym, jak wysłała nam wiadomość, żeby panu to dać".

„Jesteś pewna?". Jego głos się łamał. „Mogły pojawiać się jakieś informacje…"

„Jestem pewna. Prawdopodobnie nie powinnam panu o tym mówić. To tajemnica".

Stałam tam, czując, że zamiast serca mam kamień, i obserwowałam, jak wpatruje się w obraz, a jego twarz dosłownie postarzała się na moich oczach, zapadając się w sobie z żalu.

„Mam nadzieję, że podoba się panu obraz", powiedziałam, po czym powoli zaczęłam wracać przez las w stronę Le Coq Rouge. Chyba nigdy później niczego już się nie bałam.

*Herr Kommandant* spędził w naszym miasteczku jeszcze dziewięć miesięcy. Ani razu nie wrócił jednak do Le Coq Rouge. To było moje zwycięstwo.

Na sali sądowej zapada cisza. Dziennikarze wpatrują się w Édith Béthune. Wydaje się, że historia nagle ożyła przed naszymi oczami, na tej małej sali. Głos sędziego tym razem brzmi łagodnie.

– *Madame*. Czy może nam pani powiedzieć, co było napisane na odwrocie obrazu? Wydaje się, że to bardzo istotny aspekt tej sprawy. Pamięta pani te słowa?

Édith Béthune rozgląda się dookoła po zatłoczonych ławkach.

– O tak. Pamiętam je bardzo wyraźnie. Pamiętam je, bo nie byłam w stanie zrozumieć, co oznaczają. Było tam napisane kredą: *„Pour Herr Kommandant, qui comprendra: pas pris, mais donné"*. – Zrobiła krótką pauzę. – „Dla *Herr Kommandanta*, który zrozumie: nie zabrany, lecz podarowany".

# 36

Liv słyszy narastający hałas, otaczający ją niczym chmara podnie-
conego ptactwa. Widzi dziennikarzy cisnących się wokół starszej
pani, z długopisami machającymi jak czułki, sędziego, który rozmawia z prawnikami i na próżno wali młotkiem w stół. Podnosi
wzrok na galerię, dostrzega ożywione twarze i słyszy rozlegające
się z kilku stron niezbyt głośne oklaski. Nie jest pewna, czy ludzie
klaszczą na cześć starszej pani, czy może prawdy.

Paul przedziera się przez tłum. Kiedy wreszcie dociera do Liv,
przyciąga ją do siebie, pochyla głowę ku jej głowie, a dziewczyna
słyszy tuż przy swoim uchu jego słowa:

– Jest twoja, Liv. – Głos Paula jest nabrzmiały ulgą. – Jest twoja.

– Przeżyła – dopowiada Liv, jednocześnie śmiejąc się i płacząc. – Odnaleźli się.

Bezpieczna w objęciach Paula, rozgląda się po otaczającym ich
chaosie i już się nie boi tego tłumu. Ludzie się uśmiechają, jakby
to był pomyślny wynik; jakby ona sama nie była już wrogiem. Widzi, jak bracia Lefèvre wstają i kierują się do wyjścia, z twarzami
posępnymi jak u żałobników, i czuje, jak zalewa ją ulga, że Sophie

nie wróci z nimi do Francji. Widzi Janey, która powoli zbiera swoje rzeczy. Twarz ma zupełnie nieruchomą, jakby nie mogła uwierzyć w to, co się przed chwilą wydarzyło.

– No i jak ci się to podoba? – Rozpromieniony Henry poklepuje Liv po ramieniu. – Jak ci się to podoba? Biedny Berger, nikt nawet nie słucha jego werdyktu.

– Chodź – odzywa się Paul, troskliwie otaczając ją ramieniem. – Nic tu po nas.

Nagle pojawia się woźny, który przepycha się w ich stronę poprzez morze ludzi. Staje przed Liv, tarasując jej przejście, lekko zdyszany po swojej krótkiej podróży.

– Proszę – mówi, wręczając jej obraz. – To chyba pani.

Palce Liv zaciskają się na złoconej ramie. Dziewczyna zerka na Sophie, której włosy mimo słabego oświetlenia lśnią kolorem, a uśmiech jest tak samo zagadkowy jak zawsze.

– Myślę, że najlepiej byłoby, gdybyśmy wyprowadzili panią tylnym wyjściem – dodaje woźny, a u jego boku pojawia się ochroniarz, który kieruje ich w stronę drzwi, rozmawiając jednocześnie przez krótkofalówkę.

Paul już ma ruszyć przed siebie, ale Liv kładzie mu rękę na ramieniu i go powstrzymuje.

– Nie – odzywa się. Oddycha głęboko i prostuje ramiona tak, że wydaje się odrobinę wyższa. – Nie tym razem. Wychodzimy głównym wyjściem.

# Epilog

Między rokiem 1917 a 1922 Anton i Marie Leville mieszkali w niedużym domku nad brzegiem jeziora, w szwajcarskim miasteczku Montreux. Była to spokojna para, nieszukająca rozrywek, lecz wyraźnie najszczęśliwsza we własnym towarzystwie. *Madame* Leville pracowała jako kelnerka w miejscowej restauracji. Mieszkańcy wspominają ją jako pracowitą i życzliwą, ale raczej mało rozmowną („Rzadka zaleta u kobiety", mawiał właściciel, zerkając z ukosa na swoją żonę).

Co wieczór o dziewiątej piętnaście Anton Leville, wysoki, ciemnowłosy mężczyzna, poruszający się w dziwnie nieskoordynowany sposób, wyruszał na swoją piętnastominutową przechadzkę do restauracji, gdzie zza otwartych drzwi uchylał kapelusza przed kierownikiem, a potem czekał na zewnątrz na pojawienie się żony. Podawał jej ramię, ona je ujmowała i razem wracali, zwalniając niekiedy kroku, by przyjrzeć się zachodowi słońca nad jeziorem albo szczególnie ozdobnej witrynie sklepowej. Jak twierdzą ich sąsiedzi, powtarzało się to w każdy dzień pracujący, a odstępstwa od tego zwyczaju zdarzały się nader rzadko. Od czasu do czasu *madame* Leville wysyłała paczki z podarkami na adres w północnej Francji, jednak poza tym małżeństwo nie zdradzało większego zainteresowania szerokim światem.

W weekendy Leville'owie zostawali z reguły w domu, niekiedy zaś wybierali się do pobliskiej kawiarni, gdzie, o ile było słonecznie, spędzali kilka godzin, grając w karty albo siedząc obok siebie w przyjaznym milczeniu, przy czym duża ręka mężczyzny spoczywała najczęściej na drobnej dłoni kobiety.

– Mój ojciec żartował sobie czasem, mówiąc do *monsieur* Leville'a, że wiatr nie porwie *madame*, jeżeli mąż na minutkę ją wypuści – opowiadała Anna Baertschi, która wychowywała się w domu obok. – Tata powtarzał mamie, że jego zdaniem to trochę nie na miejscu publicznie odnosić się w ten sposób do żony.

Niewiele było wiadomo na temat spraw *monsieur* Leville'a, poza tym, że zdawał się słabego zdrowia. Przypuszczano, iż otrzymuje jakąś rentę. Raz zaproponował, że namaluje portrety dwójki dzieci sąsiadów, jednak ze względu na dziwaczny dobór kolorów i niekonwencjonalną technikę malarską nie spotkały się one z entuzjastycznym przyjęciem.

Większość mieszkańców miasteczka zgadzała się co do tego, że wolą gładsze i bardziej realistyczne obrazy *monsieur* Bluma, mieszkającego obok zegarmistrza.

E-mail przychodzi w Wigilię.

No dobra. Ewidentnie przewidywanie przyszłości wychodzi mi fatalnie. Możliwe, że przyjaźń też. Ale bardzo chciałabym się z Tobą zobaczyć, o ile nie skorzystałaś z wiedzy, którą Ci przekazałam,

żeby stworzyć laleczkę wudu przedstawiającą mnie. (Nie wyklu-
czam tego, ostatnio miewam straszne migreny. Jeżeli to Twoja
sprawka, to muszę Ci wyrazić niechętne uznanie).

Mieszkanie z Ranikiem to nie był strzał w dziesiątkę. Okazuje się, że dzielenie dwupokojowego mieszkania z piętnastką
gastarbeiterów z Europy Wschodniej nie jest aż takie super. Kto
by pomyślał? Znalazłam sobie nową miejscówkę przez Gumtree,
z księgowym, który ma świra na punkcie wampirów i chyba myśli,
że mieszkanie z kimś takim jak ja zapewni mu szacun na dzielni.
Sprawia wrażenie lekko rozczarowanego faktem, że nie znoszę do
lodówki przejechanych zwierząt i nie zaproponowałam mu domowego tatuażu. Ale spoko. Ma kablówkę, a poza tym mieszkanie
jest dwie minuty od domu opieki, więc nie mogę już się tłumaczyć,
że po prostu nie jestem w stanie pojawić się na czas, żeby zmienić
pieluchę pani Vincent (nie pytaj).

No, w każdym razie bardzo się cieszę, że udało Ci się zatrzymać obrazek. Bez kitu. I przykro mi, że zachowałam się jak słoń
w składzie porcelany. Tęsknię.

Mo

– Zaproś ją – mówi Paul, zaglądając jej przez ramię. – Nie
warto się obrażać.

Liv bez namysłu wybiera numer.

– Co robisz jutro? – pyta, zanim Mo zdąży się odezwać.

– Czy to jakiś podstęp?

– Chcesz do nas wpaść?

– Co? Ma mnie ominąć doroczny konkurs narzekania u moich
rodziców, z zepsutym pilotem od telewizora i oglądaniem *Kevina
samego w domu*? Żartujesz sobie ze mnie?

– Oczekujemy cię o dziesiątej. Podobno mam ugotować obiad dla pięciu tysięcy osób. Będę potrzebowała specjalisty do spraw obierania ziemniaków.

– To się widzimy. – Mo nie jest w stanie ukryć zachwytu. – Może nawet będę miała dla ciebie prezent. Taki ze sklepu. Aha. Tylko koło szóstej będę musiała się na trochę ulotnić, żeby coś tam pośpiewać staruszkom.

– Czyli jednak masz serce.

– No. Widocznie twój ostatni szpikulec chybił celu.


Mały Jean Montpellier zmarł na hiszpankę na krótko przed zakończeniem wojny. Hélène Montpellier doznała szoku; nie płakała ani wtedy, kiedy zabrano jego małe ciałko, ani nawet wtedy, gdy złożono je w ziemi. Zachowywała pozory normalności, otwierała bar w Le Coq Rouge w wyznaczonych godzinach i odrzucała wszelkie propozycje pomocy, była jednak, jak wspomina to mer w swoim dzienniku z tamtych czasów, „martwa wewnątrz".

Édith Béthune, która bez słowa przejęła wiele spośród obowiązków Hélène, opisuje popołudnie kilka miesięcy później, kiedy na ich progu zjawił się chudy, wycieńczony mężczyzna w mundurze, z lewą ręką na temblaku. Édith, która była zajęta wycieraniem kieliszków, czekała, aż mężczyzna wejdzie, ale on tylko stał w drzwiach i zaglądał do środka z trudnym do opisania wyrazem twarzy. Zaproponowała mu szklankę wody, a potem, gdy nadal nie wchodził, zapytała:

– Zawołać *madame* Montpellier?

– Tak, dziecko – odpowiedział mężczyzna, schylając głowę. Głos drżał mu lekko. – Bardzo cię proszę.

Opowiada o Hélène, schodzącej niepewnym krokiem do baru, o wyrazie niedowierzania malującym się na jej twarzy, o tym, jak upuściła miotłę, zakasała spódnice i rzuciła się ku mężczyźnie niczym pocisk, krzycząc tak głośno, że echo niosło się ulicami St Péronne, i nawet ci z mieszkańców, których serca stwardniały pod wpływem ich własnych nieszczęść, podnosili wzrok znad roboty i ocierali oczy.

Pamięta, jak siedziała na schodach pod ich sypialnią, słuchając stłumionych szlochów, gdy oboje płakali nad utraconym synem. Nie litując się nad sobą, wspomina, że pomimo swej tkliwości dla Jeana ona sama miała suche oczy. Po śmierci matki, mówi, nigdy więcej nie zapłakała.

Odnotowano, że przez wszystkie lata, kiedy Le Coq Rouge prowadziła rodzina Montpellier, hotel zamknął swoje podwoje tylko raz: w 1925 roku, na trzy tygodnie. Mieszkańcy miasteczka wspominają, że Hélène, Jean-Michel, Mimi i Édith nikomu nie powiedzieli, iż wyjeżdżają, tylko spuścili żaluzje, pozamykali drzwi i zniknęli, zostawiając tabliczkę z napisem „en vacances". Wywołało to niemałą konsternację w St Péronne oraz zaowocowało dwoma oburzonymi listami do lokalnej gazety i zwiększeniem obrotów Le Bar Blanc. Po powrocie właścicieli Hélène pytana o to, gdzie byli, odpowiadała, że wybrali się do Szwajcarii.

– Przekonaliśmy się, że tamtejsze powietrze ma doskonały wpływ na Hélène – mówił *monsieur* Montpellier.

– O, bez wątpienia – dodawała Hélène z uśmieszkiem. – Niezwykle... ożywczy.

*Madame* Louvier zanotowała w swoim pamiętniku, że porzucić dla kaprysu własny hotel i zniknąć bez pożegnania za granicą to jedno, ale po tym wszystkim wrócić stamtąd, i to z wielce zadowoloną miną, to już doprawdy za wiele!

Nigdy się nie dowiedziałam, co stało się z Sophie i Édouardem. Wiem, że do 1926 roku byli w Montreux, ale tylko Hélène utrzymywała z nimi regularny kontakt, a ona zmarła nagle w 1934 roku. Potem moje listy wracały z adnotacją „adresat nieznany".

Édith Béthune i Liv wymieniły cztery listy, ujawniając długo skrywane informacje i uzupełniając luki w historii. Liv zaczęła pisać książkę o Sophie po tym, jak dwa wydawnictwa zgłosiły się do niej z taką propozycją. Szczerze mówiąc, jest to dosyć przerażające przedsięwzięcie, ale Paul pyta, kto jest do tego lepiej przygotowany niż ona.

Pismo starszej kobiety jest niezwykle czytelne jak na kogoś w tak podeszłym wieku, kaligraficzne, lekko pochylone w prawo. Liv przysuwa się bliżej do lampki przy łóżku, żeby lepiej widzieć.

Napisałam do sąsiadki, która słyszała, że Édouard zachorował, ale nie miała nic na potwierdzenie tej informacji. Wiele lat tego typu korespondencji kazało mi domyślać się najgorszego; niektórzy pamiętali, że to on zachorował, inni, że to Sophie zaczęła mieć kłopoty ze zdrowiem. Ktoś powiedział, że po prostu zniknęli. Mimi wydawało się, że jej mama wspominała o tym, że przeprowadzili się w cieplejsze strony. Ja zdążyłam tymczasem tyle razy zmienić miejsce zamieszkania, że Sophie nie byłaby w stanie się ze mną skontaktować.

Wiem, co z punktu widzenia zdrowego rozsądku mogło stać się z dwójką słabych ludzi, których ciała doświadczyły głodu i więzienia. Ale zawsze wolałam wierzyć, że siedem–osiem lat po wojnie, wolni od odpowiedzialności za kogokolwiek innego, Sophie i Édouard poczuli się może wreszcie na tyle bezpiecznie, żeby wyruszyć dalej, i po prostu spakowali się i to zrobili. Wolę sobie wyobrażać, że gdzieś tam są, może w cieplejszym klimacie, tak samo szczęśliwi jak wtedy, gdy ich odwiedziliśmy, zadowoleni z własnego towarzystwa.

Wokół niej sypialnia jest jeszcze bardziej pusta niż zwykle, gotowa do przeprowadzki Liv w przyszłym tygodniu. Zatrzyma się w mieszkanku Paula. Być może kupi sobie coś własnego, ale wygląda na to, że na razie żadne z nich nie ma ochoty drążyć tego tematu.

Spogląda na śpiącego obok niej mężczyznę, wciąż zadziwiona tym, jaki jest przystojny, jego sylwetką, czystą radością płynącą z jego obecności. Myśli o czymś, co jej ojciec powiedział w święta. Przyszedł do niej do kuchni i zajął się wycieraniem naczyń, podczas gdy ona zmywała, a z salonu dobiegały odgłosy hałaśliwej wesołości towarzyszącej grom planszowym. Liv podniosła wzrok, uderzona nietypowym dla niego milczeniem.

– Wiesz, myślę sobie, że on chyba spodobałby się Davidowi.

Nie patrzył na nią, tylko dalej wycierał naczynia.

Liv ociera oczy, jak zwykle gdy to wspomina (ostatnio jest niezwykle skora do wzruszeń), i wraca do listu.

Jestem już stara, więc może się to nie wydarzyć za mojego życia, ale wierzę, że pewnego dnia odnajdzie się cała seria obrazów nieznanego pochodzenia, pięknych i dziwnych, o zaskakujących, intensywnych kolorach. Będą przedstawiały rudowłosą kobietę w cieniu palmy, a może patrzącą na żółte słońce, o twarzy nieco starszej, może z pasemkami siwizny we włosach, ale z szerokim uśmiechem i oczami pełnymi miłości.

Liv spogląda na portret naprzeciwko łóżka, a skąpana w blado-złotym świetle lampki młoda Sophie odwzajemnia jej spojrzenie. Kobieta czyta list po raz drugi, rozważając każde słowo, przy-glądając się odstępom pomiędzy nimi. Przypomina sobie wzrok Édith Béthune: spokojny i mądry. A potem czyta list raz jeszcze.

– Hej. – Zaspany Paul przysuwa się do niej. Wyciąga rękę i przytula Liv do siebie. Skórę ma ciepłą, oddech słodki. – Co robisz?

– Myślę.

– To brzmi niebezpiecznie.

Liv odkłada list i nurkuje pod kołdrę, aż widzi przed sobą twarz Paula.

– Paul.

– Liv.

Ona się uśmiecha. Uśmiecha się za każdym razem, kiedy na niego patrzy. A potem bierze oddech.

– Wiesz, jak świetnie ci wychodzi odnajdywanie różnych rze-czy, prawda?

# Podziękowania

Niniejsza powieść wiele zawdzięcza doskonałej książce Helen McPhail pod tytułem *The Long Silence: Civilian Life under the German Occupation of Northern France, 1914–1918* (Długie milczenie. Życie cywili w północnej Francji pod niemiecką okupacją w latach 1914–1918), poświęconej mało znanemu wycinkowi historii pierwszej wojny światowej.

Chciałabym także podziękować Jeremy'emu Scottowi, partnerowi w firmie Lipman Karas, za życzliwą i profesjonalną pomoc prawną w kwestii restytucji mienia i za cierpliwe udzielanie odpowiedzi na moje liczne pytania. Dla dobra fabuły byłam zmuszona nagiąć niektóre przepisy i procedury prawne, a wszystkie pozostałe błędy i odstępstwa od praktyki sądowej są, naturalnie, wyłącznie moją winą.

Dziękuję mojemu wydawcy, Penguinowi, a zwłaszcza Louise Moore, Mari Evans, Clare Bowron, Katyi Shipster, Elizabeth Smith, Celine Kelly, Viviane Basset, Raewyn Davies, Robowi Leylandowi i Hazel Orme. Specjalne podziękowania dla Guya Sandersa, którego pomoc faktograficzna wykraczała daleko poza jego obowiązki.

Dziękuję wszystkim w agencji Curtis Brown, przede wszystkim mojej agentce Sheili Crowley, ale również Jonny'emu Gellerowi, Katie McGowan, Tally Garner, Samowi Greenwoodowi, Svenowi Van Damme'owi, Alice Lutyens, Sophie Harris i Rebecce Ritchie.

Podziękowania kieruję też do (w przypadkowej kolejności): Steve'a Doherty'ego, Drew Hazell, Damiana Barra, Chrisa Luckleya, mojej pisarskiej „rodziny" z Writersblock i niezwykle wspierających użytkowników Twittera. Jest ich zbyt wielu, by ich wymienić z nazwiska.

Jak zawsze najbardziej dziękuję Jimowi Moyesowi oraz Lizzie i Brianowi Sandersom, mojej rodzinie, Saskii, Harry'emu i Lockiemu, a także Charlesowi Arthurowi, za korektę, pomysły na podrasowanie fabuły i za niestrudzone wysłuchiwanie żalów i wątpliwości pisarza. Teraz już wiesz, jak to jest…

Jojo Moyes

*Razem będzie lepiej*

tłum. Nina Dzierżawska

Na miejscu Jess każdy miałby dosyć. Pracy na dwa etaty, chodzenia przez cały rok w jednej parze dżinsów, kupowania najtańszych jogurtów w promocji w supermarkecie i wybaczania byłemu mężowi, że nie płaci alimentów.

Jess jednak nie należy do kobiet, które łatwo się poddają. Mogłaby nosić koszulkę z napisem „Damy sobie radę". Kiedy okazuje się, że jej córka ma szansę na zdobycie stypendium w wymarzonej szkole, gotowa jest ruszyć na drugi koniec kraju, zabierając z sobą:

1. jednego trudnego nastolatka,

2. jedną wybitnie uzdolnioną dziewczynkę z chorobą lokomocyjną,

3. jednego kudłatego psa o wielkim sercu

oraz...

4. przypadkowo spotkanego mężczyznę na życiowym zakręcie, który w krytycznym momencie wyciąga do nich pomocną dłoń.

Czy wspólna podróż pokaże im, że... razem będzie lepiej?

Jojo Moyes

*Kiedy odszedłeś*

tłum. Nina Dzierżawska

Gdy coś się kończy, coś nowego się zaczyna.

*Nie myśl o mnie za często…*
*Po prostu żyj dobrze.*
*Po prostu żyj.*

Will

Tyle że Lou nie ma pojęcia, jak to zrobić. I trudno jej się dziwić.

A jednak *Kiedy odszedłeś* to nie tylko historia o podnoszeniu się po utraconej miłości, lecz także inspirująca opowieść o nowych początkach. Pamiętając o obietnicy złożonej ukochanemu, Lou stara się znajdować nowe powody, dla których warto czekać na każdy kolejny dzień.

Miłośnicy pisarstwa Jojo Moyes odnajdą w tej książce to, co najbardziej cenią w jej twórczości: ujmujący humor, autentyzm i zapadających w serce bohaterów. A ci, którzy jeszcze nie znają tej autorki, mogą być pewni, że po lekturze *Kiedy odszedłeś* popędzą do księgarń, by jak najszybciej nadrobić zaległości.

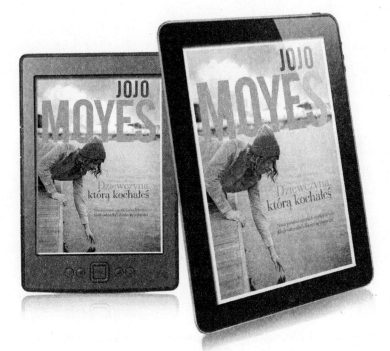

Podobała ci się książka JOJO

# MOYES?

## Podziel się swoją opinią z przyjaciółmi!

Napisz krótką rekomendację powieści i udostępnij ją na swoich kanałach społecznościowych.

Wyślij link z rekomendacją na adres moyes@miedzy.slowami.pl, a my prześlemy ci obszerne fragmenty innych książek Moyes oraz niespodziankę dla ciebie i dla twoich przyjaciół.

**Zapraszamy do grona przyjaciół Jojo Moyes w Polsce!**